公務員の退職手当法詳解

第7次改訂版

退職手当制度研究会［編著］

学陽書房

は し が き

　令和3年6月、国家公務員法等の一部を改正する法律（令和3年法律第61号）が成立し、令和5年4月1日から施行されました。この改正は、国家公務員の定年を段階的に65歳に引き上げるとともに、管理監督職勤務上限年齢制による降任及び転任の制度を導入することなどを内容とするもので、国家公務員の退職手当についても、定年引上げに伴う措置が設けられました。

　本書については、平成24年の退職手当法改正等を踏まえ、平成27年に第6次改訂版が発刊されたところですが、令和3年の国家公務員法等の一部を改正する法律による退職手当法改正を始めとするここ数年の退職手当法令及び関係法令の改正を受けて、この度、第7次改訂を行うことといたしました。

　国家公務員退職手当制度は、労使の団体交渉により勤務条件が定まる公務員を含む一般職公務員だけでなく、国務大臣、大使、国会職員、裁判官、自衛官等の特別職公務員にまで統一的に適用されます。即ち、行政執行法人の役員、国会議員及び国会議員の秘書等以外の国家公務員に適用される、非常に適用範囲の広い制度です。また、制度の性格上関係法令も多いため、その運用にあたっては、様々な質問・疑義照会が発せられますが、最近の改正部分も含めて、制度の適用には万全を期す必要があります。

　本書が、退職手当制度に関する良き参考書として広く活用されるとともに、国民の皆様方からの正しい認識と理解を得る一助となることとなれば、幸いに存じます。

　　令和5年5月

退職手当制度研究会

目　　次

第1編　総　　説

第1章　退職手当の性格 …………………………………………… 3

1　民間企業の退職金 ……………………………………………… 3
1　一般的見解 ………………………………………………… 3
2　労働基準法との関連 ……………………………………… 3
3　ま と め …………………………………………………… 4

2　国家公務員の退職手当 ………………………………………… 4
1　現行退職手当制度の仕組み・内容からみた性格について ………… 4
2　判例からみた性格について ……………………………… 5
3　退職手当請求権について ………………………………… 6
4　ま と め …………………………………………………… 7

第2章　退職手当の沿革 …………………………………………… 8

1　民間企業の退職金 ……………………………………………… 8
2　国家公務員の退職手当 ………………………………………… 9
1　終戦までの退職手当 ……………………………………… 9
2　終戦後の退職手当 ………………………………………… 10
3　国家公務員等退職手当暫定措置法の制定 ……………… 11
4　国家公務員等退職手当暫定措置法の改正 ……………… 12
5　昭和48年の退職手当法の改正等 ………………………… 13
6　昭和56年の退職手当法の改正等 ………………………… 14
7　昭和60年の退職手当法の改正等 ………………………… 15
8　平成3年の退職手当法の改正等 ………………………… 17
9　平成9年の退職手当法の改正等 ………………………… 17
10　平成15年の退職手当法の改正等 ………………………… 18
11　平成17年の退職手当法の改正等 ………………………… 19
12　平成20年の退職手当法の改正等 ………………………… 22

13　平成24年の退職手当法の改正等 …………………………………… 23
　　　14　平成26年の退職手当法の改正等 …………………………………… 24
　　　15　平成29年の退職手当法の改正等 …………………………………… 25
　第3章　退職手当の法制 ……………………………………………………… 26

第2編　逐条解説

　第1章　総則 …………………………………………………………………… 31
　　　1　趣旨（第1条）………………………………………………………… 31
　　　2　適用範囲（第2条）…………………………………………………… 32
　　　3　遺族の範囲及び順位（第2条の2）………………………………… 54
　　　4　退職手当の支払（第2条の3）……………………………………… 60
　第2章　一般の退職手当 ……………………………………………………… 68
　　　1　一般の退職手当（第2条の4）……………………………………… 68
　　　2　自己の都合による退職等の場合の退職手当の基本額
　　　　　（第3条）……………………………………………………………… 80
　　　3　11年以上25年未満勤続後の定年退職等の場合の退職手
　　　　　当の基本額（第4条）……………………………………………… 85
　　　4　25年以上勤続後の定年退職等の場合の退職手当の基本
　　　　　額（第5条）………………………………………………………… 95
　　　5　俸給月額の減額改定以外の理由により俸給月額が減額
　　　　　されたことがある場合の退職手当の基本額に係る特例
　　　　　（第5条の2）………………………………………………………… 98
　　　6　定年前早期退職者に対する退職手当の基本額に係る特
　　　　　例（第5条の3）…………………………………………………… 116
　　　7　退職手当の基本額の最高限度額（第6条・第6条の2
　　　　　・第6条の3）……………………………………………………… 125
　　　8　退職手当の調整額（第6条の4）………………………………… 129
　　　9　一般の退職手当の額に係る特例（第6条の5）………………… 163
　　　10　勤続期間の計算（第7条）………………………………………… 165

11 公庫等職員として在職した後引き続いて職員となった
   者の在職期間の計算（第7条の2）……………………………… 176
12 独立行政法人等役員として在職した後引き続いて職員
   となった者の在職期間の計算（第8条）………………………… 193
13 定年前に退職する意思を有する職員の募集等（第8条
   の2）……………………………………………………………… 202

第3章　特別の退職手当 …………………………………………… 221

1 予告を受けない退職者の退職手当（第9条）…………………… 221
2 失業者の退職手当（第10条）……………………………………… 223
   1 失業者の退職手当制度の概要 ………………………………… 223
   2 失業者の退職手当制度の内容 ………………………………… 226
   3 失業者の退職手当支給規則 …………………………………… 265

第4章　退職手当の支給制限等 …………………………………… 292

1 定義（第11条）…………………………………………………… 292
2 懲戒免職等処分を受けた場合等の退職手当の支給制限
   （第12条）………………………………………………………… 296
3 退職手当の支払の差止め（第13条）…………………………… 301
4 退職後禁錮以上の刑に処せられた場合等の退職手当の
   支給制限（第14条）……………………………………………… 311
5 退職をした者の退職手当の返納（第15条）…………………… 319
6 遺族の退職手当の返納（第16条）……………………………… 324
7 退職手当受給者の相続人からの退職手当相当額の納付
   （第17条）………………………………………………………… 329
8 退職手当審査会（第18条）……………………………………… 340
9 退職手当審査会等への諮問（第19条）………………………… 342

第5章　雑　則 ……………………………………………………… 345

1 職員が退職した後に引き続き職員となった場合等にお
   ける退職手当の不支給（第20条）……………………………… 345
2 実施規定（第21条）……………………………………………… 347

第6章 附　則 …………………………………………… 348

1　法の施行日及び適用日（第1項）………………………… 348
2　指定機関等から復帰した職員に対する退職手当の特例
　（第2項～第5項）…………………………………………… 348
3　長期勤続者の退職手当の調整（第6項～第8項）………… 351
4　俸給月額の減額改定に伴い差額が俸給として支給される場合
　の退職手当法上の取扱い（第9項）……………………… 353
5　個別延長給付に係る時限措置（第10項）………………… 355
6　特別職幹部職員等の調整額（第11項）…………………… 356
7　定年引上げに伴う当分の間の措置（第12項～第16項）…… 357

第7章 改正法律の附則等 …………………………………… 368

1　昭和30年代の改正法律の附則 …………………………… 368
2　昭和40年法律第68号附則及び法律第69号附則（抄）…… 368
3　昭和42年法律第37号附則（抄）…………………………… 369
4　昭和42年法律第141号附則（抄）………………………… 369
5　昭和44年法律第83号附則（抄）…………………………… 370
6　昭和45年法律第125号附則（抄）………………………… 370
7　昭和46年法律第130号（抄）……………………………… 371
8　昭和48年法律第30号附則 ………………………………… 373
9　昭和49年法律第117号附則 ……………………………… 392
10　昭和56年法律第91号附則 ………………………………… 392
11　昭和56年法律第101号附則 ……………………………… 395
12　昭和58年法律第82号附則（抄）…………………………… 396
13　昭和59年法律第54号附則（抄）…………………………… 396
14　昭和59年法律第69号附則（抄）…………………………… 398
15　昭和59年法律第71号附則（抄）…………………………… 400
16　昭和59年法律第85号附則（抄）…………………………… 402
17　昭和59年法律第87号附則（抄）…………………………… 403
18　昭和60年法律第4号附則（抄）…………………………… 404
19　昭和60年法律第97号附則（抄）…………………………… 408
20　昭和61年法律第87号（抄）……………………………… 408
21　昭和61年法律第93号（抄）……………………………… 410

22	昭和63年法律第91号附則（抄）	414
23	平成 3 年法律第51号附則	415
24	平成 4 年法律第28号附則（抄）	416
25	平成 6 年法律第33号附則（抄）	417
26	平成 6 年法律第57号附則（抄）	417
27	平成 8 年法律第82号附則（抄）	418
28	平成 8 年法律第112号附則（抄）	418
29	平成 9 年法律第66号附則（抄）	418
30	平成 9 年法律第98号附則（抄）	419
31	平成11年法律第83号附則（抄）	420
32	平成11年法律第104号附則（抄）	421
33	平成11年法律第160号附則（抄）	421
34	平成12年法律第59号附則（抄）	422
35	平成14年法律第98号附則（抄）	422
36	平成15年法律第31号附則（抄）	423
37	平成15年法律第62号附則（抄）	424
38	平成15年法律第119号附則（抄）	426
39	平成16年法律第146号附則（抄）	427
40	平成17年法律第97号（抄）	430
41	平成17年法律第102号附則（抄）	432
42	平成17年法律第113号附則（抄）	434
43	平成17年法律第115号附則（抄）	435
44	平成18年法律第12号附則（抄）	464
45	平成18年法律第101号附則（抄）	465
46	平成19年法律第30号附則（抄）	466
47	平成19年法律第58号（抄）	468
48	平成19年法律第109号附則（抄）	469
49	平成20年法律第95号附則（抄）	470
50	平成22年法律第15号附則（抄）	472
51	平成24年法律第42号附則（抄）	473
52	平成24年法律第96号附則（抄）	474
53	平成26年法律第22号附則（抄）	477
54	平成26年法律第67号附則（抄）	477

55	平成26年法律第107号附則（抄）	479
56	平成28年法律第17号附則（抄）	481
57	平成29年法律第14号附則（抄）	483
58	平成29年法律第79号附則（抄）	485
59	令和元年法律第37号附則（抄）	486
60	令和3年法律第61号附則（抄）	487
61	令和3年法律第62号附則（抄）	488
62	令和4年法律第12号附則（抄）	489
63	令和4年法律第68号附則（抄）	491

第3編　特別法令の解説

第1章　国際機関等に派遣される一般職の国家公務員の処遇等に関する法律 497
　1　国際機関等への派遣制度 497
　2　退職手当に関する特例 497

第2章　国際機関等に派遣される防衛省の職員の処遇等に関する法律 499

第3章　国と民間企業との間の人事交流に関する法律 500

第4章　法科大学院への裁判官及び検察官その他の一般職の国家公務員の派遣に関する法律 502

第5章　判事補及び検事の弁護士職務経験に関する法律 504

第6章　令和3年東京オリンピック競技大会・東京パラリンピック競技大会特別措置法 506

第7章　平成31年ラグビーワールドカップ大会特別措置法 508

第8章　福島復興再生特別措置法 510

第9章 令和7年に開催される国際博覧会の準備及び運営のために必要な特別措置に関する法律 ……… 513

第10章 令和9年に開催される国際園芸博覧会の準備及び運営のために必要な特別措置に関する法律 ……… 514

第11章 科学技術・イノベーション創出の活性化に関する法律 ……………………………………………………… 516

第12章 教育公務員特例法 ……………………………………… 519

第13章 国家公務員の育児休業等に関する法律 ………………… 522
1 国家公務員の育児休業制度 ……………………………… 522
2 育児休業期間の退職手当制度上の取扱い ……………… 522
3 国家公務員の育児短時間勤務制度 ……………………… 524
4 育児短時間勤務をした期間の退職手当制度上の取扱い ……… 524

第14章 国家公務員の自己啓発等休業に関する法律 …………… 526
1 国家公務員の自己啓発等休業制度 ……………………… 526
2 自己啓発等休業期間の退職手当制度上の取扱い ……… 526

第15章 国家公務員の配偶者同行休業に関する法律 …………… 529
1 国家公務員の配偶者同行休業制度 ……………………… 529
2 配偶者同行休業期間の退職手当制度上の取扱い ……… 529

第16章 災害対策基本法施行令 ………………………………… 532

第17章 大規模災害からの復興に関する法律施行令 …………… 534

第18章 防衛省の職員の給与等に関する法律 …………………… 536
1 任期制自衛官の退職手当 ………………………………… 536
2 自衛官の定年等に伴う退職手当 ………………………… 539
3 予備自衛官、即応予備自衛官及び予備自衛官補に対する退職手当 ………………………………………………………… 541

第19章 最高裁判所裁判官退職手当特例法 ……………………… 544
 1 支給率の特例 …………………………………………………… 544
 2 在職期間の計算 ………………………………………………… 545

第20章 沖縄の復帰に伴う国家公務員退職手当法の適用の
   特別措置等に関する政令 ………………………………… 548

第21章 競争の導入による公共サービスの改革に関する法
   律 …………………………………………………………… 550

第22章 国家戦略特別区域法 …………………………………… 557

第4編　関 係 事 項

第1章 退職手当と端数計算 …………………………………… 563

第2章 退職手当と時効 ………………………………………… 564

第3章 退職手当と会計法上の取扱い ………………………… 565

第4章 退職手当と差押え等 …………………………………… 567

付　　録

第1 国家公務員退職手当支給率早見表 ……………………… 573
第2 国家公務員退職手当制度の変遷 ………………………… 574
第3 公庫等への出向歴を有する者の退職手当の計算方式の変遷 ……… 585
第4 定年制度施行関連退職手当の取扱い …………………… 587
第5 支給制限・返納等の対象者の類型図 …………………… 588
第6 退職手当の支払と返納・納付の流れ …………………… 589

凡　　例

内容現在

本書の内容は、令和5年4月1日現在のものである。

法令略称

説明中、以下のとおり略称により記載している部分がある。

　法……………国家公務員退職手当法（昭和28年法律第182号）
　施行令………国家公務員退職手当法施行令（昭和28年政令第215号）
　様式令………国家公務員退職手当法の規定による早期退職希望者の募集及び認定の制度に係る書面の様式等を定める内閣官房令（平成25年総務省令第58号）
　運用方針……国家公務員退職手当法の運用方針（昭和60年総人第261号）

第1編　総　　説

第1章　退職手当の性格

1　民間企業の退職金

1　一般的見解

　国家公務員の退職手当の性格を論ずる前に、まず民間企業における退職金の性格論について触れる。

　民間企業における退職金の性格については諸説があるが、一般的な見解として大別すれば、勤続報償説、賃金後払説、生活保障説の3つがある。

　勤続報償説は、退職金をもって長期勤続又は在職中の功績・功労に対する報償であるとする考え方、賃金後払説は、労働者が在職中に受け取るべきであった賃金部分を退職に際して受け取るものであるとする考え方、生活保障説は、退職後における生活を保障するために支払われる給付であるとする考え方であるが、これら3説もそれぞれがさらに種々のニュアンスをもって主張されている。

　また、これら3説と併行して、別の観点から、退職金は、使用者の恩恵的給付であるとする考え方と、労働者が権利として要求し得る給与であるとする考え方とがある。勤続報償説と恩恵説とは使用者側の考え方であり、賃金後払説と権利説とは労働者側の考え方である。生活保障説は、これらとは若干趣を異にしており、特に、高齢化社会の到来等という背景の下に有力に主張されてきたものである。

2　労働基準法との関連

　労働基準法第11条は、「この法律で賃金とは、賃金、給料、手当、賞与その他名称の如何を問わず、労働の対償として使用者が労働者に支払うすべてのものをいう。」と規定しており、民間企業における退職金については、次のとおり、支給基準等が定められ、使用者に支払義務のあるものは、同法の「賃金」に該当するとして、支払面等において労働者の保護が図られている。なお、労働基準法第89条第3号の2により、「退職手当の定めをする場合においては、適用される労働者の範囲、退職手当の決定、計算及び支払の方法並びに退職手当の支払の時期に関する事項」を就業規則に記載しなければならないこととされている。

(1) 退職金、結婚祝金、災害見舞金等の恩恵的給付は、原則として労働基準法第11条に規定する「賃金」とみなさない。ただし、これらの給付であっても、労働協約、就業規則等によってあらかじめ支給条件の明確なものは「賃金」である（昭和22・9・13基発第17号）。
(2) 労働基準法上、就業規則によって定められた退職金は、労働条件のひとつであって、臨時的事由に基づいて支払われる賃金と解釈し、単なる贈与とはみなさない（昭和26・12・27基発第841号）。

3　まとめ

　民間企業における退職金は、その制度、考え方等は様々のものがあり、その性格についても必ずしも定説があるわけではない。退職金は、最終的には、企業の支払能力等によって定まるが、その配分方法にはそれぞれの考え方が混在しているわけである。
　例えば、勤続年数に比例する支給額の決定、功労加算金の支給等は明らかに勤続・功績報償の考え方に基づいている。さらに、退職金の多くは、企業の一方的負担によって支払われ、労働者側の分担拠出を必要とする事例は少ない。ここに、企業の労務管理の要請が加わって退職金の功績報償的性格を強くしている一因があるとされている。他方、退職金の最低保障額等は、生活保障の考え方によるものと思われる。また、確定拠出年金や賃金に上乗せして退職金相当額を支払う「退職金前払い」との選択制などの多様な形態が登場するようになり、その性格は複雑化しつつある。
　いずれにせよ、今日の退職金はその多くが就業規則や労働協約によって定められ、これらに基づいて労働者が権利として要求し得る給付であるということは一般的に認められているところである。

2　国家公務員の退職手当

　国家公務員の退職手当は、その性格について、一般的には民間企業における退職金の場合と同じような考え方がとられている。
　ここでは、退職手当の性格に関連する事項について、角度を変えて検討してみたい。

1　現行退職手当制度の仕組み・内容からみた性格について

　国家公務員の退職手当の性格について、現行制度の仕組み・内容からみる

と、勤続報償、生活保障、賃金後払いの要素がいずれも含まれており、ひとつの要素だけですべてを説明することは難しいが、勤続・功績報償的考え方が基本にあるものと理解される。このような基本的考え方は、平成17年改正により在職期間中の貢献度をより的確に反映する制度とされた後も維持されているところである。

(1) 退職手当額は退職時の俸給月額を基礎に計算され、また、退職手当支給率は、勤続期間1年当たり支給割合が均一ではなく、勤続期間が長くなるに伴って増加する一方、短期勤続の自己都合退職については低く抑えられている。さらに死亡・傷病については、功績・功労の高さを評価の基準として公務に起因するものか否かにより退職手当額に差異を設けているが、これは、公務に対する貢献度合いを加味した勤続・功績報償的考え方が基調にあるものと認められる。なお、平成17年改正により設けた調整額についても、短期勤続の自己都合退職者は零とされ、中期勤続の自己都合退職者は半額とされる。

(2) 職員が懲戒免職、失職等により退職する場合には、一般の退職手当等の全部又は一部を支給しないことができることとしているが、これは、勤務の提供があるにもかかわらず、その対価を支給しないこととなっていることから賃金後払いの考え方を前提としていない。また、懲戒免職等により退職した職員の退職後の生活を保障しているとは言えないことから生活保障の考え方で説明することも難しい。もっとも、勤続・功績報償的考え方に基づいても、論理必然的に、懲戒免職等の場合に一般の退職手当等の全部又は一部を支給しないこととなるとは限らず、そこに懲戒免職等の事由の発生を重視する判断が加わっているといえよう。

(3) 退職手当は、職員の分担拠出を必要とせず、国の一方的負担において支給されるものであるが、これは人事管理上の要請等とも密接な関連を有しているものと思われる。

(4) 退職手当は、職員が継続勤務することを前提とした給付である。このことは、「労働の対償」という側面からは賃金後払いの考え方の論拠となるが、同時に、継続勤務こそが報償の対象であるという意味では、勤続報償の考え方からも十分説明が可能である。

2 判例からみた性格について

国家公務員の退職手当の性格について判例をみると、旧日本電信電話公社職員の退職手当請求権の譲渡の可否について争われた事件に関し、「退職手当は、

〔略〕職員が退職した場合に、その勤続を報償する趣旨で支給されるものであつて、必ずしもその経済的性格が給与の後払の趣旨のみを有するものではないと解されるが、退職者に対してこれを支給するかどうか、また、その支給額その他の支給条件はすべて法定されていて国または公社に裁量の余地がなく、退職した国家公務員等に同法（退職手当法）第8条（現行の第12条）に定める欠格事由のないかぎり、法定の基準に従つて一律に支給しなければならない性質のものであるから、その法律上の性質は労働基準法第11条にいう「労働の対償」としての賃金に該当し、したがつて、退職者に対する支払については、その性格の許すかぎり、同法第24条第1項本文の規定が適用ないし準用されるものと解するのが相当である。」旨判示している（小倉電話局事件〔最高裁昭和43年3月12日第3小法廷判決〕）。

(注) 判決において退職手当の法律上の性質を賃金とした趣旨は、公社の職員も適用対象となっていた当時の退職手当法において、退職手当の直接払い等の規定がないことから「賃金の直接払い等の原則」を国家公務員等の退職手当の支払いについても適用させるためであり、退職手当の勤続報償という趣旨にも同時に言及するなど、必ずしもその性格を全面的に賃金であるとしたものではない。
なお、現行の退職手当法においては、退職手当の直接払い等の規定が整備されていることから（第2条の3第1項）、現在では、退職手当の性格に関する議論は、解釈論上はそれほど大きな実益を有するものではないと思われる。

3　退職手当請求権について

国家公務員の退職手当は、職員が退職した場合、一定の支給制限事由に該当しない限り一律に支給されるものであり、国が支払義務を負う金銭債務であるとともに、退職者が権利として請求し得る給付でもある。また、退職手当請求権は、金銭的又は財産的価値を有する権利であり、「財産権」に該当する。

(注1)　昭和43年8月31日に内閣法制局から、要約すれば次のような見解が示されている。
「退職手当は、職員が退職した場合に支給される一時金であって、職員が在職中に現実に履行し得る金銭債権としての退職手当請求権を取得することはあり得ない。
しかしながら、退職手当条例（法）上、退職手当の額、支給条件等を明確に定めていて、支給権者に裁量の余地がないことから、在職中においても退職した場合には退職手当を受けることができる地位にある。
この地位は、支給制限事由に該当することなく退職するであろうことがかなりの程度に確実視される場合には、単に将来の退職手当を期待し得るという事実上の地

位にとどまらず、法律上保護されるべき地位にある。

　これは、欠格事由に該当することなく退職することを条件とする停止条件付権利であり、このような停止条件付退職手当請求権は「財産権」に該当すると解される。」
（注2）　一方、退職手当請求権を停止条件付債権とする考え方に対しては、不確定期限付債権とする考え方もある。これは、退職手当請求権は、労働の提供という事実関係が継続している限り、退職手当債権は顕在化していないが、年ごとに支分権的なものが発生しており、これが退職という事実によって期限が到来するというものであり、賃金後払説に含まれる考え方である。

4　まとめ

　以上の考察を総合的に勘案すれば、国家公務員の退職手当の性格は、勤続報償的、生活保障的、賃金後払い的な性格をそれぞれ有し、これらの要素が不可分的に混合しているものであるが、基本的には、職員が長期間継続勤務して退職する場合の勤続報償としての要素が強いものと理解してよいであろう。この勤続報償説は、退職手当制度創設以来、政府が一貫してとってきた考え方である。

第2章　退職手当の沿革

1　民間企業の退職金

　民間企業の退職金の原型は、江戸時代の商家の「のれん分け」にあると言われている。近代的な退職金制度についても、その沿革は、既に明治年代にさかのぼるが、大正時代に入り一般的にその普及を見るに至った。当初は、主として企業の労務管理の必要に基づくものであったが、第一次大戦後において失業問題が重大化するに伴って、工場法による解雇手当と並んで失業保険金的役割をも担うこととなり、その著しい普及を見るようになった。ただ、その時期までの退職金は、企業の全額負担による恩恵的給付であり、企業の各事業年度の利益金のうちから一定率の退職金引当金を積み立て、退職者に対してその積立金のうちから所定の退職金を支給する仕組みであった。昭和11年に制定施行された「退職積立金及退職手当法」は、被傭者50人以上の事業所に適用され、従来の私的退職金制度に法的根拠を与えたが、その際、従来の企業の全額負担制から労使それぞれ賃金の100分の2を負担して積み立てる共同拠出制が採用されることとなり、退職金は従来の恩恵的給付から一歩前進を見るに至った。しかし、昭和16年に至り、戦争遂行の要請に基づき、今日の厚生年金保険法が制定施行されるに及んで、退職積立金及退職手当法はそのうちに吸収されて終戦を迎えた。終戦後の激しいインフレーションによって厚生年金保険制度の機能がほとんど喪失するとともに、企業からの退職一時金の支給が再び問題としてとり上げられた。

　その後、日本経済の復興とともに退職一時金の著しい普及増額が行われ、さらに、年金制の退職金を制度として導入する企業も増加した。昭和37年の法人税法及び所得税法の改正によるいわゆる税制上の適格年金制度の発足及び昭和40年の厚生年金保険法の改正による厚生年金基金制度の発足は、民間企業における退職一時金の退職年金化の趨勢に沿った措置であるとみることができる。

　昭和40年代から50年代にかけては、石油ショック等によるインフレの下で企業側の退職金負担を軽減するため、賃金のベースアップが退職金に及ばないように算定基礎を賃金から切り離す、いわゆる第二基本給や別テーブル方式の導入が進んだ。

　平成年代に入り、いわゆるバブル経済の崩壊後、大企業を中心として、給与への年功の反映を抑え、在職期間を通じて成果や職務（役割）の反映をより重

視する動きが進んだこと、このため退職時が給与のピークとはならない者が出てくることとなったこと等から、最終基本給に連動する退職金の算定方式が不都合となり、勤続に中立的な（又は勤続要素を従来方式より抑えた）ポイント制への移行が進みはじめた。

さらに、平成12年度以降、新会計基準導入により退職給付債務の圧縮が重要課題となり、また、成果給・職務給の導入が進んで年ごとに給与の額が変動することとなったことから、算定方式の改革や支払い準備形態の改革（企業年金改革）を含む退職金制度の全般的な改革が進められた。この結果、大企業ではポイント制への移行が急速に進み、また、一部の企業では確定拠出型年金や賃金に上乗せして退職金相当額を支払う「退職金前払い」を選択できる仕組みが導入されはじめ、民間企業の退職金制度は、企業ごとに多様化する方向にある。なお、離職時の生活保障的な給付としては、終戦後、労働基準法等による解雇手当が確立され、さらに、失業保険法（昭和50年以降は、雇用保険法）による失業給付が別途制度化されている。

2　国家公務員の退職手当

1　終戦までの退職手当

政府職員のうち、官吏については、明治初年から恩給制度があったため退職手当制度はなかった。雇傭人については、恩給制度がなかったため、特に現業官庁の雇傭人については比較的早くから退職手当制度があったが、その内容は極めて貧弱なものであった。これは明治時代から大正初期までは、政府職員の待遇が相対的によかったので、この種のことについては、大して問題とするに足りなかったためである。しかし、第一次大戦を転機とする政府職員の待遇低下に伴って、経常的な給与について各種の手当が考慮されるとともに、退職時の給付についても種々の問題が発生するに至った。既に大正7年11月30日閣議決定「高等官賞与支給方に関する件」により退職賞与の支給が行われているのであるが、その後、軍縮による陸海軍の大量の人員整理、一般官庁における行政整理に伴う人員整理等の問題が発生するに伴って、ようやく退職手当の問題が大きな問題としてとり上げられるに至った。これらの整理に当たっては、単独勅令を制定し、あるいは特別の退職手当を支給する等の途を開いたのであるが、これがひとつの契機となって、官吏及び非現業雇傭人については、賞与の形式により経常的に退職手当を支給する慣習がつくられ、現業職員について

は、従来の退職手当制度を整備するとともに、その内容が拡充強化された。特に国有鉄道職員については、鉄道のみの内規によって、当時においては全く例のない退職手当制度が確立された。昭和6年5月6日閣議決定「鉄道職員退職特別賜金及退職特別手当給与内規」、昭和18年11月16日閣議決定「高等官賞与に関する件」等は、この時期の産物であるが、さらに一方、共済組合制度の拡充により、第一次大戦後における新賃金ベースを基準とした退職年金及び退職一時金制度が続々と創設されるに至ったのである。しかしながら、当時は、各省庁限りで措置されていたため、制度の内容、運用等は、各種各様であった。その後、昭和11年に「退職積立金及退職手当法」が制定されたが、政府職員については、恩給、共済組合、退職手当、退職賞与等の形により同法の要望を満たす程度の給付が行われていたため、全面的に同法の適用が除外された。もっとも、例外ではあるが、一部官庁において、上記法律の要望を満たし得ないものもあったので、新たに退職手当制度をつくったところもあった。

2　終戦後の退職手当

　終戦後のインフレと財政難とは、政府職員の退職時の給付に大きな影響を与えた。特に、恩給や共済組合の退職給付は、昭和23年9月に至るまで、終戦時における俸給ベースで据え置かれたのである。そこで、暫定的な措置として、前述の退職賞与制度及び各省庁区々であった退職手当制度を全廃し、昭和22年3月29日閣議決定「退官・退職手当支給要綱」及びこれに基づく「退官・退職手当支給準則」（昭和22年3月29日大蔵省給与局長通牒給発第475号）により、新しい退官・退職手当制度が、昭和21年7月1日官庁職員給与制度改正の日に遡及して実施されることとなった。この新退職手当制度は、当時国有鉄道で行われていた退職手当制度にその範をとり、これを全政府職員に及ぼしたものであるが、官吏、雇傭人という身分的区別を前提とする単なる行政措置にすぎなかったため、その後、新憲法が施行され、さらに国家公務員法が制定されるに伴って、官吏、雇傭人の区別を撤廃した法律制度に置き換えられる必要に迫られた。のみならず、政府職員の退職時の給付としては、この退職手当のほか、官吏については恩給や官吏俸給令に基づく死亡賜金があり、雇傭人については共済組合の退職給付があり、また両者を通じて労働基準法、船員法等に由来する解雇手当や公務災害補償があり、さらに失業保険法に由来する失業者の退職手当があり、といった状況であった。しかもこれらの制度は、退職手当を含めて、それぞれ独自の沿革に基づいて発達してきたため全く相互の関連性を欠いていた。こうして、退職給付制度全般の統一ということがようやく問題化する

に至った。

　たまたま昭和24年度に入り、全国家予算を通じていわゆる超均衡の方針がとられ、大規模な行政整理も行われることとなったのであるが、この行政整理に際し、退職手当の支出を既定予算の範囲内に止めるため、従前の退職手当制度について、相当の修正が加えられるに至った。すなわち、行政整理による退職者に対しては、「行政機関職員定員法施行に伴い退職する職員に対して支給される退職手当に関する政令」（昭和24年政令第263号）が行政機関職員定員法に基づく政令として、また、その他の退職者に対しては「昭和24年度総合均衡予算の実施に伴う退職手当の臨時措置に関する政令」（昭和24年政令第264号）がポツダム政令として公布され、全面的に新しい退職手当制度が施行されることとなった。新制度は、総合均衡予算の建前から、国家公務員のみならず国の予算に関係ある政府関係機関の職員全部に適用されたものであるが、内容的にも、従前の制度とは相当趣を異にしていた。支給額が従前より下回ったことはその成立の経緯からみてやむを得なかったが、その切下げの手段として、前述した退職給付制度の統一という思想の一端をうかがわせるものとして、退職手当の基準額から恩給又は共済組合の退職給付の支給額の一部に相当する額を控除するという複雑な方法をとり、また、前述の解雇予告手当や失業保険金相当額は新退職手当のうちに内容的に包摂するという措置がとられた。ただ、従前の制度の下では比較的不利であった10年以下の短期勤続者が新制度の下で有利に取り扱われるに至った点は注目すべき変化であった。

3　国家公務員等退職手当暫定措置法の制定

　前述の2政令は、昭和24年度限りの効力しかなかったため、昭和25年度以降については、法律で退職手当制度を規定する必要が生じたのであるが、前述した退職給付制度の総合統一という課題も先に控えているため、新法律は、内容的には前記両政令の内容をそのままとり入れた。ただし、その効力は総合的な退職給付制度ができるまで1年度毎にその効力を更新するといういわゆる限時法の形をとることとされた。こうして制定されたのが、「国家公務員等に対する退職手当の臨時措置に関する法律」（昭和25年法律第142号）である。同法は、その後総合的退職給付制度が容易に実現されないままに、昭和26年度、昭和27年度と毎年度その効力が更新され、その間、整理退職者に対する退職手当の基準が引き上げられたほか、昭和27年度における整理退職者については、「昭和27年度における行政機構の改革等に伴う国家公務員等に対する退職手当の臨時措置に関する法律の特例に関する法律」（昭和27年法律第285号）が施行された。

昭和28年度においても、引き続き上記臨時措置法の効力を1年間延長するための改正法案が国会に提出されたが、国会の解散、暫定予算の提出という事態が発生したため、差し当たり、昭和28年度第2次暫定予算の期限である昭和28年7月31日までその効力を延長する措置を講じた上、同年8月1日以降については別途効力延長の法案が第16回国会に提出された。この改正法案においては、臨時措置法の効力延長を行うほか、限時法の性格を改めて当分の間の暫定法とすること、整理退職者に対する退職手当以外の退職手当の支給額の引上げ、退職手当からの恩給や共済年金支給額の控除の廃止、長期勤続者の優遇等の重要改正点を含んでいたのであるが、国会の審議がはかどらず、臨時措置法の効力の期限である7月31日までに改正法案の成立を見るに至らなかった。したがって、8月1日以降においては、一時、退職手当に関する法律が全くなくなったのであるが、別途、改正法案と同一内容の「国家公務員等退職手当暫定措置法案」が提出され、同法案は8月6日に国会で可決され、8月1日にさかのぼり昭和28年法律第182号として施行された。

4　国家公務員等退職手当暫定措置法の改正

　国家公務員等退職手当暫定措置法は、その後、長期勤続者に対する支給率の引上げ等の改正措置が加えられ、昭和33年度を迎えた。

　昭和33年の第28回通常国会では、五現業職員及び非現業雇傭人を対象として、恩給と旧共済組合の長期給付とを新共済組合の長期給付一本に統合する国家公務員共済組合法案が政府提案され、可決、成立を見る運びとなったが、その際、新長期給付制度の適用を受ける者に対する退職手当の改善を内容とする、国家公務員等退職手当暫定措置法の改正法案も同時に提案され、その成立を見ることとなった。これは、従来公務員に対する国の給付として、退職手当と重複する性格をもっていた恩給が、社会保険的な性格をもつ共済組合の新長期給付制度に切り替えられたことに伴い、退職手当の内容を民間退職金並みに改善することをねらいとするものであった。すなわち、年金は共済組合の保険年金、退職手当は国の一方的給付である退職手当というように、公務員の退職給付制度全体を総合的に再編成するための改正が行われたわけである。ただ、その際、新長期給付制度及び新退職手当制度は、差し当たり、五現業職員及び非現業雇傭人に限り適用されるに止まったので、「暫定措置法」の名称はそのまま踏襲された。

　五現業職員等の新年金制度及び新退職手当制度は、昭和34年1月1日以降実施されるところとなったが、昭和34年春の第31回通常国会では、残された非現

業公務員にも五現業職員等に対すると同様の新長期給付及び退職手当制度を適用するため、国家公務員共済組合法及び国家公務員等退職手当暫定措置法の改正法案が政府提案され、ともにその可決、成立を見ることとなり、昭和34年10月1日以降、非現業公務員にも、新年金制度及び新退職手当制度が実施されることとなった。このように、国家公務員全員について退職給付制度の整備が行われるに至ったのを契機として、退職手当については、従来の暫定措置法の性格を改め、「国家公務員等退職手当法」として恒久法の形をとることとなった。その際、ほぼ現行制度の基本的な仕組みが形づくられたものである。

なお、この法律の適用対象である三公社職員については、昭和31年7月1日以降、公共企業体職員等共済組合法による長期給付制度に年金制度が統一されていたので、上記の国家公務員等退職手当法の改正を機会に、五現業職員等と同様、昭和34年1月1日以降、その退職手当制度の改善を行うこととされた。

5　昭和48年の退職手当法の改正等

(1)　昭和34年以降、退職手当制度については、散発的な技術的改正が幾度か行われたが、退職手当制度の基本に関する改正として、まず昭和48年の改正を挙げる。

昭和30年代に始まった高度経済成長に伴い、国の退職手当と民間の退職金の水準の関係が論議の対象にのぼり、いかにして両者のバランスをとるかが問題の焦点となった。そこで、総理府の依頼により人事院が昭和46年時点における民間企業の退職金の実態を調査し、これに基づき総理府において官民の退職手当の給付水準の検討が行われた。

その結果、民間では、退職金算定の際、個々の職員に一律の計算方式で金額を算定せず、退職者の役職、在職年数及び会社に対する功績度等の相違により、種々の退職加算金を支給していることが明らかとなった。すなわち、役付加算、定年加算、功績加算等の理由により所定の退職金に諸々の加算金を上積みしていることが判明した。もちろんこうした加算制度は全企業一律のものではなく、企業ごとに算定方式や算定額が異なり、また、こうした加算金制度を全然採用していない企業もあり、これを総合して官民比較を行うことは、なかなか容易ではなかったが、一応企業側の全体的な水準が加算金制度の導入により2割程度従来の退職金水準を上回っていることが判明した。

この対比結果に基づいて、長期勤続後勧奨等により退職した国家公務員等の退職手当について、暫定措置として、退職手当額に100分の120を乗ずる調

整率を設定することにより、2割引き上げる措置がとられた（昭和48年法律第30号附則第5項から第7項まで参照）。

　第2に、国家公務員が、任命権者の要請に応じ、公庫、公団等へ出向し、出向後再び職員として復帰した後退職する場合に、その者の最終退職時の退職手当を算定するときには、出向の際既に退職手当の支給を受けて出向したものであることから、従来、いわゆる率控除方式によって最終退職手当を調整するという方式をとってきていたが、この方式では、継続して官庁に勤務した職員が退職する場合に比し、最終退職時の退職手当額にかなりの差が生ずること、また、こうした退職出向は、必ずしも本人の意思や希望によらずに任命権者側の公務上の要請に基づくものでもあり、このアンバランスを縮小するよう調整する必要があった。

　したがって、職員が公庫等へ出向した場合の出向期間の取扱いについては、これを職員としての勤続期間に通算することとし、経過措置として、出向時に支給された退職手当については、年5.5％の金利で複利計算により最終退職時に退職手当額から差し引くという、いわゆる額控除方式をとることとされた（法第7条の2等参照）。

　第3には、公務外死亡の取扱いに関する改正である。従来、国家公務員の公務外死亡については、原則として普通退職並みの取扱いとなっていたのであるが、民間企業の実情を調査してみると、業務外の死亡は、定年退職と同じ支給率を適用している企業が多いという結果が得られた。当時、国の場合、一部の職種の者以外は定年制がなく、これに相当する機能を果たすため、勧奨退職が広く行われていたが、昭和48年の改正では、民間企業における業務外の死亡の取扱いに準じて国家公務員の公務外死亡についても、勧奨退職と同様の支給率を適用することに改められた。

(2)　なお、昭和49年には、従来の失業保険法が改正され、新たに雇用保険法が制定されたことに伴い、退職手当についても所要の規定整備が行われた（法第10条参照）。

6　昭和56年の退職手当法の改正等

(1)　昭和48年に国の退職手当と民間の退職金の給付水準を対比して官民の均衡を図るための法改正が行われたが、その後、総理府の依頼により人事院が昭和52年度における民間企業の退職金の実態調査を実施した。この調査結果に基づき総理府において官民比較を行ったところ、公務員の退職手当が民間の退職金より1割程度上回っていることが判明したので、官民均衡を図るため

の所要の是正措置がとられることとなった。すなわち、昭和48年の法改正により100分の120とされた調整率を100分の110に引き下げようとするものであり、いわゆる激変緩和を図る観点から、調整率100分の120について、昭和55年度は据え置き、昭和56年度から100分の115、昭和57年度から所定の100分の110とする経過措置を講じようとするものであった。

また、当時、一般の公務員についても定年制度を導入することが検討されており、さらに、民間企業においては、労働者の高年齢化・長期勤続化や定年延長等の事態に対応して退職金制度についても改定する等の動きが認められたので、昭和60年度までに国家公務員等の退職手当制度全般について総合的な見直しを行うこととし、「職員が退職した場合に支給する退職手当の基準については、今後の民間事業における退職金の支給の実情、公務員に関する制度及びその運用の状況その他の事情を勘案して総合的に再検討を行い、その結果必要があると認められる場合には、昭和60年度までに所要の措置を講ずるものとする。」との再検討規定を設けることとされた。

以上の政府案に対し、任命権者の要請に応じ、旧プラント類輸出促進臨時措置法に規定する指定機関及び通算規定のない地方公共団体に出向した職員に係る退職手当の特例を新設するとともに、調整率100分の120の引下げに伴う経過措置について、昭和57年1月から100分の117、昭和58年1月から100分の113、昭和59年1月から所定の100分の110とする等の議員修正が行われ、昭和56年11月13日に成立した。

(2) また、昭和56年度の給与改定において、管理職員の一部の給与改定が昭和57年4月から実施されることとなり、これらの者が昭和56年度中に退職した場合には、他の一般職員に比し退職手当について不均衡が生ずるので、これを是正するための法改正が行われた。

(3) なお、昭和58年には国家公務員共済組合法の一部改正、昭和59年には雇用保険法の一部改正が行われ、これに伴い、それぞれ、退職手当についても所要の法改正が行われた。

7 昭和60年の退職手当法の改正等

(1) 昭和56年の法改正により設けられた再検討規定に基づき、国家公務員等の退職手当制度については、昭和60年度までに総合的な見直しを行うこととされた。

このため、退職手当制度の基本的な問題について、人事、労働、財政、法曹、マスコミ等の各分野において特に退職手当問題に造詣の深い学識経験者

等による検討を依頼することとし、昭和58年4月「退職手当制度基本問題研究会」（座長　吉國一郎元内閣法制局長官）が開催された。同研究会は、14回に及ぶ会合を開き、この間、国家公務員への定年制度導入、民間企業における退職金の実情、公務における人事管理上の実情等を踏まえつつ様々な角度から検討を重ね、その検討結果は、昭和59年11月に総務庁長官に報告された。

この研究会の意見を踏まえ、各省庁人事管理者及び関係職員団体の意見・要望等を十分聴取するとともに、関係省庁とも密接な連絡をとりつつ、昭和60年3月からの定年制度の施行、民間企業における退職金の実情その他の事情を総合的に勘案し、退職手当制度全般について検討が行われた。その結果、所要の措置を講ずる必要があるものと認められたので、昭和60年に法改正が行われた。

その主な内容は、①定年制度施行に伴う所要の規定の整備、②定年制度施行後における勧奨退職の取扱い、③定年前早期退職特例措置の新設、④退職手当支給率の改定、⑤退職手当の返納制度の新設、⑥その他所要の規定の整備に大別されるが、後述の解説（第2編第7章）を参照されたい。

なお、退職手当制度の総合的見直しの一環として、退職手当の給付水準についても検討することとされた。人事院が昭和57年度における民間企業の退職金実態調査を実施し、この調査結果に基づき総務庁において官民比較を行ったところ、国の退職手当と民間の退職金とはおおむね均衡がとれているものと認められたので、昭和48年及び56年に行われたような給付水準そのものの改正は行わないこととされた。

(2)　旧日本専売公社、旧日本電信電話公社及び旧日本国有鉄道のいわゆる三公社の職員には、従来退職手当法が適用されていたが、昭和60年4月1日に旧日本専売公社及び旧日本電信電話公社の経営形態の変更が行われ、これに伴い、両公社の職員を退職手当法の適用対象から除外することとされ、このための所要の法改正が行われた。

また、昭和62年4月1日には旧日本国有鉄道の経営形態の改革が行われ、これに伴い、旧日本国有鉄道の職員を退職手当法の適用対象から除外することとされた。この結果、退職手当法の適用対象が国家公務員だけとなったため、同法の題名を「国家公務員退職手当法」に改める等所要の法改正が行われた。

(3)　なお、昭和64年1月から国の行政機関等において土曜閉庁が実施され、これに伴い、いわゆる日額制職員について、俸給月額に相当する額の算出方法を改める法改正が行われた。

8　平成3年の退職手当法の改正等

(1)　退職手当制度については、昭和60年の法改正により、全面的な見直しが行われたが、その後の経済社会情勢の変化等を勘案し、平成元年、総務庁の依頼により、人事院において昭和63年度の民間企業の退職金実態調査が実施され、この調査結果に基づき、総務庁において官民比較をはじめとする退職手当制度の見直しについて検討が行われた。

　その結果、国の退職手当と民間の退職金の給付水準はおおむね均衡がとれていると認められたので、従来の退職手当の給付水準を据え置くことが適当とされた。

　そのため、従来の退職手当の支給額を調整していた昭和48年法律第30号附則第5項から第7項までの規定の効力を実質的に維持することとし、これらの規定が昭和47年12月1日に在職する職員にのみ適用されることとなっていたので、同年12月2日以降に採用された職員にも同様の措置を講ずるための所要の規定を整備することとされた（法附則第21項から第23項まで参照）。

　なお、昭和60年の法改正以降、給与制度において、通勤災害による傷病で休職した場合、当該休職期間中給与は全額支給し、復職した際の俸給月額は当該休職期間の全期間を勤務したものとみなして決定する等の改正が行われたこと等を踏まえ、退職手当制度においても、通勤災害に係る退職手当の取扱いを改正することが適当と考えられた。すなわち、①勤続20年以上の通勤災害による傷病退職の支給率を通勤災害による死亡退職と同等の水準に引き上げるとともに、②通勤災害による傷病で休職した期間は、在職期間の計算上2分の1除算しないこととされた。

　これらの内容を盛った退職手当法の改正は、平成3年に行われた。

(2)　また、平成4年5月から国の行政機関等において完全週休2日制が実施され、これに伴い、いわゆる日額制職員について、俸給月額に相当する額の算出方法を改める法改正が行われた。

9　平成9年の退職手当法の改正等

(1)　犯罪を犯した者に対する支給制限については、禁錮以上の刑に処せられて失職した者や退職手当の支給前に起訴された者等には退職手当を支給しないことに加え（後者については、禁錮以上の刑に処せられないことが確定した時点で支給）、昭和60年に退職手当の返納制度を新設するなど、かなりの規定が整備されていた。平成9年には、さらに職員の辞職の承認後退職手当の

支払前にその者の在職期間中の犯罪に係る嫌疑が発生した場合に対応できる措置を講じることにより、退職手当の支給の一層の適正化を図り、もって公務に対する国民の信頼を確保するため、法改正により退職手当の支給の一時差止制度が新設された（現行の第14条参照）。

(2)　なお、給付水準については、平成8年、総務庁の依頼により、人事院において平成7年度の民間企業の退職金実態調査が実施され、この調査結果に基づき総務庁において官民比較を行ったところ、国の退職手当と民間の退職金とはおおむね均衡がとれていると認められたので、給付水準の改正は行わないこととされた。

(3)　平成11年には、新たな定年退職者等の再任用制度を平成13年度から導入するための国家公務員法等の一部改正の他、中央省庁等改革関係法の整備が行われ、平成14年には、平成15年度に日本郵政公社を設立するための法改正が行われ、これに伴い、それぞれ、退職手当についても所要の法改正が行われた。

10　平成15年の退職手当法の改正等

　平成13年に、総務省において平成11年度の民間企業の退職金実態調査を実施し、この調査結果に基づき官民比較を行ったところ、国家公務員の退職手当は民間企業従業員の退職金の支給水準を5.6％上回っていることが判明したため、官民較差を解消するための法改正が行われることとなった。すなわち、昭和56年の法改正により100分の110とされた調整率を100分の104に引き下げようとするものであり、いわゆる激変緩和を図る観点から、調整率100分の110について、平成15年10月から100分の107、平成16年10月から所定の100分の104とする経過措置が講じられた。

　また、定年前早期退職特例措置について、早期退職慣行是正との政策上の整合性を図る観点等から、事務次官・外局長官クラス（当時の一般職給与法の指定職俸給表9号俸（現在の6号俸）相当額）以上の者が特例措置の対象から除外されるとともに、1年当たりの俸給月額の割増率について退職の日における俸給月額に応じて政令で定めることとされた（政令においては、局長クラス（当時の一般職給与法の指定職俸給表7号俸（現在の4号俸）相当額）以上のものの割増率は100分の1（それ以外の者は100分の2）とされた）（法第5条の3参照）。

　さらに、公務員制度改革大綱（平成13年12月25日閣議決定）に盛り込まれた役員出向の道を開くための措置の1つとして、国家公務員が、任命権者等の要請に

応じ、国等への復帰を前提として退職をし独立行政法人等の役員に就任した場合には、退職手当を通算し、国等への復帰後の退職時にのみ支給することとされた（法第8条参照）。

11 平成17年の退職手当法の改正等

⑴　国家公務員の退職手当制度については、昭和28年に現行法の枠組みが制定されて以降50年以上、構造面の抜本的見直しが行われてこなかった。この間、特に平成13年の中央省庁等改革に前後して、国家公務員制度の改革が政府の課題とされ、その中で、退職手当制度についても、長期在職を可能とする人事システムへの転換等公務員制度の抜本的改革の動向や民間企業における退職金制度見直しの状況を踏まえ、退職手当額の算定方法等を含め、早急に見直しに着手すべきものとされた（公務員制度調査会答申（平成11年3月16日））。その結果、「退職手当に職員の在職中の貢献度をより的確に反映するとともに、人材の流動化を阻害することのないよう、退職手当制度について、長期勤続者に過度に有利となっている現状を是正すること」（公務員制度改革大綱（平成13年12月25日閣議決定））が求められた。

　　また、退職手当の算定の基礎となる国家公務員の給与制度においては、平成17年8月の人事院勧告において給与構造の改革が勧告され、年功的な給与上昇の抑制と職務・職責に応じた俸給構造への転換のための昇給カーブのフラット化や、民間賃金の地域差を反映させるための新たな地域手当導入に伴う俸給表の水準の引下げが行われることとなった。

　　民間企業においては、「1　民間企業の退職金」で述べたように、職責や成果を退職金に反映させるポイント制を導入するなど、年功重視型の退職金制度から貢献度重視型の退職金制度への移行が進んできた。特に、平成12年度（平成13年3月期）決算から、新たな企業会計制度において、将来支払うべき退職金や年金などの退職給付債務を貸借対照表に全額計上する退職給付会計が採用されたことにより、退職給付債務圧縮の観点からも見直しが加速している。

　　この間、政府においては、公務員制度調査会答申を受けて、平成11年7月から平成12年6月にかけて、人事、労働、マスコミ、法律等の各分野において特に退職手当に造詣の深い学識経験者等による検討を行うこととし、「国家公務員退職手当制度懇談会」（座長　藤田伍一一橋大学大学院社会学研究科教授）を開催し、算定方法等の退職手当制度に関する議論を行った。この懇談会では、算定方法を始めとする退職手当制度の構造面の課題について論点を整理

した上で、政府において更に具体的な検討を行うべきものとされた。
　これまでの退職手当制度は、(1)退職時の俸給月額のみを算定基礎としており、その俸給月額には年功的な号俸が含まれていること、(2)支給率が勤続年数に累進的に増加していること、(3)退職時の俸給月額に全ての支給率を乗じることの三重の意味で年功的要素を勘案しており、年功を過度に重視した制度となっていた。
　このような状況を踏まえ、国家公務員の退職手当制度について、在職中の貢献度をより的確に反映できる制度へ構造見直しを行うこととし、平成17年秋の特別国会で、①中期勤続退職者の支給率を引き上げること等により退職手当の基本額（従来の退職手当の額に相当）の支給率カーブをフラット化し、中途採用者、中長期勤続自己都合退職者の退職手当の額を改善すること（法第3条から第5条まで）、②勤続年数に中立的な形で役職別の貢献度及び在職年数をよりきめ細かく勘案するため、5年分の職責ポイントを加算する「退職手当の調整額」部分を創設し、任期付採用者の増加等にも対応できるようにすること（法第6条の4）、③在職期間の長期化に対応するため、俸給月額が下がっても退職手当は大きく下がらないよう、俸給月額のピーク時までの期間とピーク時後退職時までの期間に分けて退職手当の基本額を計算する特例を創設すること（法第5条の2）を3つの柱とする退職手当制度の創設以来の抜本的改正を行い、平成18年4月から施行した。
　この改正により、退職手当制度は複線化する国家公務員の人事に十分に対応できるものとなった。なお、この改正は、給与構造の改革に伴う俸給表の引下げにより退職手当について生じる財源の範囲内で措置するものであり、制度改正前の財源の範囲内で措置している。

(2) また、この改正に併せて、最高裁判所裁判官退職手当特例法を改正し、最高裁判所裁判官が退職した場合の支給率を勤続期間1年につき100分の650から240に引き下げる改正を行った。

(3) 平成18年の通常国会では、行政改革関連法のひとつとして、市場化テストを推進するための「競争の導入による公共サービスの改革に関する法律」（平成18年法律第51号）が制定され、その第31条に国家公務員退職手当法の特例が設けられた。具体的には、官民競争入札等の落札事業者が、事業の円滑な実施等の観点から、それまで当該公共サービスの実施に従事していた公務員の受入れを希望する場合において、本人の同意を前提とし、公務員を退職して落札企業に一定期間雇用され公共サービスの実施に従事することを円滑化する仕組みで、国家公務員を退職して官民競争入札等の落札企業に雇用され

【参考】 戦後の退職金制度の沿革

		昭和20年代	昭和30年代	昭和40年代	昭和50年代	昭和60年代	平成以降
民間企業		・大半の企業に退職制度普及（昭和27年退職給与引当金制度、昭和34年中小企業退職金共済制度導入） ・恩恵的、功労報償的性格から給与の後払い的性格に比重が移る		・企業年金が普及（昭和37年税制適格年金制度、昭和41年厚生年金基金制度導入）	・インフレ下で企業側の退職金負担を軽減するため、算定基礎とベアの切り離しが進む	・成果給や職務給への移行等を反映して算定方式の多様化が進む	・平成12年度の新会計基準導入により退職金制度の改革が進む（特に、平成13年度の法整備により企業年金の改革が進む）
		・最終基本給×支給率（長期勤続促進に寄与）		・税制適格年金、厚生年金基金	・第2基本給、別テーブル方式	・ポイント制（勤続年数に中立的な制度）	・企業年金（確定給付）の利率引下げ ・確定拠出年金 ・前払い制選択
国家公務員		・昭和22年国家公務員共通の退職手当制度創設	・昭和34年以降、支給基準は官民均衡を基本として決定				
		・退職手当の基本的性格は長年の勤続に対する報償 ・退職時俸給月額×支給率					・退職手当の基本額（退職時俸給月額×支給率）＋退職手当の調整額（5年分の職責ポイント）（平成18年～）

公共サービスに従事した後、再び国家公務員として採用された場合において、退職手当額の算定の基礎となる在職期間について、先の公務員としての期間と後の公務員であった期間を通算することと等とする特例である。

12　平成20年の退職手当法の改正等

(1)　近年の公務員による不祥事の発生を踏まえ、「公務員の給与改定に関する取扱いについて」（平成19年10月30日閣議決定）において、「不祥事を起こした国家公務員に対する退職手当の取扱いについて、総務省において制度の在り方に関する検討会を開催し、来年（平成20年）の春までを目途に結論を得る。」とされた。これに基づき、平成19年11月に総務大臣が主催する「国家公務員退職手当の支給の在り方等に関する検討会」（座長　塩野宏東亜大学通信制大学院教授・東京大学名誉教授）が発足し、退職手当の支給制限・返納制度に関する法制上の課題等について、民間企業における退職金実務や地方公共団体の退職手当制度、懲戒制度などの関連制度の実態を踏まえつつ、有識者による専門的な議論が行われ、平成20年6月に報告書が取りまとめられた。

この報告書を受け、退職手当制度の一層の適正化を図り、もって公務に対する国民の信頼確保に資するため、退職後に懲戒免職等処分を受けるべき行為をしたと認められるに至った者の退職手当の全部又は一部を返納させることができることとする等、退職手当について新たな支給制限及び返納の制度を設けるため法改正を行い、平成21年4月に施行された。

(2)　この法改正により、次のとおり支給制限・返納制度が拡充された。
　①　退職手当支払後に、在職期間中に懲戒免職処分を受けるべき行為があったと認められた場合、退職をした者に退職手当の返納を命ずることができることとされた。また、退職後、退職手当支払前に在職期間中の懲戒免職処分を受けるべき行為があったと認められた場合には、退職手当の支給を制限することができることとされた。
　②　在職期間中に懲戒免職処分を受けるべき行為があったと認められた場合で、すでに当該職員が死亡しているときには、支払前であれば遺族等に対する退職手当の支給を制限し、支払後であれば遺族等に返納を命ずることができることとされた。
　③　退職手当の支給制限に際しては、非違の性質などを考慮して退職手当の一部を支給することが可能な制度が創設された。返納についても、一部を返納させることが可能な制度が創設された。
　④　処分を受ける者の権利保護を図る観点から、懲戒免職処分を受けるべき

行為があったことを認めたことによる支給制限、すべての返納命令を行う際には、退職手当・恩給審査会〔現：退職手当審査会〕等に諮問することとされた。
⑤　その他、上記の支給制限・返納制度の拡充に伴い、これらの処分があった場合には、共済年金の一部を支給制限できるようにするための国家公務員共済組合法、地方公務員等共済組合法の改正等が行われた。

13　平成24年の退職手当法の改正等

(1)　国家公務員の退職手当については、これまでおおむね5～6年に一度民間企業の支給水準を調査しており、前回の調査が平成18年であったことから、平成23年8月に総務大臣及び財務大臣連名で人事院に対して「民間の企業年金及び退職金の実態調査」の実施とその結果に係る見解の表明を依頼した。これを受け人事院では、平成23年10月～11月に調査を実施し、平成24年3月にその調査結果を発表した。これより、官側の退職給付（退職一時金と年金を併せたもの）が民側のそれを平均402.6万円上回ることが判明し、官民均衡を図る観点から、この較差を埋める措置が必要等とする人事院の見解が示された。

　この人事院の調査結果及び見解を踏まえ、「共済年金職域部分と退職給付に関する有識者会議」において、平成24年7月、当面の退職者については官民較差の全額を一時金である退職手当の支給水準引下げにより解消することが適当等とする「報告書」が取りまとめられた。

(2)　また、人事院の見解の中で「組織活力を維持する観点から、民間企業において大企業を中心に早期退職優遇制度がある程度普及していることも勘案しつつ、退職手当制度において早期退職に対するインセンティブを付与するための措置を併せて講じていく必要」性が指摘されており、有識者会議の報告書においても同趣旨の指摘がなされた。なお、こうした指摘を受ける以前においても、退職管理基本方針（平成22年6月22日閣議決定）の中で、「今後、政府は、任命権者があらかじめ設定した条件に合致し、職員が自発的に応募した場合に退職手当が優遇される希望退職制度を検討し、その導入を図る」との方針が示されていた。

(3)　これらを踏まえ、①支給水準の引下げ、②早期退職に対するインセンティブの拡充を柱とする法改正が行われ、一部を除き、平成25年1月1日に施行された。

(4)　この法改正の主な内容は次のとおりである。

① 退職手当の支給水準引下げのため、調整率を100分の104から平成26年7月1日以降の退職については100分の87へ引き下げることとし、経過措置として、平成25年1月1日から平成25年9月30日までの間の退職については100分の98、平成25年10月1日から平成26年6月30日までの間の退職については100分の92とした。

② 早期退職に対するインセンティブの拡充として、次の2つを講じた。

ア 定年前早期退職特例措置の拡充として、同措置の対象となる要件を勤続25年以上で定年前10年以内の退職した職員から、勤続20年以上で定年前15年以内に退職した職員とし、割増率を定年までの残年数1年につき2％から最大3％とした（具体的な割増率は政令で規定）。

イ 年齢別構成の適正化を通じた組織活力の維持等を図る観点から、早期退職募集制度（応募認定退職）を創設した（第8条の2を新設）。同制度は、定年前早期退職特例措置の適用対象と同様に、定年前15年以内（定年60歳であれば45歳以上）の職員を対象に、各省各庁の長等がその都度勤続年数や職位といった応募条件を定めて募集を行い、職員が応募後、認定を受けて指定された日に退職した場合には、退職手当の額を自己都合退職した場合よりも割り増すものである。具体的には、支給率が定年退職と同率となるとともに、定年前早期退職特例措置が適用される。なお、早期退職募集には2種類あり、第8条の2第1項第1号は上述した年齢別構成の適正化を図るための募集であり、同項第2号は組織改廃等を円滑に実施するための募集である。

14 平成26年の退職手当法の改正等

(1) 平成26年8月7日に提出された人事院勧告には、毎年行われている官民比較に基づく俸給月額の改定（平均0.3％の引上げ）とは別に、給与全体の水準は維持した上で、俸給と手当の配分を見直し、俸給月額を引き下げ（平均−2％、高齢層は最大−4％程度）、地域手当等を拡充する「給与制度の総合的見直し」が盛り込まれていた。この給与制度の総合的見直しを実施した場合、退職日の俸給月額をベースに算出する退職手当の支給水準が低下することとなる（行（一）平均−2.6％程度）。

(2) 一方、退職手当の支給水準は、概ね5年毎に官民の退職給付を比較して官民均衡を図っており、平成24年の法改正により退職手当の支給水準を平均14.9％引き下げる見直しを行い、平成26年7月に引下げを完了したところであった。

(3) このため、平成26年7月に達成した退職手当の支給水準の範囲内で、職員の公務への貢献度をより的確に退職手当に反映させるよう措置を講ずる法改正が行われ、給与制度の総合的見直しと同日である平成27年4月1日に施行された。

(4) 具体的には、退職前5年間の職責に応じて加算する退職手当の「調整額」を拡大し、本省審議官クラス（第2号区分）以上を除き、昇格に伴う「調整額」の増加メリットを、各段階とも従来に比べ30％拡大する等の措置を講じ、従来から進めてきた退職手当への職員の貢献度の反映を更に進めることとした。

15　平成29年の退職手当法の改正等

(1) 平成26年に閣議決定された「総人件費に関する基本方針」（平成26年7月25日閣議決定）において、「退職給付（退職手当及び年金払い退職給付（使用者拠出分））について、官民比較に基づき、概ね5年ごとに退職手当支給水準の見直しを行うことを通じて、官民均衡を確保する」といった方針が示された。

(2) 前回の調査が平成23年であったことから、平成28年8月に内閣総理大臣及び財務大臣連名で人事院に対して「民間の退職金及び企業年金の実態調査」の実施とその結果に係る見解の表明を依頼した。これを受け人事院では、平成28年10月～11月に調査を実施し、平成29年4月にその調査結果を発表した。これにより、官側の退職給付が民側のそれを平均78.1万円上回ることが判明し、官民均衡の観点から、この比較結果に基づき、退職給付水準について見直しを行うことが適切とする人事院の見解が示された。

(3) この人事院の調査結果及び見解を踏まえ、退職手当の支給水準引下げのため、調整率を100分の87から100分の83.7へ引き下げる法改正が行われ、平成30年1月1日に施行された。

第3章　退職手当の法制

1　国家公務員の退職手当の基本法規・通達としては、次のものがある。
　1　国家公務員退職手当法（昭和28年法律第182号）
　2　国家公務員退職手当法施行令（昭和28年政令第215号）
　3　国家公務員退職手当法の一部を改正する法律の施行に伴う経過措置に関する政令（平成18年政令第30号）
　4　退職手当審査会令（平成26年政令第194号）
　5　失業者の退職手当支給規則（昭和50年総理府令第14号）
　6　国家公務員退職手当法の規定による退職手当の支給制限等に係る書面の様式を定める内閣官房令（平成21年総務省令第27号）
　7　国家公務員退職手当法の規定に基づく意見の聴取の手続に関する規則（平成21年総務省令第29号）
　8　国家公務員退職手当法施行令第4条の2の規定による退職の理由の記録に関する内閣官房令（平成25年総務省令第57号）
　9　国家公務員退職手当法の規定による早期退職希望者の募集及び認定の制度に係る書面の様式等を定める内閣官房令（平成25年総務省令第58号）
　10　国家公務員退職手当法附則第12項、第14項及び第16項の規定による退職手当の基本額の特例等に関する内閣官房令（令和4年内閣官房令第3号）
　11　国家公務員退職手当法の適用を受ける非常勤職員について（昭和60年総人第260号）
　12　国家公務員退職手当法の運用方針（昭和60年総人第261号）
　13　国家公務員退職手当法の一部を改正する法律（平成17年法律第115号）の施行後の退職手当の取扱いについて（平成18年総人恩総第204号）
　14　早期退職募集制度の運用について（平成25年総人恩総403号）
　15　期間業務職員の退職手当に係る取扱いについて（平成22年総人恩総第836号）
　16　退職手当審査会運営規則（平成26年退職手当審査会決定）
2　国家公務員退職手当法の特例を定めた法令としては、次のものがある。
　1　国際機関等に派遣される一般職の国家公務員の処遇等に関する法律（昭和45年法律第117号）
　2　国際機関等に派遣される一般職の国家公務員の処遇等に関する法律の施行に伴う国家公務員等の退職手当に関する経過措置を定める等の政令（昭和45年政令第350号）

3 国際機関等に派遣される防衛省の職員の処遇等に関する法律（平成7年法律第122号）
4 国と民間企業との間の人事交流に関する法律（平成11年法律第224号）
5 法科大学院への裁判官及び検察官その他の一般職の国家公務員の派遣に関する法律（平成15年法律第40号）
6 判事補及び検事の弁護士職務経験に関する法律（平成16年法律第121号）
7 福島復興再生特別措置法（平成24年法律第25号）
8 令和3年東京オリンピック競技大会・東京パラリンピック競技大会特別措置法（平成27年法律第33号）
9 平成31年ラグビーワールドカップ大会特別措置法（平成27年法律第34号）
10 令和7年に開催される国際博覧会の準備及び運営のために必要な特別措置に関する法律（平成31年法律第18号）
11 令和9年に開催される国際園芸博覧会の準備及び運営のために必要な特別措置に関する法律（令和4年法律第15号）
12 科学技術・イノベーション創出の活性化に関する法律（平成20年法律第63号）
13 科学技術・イノベーション創出の活性化に関する法律施行令（平成20年政令第314号）
14 教育公務員特例法（昭和24年法律第1号）
15 教育公務員特例法施行令（昭和24年政令第6号）
16 国家公務員の育児休業等に関する法律（平成3年法律第109号）
17 国会職員の育児休業等に関する法律（平成3年法律第108号）
18 裁判官の育児休業に関する法律（平成3年法律第111号）
19 国家公務員の自己啓発等休業に関する法律（平成19年法律第45号）
20 国家公務員の自己啓発等休業に関する法律第8条第2項の規定により読み替えて適用される国家公務員退職手当法第7条第4項に規定する内閣総理大臣が定める要件について（平成19年総人恩総第812号）
21 国家公務員の配偶者同行休業に関する法律（平成25年法律第78号）
22 国会職員の配偶者同行休業に関する法律（平成25年法律第80号）
23 裁判官の配偶者同行休業に関する法律（平成25年法律第91号）
24 災害対策基本法施行令（昭和37年政令第288号）
25 大規模災害からの復興に関する法律施行令（平成25年政令第237号）
26 防衛省の職員の給与等に関する法律（昭和27年法律第266号）
27 最高裁判所裁判官退職手当特例法（昭和41年法律第52号）

28　沖縄の復帰に伴う国家公務員退職手当法の適用の特別措置等に関する政令（昭和47年政令第176号）
29　競争の導入による公共サービスの改革に関する法律（平成18年法律第51号）
30　国家戦略特別区域法（平成25年法律第107号）
31　国家戦略特別区域法施行令（平成26年政令第99号）
32　国家戦略特別区域法第19条の２の規定による国家公務員退職手当法の特例に関する内閣官房令（平成27年内閣官房令第７号）

　上記に掲げた法令は、特殊な法令であるから、本書では、第３編において、一括してその解説を行うこととする。
　この他、オリンピック、博覧会の準備及び運営を行う法人等について、特別法により、その職員を国家公務員退職手当法第７条の２に規定する公庫等職員とみなす場合がある。これらの法律の規定については、同条の解説を参照されたい。

3　なお、国家公務員の退職手当については、国家公務員法のうちに別段の規定は設けられていない。また、国家公務員退職手当法のうちにも国家公務員法との関連を定めた規定はない。

4　最後に、国家公務員退職手当法の所管官庁は、昭和40年の国家公務員法の改正により内閣総理大臣が中央人事行政機関となったことに伴い、「国家公務員等の退職手当に関する事務」が大蔵省主計局から移管され、現在は内閣官房内閣人事局（昭和59年７月１日前は総理府人事局、平成13年１月６日前は総務庁人事局、平成26年５月30日前は総務省人事・恩給局）である。
　なお、現在この事務は、昭和62年の法律の題名改正や平成13年の中央省庁等改革を経て、「国家公務員の退職手当制度に関すること」（内閣法第12条第２項第９号）となっている。

第 2 編　逐条解説

第1章　総　　則

1　趣　旨

>　（趣旨）
>**第1条**　この法律は、国家公務員が退職した場合に支給する退職手当の基準を定めるものとする[1][2]。

【解説】
(1)　退職手当の性格、制度の沿革等については、第1編で説明したとおりである。国家公務員等に対する共済組合の長期給付制度が、いわゆる労使折半負担の原則に基づく社会保険的な性格を有するのに対し、退職手当は、国家公務員に対し使用者である国が、勤続報償等の意味をもって一方的に負担し支給する給付である。本条は、本法がこの退職手当の支給基準を定めるものであることを明らかにするための規定である。国家公務員の退職手当については、公務員の処遇一般の原則に従って、この法律を基準として考えることとされている。従来から、公務員の退職手当の給付水準については、種々の論議がなされているが、退職手当は積年の勤続に対する勤続報償的な給付であり、人事管理に与える影響も大きいので、その基準の変更には慎重な検討が必要であろう。

(2)　次に、この法律の規定による退職手当のほかに、実質的に退職手当に相当するもの、例えば、慰労金等の類を、別途、法律に基づかずに支給できるかどうかの問題があるが、この法律は、およそ退職時における給付は、他の法律の規定によるもの（例えば、災害補償、共済給付等）を除いては、これを退職手当として一律に規制しようとするものと解してよいであろう。退職手当法制定前の旧法や、さらにその前身たる「昭和24年度及び昭和25年度総合均衡予算の実施に伴う退職手当の臨時措置に関する政令」（昭和24年政令第264号）第1条の規定の趣旨に照らしても、この考え方は裏付けられるであろう。したがって、退職手当法の適用を受ける職員に対し、実質的に退職手当に相当するものを法律によらずに支給することは、その名称、形式等の如何を問わず、適法でないと解される。

　また、退職手当法の適用対象とならない者に対し、実質的に退職手当に相

当するものを支給することも、退職手当法がその適用範囲を自ら限定している趣旨に反することとなるため、法律によらない限り許されないものと解される。

2　適用範囲

> （適用範囲）
> 第2条　この法律の規定による退職手当は[1]、常時勤務に服することを要する国家公務員[2]（自衛隊法（昭和29年法律第165号）第45条の2第1項の規定により採用された者[3]及び独立行政法人通則法（平成11年法律第103号）第2条第4項に規定する行政執行法人（以下「行政執行法人」という。）の役員[4]を除く。以下「職員」という。）が退職[5]した場合に、その者（死亡による退職の場合には、その遺族）[6]に支給する[7]。
> 2　職員以外の者で、その勤務形態が職員に準ずるものは[8]、政令で定めるところにより[9]、職員とみなして[10]、この法律の規定を適用する[11][12]。

【解説】

(1)　本条は、この法律による退職手当の支給範囲を定めている。

(2)　まず、国家公務員で常時勤務に服することを要する者は、原則としてこの法律の適用対象となる。これには、一般職の国家公務員と特別職の国家公務員とが含まれる。ただし、国家公務員でも定年退職者等の再任用により採用された者（国家公務員法等の一部を改正する法律（令和3年法律第61号）附則第4条の規定に基づく暫定再任用職員等を含む。第2編第7章解説60参照）及び行政執行法人の役員は適用対象とはならない。また、特別職の国家公務員や特殊な一般職の国家公務員の一部については、この法律の適用に際し、留意すべき点もあるので、これらについて若干解説を加えておく。

　　第1は、国会議員である。国会議員については、その勤務の性質、態様からみて、「常時勤務に服することを要する者」に該当しないことから、退職手当法に基づく退職手当は支給されないものと解されている（昭和29・6・10蔵計第1372号）。なお、国会議員については、国会法（昭和22年法律第79号）第36条において「議員は、別に定めるところにより、退職金を受けることができる。」と規定されており、従前はこれに基づき国会議員互助年金法（昭和33年法律第70号）が定められていたが、国会議員互助年金法を廃止する法律（平成

18年法律第1号）により廃止された。

第2は、国会議員の秘書である。国会議員の秘書は、特別職の国家公務員であるが、国会議員の場合と同様「常時勤務に服することを要する者」に該当しないことから、退職手当法が適用されず、別途、国会議員の秘書の給与等に関する法律（平成2年法律第49号）第19条の規定に基づき、国会議員の秘書の退職手当支給規程（昭和37年3月31日両院議長協議決定）により退職手当が支給されることになっている。

〇国会議員の秘書の給与等に関する法律（抄）
（退職手当）
第19条 議員秘書が退職した場合には、その者（死亡による退職の場合には、その遺族）は、両議院の議長が協議して定めるところにより、退職手当を受ける。

第3は、国会職員である。国会職員にも退職手当法による退職手当が支給されることとなっている。これについては、国会職員法（昭和22年法律第85号）において次のように定められている。

〇国会職員法（抄）
第27条 国会職員及びその遺族は、その国会職員の退職又は死亡の場合には、別に法律の定めるところにより、年金及び一時金並びに退職手当を受ける。

第4は、裁判所職員である。これについては、その身分、給与等を規律する裁判所職員臨時措置法（昭和26年法律第299号）において、準用される法律に退職手当法は列挙されていない。よって、裁判所職員は、常時勤務に服することを要する国家公務員として退職手当法が直接適用されるということになる。なお、裁判官については当然この法律の適用範囲に含まれるが、最高裁判所の裁判官については、最高裁判所裁判官退職手当特例法（昭和41年法律第52号）において、支給率等について特例が認められている（第3編第19章参照）。

なお、司法修習生は国家公務員に該当せず、執行官については「常時勤務に服することを要する者」には該当しないので、退職手当は支給されない。

第5に、国務大臣、副大臣、大臣政務官、秘書官等の行政系統の特別職の職員であるが、これらもこの法律の適用範囲に含まれる。また、各種審議会等の常勤の委員は、その俸給が月額で定められているものに限り「常時勤務に服することを要する者」に該当し、退職手当を支給することができるものと解される。

第6は、防衛省職員のうち自衛官である。これについては、退職手当法が当然適用される建前である。ただし、防衛省の職員の給与等に関する法律

（昭和27年法律第266号）第1条において「この法律は、防衛省の職員……について……国家公務員退職手当法……の特例を定めることを目的とする。」と規定しているように、防衛省における職務の特殊性に基づき、若干の特例が認められている。この特例は、主として任期制自衛官の退職手当に係るものである（第3編第18章参照）。

　第7として、一般職の職員のうちにも若干注意を要するものがある。各種委員については、「常時勤務に服することを要する者」として認められない限り、退職手当は支給されない。

　その他、一般職の職員には、行政執行法人の労働関係に関する法律（昭和23年法律第257号）の適用を受け、同法第8条の規定により、行政執行法人との団体交渉によって労働条件——この場合、退職手当も含まれるものと解され得る——を決定できる職員と、その他の職員とがあるが、両者ともに常勤の国家公務員であり、そのいずれに対しても退職手当法が適用される。仮に、前者において退職手当に関して団体交渉をした場合でも、団体交渉で決定し得る事項は、あくまでも法令の範囲内のものであることは当然であり、退職手当法等において詳細な規定がある以上、それらの内容について団体交渉を行い、それと異なる内容を定めても、退職手当法等の改正を行わない以上、実益はないものと考えられる。

(3)　「自衛隊法第45条の2第1項の規定により採用された者」とは、平成13年4月に導入された定年退職者等の再任用制度により採用された者である。これらの者に退職手当法が適用されないのは、民間企業において再雇用に係る退職金が支給されないことが一般的であることを勘案したことによるものである。

(4)　行政執行法人の役員については、独立行政法人通則法（平成11年法律第103号）第51条の規定により国家公務員とされているが、退職手当については、同法第52条の規定により役員の業績が考慮されるものでなければならないこととされていること等に鑑み、退職手当法の適用を除外しているものである。

(5)　「退職」とは、職員たる身分を退くことであり、自己都合による退職はもちろん、任期終了による退職、定年退職、免職、失職、解職等すべて職を離れる場合をいう。死亡による退職も、この「退職」のうちに含まれる。しかし、職員の生死不明による退職を死亡とみなして、遺族に退職手当を支給する取扱いは認められない（昭和29・6・10蔵計第1372号）。

○ 参 考
死亡推定に係る特例規定
　平成23年に発生した東北地方太平洋沖地震による災害に対処するため、東日本大震災に対処するための特別の財政援助及び助成に関する法律（平成23年法律第40号）において、退職手当法の特例規定を盛り込んだ。これは、行方不明となった職員の家族の生活再建に資するため、早急に退職手当を支給することが望ましいと考えられたことから、退職手当法の規定の適用については、震災により3か月間行方不明等となった職員は、地震の発生日（平成23年3月11日）に死亡したものと推定するものである。

○**東日本大震災に対処するための特別の財政援助及び助成に関する法律**（平成23年法律第40号）（抄）
　（一般職の職員の給与に関する法律の適用の特例）
第12条　第14条の規定により国家公務員退職手当法（昭和28年法律第182号）の規定の適用について平成23年3月11日に死亡したものと推定された一般職の職員の給与に関する法律（昭和25年法律第95号）第1条に規定する職員に対する同法の規定の適用については、同日に、当該職員は、死亡したものと推定する。
　（国家公務員退職手当法の適用の特例）
第14条　平成23年3月11日に発生した東北地方太平洋沖地震による災害により行方不明となった国家公務員（以下この条において「行方不明職員」という。）の生死が3月間分からない場合又は行方不明職員の死亡が3月以内に明らかとなり、かつ、その死亡の時期が分からない場合には、国家公務員退職手当法の規定の適用については、同日に、当該行方不明職員は、死亡したものと推定する。
　（防衛省の職員の給与等に関する法律の適用の特例）
第141条　第14条の規定により国家公務員退職手当法の規定の適用について平成23年3月11日に死亡したものと推定された防衛省の職員の給与等に関する法律（昭和27年法律第266号）第1条に規定する職員に対する同法の給与に係る規定の適用については、同日に、当該職員は、死亡したものと推定する。

　　懲戒免職等処分や刑罰を科されて失職した場合には、法第12条により一般の退職手当等の全部又は一部を支給しないこととする処分を行うことができるとされている。国家公務員法第78条による免職のように本人の意に反する免職が行われ退職手当が支給された後当該免職処分が取り消された場合には、既に支給を受けた退職手当は返納することとなり、この場合、在職期間は引き続いたものとして取り扱われることとなる（昭和29・6・10蔵計第1372号）。
(6)　退職手当については、死亡以外の事由によって退職した場合には職員本人、死亡による退職の場合には職員の遺族が受給者となる。遺族の範囲及び順位については、法第2条の2に特別の規定がある。しかし、死亡以外の事由による退職の場合で職員が退職手当の支給を受けないうちに死亡したときは、その退職手当は、相続財産として民法の規定による相続の対象となる。

なお、退職した職員が行方不明のため本人に支給できない場合には、供託の措置をとることを一般原則とするが、家庭裁判所において選任された財産管理人から請求があった場合には、これに応じて差し支えないこととされている（昭和50・12・24総人第721号）。
(7)　本条第1項は、退職手当法による退職手当の適用範囲を規定しているものであり、実際の支給に当たって第12条第1項及び第14条第1項に規定する支給制限事由に該当するときはその支給が受けられない。しかし、この支給制限事由に該当しない以上は、第20条等の規定に該当する場合を除き、必ず退職手当が支給されることとなる。したがって受給者としては退職手当の請求権をもつこととなる。先に述べたように退職手当法による退職手当は勤続報償的性格が強いが、しかし、それは単なる恩恵的給付でなく、受給者が法律上権利として要求し得る給付である。
(8)　退職手当は、本来、常時勤務に服することを要する職員に支給される勤続報償的給付である。常時勤務に服することを要するというのは、一般的には、短期の雇用期間の定めがなく（法律上任用期間の定めのある者は別である。）、正規の勤務時間によって勤務することにより社会通念上常時勤務に服するものと認められ、正規の給与制度、特に俸給表の適用があり、身分保障が行われる反面、公務員としての特殊な服務制限の下に立つ等の諸要素を備えている職員、すなわち、一般的には現行制度の下での法律上又は予算上の定員内職員を指すものと解してよい。
　しかしながら、定員外の職員であっても、事実上、常時勤務の実態を備えている職員も少なくない。この場合、この種の職員に対して、一定条件の下に退職手当を支給することは人事管理上当然必要とされるところである。したがって、本条第2項では、この種の職員に対しても、政令で定める一定の条件を満たす場合に退職手当を支給しようとするものである。
(9)　施行令では、次のように定めている。

　　〇施　行　令（抄）
　　　（非常勤職員に対する退職手当）
　第1条　常時勤務に服することを要する国家公務員（以下「職員」という。）以外の者で、国家公務員退職手当法（以下「法」という。）第2条第2項の規定により職員とみなされるものは、次に掲げる者とする。
　　一　国の一般会計又は特別会計の歳出予算の常勤職員給与の目から俸給が支給される者
　　二　前号に掲げる者以外の常時勤務に服することを要しない者のうち、内閣総理大臣の定めるところにより、職員について定められている勤務時間以上勤務した日（法令の規定により、勤務を要しないこととされ、又は休暇を与えられた日を含む。）が引き

続いて12月を超えるに至つたもので、その超えるに至つた日以後引き続き当該勤務時間により勤務することとされているもの
2　前項第2号に掲げる者については、法第4条中11年以上25年未満の期間勤続した者の通勤による傷病による退職及び死亡による退職に係る部分以外の部分の規定並びに法第5条中公務上の傷病又は死亡による退職に係る部分並びに25年以上勤続した者の通勤による傷病による退職及び死亡による退職に係る部分以外の部分の規定は、適用しないものとする。

　上記の施行令の内容について説明を加える。まず非常勤職員のうち、退職手当が支給されるのは、常勤職員給与支弁職員（第1号）、常勤職員給与支弁職員以外の非常勤職員で実質的に職員に準ずるもの（第2号）である。前者は、特段の条件もなく職員とみなされて退職手当が支給されるが、後者が職員とみなされるためには、一定の条件が必要とされる。

　後者の施行令第1条第1項第2号に該当しうる非常勤職員とは、具体的には、国家公務員法が適用される職員にあっては、日々雇い入れられる非常勤職員であったが、平成22年10月1日に人事院規則8－12－8（人事院規則8－12（職員の任免）の一部を改正する人事院規則）等が施行されたことにより、日々雇用の非常勤職員について、日々雇用が更新されるという仕組みを廃止し、期間業務職員の制度を設けることとなった。人事院規則では、次のとおり定められている。

○人事院規則8－12（職員の任免）（抄）
（定義）
第4条　この規則において、次の各号に掲げる用語の意義は、当該各号に定めるところによる。
　一～十二　略
　十三　期間業務職員　相当の期間任用される職員を就けるべき官職以外の官職である非常勤官職であって、一会計年度内に限って臨時的に置かれるもの（法第60条の2第1項に規定する短時間勤務の官職その他人事院が定める官職を除く。）に就けるために任用される職員
（非常勤職員の任期）
第46条の2　期間業務職員を採用する場合は、当該採用の日から同日の属する会計年度の末日までの期間の範囲内で任期を定めるものとする。
2　任命権者は、特別の事情により期間業務職員をその任期満了後も引き続き期間業務職員の職務に従事させる必要が生じた場合には、前項に規定する期間の範囲内において、その任期を更新することができる。
3　任命権者は、期間業務職員の採用又は任期の更新に当たっては、業務の遂行に必要かつ十分な任期を定めるものとし、必要以上に短い任期を定めることにより、採用又は任期の更新を反復して行うことのないよう配慮しなければならない。
4　期間業務職員以外の非常勤職員について任期を定める場合においては、前項の規定を準用する。

5　第42条第3項の規定は、非常勤職員の任期を定めた採用及び任期の更新について準用する。

　なお、上記の人事院規則8－12（職員の任免）第46条の2第3項において「任命権者は、期間業務職員の採用又は任期の更新に当たっては、業務の遂行に必要かつ十分な任期を定めるもの」と規定されている趣旨を踏まえると、退職手当法の適用を避けるために、任期と任期の間を1日空けるような運用は適当ではないと考えられる。
　以下、施行令第1条第1項第2号に規定されている、期間業務職員等の非常勤職員が退職手当法の適用を受けるための具体的な条件について述べる。
　まず、職員について定められている勤務時間以上勤務したことが必要である。すなわち、「常時勤務に服することを要する」職員並みの勤務時間で勤務する建前であり、現にそれによって勤務したことが必要である。職員の勤務時間には、職種・職域によって相違があるので、同一職種・職域のこれらの職員と同一の勤務時間によって勤務するということで差し支えない。一般職の職員については、通常は、1日7時間45分・週38時間45分の勤務を要するということになろう（一般職の職員の勤務時間、休暇等に関する法律（平成6年法律第33号）第5条及び第6条参照）。なお、職員の勤務時間未満で勤務を命ぜられた非常勤職員が、たまたま超過勤務によって、事実上、職員並みの勤務時間によって勤務した結果となっていても、ここでいう職員について定められた勤務時間で勤務したことにはならない。
　次に、上記の勤務時間で勤務した日が引き続いて12月を超えるに至ったことを必要とする（なお、この「12月」の要件については、昭和34年改正令附則第5項の規定において、従前の経緯を踏まえ、一定条件の下に「6月」と読み替え、かつ、退職手当額の算定上、100分の50を乗ずることとしているが、その詳細については、後述の⑿の解説を参照されたい。）。
　最後に、上記の引き続いて12月（6月）を超えるに至った日以後、引き続き職員並みの勤務時間により勤務することとされていることが必要である。
　以上述べた取扱いの詳細については、次のとおり内閣総理大臣通達が出されている。

〇国家公務員退職手当法の適用を受ける非常勤職員について（昭和60年4月30日総人第260号）（抄）
1　国家公務員退職手当法施行令（以下「施行令」という。）第1条第1項第2号に規定する「内閣総理大臣の定めるところにより、職員について定められている勤務時間以上

勤務した日（法令の規定により、勤務を要しないこととされ、又は休暇を与えられていた日を含む。）が引き続いて12月を超えるに至つたもの」は、雇用関係が事実上継続していると認められる場合において、同項に規定する職員について定められている勤務時間以上勤務した日（以下「勤務日数」という。）が18日（1月間の日数（行政機関の休日に関する法律（昭和63年法律第91号）第1条第1項各号に掲げる日の日数は、算入しない。）が20日に満たない日数の場合にあっては、18日から20日と当該日数との差に相当する日数を減じた日数。次項において「職員みなし日数」という。）以上ある月が引き続いて12月を超えるに至った者とする。

3　前2項の勤務日数には、次の各号に掲げる日を含むものとする。
　一　国家公務員法（昭和22年法律第120号）第79条の規定による休職、同法第82条の規定による停職、国家公務員の育児休業等に関する法律（平成3年法律第109号。以下「育児休業法」という。）第3条第1項の規定による育児休業その他これらに準ずる事由により勤務を要しないこととされた日（任命権者又はその委任を受けた者が当該事由がなければ勤務を要するものとして定めた日に限る。）
　二　育児休業法第26条第1項の規定による育児時間その他これに準ずる事由により勤務しない時間を勤務したものとみなした場合に、職員について定められている勤務時間以上勤務した日
　三　一般職の職員の勤務時間、休暇等に関する法律（平成6年法律第33号）第23条の規定に基づく人事院規則により休暇を与えられた日（これに相当する日を含む。以下同じ。）
　四　前3号に掲げる日に準ずる日

4　第1項及び第2項の勤務日数には、行政機関の休日に関する法律第1条第1項各号に掲げる日（実際に勤務した日及び休暇を与えられた日を除く。）を含まないものとする。

　すなわち、雇用関係が同一事業主体との間に継続している場合において、職員並みの勤務時間により勤務した日が職員みなし日数（原則18日。ただし、土日祝日など、行政機関の休日に関する法律第1条第1項各号に掲げる日を除いた1月の営業日数が20日未満の場合は、勤務日数の要件を営業日数から2減じた日数）以上ある月が引き続いて12月（6月）を超える（13月（7月）目においては引き続き職員並みの勤務時間により勤務した日が1日以上必要）に至ることが必要である。

　勤務日数の計算においては、所定の勤務時間により実際に勤務した日のほか、休職・停職及び育児休業・育児時間の日及び休暇を与えられた日をもって計算することとし、日曜日、土曜日、国民の祝日に関する法律（昭和23年法律第178号）に規定する休日及び年末年始の休日は含まない（これらの日に実際に勤務し、又はこれらの日に休暇を与えられた場合には算入される。）こととしている。

　また、採用又は退職が月の途中で行われた場合であっても、その月において上記の職員みなし日数以上勤務していれば、その月は1月として計算される。

さらに、ある月において勤務日数が職員みなし日数に満たない場合には、その月以降引き続いて勤務していてもその職員みなし日数に満たない月に退職したものとしてそれより以前の勤続期間に対する退職手当を支給することとなる。
　運用方針において、次のように述べられている。

〇運 用 方 針（昭和60年4月30日総人第261号）（抄）
第2条関係
　一　国家公務員退職手当法施行令（昭和28年政令第215号。以下「施行令」という。）第1条第1項第2号に掲げる者が、国家公務員退職手当法の適用を受ける非常勤職員等について（昭和60年4月30日付け総人第260号。以下「総人第260号」という。）第1項に規定する「同項に規定する職員について定められている勤務時間以上勤務した日」が1月において18日（1月間の日数（行政機関の休日に関する法律（昭和63年法律第91号）第1条第1項各号に掲げる日の日数は、算入しない。）が20日に満たない日数の場合にあっては、18日から20日と当該日数との差に相当する日数を減じた日数）に満たないことが客観的に明らかとなった場合には、その日をもって退職したものとして取り扱うものとする。

〇**人事院規則15－15（非常勤職員の勤務時間及び休暇）**
　（趣旨）
第1条　この規則は、勤務時間法第23条（育児休業法第25条の規定により読み替えて適用する場合を含む。）に規定する常勤を要しない職員（以下「非常勤職員」という。）の勤務時間及び休暇に関し必要な事項を定めるものとする。
　（勤務時間）
第2条　非常勤職員の勤務時間は、相当の期間任用される職員を就けるべき官職以外の官職である非常勤官職に任用される非常勤職員については1日につき7時間45分を超えず、かつ、常勤職員の1週間当たりの勤務時間を超えない範囲内において、その他の非常勤職員については当該勤務時間の4分の3を超えない範囲内において、各省各庁の長（勤務時間法第3条に規定する各省各庁の長をいう。以下同じ。）の任意に定めるところによる。
　（年次休暇）
第3条　各省各庁の長は、人事院の定める要件を満たす非常勤職員に対して人事院の定める日数の年次休暇を与えなければならない。
2　前項の年次休暇については、その時期につき、各省各庁の長の承認を受けなければならない。この場合において、各省各庁の長は、公務の運営に支障がある場合を除き、これを承認しなければならない。
　（年次休暇以外の休暇）
第4条　各省各庁の長は、次の各号に掲げる場合には、非常勤職員（第8号、第9号、第12号及び第13号に掲げる場合にあっては、人事院の定める非常勤職員に限る。）に対して当該各号に定める期間の有給の休暇を与えるものとする。
　一　非常勤職員が選挙権その他公民としての権利を行使する場合で、その勤務しないことがやむを得ないと認められるとき　必要と認められる期間

二　非常勤職員が裁判員、証人、鑑定人、参考人等として国会、裁判所、地方公共団体の議会その他官公署へ出頭する場合で、その勤務しないことがやむを得ないと認められるとき　必要と認められる期間
三　地震、水害、火災その他の災害により次のいずれかに該当する場合その他これらに準ずる場合で、非常勤職員が勤務しないことが相当であると認められるとき　7日の範囲内の期間
　イ　非常勤職員の現住居が滅失し、又は損壊した場合で、当該非常勤職員がその復旧作業等を行い、又は一時的に避難しているとき。
　ロ　非常勤職員及び当該非常勤職員と同一の世帯に属する者の生活に必要な水、食料等が著しく不足している場合で、当該非常勤職員以外にはそれらの確保を行うことができないとき。
四　非常勤職員が地震、水害、火災その他の災害又は交通機関の事故等により出勤することが著しく困難であると認められる場合　必要と認められる期間
五　地震、水害、火災その他の災害又は交通機関の事故等に際して、非常勤職員が退勤途上における身体の危険を回避するため勤務しないことがやむを得ないと認められる場合　必要と認められる期間
六　非常勤職員の親族（人事院の定める親族に限る。）が死亡した場合で、非常勤職員が葬儀、服喪その他の親族の死亡に伴い必要と認められる行事等のため勤務しないことが相当であると認められるとき　人事院の定める期間
七　非常勤職員が結婚する場合で、結婚式、旅行その他の結婚に伴い必要と認められる行事等のため勤務しないことが相当であると認められるとき　人事院が定める期間内における連続する5日の範囲内の期間
八　非常勤職員が夏季における盆等の諸行事、心身の健康の維持及び増進又は家庭生活の充実のため勤務しないことが相当であると認められる場合　一の年の7月から9月までの期間内における、人事院の定める日を除いて原則として連続する3日の範囲内の期間
九　非常勤職員が不妊治療に係る通院等のため勤務しないことが相当であると認められる場合　一の年度（4月1日から翌年の3月31日までをいう。以下同じ。）において5日（当該通院等が体外受精その他の人事院が定める不妊治療に係るものである場合にあっては、10日）（勤務日ごとの勤務時間の時間数が同一でない非常勤職員にあっては、その者の勤務時間を考慮し、人事院の定める時間）の範囲内の期間
十　6週間（多胎妊娠の場合にあっては、14週間）以内に出産する予定である女子の非常勤職員が申し出た場合　出産の日までの申し出た期間
十一　女子の非常勤職員が出産した場合　出産の日の翌日から8週間を経過する日までの期間（産後6週間を経過した女子の非常勤職員が就業を申し出た場合において医師が支障がないと認めた業務に就く期間を除く。）
十二　非常勤職員が妻（届出をしないが事実上婚姻関係と同様の事情にある者を含む。次号において同じ。）の出産に伴い勤務しないことが相当であると認められる場合　人事院が定める期間内における2日（勤務日ごとの勤務時間の時間数が同一でない非常勤職員にあっては、その者の勤務時間を考慮し、人事院の定める時間）の範囲内の期間
十三　非常勤職員の妻が出産する場合であってその出産予定日の6週間（多胎妊娠の場合にあっては、14週間）前の日から当該出産の日以後1年を経過する日までの期間に

ある場合において、当該出産に係る子（勤務時間法第6条第4項第1号において子に含まれるものとされる者を含む。次項第3号イ及びハを除き、以下同じ。）又は小学校就学の始期に達するまでの子（妻の子を含む。）を養育する非常勤職員が、これらの子の養育のため勤務しないことが相当であると認められるとき　当該期間内における5日（勤務日ごとの勤務時間の時間数が同一でない非常勤職員にあっては、その者の勤務時間を考慮し、人事院の定める時間）の範囲内の期間
2　各省各庁の長は、次の各号に掲げる場合には、非常勤職員（第2号から第5号まで及び第9号に掲げる場合にあっては、人事院の定める非常勤職員に限る。）に対して当該各号に定める期間の無給の休暇を与えるものとする。
　一　生後1年に達しない子を育てる非常勤職員が、その子の保育のために必要と認められる授乳等を行う場合　1日2回それぞれ30分以内の期間（男子の非常勤職員にあっては、その子の当該非常勤職員以外の親（当該子について民法（明治29年法律第89号）第817条の2第1項の規定により特別養子縁組の成立について家庭裁判所に請求した者（当該請求に係る家事審判事件が裁判所に係属している場合に限る。）であって当該子を現に監護するもの又は児童福祉法（昭和22年法律第164号）第27条第1項第3号の規定により当該子を委託されている同法第6条の4第2号に規定する養子縁組里親である者若しくは同条第1号に規定する養育里親である者（同法第27条第4項に規定する者の意に反するため、同項の規定により、同法第6条の4第2号に規定する養子縁組里親として委託することができない者に限る。）を含む。）が当該非常勤職員がこの号の休暇を使用しようとする日におけるこの号の休暇（これに相当する休暇を含む。）を承認され、又は労働基準法（昭和22年法律第49号）第67条の規定により同日における育児時間を請求した場合は、1日2回それぞれ30分から当該承認又は請求に係る各回ごとの期間を差し引いた期間を超えない期間）
　二　小学校就学の始期に達するまでの子（配偶者の子を含む。以下この号において同じ。）を養育する非常勤職員が、その子の看護（負傷し、若しくは疾病にかかったその子の世話又は疾病の予防を図るために必要なものとして人事院の定めるその子の世話を行うことをいう。）のため勤務しないことが相当であると認められる場合　一の年度において5日（その養育する小学校就学の始期に達するまでの子が2人以上の場合にあっては、10日）（勤務日ごとの勤務時間の時間数が同一でない非常勤職員にあっては、その者の勤務時間を考慮し、人事院の定める時間）の範囲内の期間
　三　次に掲げる者（ハに掲げる者にあっては、非常勤職員と同居しているものに限る。）で負傷、疾病又は老齢により2週間以上の期間にわたり日常生活を営むのに支障があるもの（以下この号から第5号までにおいて「要介護者」という。）の介護その他の人事院の定める世話を行う非常勤職員が、当該世話を行うため勤務しないことが相当であると認められる場合　一の年度において5日（要介護者が2人以上の場合にあっては、10日）（勤務日ごとの勤務時間の時間数が同一でない非常勤職員にあっては、その者の勤務時間を考慮し、人事院の定める時間）の範囲内の期間
　　イ　配偶者（届出をしないが事実上婚姻関係と同様の事情にある者を含む。以下この号において同じ。）、父母、子及び配偶者の父母
　　ロ　祖父母、孫及び兄弟姉妹
　　ハ　非常勤職員又は配偶者との間において事実上父母と同様の関係にあると認められる者及び非常勤職員との間において事実上子と同様の関係にあると認められる者で人事院の定めるもの

四　要介護者の介護をする非常勤職員が、当該介護をするため、各省各庁の長が、人事院の定めるところにより、非常勤職員の申出に基づき、当該要介護者ごとに、3回を超えず、かつ、通算して93日を超えない範囲内で指定する期間（以下「指定期間」という。）内において勤務しないことが相当であると認められる場合　指定期間内において必要と認められる期間

五　要介護者の介護をする非常勤職員が、当該介護をするため、当該要介護者ごとに、連続する3年の期間（当該要介護者に係る指定期間と重複する期間を除く。）内において1日の勤務時間の一部につき勤務しないことが相当であると認められる場合　当該連続する3年の期間内において1日につき2時間（当該非常勤職員について1日につき定められた勤務時間から5時間45分を減じた時間が2時間を下回る場合は、当該減じた時間）を超えない範囲内で必要と認められる期間

六　女子の非常勤職員が生理日における就業が著しく困難なため勤務しないことがやむを得ないと認められる場合　必要と認められる期間

七　女子の非常勤職員が母子保健法（昭和40年法律第141号）の規定による保健指導又は健康診査に基づく指導事項を守るため勤務しないことがやむを得ないと認められる場合　必要と認められる期間

八　非常勤職員が公務上の負傷又は疾病のため療養する必要があり、その勤務しないことがやむを得ないと認められる場合　必要と認められる期間

九　非常勤職員が負傷又は疾病のため療養する必要があり、その勤務しないことがやむを得ないと認められる場合（前3号に掲げる場合を除く。）　一の年度において人事院の定める期間

十　非常勤職員が骨髄移植のための骨髄若しくは末梢血幹細胞移植のための末梢血幹細胞の提供希望者としてその登録を実施する者に対して登録の申出を行い、又は配偶者、父母、子及び兄弟姉妹以外の者に、骨髄移植のため骨髄若しくは末梢血幹細胞移植のため末梢血幹細胞を提供する場合で、当該申出又は提供に伴い必要な検査、入院等のため勤務しないことがやむを得ないと認められるとき　必要と認められる期間

3　前2項の休暇（第1項第10号及び第11号の休暇を除く。）については、人事院の定めるところにより、各省各庁の長の承認を受けなければならない。

（雑則）

第5条　この規則に定めるもののほか、非常勤職員の勤務時間及び休暇に関し必要な事項は、人事院が定める。

○人事院規則15-15（非常勤職員の勤務時間及び休暇）の運用について（平成6・7・27職職-329）（抄）

第2条関係

1　各省各庁の長は、非常勤職員の勤務時間の内容（始業及び終業の時刻、休憩時間等を含む。）について、人事異動通知書その他適当な方法により、当該非常勤職員に対して通知するものとする。

2　非常勤職員の休憩時間及び定められた勤務時間以外の時間における勤務については、常勤職員の例に準じて取り扱うものとする。

3　各省各庁の長は、非常勤職員の勤務時間を定めるに当たっては、常勤職員の勤務時間に関する基準を考慮するものとする。

第3条関係

1　年次休暇が認められる非常勤職員の要件及びその日数は、それぞれ次に定めるとお

りとする。
(1) 1週間の勤務日が5日以上とされている職員、1週間の勤務日が4日以下とされている職員で1週間の勤務時間が29時間以上であるもの及び週以外の期間によって勤務日が定められている職員で1年間の勤務日が217日以上であるものが、雇用の日から6月間継続勤務し全勤務日の8割以上出勤した場合　次の1年間において10日
(2) (1)に掲げる職員が、雇用の日から1年6月以上継続勤務し、継続勤務期間が6月を超えることとなる日（以下「6月経過日」という。）から起算してそれぞれの1年間の全勤務日の8割以上出勤した場合　それぞれ次の1年間において、10日に、次の表の上欄に掲げる6月経過日から起算した継続勤務年数の区分に応じ同表の下欄に掲げる日数を加算した日数
(3) 1週間の勤務日が4日以下とされている職員（1週間の勤務時間が29時間以上である職員を除く。以下この(3)において同じ。）及び週以外の期間によって勤務日が定められている職員で1年間の勤務日が48日以上216日以下であるものが、雇用の日から6月間継続勤務し全勤務日の8割以上出勤した場合（又は雇用の日から1年6月以上継続勤務し6月経過日から起算してそれぞれの1年間の全勤務日の8割以上出勤した場合　それぞれ次の1年間において、1週間の勤務日が4日以下とされている職員にあっては次の表の上欄に掲げる1週間の勤務日の日数の区分に応じ、週以外の期間によって勤務日が定められている職員にあっては同表の中欄に掲げる1年間の勤務日の日数の区分に応じ、それぞれ同表の下欄に掲げる雇用の日から起算した継続勤務期間の区分ごとに定める日数

2　前項の「継続勤務」とは原則として同一官署において、その雇用形態が社会通念上中断されていないと認められる場合の勤務を、「全勤務日」とは非常勤職員の勤務を

〔第3条関係1(2)〕

6月経過日から起算した継続勤務年数	日数
1年	1日
2年	2日
3年	4日
4年	6日
5年	8日
6年以上	10日

〔第3条関係1(3)〕

1週間の勤務日の日数		4日	3日	2日	1日
1年間の勤務日の日数		169日から216日まで	121日から168日まで	73日から120日まで	48日から72日まで
雇用の日から起算した継続勤務期間	6月	7日	5日	3日	1日
	1年6月	8日	6日	4日	2日
	2年6月	9日	6日	4日	2日
	3年6月	10日	8日	5日	2日
	4年6月	12日	9日	6日	3日
	5年6月	13日	10日	6日	3日
	6年6月以上	15日	11日	7日	3日

要する日の全てをそれぞれいうものとし、「出勤した」日数の算定に当たっては、休暇、国家公務員法（昭和22年法律第120号）第79条の規定による休職又は同法第82条の規定による停職及び国家公務員の育児休業等に関する法律（平成3年法律第109号。以下「育児休業法」という。）第3条第1項の規定による育児休業の期間は、これを出勤したものとみなして取り扱うものとする。
3 　年次休暇（この項の規定により繰り越されたものを除く。）は、20日を限度として、次の1年間に繰り越すことができる。
4 　前項の規定により繰り越された年次休暇がある職員から年次休暇の請求があった場合は、繰り越された年次休暇から先に請求されたものとして取り扱うものとする。
5 　「公務の運営」の支障の有無の判断に当たっては、各省各庁の長は、請求に係る休暇の時期における非常勤職員の業務内容、業務量、代替者の配置の難易等を総合して行うものとする。
6 　年次休暇の単位は、1日とする。ただし、特に必要があると認められるときは、1時間を単位とすることができる。
7 　1時間を単位として与えられた年次休暇を日に換算する場合には、当該年次休暇を与えられた職員の勤務日1日当たりの勤務時間（1分未満の端数があるときはこれを切り捨てた時間。以下同じ。）をもって1日とする。

第4条関係
1 　年次休暇以外の休暇の取扱いについては、それぞれ次に定めるところによる。
 (1) 　この条の第1項及び第2項の「人事院の定める非常勤職員」は、次に掲げる休暇の区分に応じ、それぞれ次に定める職員とする。この場合において、ア及びイの「継続勤務」については、第3条関係第2項の規定の例によるものとする。
　　ア 　この条の第1項第8号及び第2項第9号の休暇　6月以上の任期が定められている職員又は6月以上継続勤務している職員（週以外の期間によって勤務日が定められている職員で1年間の勤務日が47日以下であるものを除く。）
　　イ 　この条の第1項第9号、第12号及び第13号並びに第2項第2号及び第3号の休暇　1週間の勤務日が3日以上とされている職員又は週以外の期間によって勤務日が定められている職員で1年間の勤務日が121日以上であるものであって、6月以上の任期が定められているもの又は6月以上継続勤務しているもの
　　ウ 　この条の第2項第4号の休暇　同号に規定する申出の時点において、1週間の勤務日が3日以上とされている職員又は週以外の期間によって勤務日が定められている職員で1年間の勤務日が121日以上であるものであって、当該申出において、(15)の規定により指定期間の指定を希望する期間の初日から起算して93日を経過する日から6月を経過する日までに、その任期（任期が更新される場合にあっては、更新後のもの）が満了すること及び任命権者（国家公務員法第55条第1項に規定する任命権者及び法律で別に定められた任命権者並びにその委任を受けた者をいう。）を同じくする官職に引き続き採用されないことが明らかでないもの
　　エ 　この条の第2項第5号の休暇　初めて同号の休暇の承認を請求する時点において、1週間の勤務日が3日以上とされている職員又は週以外の期間によって勤務日が定められている職員で1年間の勤務日が121日以上であるものであって、1日につき定められた勤務時間が6時間15分以上である勤務日があるもの
 (2) 　(1)ウの「引き続き採用」されるものであるかどうかの判断は、それぞれその雇用形態が社会通念上中断されていないと認められるかどうかにより行うものとし、(1)

ウの「引き続き採用されないことが明らかでない」かどうかの判断は、この条の第2項第4号に規定する申出の時点において判明している事情に基づき行うものとする。
⑶　この条の第1項第1号の「選挙権その他公民としての権利」とは、公職選挙法（昭和25年法律第100号）に規定する選挙権のほか、最高裁判所の裁判官の国民審査及び普通地方公共団体の議会の議員又は長の解職の投票に係る権利等をいう。
⑷　この条の第1項第3号の「これらに準ずる場合」とは、例えば、地震、水害、火災その他の災害により単身赴任手当に相当する給与の支給に係る配偶者等の現住居が滅失し、又は損壊した場合で、当該単身赴任手当に相当する給与の支給を受けている非常勤職員がその復旧作業等を行うときをいい、同号の休暇の期間は、原則として連続する7暦日として取り扱うものとする。
⑸　この条の第1項第6号の「人事院の定める親族」は、人事院規則15－14（職員の勤務時間、休日及び休暇）別表第2の親族欄に掲げる親族とし、同号の「人事院の定める期間」は、同規則第22条第1項第13号に規定する休暇の例によるものとする。
⑹　この条の第1項第7号の「人事院が定める期間」は、結婚の日の5日前の日から当該結婚の日後1月を経過する日までとし、同号の「連続する5日」とは、連続する5暦日をいう。
⑺　この条の第1項第8号の「人事院の定める日」は、勤務時間が割り振られていない日とし、同号の「原則として連続する3日」の取扱いについては、暦日によるものとし、特に必要があると認められる場合には1暦日ごとに分割することができるものとする。
⑻　この条の第1項第9号の「不妊治療」とは、不妊の原因等を調べるための検査、不妊の原因となる疾病の治療、タイミング法、人工授精、体外受精、顕微授精等をいい、同号の「通院等」とは、医療機関への通院、医療機関が実施する説明会への出席（これらにおいて必要と認められる移動を含む。）等をいい、同号の「人事院が定める不妊治療」は、体外受精及び顕微授精とし、同号の「人事院の定める時間」は、勤務日1日当たりの勤務時間に5（同号に規定する人事院が定める不妊治療を受ける場合にあっては、10）を乗じて得た数の時間とし、同号の休暇の単位は、1日又は1時間（勤務日ごとの勤務時間の時間数が同一でない非常勤職員にあっては、1時間。ただし、当該非常勤職員の1回の勤務に割り振られた勤務時間であって1時間未満の端数があるものの全てを勤務しない場合には、当該勤務時間の時間数）とする。ただし、同号の休暇の残日数の全てを使用しようとする場合において、当該残日数に1時間未満の端数があるときは、当該残日数の全てを使用することができる。
⑼　この条の第1項第10号の「6週間（多胎妊娠の場合にあっては、14週間）」は、分べん予定日から起算するものとする。
⑽　この条の第1項第11号から第13号までの「出産」とは、妊娠満12週以後の分べんをいう。
⑾　この条の第1項第12号の「妻（届出をしないが事実上婚姻関係と同様の事情にある者を含む。次号において同じ。）の出産に伴い勤務しないことが相当であると認められる場合」とは、非常勤職員の妻の出産に係る入院若しくは退院の際の付添い、出産時の付添い又は出産に係る入院中の世話、子（一般職の職員の勤務時間、休暇等に関する法律（平成6年法律第33号）第6条第4項第1号において子に含まれるものとされる者を含む。⑿及び⒀において同じ。）の出生の届出等のために勤

務しない場合をいい、この条の第1項第12号の「人事院が定める期間」は、非常勤職員の妻の出産に係る入院等の日から当該出産の日後2週間を経過する日までとし、同号の「人事院の定める時間」は、勤務日1日当たりの勤務時間に2を乗じて得た数の時間とし、同号の休暇の単位は、1日又は1時間（勤務日ごとの勤務時間の時間数が同一でない非常勤職員にあっては、1時間。ただし、当該非常勤職員の1回の勤務に割り振られた勤務時間であって1時間未満の端数があるものの全てを勤務しない場合には、当該勤務時間の時間数）とする。ただし、同号の休暇の残日数の全てを使用しようとする場合において、当該残日数に1時間未満の端数があるときは、当該残日数の全てを使用することができる。

⑿　この条の第1項第13号の「当該出産に係る子（勤務時間法第6条第4項第1号において子に含まれるものとされる者を含む。次項第3号イ及びハを除き、以下同じ。）又は小学校就学の始期に達するまでの子（妻の子を含む。）を養育する」とは、非常勤職員の妻の出産に係る子又は小学校就学の始期に達するまでの子（妻の子を含む。）と同居してこれらを監護することをいい、同号の「人事院の定める時間」は、勤務日1日当たりの勤務時間に5を乗じて得た数の時間とし、同号の休暇の単位は、1日又は1時間（勤務日ごとの勤務時間の時間数が同一でない非常勤職員にあっては、1時間。ただし、当該非常勤職員の1回の勤務に割り振られた勤務時間であって1時間未満の端数があるものの全てを勤務しない場合には、当該勤務時間の時間数）とする。ただし、同号の休暇の残日数の全てを使用しようとする場合において、当該残日数に1時間未満の端数があるときは、当該残日数の全てを使用することができる。

⒀　この条の第2項第2号の「小学校就学の始期に達するまでの子（配偶者の子を含む。以下この号において同じ。）を養育する」とは、小学校就学の始期に達するまでの子（配偶者の子を含む。以下この⒀において同じ。）と同居してこれを監護することをいい、同号の「人事院の定めるその子の世話」は、その子に予防接種又は健康診断を受けさせることとし、同号の「人事院の定める時間」は、勤務日1日当たりの勤務時間に5（その養育する小学校就学の始期に達するまでの子が2人以上の場合にあっては、10）を乗じて得た数の時間とし、同号の休暇の単位は、1日又は1時間（勤務日ごとの勤務時間の時間数が同一でない非常勤職員にあっては、1時間。ただし、当該非常勤職員の1回の勤務に割り振られた勤務時間であって1時間未満の端数があるものの全てを勤務しない場合には、当該勤務時間の時間数）とする。ただし、同号の休暇の残日数の全てを使用しようとする場合において、当該残日数に1時間未満の端数があるときは、当該残日数の全てを使用することができる。

⒁　この条の第2項第3号の「同居」には、非常勤職員が要介護者の居住している住宅に泊まり込む場合等を含むものとし、同号の「人事院の定める世話」は、次に掲げる世話とし、同号の「人事院の定める時間」は、勤務日1日当たりの勤務時間に5（要介護者が2人以上の場合にあっては、10）を乗じて得た数の時間とし、同号の「人事院の定めるもの」は、父母の配偶者、配偶者の父母の配偶者、子の配偶者及び配偶者の子とし、同号の休暇の単位は、1日又は1時間（勤務日ごとの勤務時間の時間数が同一でない非常勤職員にあっては、1時間。ただし、当該非常勤職員の1回の勤務に割り振られた勤務時間であって1時間未満の端数があるものの全てを勤務しない場合には、当該勤務時間の時間数）とする。ただし、同号の休暇の残

日数の全てを使用しようとする場合において、当該残日数に１時間未満の端数があるときは、当該残日数の全てを使用することができる。
　　ア　要介護者の介護
　　イ　要介護者の通院等の付添い、要介護者が介護サービスの提供を受けるために必要な手続の代行その他の要介護者の必要な世話
　⒂　この条の第２項第４号の申出及び指定期間の指定の手続については、人事院規則15－14第23条第２項から第６項までの規定の例によるものとし、同号の休暇の単位は、１日又は１時間とし、１時間を単位とする当該休暇は、１日を通じ、始業の時刻から連続し、又は終業の時刻まで連続した４時間（当該休暇と要介護者を異にするこの条の第２項第５号の休暇の承認を受けて勤務しない時間がある日については、当該４時間から当該休暇の承認を受けて勤務しない時間を減じた時間）の範囲内とする。
　⒃　この条の第２項第５号の休暇の単位は、30分とし、当該休暇は、１日を通じ、始業の時刻から連続し、又は終業の時刻まで連続した２時間（同号に規定する減じた時間が２時間を下回る場合にあっては、当該減じた時間）の範囲内（育児休業法第26条第１項の規定による育児時間の承認を受けて勤務しない時間がある日については、当該連続した２時間から当該育児時間の承認を受けて勤務しない時間を減じた時間の範囲内）とする。
　⒄　この条の第２項第８号及び第９号の「疾病」には、予防接種による著しい発熱等が、これらの号の「療養する」場合には、負傷又は疾病が治った後に社会復帰のためリハビリテーションを受ける場合等が含まれるものとする。
　⒅　この条の第２項第９号の「人事院の定める期間」は、第３条関係第１項⑴に掲げる職員にあっては10日の範囲内の期間とし、同項⑶に掲げる職員のうち、１週間の勤務日が４日以下とされている職員にあっては次の表の上欄に掲げる１週間の勤務日の日数の区分に応じ、週以外の期間によって勤務日が定められている職員にあっては同表の中欄に掲げる１年間の勤務日の日数の区分に応じ、それぞれ同表の下欄に掲げる日数の範囲内の期間とする。

〔第４条関係１⒅〕

１週間の勤務日の日数	４日	３日	２日	１日
１年間の勤務日の日数	169日から216日まで	121日から168日まで	73日から120日まで	48日から72日まで
日　　数	７日	５日	３日	１日

２　前項に規定するもののほか、年次休暇以外の休暇の単位は、必要に応じて１日、１時間又は１分を単位として取り扱うものとする。
３　勤務日ごとの勤務時間の時間数が同一である非常勤職員の１時間を単位として与えられたこの条の第１項第９号、第12号若しくは第13号若しくは第２項第２号若しくは第３号の休暇又は１日以外の単位で与えられた同項第９号の休暇を日に換算する場合には、これらの休暇を与えられた職員の勤務日１日当たりの勤務時間をもって１日とする。
４　年次休暇以外の休暇（この条の第１項第10号及び第11号の休暇を除く。）の承認に

ついては、常勤職員の例に準じて取り扱うものとする。
第5条関係
　非常勤職員の休暇の請求等の手続については、常勤職員の例に準じて取り扱うものとする。
経過措置
1　その雇用の日が平成6年4月1日前である職員であって、6月経過日が平成6年4月1日以後であるものに対する第3条関係第1項の規定の適用については、同項中「雇用の日」とあるのは「平成6年4月1日」と、「6月を」とあるのは「平成6年4月1日から起算して6月を」と、「6月経過日」とあるのは「平成6年4月1日から起算して継続勤務期間が6月を超えることとなる日」とする。
2　第3条関係第1項(1)に掲げる職員のうち平成5年10月1日前から継続勤務している者に対する同項(2)の規定の適用については、継続勤務期間が1年を超えることとなる日を6月経過日とみなす。
3　第3条関係第1項(3)に掲げる職員のうち平成13年4月1日前に3年6月を超え、かつ、4年6月に満たない期間継続勤務している者に対する同項の規定の適用については、同日以降、継続勤務期間が4年6月を超えることとなる日の前日までの間は、同項(3)の表3日の項中「8日」とあるのは、「7日」とする。
4　第3条関係第1項(3)に掲げる職員のうち平成5年10月1日前から継続勤務している者の年次休暇については、同項の規定にかかわらず、継続勤務期間が6年を超えることとなる日から起算してそれぞれの1年間の全勤務日の8割以上出勤した場合に認められるものとし、その日数は、それぞれ次の1年間において、1週間の勤務日が4日以下とされている職員にあっては次の表の上欄に掲げる1週間の勤務日の日数の区分に応じ、週以外の期間によって勤務日が定められている職員にあっては同表の中欄に掲げる1年間の勤務日の日数の区分に応じ、それぞれ同表の下欄に掲げる日数とする。

1週間の勤務日の日数	4日	3日	2日	1日
1年間の勤務日の日数	169日から216日まで	121日から168日まで	73日から120日まで	48日から72日まで
年次休暇の日数	15日	11日	7日	3日

5　平成29年1月1日（以下「施行日」という。）前に人事院規則15-15-14（人事院規則15-15（非常勤職員の勤務時間及び休暇）の一部を改正する人事院規則。以下「改正規則」という。）による改正前の第4条第2項第6号の休暇（以下「改正前休暇」という。）を使用したことがある非常勤職員の当該改正前休暇と要介護者を同じくする改正規則による改正後の同号の休暇に係る指定期間については、各省各庁の長は、2回（施行日が当該改正前休暇に係る改正規則による改正前の同号の規定の例による連続する93日の期間内にある場合であって、施行日以後の当該期間内の日を末日とする指定期間を指定するときは、3回）を超えず、93日から、施行日前において当該要介護者の介護を必要とする一の継続する状態ごとに、初めて改正前休暇の承認を受けた期間の初日から最後に当該承認を受けた期間の末日までの日数を合算した日数を差し引いた日数を超えない範囲内で指定するものとする。

なお、この職員みなし日数の要件は、昭和24年度及び昭和25年度総合均衡予算の実施に伴う退職手当の臨時措置に関する政令（昭和24年政令第264号）以降昭和63年３月までは「22日」とされていたが、４週６休制の実施により常勤職員の１か月当たりの勤務日数が２日減少したこと、民間労働者の１か月当たりの実労働日数が約２日減少したこと等を勘案し、昭和63年４月に同月以降の期間の計算については「20日」と改められ、さらに、完全週休２日制の実施に伴い、１か月当たりの勤務日数が２日減少したこと等を踏まえ、平成４年４月に同年５月以降の期間の計算については「18日」と改められた。また、休日等の増加に対応するため、令和４年10月に同月以降の期間の計算に当たっては、原則「18日」を維持しつつも、土日祝日など行政機関の休日に関する法律第１条第１項各号に掲げる日の日数を除いた１月間の日数が20日に満たない場合にあっては、当該月の営業日数から２減じた日数とすることとした。
　次に、非常勤職員に支給される退職手当は、常勤職員給与支弁職員（第１号）については、いわゆる定員内職員の適用条項と同じである。それ以外の非常勤職員（第２号）については、法第３条の退職手当、法第４条の通勤による傷病若しくは公務外死亡による場合の退職手当及び法第５条の公務上死傷病又は通勤による傷病若しくは公務外死亡による場合の退職手当に限られる。
　また、期間業務職員制度の導入を受けて、結果として、任期満了により当該期間業務職員が退職したときの退職手当の計算については、法第３条第１項が適用されることとなった。

⑽　職員とみなすことにより、退職手当法の諸規定は、前記施行令の規定で制限されている部分を除き、そっくりそのまま非常勤職員にも適用されることとなる。すなわち、退職手当法の適用上、職員と同じ取扱いを受けることとなる。ただし、その勤続期間の計算について若干の特例がある（第７条の解説⑵参照）。

⑾　非常勤職員（特に第２号該当職員）に関しては、定員外職員の常勤化の防止を図る観点から昭和36年及び37年に閣議決定が行われ、「継続して日日雇い入れることを予定する職員については、必ず発令日の属する会計年度の範囲内で任用予定期間を定め」、「任用予定期間が終了したときには、その者に対して引き続き勤務させないよう措置」することとされているので、この閣議決定の対象となる職員については12月を超えて勤務することは予定されていなかった。

しかしながら、期間業務職員制度の導入後については、任期満了後に再び採用されることにより、結果として、引き続いて12月を超えて勤務する場合もあり得る。そのような場合の退職手当の取扱いについては、期間業務職員が退職した場合において、当該者が退職の日又はその翌日に同一任命権者（国家公務員法第55条第2項の規定により任命権が委任されている場合には、その委任を受けた者をいう。）に再び期間業務職員として採用されたときは、雇用関係が事実上継続していると認められ、その在職期間の計算は引き続いて在職したものとして取り扱うこととなった。

⑿ 非常勤職員に対する退職手当について、上記の⑻⑼⑽で述べたところは、国家公務員等退職手当暫定措置法施行令の一部を改正する政令（昭和34年政令第208号）で定められたもので、昭和34年10月1日（旧三公社職員及び昭和34年1月1日以降共済組合の長期給付の規定が適用されている郵政職員等については、昭和34年1月1日）から実施された措置である。同日前においては、非常勤職員の退職手当支給の要件は、上記の⑻⑼⑽で述べたところと若干異なっており、また、そのための経過措置も設けられているが、このうち、現在においても必要な規定について若干の説明を加える。

○**参考** 退職手当法適用区分表

退職手当法条文	退職手当適用区分	定員内職員 [法第2条第1項]	常労職員 [令第1条第1項第1号]	非常勤※職員 [令第1条第1項第2号]
第3条	自己都合・公務外傷病（通勤傷病を除く）	○	○	○
	（11年未満勤続）定年・応募認定退職（1号）・任期終了・事務都合退職	○	○	（任期終了のみ○）
	（11年未満勤続）公務外死亡・通勤傷病	○	○	○
第4条	（11年以上25年未満勤続）定年・応募認定退職（1号）・任期終了・事務都合退職	○	○	×
	（11年以上25年未満勤続）公務外死亡・通勤傷病	○	○	○

第5条	（25年以上勤続）定年・応募認定退職（1号）・任期終了・事務都合退職	○	○	×
	（25年以上勤続）公務外死亡・通勤傷病	○	○	○
	整理・応募認定退職（2号）	○	○	×
	公務上死傷病	○	○	○

※ 「非常勤職員」は、引き続いて6月を超えて勤務したこと等を要する（第2条の解説(9)参照）。

○施　行　令（昭和34年政令第208号による改正前のもの）（抄）
（非常勤職員に対する退職手当）
第8条　常勤を要しない職員のうち、2月以内の期間を定めて雇用されるものであつて、常勤職員について定められている勤務時間以上勤務した日が22日以上ある月が通算して6月以上あるものに対しては、その者が法第8条第1項第1号から第3号までの1に該当する場合を除き、同条第2項の規定により法第3条の規定による退職手当又は傷い疾病若しくは死亡に因り退職した場合における法第4条の規定による退職手当（法第2条に規定する歳出予算の常勤職員給与の目から俸給に相当する給与が支給される職員に対しては、法第3条又は法第4条の規定による退職手当）を、大蔵省令で定めるところにより、支給する。
（勤続期間の計算の特例）
第9条　法の規定による退職手当の算定の基礎となる勤続期間のうちに前条に規定する職員としての在職期間が含まれる場合においては、当該在職期間の計算は、通算して6月以上あつた前条に規定する月の数による。

　すなわち、従前の取扱いでは、常勤職員給与支弁職員及びそれ以外の非常勤職員は、正規の勤務時間以上勤務した日が1月に22日以上ある月が通算して6月以上となれば、退職手当が支給されていたわけである。この場合、「通算6月」というのは、同一の雇用関係の継続中において通算6月となったならば、という意味である。
　改正後の施行令では、前記(9)で述べたように、まず、常勤職員給与支弁職員については、退職手当法は直ちに適用されることに改められたが、それ以外の非常勤職員については、正規の勤務時間以上勤務した日が引き続いて12月（6月）を超え、しかもその超えた後も上記の勤務時間で勤務することを要することとされている。

○国家公務員等退職手当暫定措置法施行令の一部を改正する政令 (昭和34年政令第208号)
(抄)
附　則
4　職員のこの政令の施行日(附則第2項に規定する郵政職員等及び法第2条第1項第2号の職員以外の職員については、昭和34年10月1日)の前日を含む月以前における旧令第8条に規定する常勤を要しない職員としての勤続期間は、従前の例により計算し、これを同月後の引き続いた勤続期間に加算するものとする。

5　国家公務員退職手当法施行令(昭和28年政令第215号。以下この項及び次項において「施行令」という。)第1条第1項各号に掲げる者以外の常時勤務に服することを要しない者の同項第2号に規定する勤務した日が引き続いて6月を超えるに至つた場合(附則第3項の規定に該当する場合を除く。)には、当分の間、その者を同号の職員とみなして、施行令の規定を適用する。この場合において、その者に対する国家公務員退職手当法(昭和28年法律第182号)第2条の4及び第6条の5の規定による退職手当の額は、同法第2条の4から第6条の5までの規定により計算した退職手当の額の100分の50に相当する金額とする。

6　前項の規定の適用を受ける者(引き続き同項に規定する者であるものとした場合に、同項の規定の適用を受けることができた者を含む。)に対する施行令第8条の規定の適用については、同条中「12月」とあるのは、「6月」とする。

　附則第4項は、職員の勤続期間の計算に当たって、旧令の下での非常勤職員としての勤続期間は旧令の取扱い(旧令第8条、第9条)に従って計算し、これを施行令(新令)の下における勤続期間に加算することを定めるものである。加算される方の施行令(新令)の下の勤続期間には、もちろん、職員としての勤続期間もあれば、職員とみなされる者(施行令(新令)第1条第1項)としての勤続期間もある。いずれにしても、旧令の下における期待権尊重のための規定である。

　附則第5項は、従前、勤続期間6月で退職手当が支給されていたことに鑑みて、施行令(新令)の下でも、当分の間、勤続期間6月で退職手当が支給される経過措置が講じられているものである。これは、施行令(新令)の適用日に在職している非常勤職員に限らず、その後新たに採用された者にも適用される一般的な経過措置である。ただし、従前のように、月22日以上勤務した月が通算6月以上に達すればよいということでなく、やはり、施行令(新令)第1条第1項第2号に規定する勤務した日が引き続いて6月を超えること(前出参照)が必要とされる。また、その場合の支給額も、施行令(新令)の規定によって計算した額の100分の50に相当する額、つまりほぼ改正前の退職手当法の支給水準ということになっている。念のため付言すれば、引き続いた勤続期間が12月を超えるに至ったときは、当然第1条第1項第2号に該当し、本則に基づく減額されない退職手当が支給されることとなる。

勤続期間の具体的な計算方法については、法第7条の解説(2)を参照されたい。

退職手当額の算出方法を一例をとって示すと次のとおりである。

〔例示〕 勤続期間11月、自己都合退職、俸給月額190,200円の場合

$$190,200円 \times 0.5022 \times \frac{50}{100} = 47,759円$$

附則第6項は、前項に規定する者について、施行令（新令）第8条（勤続期間の計算の特例）を適用する場合における必要な読替規定である。

3　遺族の範囲及び順位

（遺族の範囲及び順位）

第2条の2　この法律において、「遺族[1]」とは、次に掲げる者をいう。

一　配偶者（届出をしないが、職員の死亡当時事実上婚姻関係と同様の事情にあつた者を含む。)[2]

二　子、父母[3]、孫、祖父母及び兄弟姉妹で職員の死亡当時主としてその収入によつて生計を維持していた[4]もの

三　前号に掲げる者のほか、職員の死亡当時主としてその収入によつて生計を維持していた[4]親族[5]

四　子、父母、孫、祖父母及び兄弟姉妹で第2号に該当しないもの

2　この法律の規定による退職手当を受けるべき遺族の順位は、前項各号の順位により、同項第2号及び第4号に掲げる者のうちにあつては、当該各号に掲げる順位による。この場合において、父母については、養父母を先にし実父母を後にし、祖父母については、養父母の父母を先にし実父母の父母を後にし、父母の養父母を先にし父母の実父母を後にする[6]。

3　この法律の規定による退職手当の支給を受けるべき遺族に同順位の者が2人以上ある場合には、その人数によつて当該退職手当を等分して当該各遺族に支給する[7]。

4　次に掲げる者は、この法律の規定による退職手当の支給を受けることができる遺族としない[8]。

一　職員を故意に死亡させた者[9]

二　職員の死亡前に、当該職員の死亡によつてこの法律の規定による退職手当の支給を受けることができる先順位又は同順位の遺族となるべき者を故意に死亡させた者[10]

【解説】

(1) 職員が死亡により退職した場合には、遺族が退職手当請求権を有することになるが、その範囲及び順位は、民法相続編の規定ではなく、本条第1項の規定に基づいて定まることとなっている。したがって、職員の死亡当時、第1項に規定する遺族が1人もいないときは、退職手当は支給されない（昭和29・6・10蔵計第1372号）。

　なお、子、父母、親族等の範囲は、すべて民法の規定によって解釈すべきものである。

(2) 第1項第1号括弧内は、内縁の妻又は夫である。「内縁関係」とは、婚姻の届出を欠くが、社会通念上夫婦としての共同生活の実態が認められる事実関係をいい、当事者間に、社会通念上夫婦としての共同生活と認められる事実関係を成立させようとする合意があり、かつ、そのような事実関係が存在することが必要である。さらにまた、事実関係において内縁の配偶者たる実態がある場合においても、退職手当が公的性格を有する給付であることにも鑑み、このような公的給付を受給することが妥当でない者、すなわち、民法第734条から第736条までに規定する婚姻の届出が受理され得ないような婚姻関係の実態にある者（近親婚による婚姻関係等にある者）については、第1項第1号括弧内の規定に該当しないものと解すべきである。

　次に、職員の死亡当時、届出のある配偶者と内縁関係にあると認められるような関係にある者とが併存した場合の取扱いであるが、民法の届出主義及び重婚禁止の原則及び社会通念に照らし、届出による婚姻関係が原則的には優先するが、法律婚が形骸化している場合には内縁関係にある者が退職手当の支給を受けうると解すべきである。すなわち、第1号括弧内は、内縁関係にある者であっても「配偶者」として退職手当の支給を受けうるという可能性を示しているにすぎず、「配偶者」として退職手当の支給を受けうるものが2人以上存在することを法が想定しているわけではない（届出のある配偶者と内縁関係にある者とが退職手当を等分するわけではない）と読むのである。

　この点については、婚姻に関する社会通念を踏まえた解釈が要請されると

ころであるが、国家公務員共済組合法の類似の規定に関する次のような内閣法制局の見解が参考となろう。

〇国家公務員共済組合法にいう配偶者の意義について（大蔵省主計局長照会　昭和38年9月28日決裁）

一　国家公務員共済組合法2条1項2号イにいう「届出をしていないが、事実上婚姻関係と同様の事情にある者」とは、いわゆる内縁関係にある者をいうのであるが、内縁関係とは、婚姻の届出を欠くが、社会通念上、夫婦としての共同生活として認められる事実関係をいい、次の要件を備えることが必要である、と解される。

　(イ)　当事者間に、社会通念上、夫婦の共同生活と認められる事実関係を成立させようとする合意があること。

　(ロ)　当事者間に、社会通念上、夫婦の共同生活と認められる事実関係が存在すること。

　　ところで、国家公務員共済組合法2条1項2号イにいう「届出をしていないが、事実上婚姻関係と同様の事情にある者」とは、その文言だけからいえば、民法731条、733条1項または734条から737条1項までの規定に違反することとなるような内縁関係にある者をも包含するように解されないことはないが、これらのうち、当該当事者が夫婦としての継続的な両性関係をもつこと自体を正しくないとする社会一般の倫理観に基礎を置くものに違反することとなるような内縁関係、簡単にいえば反倫理的な内縁関係にある者は包含しないと解すべきであろう。けだし、右にいう「届出をしていないが、事実上婚姻関係と同様の事情にある者」とは、同法に基づく共済給付を受けうる地位に立つべき者としての観念であることはいうまでもないが、共済給付が主として法律上加入強制を規定されている組合員の掛金及び国の負担金をもってまかなわれるものであり、一種の公的給付の性質を有するものと解すべきである以上、その観念は、かかる公的給付を受けるにふさわしい者のみを包含するものとして決定されるべきことが当然であるからである。かさねていえば、国家公務員共済組合法が前述の意味における反倫理的な内縁関係にある者を、かかる公的給付を受けるにふさわしい者として認めたものと解することはとうてい困難であり、したがって、このような者は、国家公務員共済組合法2条1項2号イにいう「届出をしていないが、事実上婚姻関係と同様の事情にある者」に該当しないものと解するのを相当とする。

二　右の観点からみると、

　1　民法731条、733条1項または737条に違反することとなるような内縁関係にある配偶者は、共済給付を受けることができるものと解される。

　　(1)　民法737条は、判断能力の必ずしも十分といえない未成年者を保護するためであると解されるから、未成年者が父母の同意を得ないで内縁関係に入ったとしても、その内縁関係自体が反倫理的であるということはできない。

　　(2)　民法731条が同条に定める年齢に達しない者の婚姻を禁止したのは、当事者の精神的肉体的未成熟を考慮したものと解され、同法733条1項が女について前婚の解消または取消しの日から6月間内の婚姻を禁止したのは、子の父性確定の困難を考慮したものと解されるのであって、これらの規定は、そこで継続される両性関係が反倫理的であるという観点から当該婚姻を禁止したものではないということができる。それ故、これらの規定に違反することとなるような内縁関係は、

反倫理的なものであるということはできない。なお、同法745条が同法731条に違反する婚姻について、同法746条が同法733条に違反する婚姻について、所定の期限の到来または所定の条件の成就により取消権が消滅することを定めていることは、右の両規定に違反する婚姻を社会一般の倫理観に立脚して禁止したものではないことを推測させるものといえよう。
2　民法734条、735条または736条に違反することとなるような内縁関係における配偶者は、共済給付を受けることができないものと解される。
　　民法734条から736条までの規定は、一定の近親間の婚姻を禁止しているが、これは、そのような近親関係にある者の間の両性関係が反倫理的であるとの観点からのものであると解されるから（なお、自然血族間の婚姻禁止については優生学的配慮も含まれると解される）、これらの規定に違反することとなるような内縁関係は反倫理的なものといわざるを得ない。
3　民法732条は、戸籍の届出のある婚姻についての重婚を禁止したものと解されるから、内縁関係に関し、同条に違反することとなるような事態は、生ずる余地がない。ただ、（Ⅰ）内縁関係とみられるような関係にある者が重ねて他の者と届出による婚姻をした場合、（Ⅱ）届出による婚姻関係にある者が重ねて他の者と内縁関係とみられるような関係に入った場合または、（Ⅲ）内縁関係とみられるような関係にある者が重ねて他の者と内縁関係とみられるような関係に入った場合においては、同条が禁止する重婚に類似した事態が生ずる。右の各場合について、国家公務員共済組合法2条1項2号イにいう配偶者として、共済給付を受けることができる者は、どの関係における配偶者であると解すべきかが問題であるが、現行法のとっている婚姻の届出主義および婚姻に関する社会一般の倫理観からいって、（Ⅰ）および（Ⅱ）の場合においては、届出による婚姻関係がその実体を失ったものになっているときは別として、それ以外のときは、届出による婚姻関係における配偶者、（Ⅲ）の場合においては、先行する内縁関係がその実体を失ったものになっているときは別として、それ以外のときは、先行する内縁関係における配偶者と解すべきである。

(3)　子には実子及び養子、父母には実父母及び養父母を含む。義父母等は、第1項第3号の親族に該当する。

(4)　「主としてその収入によつて生計を維持していた」ものであるかどうかの認定基準は別に示されていないが、運用上は、一般職給与法第11条の規定及びこれに基づく人事院規則9−80（扶養手当）による扶養親族の認定基準等が有力な参考要素のひとつとなるであろう。実態に即して厳正に判定すべきである。

　○人事院規則9−80（扶養手当）（抄）
　　（扶養親族の範囲）
　第2条　給与法第11条第2項に規定する他に生計の途がなく主としてその職員の扶養を受けている者には、次に掲げる者は含まれないものとする。
　　一　職員の配偶者、兄弟姉妹等が受ける扶養手当又は民間事業所その他のこれに相当する手当の支給の基礎となつている者

二 年額130万円以上の恒常的な所得があると見込まれる者

○扶養手当の運用について（通知）（昭60・12・21給実甲第580号）（抄）
給与法第11条及び規則第2条関係
1 職員が配偶者、兄弟姉妹等と共同して同一人を扶養している場合には、その扶養を受けている者（人事院規則9－80（扶養手当）（以下「規則」という。）第2条各号に掲げる者に該当する者を除く。）については、主として職員の扶養を受けている場合に限り、扶養親族として認定することができる。
2 一般職の職員の給与に関する法律（昭和25年法律第95号。以下「給与法」という。）第11条第2項第2号、第3号及び第5号並びに第4項の「満22歳に達する日」並びに同項の「満15歳に達する日」とはそれぞれ満22歳及び満15歳の誕生日の前日をいい、同条第2項第4号の「満60歳以上」とは満60歳の誕生日以後であることをいう。
3 給与法第11条第2項第6号の「重度心身障害者」とは、心身の障害の程度が終身労務に服することができない程度である者をいう。
4 規則第2条第1号の「これに相当する手当」とは、名称のいかんにかかわらず扶養手当と同様の趣旨で支給される手当をいう。
5 規則第2条第2号の「恒常的な所得」とは、給与所得、事業所得、不動産所得等の継続的に収入のある所得をいい、退職所得、一時所得等一時的な収入による所得はこれに含まれない。
6 所得の金額の算定は、課税上の所得の金額の計算に関係なく、扶養親族として認定しようとする者の年間における総収入金額によるものとする。ただし、事業所得、不動産所得等で、当該所得を得るために人件費、修理費、管理費等の経費の支出を要するものについては、社会通念上明らかに当該所得を得るために必要と認められる経費の実額を控除した額によるものとする。

(5) 親族の定義については、民法に規定するところによる。

○民　　　法（抄）
（親族の範囲）
第725条 次に掲げる者は、親族とする。
一 六親等内の血族
二 配偶者
三 三親等内の姻族

(6)(7) 先順位者と後順位者との間の関係については、第1順位者の相続放棄により第2順位者が退職手当の受給権を取得するものではないと解されている（昭和55・3・27鳥取地裁）。これは、民法の相続の規定が、被相続人の有する財産をその近親者間に合理的に分配するという見地から定められているのに対し、退職手当法は、職員の収入に依拠していた遺族に対する扶養を主眼として受給権者を定めていることによるためであり、退職手当の受給権者たる遺族は退職手当法に基づいて直接に死亡退職金に係る請求権を取得するのであって、退職手当の受給権は相続財産には属さず、受給権者たる遺族固有の

権利であることによる（昭和55・3・27前掲鳥取地裁）。

したがって、第2順位者に退職手当を受給させる目的で第1順位者が退職手当の受取りを辞退することは許されず（辞退しても次順位者には支給されない）、第2条の2に規定する順序と別な定めをした遺贈契約は無効である。

第1順位者について同順位者が2人以上あり、かつ、そのうち1人が生死不明であっても、その者につき失踪宣告が行われない限り、他の同順位者に対し、全額の退職手当を支給することはできない。第1順位者に同順位者がなく、かつ、その者が生死不明であっても、その者につき失踪宣告が行われない限り、次順位者に退職手当を支給することはできない。さらに、第1順位者が、成年被後見人である場合には成年後見人に対し、意思能力のない未成年者である場合には親権者又は後見人に対し、支給すべきである。また、意思能力のある未成年者又は被保佐人である場合には、親権者若しくは後見人又は保佐人の同意を確認の上、本人に対して支給するのが妥当であろう（昭和29・6・10蔵計第1372号）。

退職手当の支給を受ける同順位者が2人以上ある場合には、その人数によって等分して支給することとなる。この場合、退職手当の受給権は、受給権者が各々退職手当法の規定に基づいて直接に取得する固有の権利であり、退職手当の受給権は同順位者の共有財産とはならないため、同順位者のうちの1名が受給権を放棄したとしても、その者に支払われるべきものであった退職手当の額を他の同順位者に支給することはできない。

なお、本条により退職手当の支給を受けるべき遺族は職員の死亡当時の範囲及び順位によって自ら定まるのであって、これにより、退職手当の支給を受けるべき遺族となった者が、支給手続中、すなわちその支給を受けないうちに死亡した場合には、退職手当は次順位の遺族に支給されるのではなく、死亡した遺族の相続人に対して支給されることとなる。

(1)から(7)までを要すれば、職員が死亡により退職した場合は、職員が死亡した時点の状況で、退職手当の受給権者（支給を受けるべき遺族）及び内容（支給される退職手当の割合）が法第2条の2第1項から第3項までの規定により自動的に確定する。

受給権者が退職手当請求権を放棄したとしても、他の関係者の権利関係に影響を及ぼすものではない。受給権者が死亡したとしても、その者に固有の退職手当請求権が受給権者の遺族に相続されるにすぎない。

(8) 本条第4項は、昭和60年の退職手当法の改正により追加されたものであり、その趣旨は、遺族のうち職員又は他の遺族となるべき者を故意に死亡さ

せた者を退職手当の支給対象から除外する旨を定めたものである。

職員又は他の遺族となるべき者を故意に死亡させた者が、職員又は他の遺族となるべき者の死亡の結果として退職手当を受給することは、社会正義の観点、退職手当の基本的性格等からみて許容されるべきものではなく、また、衡平の原則に反するとともに、災害補償、共済組合給付等他の給付制度との権衡をも失することとなる。

したがって、本項は、職員又は他の先順位等の遺族となるべき者を故意に死亡させた者は、当初から退職手当の受給資格を付与しないことを明確に定めたものである。

(9) 遺族から排除される者の第1は、「職員を故意に死亡させた者」である。

退職手当が一時金たる給付であることに鑑み、実際上、職員が死亡した場合に第1受給順位者となるべき者が、職員を殺害したケースが該当する。

(10) 遺族から排除される者の第2は、職員の死亡前に、職員が死亡した場合に先順位の遺族となるべき者を故意に死亡させた者である。

実際上、職員が死亡した場合に第2受給順位者となるべき者が、職員が死亡するまでに先順位の第1受給順位者となるべき者を殺害したケースが該当する。

遺族から排除される者の第3は、職員の死亡前に、職員が死亡した場合に同順位の遺族となるべき者を故意に死亡させた者である。

実際上、職員が死亡した場合に第1受給順位者となるべき者が2人以上いて、職員が死亡するまでに第1受給順位者となるべき者が他の同順位者を殺害したケースが該当する。

なお、「故意に死亡させた者」については、死亡させること自体に故意があることをもって足り、退職手当の支給を受けようとする故意がある必要はないものと解されている。また、「過失致死」や「傷害致死」は含まれない。

4 退職手当の支払

（退職手当の支払）
第2条の3 この法律の規定による退職手当は[1]、他の法令に別段の定めがある場合を除き[6]、その全額を[2]、現金で[3]、直接[4]この法律の規定によりその支給を受けるべき者[5]に支払わなければならない。ただし、政令で定める確実な方法により支払う場合は、この限りでない[7]。

> 2　次条及び第6条の5の規定による退職手当（以下「一般の退職手当」という。）並びに第9条の規定による退職手当は、職員が退職した日から起算して1月以内に支払わなければならない[(8)(9)]。ただし、死亡により退職した者に対する退職手当の支給を受けるべき者を確知することができない場合その他特別の事情がある場合は、この限りでない[(10)]。

【解説】
(1)　本条第1項は、この法律による退職手当の支払方法を定めている。支払方法について3つの原則を定め、退職手当が完全かつ確実に受給者本人の手に渡るよう配慮したものである。
(2)　いわゆる「全額払の原則」は、直接払の原則と相まって、退職手当額をすべて受給者に帰属させるため、退職手当からの控除を禁じたものである。
(3)　いわゆる「現金払の原則」は、受給者に不利益な現物給付を禁止することが本旨であり、貨幣経済の支配する現在の社会においては、最も一般的な交換手段である現金による支払を義務付けたものである。
(4)　いわゆる「直接払の原則」は、受給者本人の手に退職手当の全額を帰属させるため、受給者本人以外の者に退職手当を支払うことを禁じたものである。
(5)　退職手当の受給者である。退職手当は、職員が死亡以外の事由により退職した場合には職員本人に、職員が死亡により退職した場合にはその遺族（法第2条の2の規定により範囲及び順位が定まる。）に支給される。
(6)(7)　上記の退職手当の支払方法の原則のいわば例外に当たる。公益上の必要性、事務・手続の簡素化、受給者の便宜性等の観点から例外を認めることが実情に沿う場合もある。
　　　まず、「他の法令に別段の定めがある場合」とは、次の運用方針に掲げられているように、退職手当からの控除が認められる場合である。

　　〇運 用 方 針（抄）
　　第2条の3関係
　　　一　本条第1項に規定する「他の法令に別段の定めがある場合」とは、例えば次に掲げる場合をいう。
　　　　イ　地方税法（昭和25年法律第226号）第41条及び第50条の6並びに第328条の5及び第328条の6に基づく徴収を行う場合
　　　　ロ　国家公務員共済組合法（昭和33年法律第128号）第101条に基づく控除を行う場合
　　　　ハ　所得税法（昭和40年法律第33号）第199条及び第201条に基づく徴収を行う場合

○**地方税法**（抄）
　（個人の道府県民税の賦課徴収）
第41条　個人の道府県民税の賦課徴収は、本款に特別の定めがある場合を除くほか、当該道府県の区域内の市町村が、当該市町村の個人の市町村民税の賦課徴収（均等割の税率の軽減を除く。）の例により、当該市町村の個人の市町村民税の賦課徴収と併せて行うものとする。この場合において、第17条の4の規定に基づく還付加算金、第321条第2項の規定に基づく納期前の納付に対する報奨金、第321条の2、第326条、第328条の10若しくは第328条の13の規定に基づく延滞金、第328条の11の規定に基づく過少申告加算金若しくは不申告加算金又は第328条の12の規定に基づく重加算金の計算については、道府県民税及び市町村民税の額の合算額によつて当該各条の規定を適用するものとする。
2　第317条の4（第317条の2第1項から第5項までの規定によつて提出すべき申告書に虚偽の記載をして提出した者に係る部分に限る。）、第324条、第328条の16第1項及び第3項から第6項まで並びに第332条から第334条までの規定は、前項の規定によつて市町村が個人の市町村民税の賦課徴収の例により賦課徴収を行う個人の道府県民税について準用する。
3　道府県は、市町村が第1項の規定によつて行う個人の道府県民税の賦課徴収に関する事務の執行について、市町村に対し、必要な援助をするものとする。
　（特別徴収税額）
第50条の6　第41条第1項の規定により特別徴収義務者が徴収すべき分離課税に係る所得割の額は、次の各号に掲げる場合の区分に応じ、当該各号に掲げる税額とする。
　一　退職手当等の支払を受ける者が提出した次条第1項の規定による申告書（以下この条並びに次条第2項及び第3項において「退職所得申告書」という。）に、その支払うべきことが確定した年において支払うべきことが確定した他の退職手当等で既に支払がされたもの（次号において「支払済みの他の退職手当等」という。）がない旨の記載がある場合　その支払う退職手当等の金額について第50条の3及び第50条の4の規定を適用して計算した税額
　二　退職手当等の支払を受ける者が提出した退職所得申告書に、支払済みの他の退職手当等がある旨の記載がある場合　その支払済みの他の退職手当等の金額とその支払う退職手当等の金額との合計額について第50条の3及び第50条の4の規定を適用して計算した税額から、その支払済みの他の退職手当等につき第41条第1項の規定により徴収された又は徴収されるべき分離課税に係る所得割の額を控除した残額に相当する税額
2　退職手当等の支払を受ける者がその支払を受ける時までに退職所得申告書を提出していないときは、第41条第1項の規定により特別徴収義務者が徴収すべき分離課税に係る所得割の額は、その支払う退職手当等の金額について第50条の3及び第50条の4の規定を適用して計算した税額とする。
3　第1項各号又は前項の規定により第50条の3の規定を適用する場合における所得税法第30条第2項の退職所得控除額の計算については、前2項の規定による分離課税に係る所得割を徴収すべき退職手当等を支払うべきことが確定した時の状況によるものとする。
4　所得税法第202条の規定は、前3項の規定を適用する場合について準用する。
　（特別徴収の手続）

第328条の5 市町村は、前条の規定によつて分離課税に係る所得割を特別徴収の方法によつて徴収しようとする場合には、当該分離課税に係る所得割の納税義務者に対して退職手当等の支払をする者（他の市町村において退職手当等の支払をする者を含む。）を当該市町村の条例によつて特別徴収義務者として指定し、これに徴収させなければならない。

2　前項の特別徴収義務者は、退職手当等の支払をする際、その退職手当等について分離課税に係る所得割を徴収し、その徴収の日の属する月の翌月の10日までに、総務省令で定める様式によつて、その徴収すべき分離課税に係る所得割の課税標準額、税額その他必要な事項を記載した納入申告書を市町村長に提出し、及びその納入金を当該市町村に納入する義務を負う。

3　第321条の5第4項及び第5項並びに第321条の5の2の規定は、前項の規定により同項の納入金を納入する場合について準用する。この場合において、第321条の5の2第1項中「支払つた給与」とあるのは「支払つた退職手当等」と、「納入」とあるのは「申告納入」と、「前条第1項」とあるのは「第328条の5第2項」と読み替えるものとする。

（特別徴収税額）

第328条の6　前条第2項の規定により徴収すべき分離課税に係る所得割の額は、次の各号に掲げる場合の区分に応じ、当該各号に掲げる税額とする。

一　退職手当等の支払を受ける者が提出した次条第1項の規定による申告書（以下この条、次条第2項及び第3項並びに第328条の8において「退職所得申告書」という。）に、その支払うべきことが確定した年において支払うべきことが確定した他の退職手当等で既に支払がされたもの（次号において「支払済みの他の退職手当等」という。）がない旨の記載がある場合　その支払う退職手当等の金額について第328条の2及び第328条の3の規定を適用して計算した税額

二　退職手当等の支払を受ける者が提出した退職所得申告書に、支払済みの他の退職手当等がある旨の記載がある場合　その支払済みの他の退職手当等の金額とその支払う退職手当等の金額との合計額について第328条の2及び第328条の3の規定を適用して計算した税額から、その支払済みの他の退職手当等につき前条第2項の規定により徴収された又は徴収されるべき分離課税に係る所得割の額を控除した残額に相当する税額

2　退職手当等の支払を受ける者がその支払を受ける時までに退職所得申告書を提出していないときは、前条第2項の規定により徴収すべき分離課税に係る所得割の額は、その支払う退職手当等の金額について第328条の2及び第328条の3の規定を適用して計算した税額とする。

3　第1項各号又は前項の規定により第328条の2の規定を適用する場合における所得税法第30条第2項の退職所得控除額の計算については、前2項の規定による分離課税に係る所得割を徴収すべき退職手当等を支払うべきことが確定した時の状況によるものとする。

4　所得税法第202条の規定は、前3項の規定を適用する場合について準用する。

○国家公務員共済組合法（抄）
（掛金等の給与からの控除）

第101条　組合員の給与支給機関は、毎月、報酬その他の給与を支給する際、組合員の給与から掛金等に相当する金額を控除して、これを組合員に代わつて組合に払い込まなけ

ればならない。
2　組合員（組合員であつた者を含む。以下この条において同じ。）の給与支給機関は、組合員が組合に対して支払うべき掛金等以外の金額又は前項の規定により控除して払い込まれなかつた掛金等の金額があるときは、報酬その他の給与（国家公務員退職手当法（昭和28年法律第182号）に基づく退職手当又はこれに相当する手当を含む。以下この項及び次項において同じ。）を支給する際、組合員の報酬その他の給与からこれらの金額に相当する金額を控除して、これを組合員に代わつて組合に払い込まなければならない。
3〜5　略

○所得税法（抄）

（源泉徴収義務）
第199条　居住者に対し国内において第30条第1項（退職所得）に規定する退職手当等（以下この章において「退職手当等」という。）の支払をする者は、その支払の際、その退職手当等について所得税を徴収し、その徴収の日の属する月の翌月10日までに、これを国に納付しなければならない。

（徴収税額）
第201条　第199条（源泉徴収義務）の規定により徴収すべき所得税の額は、次の各号に掲げる場合の区分に応じ当該各号に定める税額とする。
一　退職手当等の支払を受ける居住者が提出した退職所得の受給に関する申告書に、その支払うべきことが確定した年において支払うべきことが確定した他の退職手当等で既に支払がされたもの（次号において「支払済みの他の退職手当等」という。）がない旨の記載がある場合　次に掲げる場合の区分に応じそれぞれ次に定める金額を課税退職所得金額とみなして第89条第1項（税率）の規定を適用して計算した場合の税額
　イ　その支払う退職手当等が一般退職手当等（第30条第7項（退職所得）に規定する一般退職手当等をいう。次号イ及び第203条第1項第2号（退職所得の受給に関する申告書）において同じ。）に該当する場合　その支払う退職手当等の金額から退職所得控除額を控除した残額の2分の1に相当する金額（当該金額に千円未満の端数があるとき、又は当該金額の全額が千円未満であるときは、その端数金額又はその全額を切り捨てた金額。次号イにおいて同じ。）
　ロ　その支払う退職手当等が短期退職手当等（第30条第4項に規定する短期退職手当等をいう。次号ロ及び第203条第1項第2号において同じ。）に該当する場合　次に掲げる場合の区分に応じそれぞれ次に定める金額（当該金額に千円未満の端数があるとき、又は当該金額の全額が千円未満であるときは、その端数金額又はその全額を切り捨てた金額）
　　⑴　その支払う退職手当等の金額から退職所得控除額を控除した残額が三百万円以下である場合　当該残額の2分の1に相当する金額
　　⑵　⑴に掲げる場合以外の場合　百五十万円とその支払う退職手当等の金額から三百万円に退職所得控除額を加算した金額を控除した残額との合計額
　ハ　その支払う退職手当等が特定役員退職手当等（第30条第5項に規定する特定役員退職手当等をいう。次号ハ及び第203条第1項第2号において同じ。）に該当する場合　その支払う退職手当等の金額から退職所得控除額を控除した残額に相当する金額（当該金額に千円未満の端数があるとき、又は当該金額の全額が千円未満であるときは、その端数金額又はその全額を切り捨てた金額。次号ハにおいて同じ。）

二 退職手当等の支払を受ける居住者が提出した退職所得の受給に関する申告書に、支払済みの他の退職手当等がある旨の記載がある場合 次に掲げる場合の区分に応じそれぞれ次に定める金額を課税退職所得金額とみなして第89条第1項の規定を適用して計算した場合の税額から、その支払済みの他の退職手当等につき第199条の規定により徴収された又は徴収されるべき所得税の額を控除した残額に相当する税額
　イ　その支払う退職手当等とその支払済みの他の退職手当等がいずれも一般退職手当等に該当する場合　その支払う退職手当等の金額とその支払済みの他の退職手当等の金額との合計額から退職所得控除額を控除した残額の2分の1に相当する金額
　ロ　その支払う退職手当等とその支払済みの他の退職手当等がいずれも短期退職手当等に該当する場合　次に掲げる場合の区分に応じそれぞれ次に定める金額（当該金額に千円未満の端数があるとき、又は当該金額の全額が千円未満であるときは、その端数金額又はその全額を切り捨てた金額）
　　(1)　その支払う退職手当等の金額とその支払済みの他の退職手当等の金額との合計額から退職所得控除額を控除した残額が三百万円以下である場合　当該残額の2分の1に相当する金額
　　(2)　(1)に掲げる場合以外の場合　その支払う退職手当等の金額とその支払済みの他の退職手当等の金額との合計額から三百万円に退職所得控除額を加算した金額を控除した残額と百五十万円との合計額
　ハ　その支払う退職手当等とその支払済みの他の退職手当等がいずれも特定役員退職手当等に該当する場合　その支払う退職手当等の金額とその支払済みの他の退職手当等の金額との合計額から退職所得控除額を控除した残額に相当する金額
　ニ　イからハまでに掲げる場合以外の場合　政令で定めるところにより計算した金額
2　前項各号に規定する退職所得控除額は、同項の規定による所得税を徴収すべき退職手当等を支払うべきことが確定した時の状況における第30条第3項第1号に規定する勤続年数に準ずる勤続年数及び同条第6項第3号に掲げる場合に該当するかどうかに応ずる別表第6に掲げる退職所得控除額（同項第1号に掲げる場合に該当するときは、同項の規定に準じて計算した金額）による。
3　退職手当等の支払を受ける居住者がその支払を受ける時までに退職所得の受給に関する申告書を提出していないときは、第199条の規定により徴収すべき所得税の額は、その支払う退職手当等の金額に100分の20の税率を乗じて計算した金額に相当する税額とする。

　第2は、「政令で定める確実な方法により支払う場合」であり、現金払によらない場合である。施行令において次のとおり定めている。

○施　行　令（抄）
　（退職手当の支払方法の特例）
第1条の2　法第2条の3第1項ただし書に規定する政令で定める確実な方法は、日本銀行を支払人とする小切手の振出しとする。

○運　用　方　針（抄）
第2条の3関係
　三　施行令第1条の2に規定する「小切手の振出し」は、支出官が小切手を振り出す場合のほか、資金前渡官吏が小切手を振り出す場合も含まれる。

なお、受給者本人の申出に基づき、その者の指定する銀行等の口座に退職手当を振り込むいわゆる振込払であるが、これについては積極的に解されており、運用方針においては次のとおり述べている。すなわち、退職手当の完全、確実かつ容易な入手を保障しようとする現金払・直接払の原則に違背しないものと解されている。

○運 用 方 針（抄）
第２条の３関係
　二　退職手当の支払方法として、その支給を受けるべき者の預金若しくは貯金への振込み又は隔地送金の方法によることは、本条第１項本文に規定する支払方法に含まれる。

(8)　本条第２項の規定は、一般の退職手当及び法第９条の規定による退職手当の支払期限を定めている。

　従来、退職手当については支払期限が定められていなかったが、退職手当の支給の一時差止制度の新設に伴い、平成９年の法律改正により本項が設けられた。その趣旨は、退職手当の支払期限を経過した後は、各省各庁の長は原則として退職手当の支給の一時差止処分（平成20年法改正後は、支払差止処分）を行いえないことを明確にすることにある（第13条参照）。

(9)　退職手当の支払期限は「職員が退職した日から起算して１月以内」であるが、これは、退職手当は職員が退職した日から起算して１月後に支払うという意味ではなく、職員が退職した日から起算して１月以内は国は退職手当の不支給について履行遅滞の責を負わないという消極的な効果を認めたものにすぎないから、退職手当の支給手続が支給期限前に完了した場合には、退職手当は支払期限の到来を待たずに直ちに支給されなければならない。

(10)　退職手当の支給期限は、一時差止処分との関係で設けられたものであるから、支給期限内に退職手当が支払われないことについて、手続上やむを得ないと認められる「特別の事情」がある場合には、国は履行遅滞の責を負わない。

　この「特別の事情」については、死亡により退職した者に対する退職手当の支給を受けるべき者を確知することができない場合の他、次のような場合が挙げられる。

○運 用 方 針（抄）
第２条の３関係
　四　本条第２項に規定する「特別の事情がある場合」とは、例えば次に掲げる場合をいう。

イ 死亡等による予期し得ない退職のため、事前に退職手当の支給手続を行うことができなかった場合や退職手当管理機関が退職手当審査会に諮問した場合等であって、退職手当の支給手続に相当な時間を要するとき。
ロ 基礎在職期間に第5条の2第2項第2号から第7号までに掲げる在職期間が含まれると考えられる場合等であって、その確認に相当な時間を要するとき。

第2章　一般の退職手当

1　一般の退職手当

> （一般の退職手当）
> **第2条の4**　退職した者に対する退職手当の額は[1][2]、次条から第6条の3までの規定により計算した退職手当の基本額に[3][4]、第6条の4の規定により計算した退職手当の調整額[5]を加えて得た額とする。

【解説】
(1) 退職手当法による退職手当の種類は、次のとおりである。

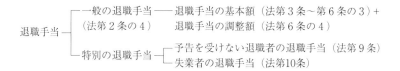

　上記のうち、「一般の退職手当」とは、通常称されているところの退職手当であり、「退職手当の基本額」に「退職手当の調整額」を加えたものがその額となる。「特別の退職手当」は、一部の者を除いて国家公務員には労働基準法、船員法及び雇用保険法が適用されていないが、これらの法律による給付、すなわち労働基準法による解雇手当、船員法による雇止手当及び雇用保険法による失業等給付に相当するものは、国家公務員にも実質的に保障する必要があるので、一般の退職手当が低額である等の一定の要件を満たす者に限りこれを特別の退職手当として支給しようとするものである。

(2) 一般の退職手当の給付水準の在り方については、国家公務員の退職手当はその処遇の在り方と関連すること、国家公務員の地位・性格、さらには退職手当の財源が国民の負担する税金によって賄われていること等を考慮すれば、広く国民の理解と納得を得られるものでなければならない。
　国家公務員の退職手当の給付水準の在り方について、広く国民の理解と納得を得られるものとしては、民間企業における退職給付の支給水準との均衡を図っていくという考え方が最も適当であると考えられている。このため、退職給付の官民比較を行うべく民間企業における退職給付の実態調査が実施

されており、退職給付の官民の均衡が図られているところである。
　また、国家公務員の退職手当制度・仕組み等の見直しに当たっては、人事管理上の要請、公務部内の実情、均衡等を総合的に勘案することが必要である。
(3)　退職手当の基本額は、勤続期間と退職理由との組合せによる退職事由に応じて3段階（法第3条から第5条まで）に区分されている。これは、勤続期間又は退職理由を基準として功績・功労の高さを評価し、これに応じて退職手当の取扱いを異にしていることによるものである。法第5条の2から法第6条の3までは、退職手当の基本額の計算の特例に関する規定である。

```
                    ┌─ 自己の都合による退職等の場合の退職手当の基本額
                    │  （法第3条）
退職手当の基本額 ──┼─ 11年以上25年未満勤続後の定年退職等の場合の退職手当の
                    │  基本額（法第4条）
                    └─ 25年以上勤続後の定年退職等の場合の退職手当の基本額
                       （法第5条）
```

(4)　退職手当の基本額の算定は、退職の日における俸給月額に勤続期間及び退職理由に応じた退職事由別支給率を乗ずるという方法を基本としている。
　したがって、退職手当の基本額の算定の基礎は、「俸給月額」、「勤続期間」及び「退職理由」の3つである。
　「勤続期間」については、法第7条の解説に譲ることとし、法第3条から第5条までに共通する「俸給月額」と「退職理由」のうちの主なものについて、以下一括して説明する。

(a)　**俸給月額について**
①　退職手当の算定の基礎となる俸給月額は、「退職の日」における俸給月額（法第5条の2が適用される場合には特定減額前俸給月額）である。したがって、給与改定が退職の日（法第5条の2が適用される場合には減額日）まで遡及適用となった場合には、改定後の俸給月額が退職手当の算定基礎となる。
②　俸給月額の「俸給」の意義については、次のように解されている。

　○運　用　方　針（抄）
　第3条関係
　一　「俸給」とは、一般職の職員の給与に関する法律（昭和25年法律第95号。以下「一般職給与法」という。）第5条第1項に規定する俸給又は勤務に対する報酬として支給される給与であってこれに相当するものをいう。

具体的には、一般職給与法第6条及び別表に掲げる各俸給表に定める「俸給」を指し、諸手当は含まれないが、同法第10条の規定による「俸給の調整額」は含まれる（一般職給与法の運用方針第5条関係）。なお、俸給の減額改定が行われる場合において、職員の減額後の俸給月額が減額前の俸給月額に達しない場合にその差額に相当する額を支給する旨の経過措置規定が法令上置かれることがある（例として一般職の職員の給与に関する法律等の一部を改正する法律（平成17年法律第113号）附則第11条）。このような差額については、平成17年改正により法附則第9項が追加され、俸給月額には含まないこととされている（法附則第9項の解説参照）。
　一般職給与法適用者以外の者（特別職職員、行政執行法人職員）の場合にあっては、給与、給料、報酬、手当等種々の名称のものがあるが、その名称の如何にかかわらず、月、週、日等一定の期間を単位とし、勤労の対価として支給される給与であって、一般職給与法適用者の俸給に実質的に相当するものである。
　一般職給与法と退職手当法における俸給の概念を図示すると次のようになる。

一般職給与法と退手法上における俸給の概念

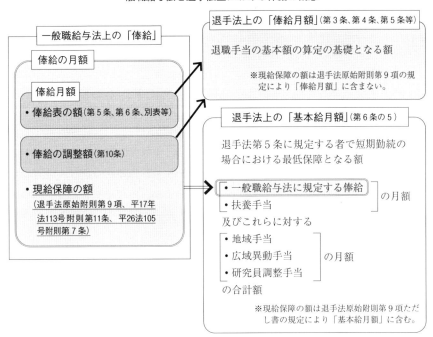

③　俸給が日額で定められている者（施行令第1条第1項第2号の非常勤職員がそのケースであろう。）の場合には、その21日分をもって俸給月額として取り扱われる。この「21日分」については、「昭和24年度及び昭和25年度総合均衡予算の実施に伴う退職手当の臨時措置に関する政令」（昭和24年政令第264号）以降、昭和63年12月までは、月額制職員が1月のうちおおむね25日勤務して生計を立てている実情に鑑み「25日分」とされていたが、4週6休制の実施に伴い1月当たりの職員の勤務日数が2日減少したため「23日分」と改められ、さらに、完全週休2日制の実施により、平成4年5月以降「21日分」とされた。

　なお、賃金又は手当の名称で給与が支給される者に係る退職手当の算定の基礎となる俸給月額については、運用方針において次のように取り扱われることとなっている。

○運 用 方 針（抄）
第3条関係
　二　前号の場合において、賃金又は手当の支給を受けている者に対する退職手当の算定の基礎となる俸給月額は、次に掲げる額とする。
　　イ　賃金又は手当の額のうち俸給に相当する部分の額が賃金又は手当の額の算定上明らかである者については、次に掲げる額
　　　(1)　賃金又は手当の額が月額で定められている者については、当該俸給に相当する部分の月額
　　　(2)　賃金又は手当の額が日額で定められている者については、当該俸給に相当する部分の日額の21倍に相当する額
　　ロ　イに該当する者以外の者については、次に掲げる額
　　　(1)　賃金又は手当の額が月額で定められている者については、当該月額の8割5分に相当する額
　　　(2)　賃金又は手当の額が日額で定められている者については、当該日額の8割5分に相当する額の21倍に相当する額

④　退職の日における俸給月額が、休職のため一部減額され、停職のため全部支給されず、又は懲戒のため減給されているような場合があるが、この場合の取扱いについては、施行令において次のように定めている。

○施 行 令（抄）
　（俸給月額）
第1条の3　法の規定による退職手当の計算の基礎となる俸給月額は、職員が休職、停職、減給その他の理由によりその俸給（これに相当する給与を含む。以下同じ。）の一部又は全部を支給されない場合においては、これらの理由がないと仮定した場合においてその者が受けるべき俸給月額とする。

「これらの理由がないと仮定した場合」とは、いわゆる復職調整的な仮定計算を行うことを指すものではなく、その者につき現に発令されているいわゆる級号俸の俸給月額によるという意味である。

(b) **退職理由について**
① 退職手当法上、「退職」とは、職員たる身分を退くこと、すなわち、自己都合退職、定年退職、任期終了による退職、懲戒免職、失職、解職等すべて職を離れることをいい、死亡による退職もこれに含まれる。
② 主な退職理由としては、自己都合、死亡、傷病（負傷又は病気をいう。）、定年、応募認定、整理等があるが、死亡又は傷病については公務上と公務外とに区別されている。なお、公務外傷病は、更に通勤（災害）による傷病とそれ以外の傷病（いわゆる私事傷病）とに区別されている（公務外死亡についても、概念上は通勤（災害）による死亡とそれ以外の死亡に区別できるが、両者の退職手当法上の取扱いに差異はないので、法文上は区別されていない。）。

　勤続期間と退職理由との組合せによる退職事由に応じて3段階（法第3条から第5条まで）に区分されることは前述のとおりである。具体的には、次のとおり取り扱われる。
㋐ 「自己都合」については、勤続期間にかかわらず全て法第3条適用となる。
㋑ 「死亡」については、公務上死亡の場合には、勤続期間にかかわらず全て法第5条適用となるが、公務外死亡の場合には、勤続11年未満は法第3条、勤続11年以上25年未満は法第4条、勤続25年以上は法第5条適用となる。
㋒ 「傷病」については、公務上傷病の場合には、勤続期間にかかわらず全て法第5条適用となるが、通勤（災害）による傷病の場合には、勤続11年未満は法第3条、勤続11年以上25年未満は法第4条、勤続25年以上は法第5条の適用となり、通勤（災害）による傷病以外の公務外傷病の場合には、勤続期間にかかわらず全て法第3条適用となる。
㋓ 「定年」については、勤続11年未満は法第3条、勤続11年以上25年未満は法第4条、勤続25年以上は法第5条適用となる。
㋔ 「応募認定」については、法第8条の2第1項第1号による募集（1号募集）の場合には、勤続11年未満は法第3条、勤続11年以上25年未満は法第4条、勤続25年以上は法第5条の適用となり、法第8条の2第1項第2号による募集の場合（2号募集）には、勤続期間にかかわらず全

て法第5条適用となる。

応募認定退職は平成24年改正により導入された新たな退職理由である。

(カ)「整理」については、国家公務員法第78条第4号等の規定による分限免職処分を受けて退職したことを要件とし、この場合には勤続期間にかかわらず全て法第5条の適用となる。

《平成24年改正による退職類型の整理について》

従前、「整理退職」の一類型として扱われてきた「定員の減少又は組織の改廃により省庁限りの措置として退職させる場合」及び「法律又は予算による定員の減少若しくは組織の改廃の過員又は廃職を生ずることによる退職であって、各省庁の長等が総務大臣の承認を得たもの」の想定する退職場面については、上記(オ)の応募認定退職（2号募集）又は(カ)の整理退職に含まれることとなることから、平成24年改正等により、退職手当法上の退職理由から削除された。これらの従前の退職類型の詳細については、第5次改訂版を参照されたい。

また、勧奨退職についても、応募認定退職が創設された平成25年11月1日以降、退職手当法上の退職理由から削除された。しかしながら、応募認定退職には、従来の勧奨退職が想定していた官側都合の退職場面が全て包含されるわけではないため、包含されないものについては、法第4条及び第5条の「その者の事情によらないで引き続き勤続することを困難とする理由により退職した者で政令で定めるもの」として、政令において規定している。具体的には内閣等関与人事退職等がこれに当たるが、詳細については法第4条及び第5条の解説を参照されたい。

以上の退職理由を勤続年数を通じた支給率カーブとしてまとめると「自己都合」、「私事傷病」、「定年、応募認定（1号募集）、通勤傷病、公務外死亡等」、「整理、応募認定（2号募集）、公務上死亡・傷病」の4種類の支給率カーブが存在することとなる。

なお、「傷病」による退職については、職員がこの理由に基づき自分の意思や希望によって退職する場合と、国家公務員法第78条第2号の規定に基づく分限免職により退職する場合が考えられるが、退職理由の判定は、これらの退職の形態にかかわらず、退職の理由そのものが何であったかによって行われる。

③ 次に、その実態等からみて一般的な退職である「自己都合退職」、「定年

退職」及び「応募認定退職」について、あらかじめまとめて説明する。

(ア) 自己都合退職

自己都合退職とは、その者の都合により退職することをいい、純然たる自己便宜退職はもちろんのこと、傷病を理由とした退職であっても、その障害の状態が施行令第2条に定める障害の程度に達しない場合の退職も含まれる。また、その者の意思や希望によらない場合であっても、国家公務員法第78条（第1号～第3号）等の規定に基づく分限免職の場合や国務大臣・副大臣・大臣政務官が内閣総辞職、罷免等によって退職した場合も、前述した適用条文の区分という観点からは、この範疇に含まれる。

(イ) 定年退職

(i) 従来から、国家公務員の一部には、法律に基づく定年制度が実施されていた。すなわち、裁判官、検察官、自衛官、会計検査院検査官等がそれである。

昭和60年3月31日から、国家公務員法の一部を改正する法律（昭和56年法律第77号）等により、一般の国家公務員についても定年制度が実施された。また、令和5年4月1日から、国家公務員法等の一部を改正する法律（令和3年法律第61号）等により、国家公務員の定年は段階的に65歳へと引き上げられることとなった。

国家公務員法第81条の6の規定を次に掲げ、若干の説明を加える。

○国家公務員法（抄）
（定年による退職）
第81条の6　職員は、法律に別段の定めのある場合を除き、定年に達したときは、定年に達した日以後における最初の3月31日又は第55条第1項に規定する任命権者若しくは法律で別に定められた任命権者があらかじめ指定する日のいずれか早い日（次条第1項及び第2項ただし書において「定年退職日」という。）に退職する。
② 前項の定年は、年齢65年とする。ただし、その職務と責任に特殊性があること又は欠員の補充が困難であることにより定年を年齢65年とすることが著しく不適当と認められる官職を占める医師及び歯科医師その他の職員として人事院規則で定める職員の定年は、65年を超え70年を超えない範囲内で人事院規則で定める年齢とする。
③ 前2項の規定は、臨時的職員その他の法律により任期を定めて任用される職員及び常時勤務を要しない官職を占める職員には適用しない。

(ii) まず、定年退職の時期であるが、第1項の規定によれば、職員は定年に達したときは、定年に達した日以後における最初の3月31日又は任命権者があらかじめ指定する日のいずれか早い日に退職することと

なる。したがって、任命権者が指定日を設けなければ、職員は、定年に達した日に退職しないで当該定年に達した日の属する年度末に一斉に退職することとなる。この点、裁判官、検察官等が、定年に達した時に退官する場合と異なる。これは、後任補充の容易性、業務遂行の継続性等を考慮して措置したものとされている。

上記の「定年に達した日」については、その職員について定められている定年年齢に達した日であり、その計算方法については、「年齢計算ニ関スル法律」（明治35年法律第50号）の定めるところによることとなる。すなわち、定年が65歳の場合は、65歳の誕生日の前日が「定年に達した日」となる（「定年制度の運用について」（令和4年2月18日給生15）第1の1。）。

(iii) 次に、具体的な定年年齢は、第2項の規定によれば、一般的には「65歳」である。しかしながら、公務部内には多種多様の職種があり、職務の特殊性、職員の後補充の困難性等を考慮すれば定年を65歳と異なる年齢とすることが適当と認められるものがある。これが、特例定年を設けている所以である。具体的には、第2項に定められているとおりである。

(iv) 第3項は、定年制度が適用されない職員の範囲を定めている。具体的には、次のような者が該当する。
- 国家公務員法第60条の規定により臨時的に任用された職員
- いわゆる育児休業代替職員
- 常勤を要しない審議会委員等

（注）なお、常勤職員給与支弁職員には、定年制度が適用される。

(v) 退職手当法上「定年退職」とは、上記の国家公務員法第81条の6の規定による定年退職を代表的なものとし、その他のものは「これに準ずる他の法令の規定による退職」として位置付けられることとなった。

○運 用 方 針（抄）
第4条関係
一　本条第1項第1号に規定する「これに準ずる他の法令の規定」とは、例えば次に掲げる法律の規定をいう。
　　イ　私的独占の禁止及び公正取引の確保に関する法律（昭和22年法律第54号）第30条
　　ロ　裁判所法（昭和22年法律第59号）第50条
　　ハ　検察庁法（昭和22年法律第61号）第22条
　　ニ　会計検査院法（昭和22年法律第73号）第5条
　　ホ　国会職員法（昭和22年法律第85号）第15条の6及び第15条の7
　　ヘ　裁判所職員臨時措置法（昭和26年法律第299号）本則

ト　自衛隊法（昭和29年法律第165号）第44条の6、第44条の7及び第45条
第5条関係
　一　本条第1項第1号に規定する「これに準ずる他の法令の規定」とは、第4条関係第1号に定めるところによる。

(vi)　参考までに、国家公務員の定年を一覧表にまとめると、次表のとおりである。

区分		職員		定年年齢					根拠法令
				R5.4〜R7.3	R7.4〜R9.3	R9.4〜R11.3	R11.4〜R13.3	R13.4〜	
一般職	行政機関の職員	一般職員（一般職の職員の給与に関する法律適用職員）	事務職員などの一般職員	61歳	62歳	63歳	64歳	65歳	国家公務員法第81条の6等（人事院規則11-8第2条等）
			病院、診療所等の医師・歯科医師	65歳					
			矯正施設、国立ハンセン病療養所等の医師・歯科医師	66歳	67歳	68歳	69歳	70歳	
			庁舎の監視等を行う労務職員	63歳			64歳	65歳	
			職務内容が特殊な官職等	事務次官、外局の長官、省名審議官等	62歳	63歳	64歳	65歳	
				国立感染症研究所副所長、海技試験官等	63歳		64歳	65歳	
				迎賓館長、宮内庁次長、金融庁長官等	65歳				
		検察官	検事総長	65歳					国家公務員法第81条の6、検察庁法第22条等
			その他の検察官	64歳	65歳				
	行政執行法人の職員			一般職員と概ね同じ					国家公務員法第81条の6及び独立行政法人通則法第59条第2項
特別職	行政府	内閣総理大臣等	会計検査院長及び検査官	65歳					会計検査院法第5条
			公正取引委員会委員長及び委員	70歳					私的独占の禁止及び公正取引の確保に関する法律第30条
			その他（内閣総理大臣、大使、宮内庁長官等）	なし					―
		防衛省	自衛官	階級	将、将補	60歳				自衛隊法第45条等
					一佐	57歳				
					二佐、三佐	56歳				
					一尉〜一曹	55歳				
					二曹〜三曹	54歳				
			各幕僚長の職にある自衛官	62歳					
			事務官等	一般職員と概ね同じ					
	司法府	裁判官	最高裁の裁判官	70歳					憲法第79条（裁判所法第50条）
			高裁、地裁及び家裁の裁判官	65歳					憲法第80条（裁判所法第50条）
			簡裁の裁判官	70歳					憲法第80条（裁判所法第50条）
		裁判所職員		一般職員と概ね同じ					裁判所職員臨時措置法（国家公務員法を準用）
	立法府	国会職員	下記以外の職員	一般職員と概ね同じ					国会職員法第15条の6
			各議院事務局の事務総長、議長・副議長の秘書参事、常任委員会専門員、各議院法制局の法制局長、国立国会図書館の館長と専門調査員	なし					国会職員法第16条
			国会議員・議員秘書（退職手当法の適用なし）	なし					―

※令和5年4月1日時点の法令等のデータに基づいて作成

(vii) また、昭和60年3月31日から、定年制度の一環として、勤務延長の制度が実施されることとなった。国家公務員法第81条の7の規定を次に掲げ、若干の説明を加える。

○**国家公務員法**（抄）
（定年による退職の特例）
第81条の7 任命権者は、定年に達した職員が前条第1項の規定により退職すべきこととなる場合において、次に掲げる事由があると認めるときは、同項の規定にかかわらず、当該職員に係る定年退職日の翌日から起算して1年を超えない範囲内で期限を定め、当該職員を当該定年退職日において従事している職務に従事させるため、引き続き勤務させることができる。ただし、第81条の5第1項から第4項までの規定により異動期間（これらの規定により延長された期間を含む。）を延長した職員であつて、定年退職日において管理監督職を占めている職員については、同条第1項又は第2項の規定により当該定年退職日まで当該異動期間を延長した場合であつて、引き続き勤務させることについて人事院の承認を得たときに限るものとし、当該期限は、当該職員が占めている管理監督職に係る異動期間の末日の翌日から起算して3年を超えることができない。
一 前条第1項の規定により退職すべきこととなる職員の職務の遂行上の特別の事情を勘案して、当該職員の退職により公務の運営に著しい支障が生ずると認められる事由として人事院規則で定める事由
二 前条第1項の規定により退職すべきこととなる職員の職務の特殊性を勘案して、当該職員の退職により、当該職員が占める官職の欠員の補充が困難となることにより公務の運営に著しい支障が生ずると認められる事由として人事院規則で定める事由
② 任命権者は、前項の期限又はこの項の規定により延長された期限が到来する場合において、前項各号に掲げる事由が引き続きあると認めるときは、人事院の承認を得て、これらの期限の翌日から起算して1年を超えない範囲内で期限を延長することができる。ただし、当該期限は、当該職員に係る定年退職日（同項ただし書に規定する職員にあつては、当該職員が占めている管理監督職に係る異動期間の末日）の翌日から起算して3年を超えることができない。
③ 前2項に定めるもののほか、これらの規定による勤務に関し必要な事項は、人事院規則で定める。

　　定年による退職の特例、すなわち勤務延長の内容であるが、第1項の規定によれば、任命権者は、職員が定年により退職すべきこととなる場合において、その職員の職務の特殊性又はその職員の職務遂行上の特別の事情からみてその退職により公務運営に著しい支障が生ずると認められる十分な理由があるときは、その者の定年退職日の翌日から1年を超えない範囲内で期限を定め、職員を引き続き勤務させることができる旨定めている。また、第2項の規定は、期限の再延長は可能であるが、定年退職日の翌日から3年を超えることができない旨を定めている。

すなわち、勤務延長とは、定年に達したことにより退職することとなる者を退職させないで、定年を超えて引き続き勤務させるものであり、この場合、身分、給与その他の勤務条件は従前のそれと同様とされる。

　したがって、退職手当法上も、職員が勤務延長された場合には、定年退職日において「退職」という事実が発生しないので退職手当を支給せず、在職期間も当然引き続くこととなる。また、「定年退職者」には、「勤務延長の期限の到来により退職した者」を含むこととされている（法第4条の解説(5)参照）ので、職員が勤務延長の期限の到来により退職する場合には、勤続期間に応じ、法第3条から第5条までの規定による退職手当を支給することとなる。

(ⅷ)　最後に、令和5年4月1日からの定年の段階的な引上げに伴い、暫定再任用制度が設けられている。国家公務員法等の一部改正（平成11年法律第83号）等により平成13年4月から導入された定年退職者等の再任用制度により採用された者と同様に、暫定再任用職員については、退職手当法が適用されないこととなった（第2編第7章の解説60参照）。

(ウ)　**応募認定退職**

（ⅰ）　応募認定退職は、国家公務員の退職給付の給付水準の見直し等のための国家公務員退職手当法等の一部を改正する法律（平成24年法律第96号）による退職手当法の改正により早期退職募集制度を導入したことに伴い新設された退職理由であり、法第8条の2に規定されている各省各庁の長等が実施する早期退職募集に応募をした職員が当該各省各庁の長等から、応募による退職が予定されている職員である旨の認定を受け、退職すべき期日に退職することをいう。

（ⅱ）　早期退職募集には、①職員の年齢別構成の適正化を図ることを目的とし、法第5条の3の政令で定める年齢以上の年齢である職員を対象として行う募集（法第8条の2第1項第1号。1号募集）、②組織の改廃又は官署若しくは事務所の移転を円滑に実施することを目的とし、当該組織又は官署若しくは事務所に属する職員を対象として行う募集（同項第2号。2号募集）の2つの類型がある。

（ⅲ）　国家公務員については、再就職のあっせんが禁止され、官側の勧奨に応えて退職するものが減少することなどにより、平均年齢が上昇する傾向にあったところ、「民間の企業年金及び退職金の実態調査の結果並びに当該調査の結果に係る本院の見解について（平成24年3月7日人事院）」の中で、「組織活力を維持する観点から、民間企業におい

て大企業を中心に早期退職優遇制度がある程度普及していることも勘案しつつ、退職手当制度において早期退職に対するインセンティブを付与するための措置を併せて講じていく必要」性が指摘されており、有識者会議の報告書においても同趣旨の指摘がなされた。

(iv) これらを受け、平成24年改正により、早期退職募集制度を創設するとともに、同制度に基づく応募認定退職者の退職手当の算定に当たっては、自己都合退職等とは異なる取扱いをする規定の整備がなされた。具体的には、勤続年数等一定の要件を満たした場合に法第5条の3による定年前早期退職特例措置の対象となることや、支給率が勤続年数に応じて定年退職又は整理退職と同等の扱いとされていることである。

なお、平成17年改正において、自己都合退職、定年・勧奨等退職の支給率カーブのフラット化を行ったが、民間企業においてもポイント制の導入等によりフラット化が進んでおり、ほぼ民間企業並みのフラットなカーブとなった。但し、自己都合退職と定年・勧奨等退職の支給率の格差については、民間企業においても一般的に引き続き存在していること等から、維持することとした。

(注) 一般職の常勤官職と特別職の常勤官職を兼ねる場合の取扱いについて

職員の身分の特殊な事例として、一般職の常勤官職と特別職の常勤官職を兼ねる場合がある。この場合、それぞれの官職について勤続期間、俸給月額が存在することとなるが、退職手当の計算に当たっては、一方の官職を先に退職したとしてもその際に退職手当を支給することはせず、法第2条に規定する「職員」としての身分を離れた際、すなわち、すべての官職から退職した際に、最初に「職員」としての身分を取得してから最後の退職までの期間を勤続期間として退職手当の額を計算する。この場合、①一般職の常勤官職と特別職の常勤官職を兼ねている期間に、一方の官職に関して休職、停職等により現実に職務をとることを要しない期間がある場合には、もう一方の官職には関係ない場合であっても、該当する月数の2分の1を除算しなければならず、②法第12条第1項の支給制限に該当して一方の官職から離職した場合には、当該離職以前の勤続期間にもう一方の官職の在職期間と重なっている期間があっても、その期間を当該離職後に更にもう一方の官職を退職する際の退職手当の計算の基礎となる勤続期間に含めることはできない。

なお、一般職の常勤官職と特別職の常勤官職を同時に退職した場合には、兼職していない場合との権衡の観点から、それぞれの官職の俸給月額と退職理由により退職手当の額を計算し、いずれか有利となる額をその者の退職手当の額とする。

(5) 退職手当の調整額は、勤続期間に中立的な形で公務への貢献度を退職手当額に反映させるため、基礎在職期間（法第5条の2第2項）の各月ごとに職員

の区分を定め、この職員の区分が高いものから60月分について、それぞれの職員の区分に応じて定められている額を合計して計算する、いわゆるポイント制的な部分である。詳しくは法第6条の4の解説を参照されたい。

最後に、法第3条～5条において解説する主な退職理由と適用条項をまとめると、次表のようになる。

主な退職理由と適用条項

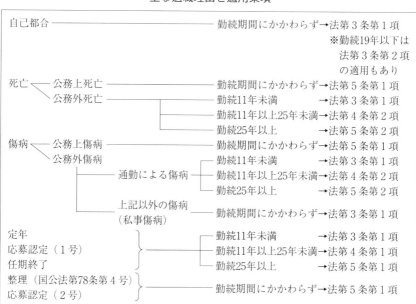

2　自己の都合による退職等の場合の退職手当の基本額

（自己の都合による退職等の場合の退職手当の基本額）

第3条　次条又は第5条の規定に該当する場合を除くほか[1]、退職した者に対する退職手当の基本額は、退職の日におけるその者の俸給月額[2]（俸給が日額で定められている者については、退職の日におけるその者の俸給の日額の21日分に相当する額。次条から第6条の4までにおいて「退職日俸給月額」という。）に、その者の勤続期間[3]を次の各号に区分して、当該各号に掲げる割合を乗じて得た額の合計額[4]とする。

一　1年以上10年以下の期間については、1年につき100分の100

二　11年以上15年以下の期間については、1年につき100分の110
三　16年以上20年以下の期間については、1年につき100分の160
四　21年以上25年以下の期間については、1年につき100分の200
五　26年以上30年以下の期間については、1年につき100分の160
六　31年以上の期間については、1年につき100分の120

2　前項に規定する者のうち、負傷若しくは病気（以下「傷病」という。）又は死亡によらず、かつ、第8条の2第5項に規定する認定を受けないで、その者の都合により退職した者（第12条第1項各号に掲げる者及び傷病によらず、国家公務員法（昭和22年法律第120号）第78条第1号から第3号まで（裁判所職員臨時措置法（昭和26年法律第299号）において準用する場合を含む。）、自衛隊法第42条第1号から第3号まで又は国会職員法第11条第1項第1号から第3号までの規定による免職の処分を受けて退職した者を含む。以下この項及び第6条の4第4項において「自己都合等退職者」という。）[5]に対する退職手当の基本額は、自己都合等退職者が次の各号に掲げる者に該当するときは、前項の規定にかかわらず、同項の規定により計算した額に当該各号に定める割合を乗じて得た額とする[6]。

一　勤続期間1年以上10年以下の者　100分の60
二　勤続期間11年以上15年以下の者　100分の80
三　勤続期間16年以上19年以下の者　100分の90

【解説】

(1)　法第3条の規定に該当する退職事由は、法第4条又は第5条の規定に該当しない全ての場合である。その主な退職事由を整理すれば、次のとおりである。

　(ア)　勤続期間にかかわらず全ての自己都合
　(イ)　勤続期間にかかわらず全ての公務外傷病（通勤（災害）による傷病を除く）
　(ウ)　勤続期間にかかわらず全ての分限免職（国家公務員法第78条第4号等による分限免職処分を伴う整理退職を除く）
　(エ)　11年未満勤続の公務外死亡、通勤（災害）による傷病
　(オ)　11年未満勤続の定年、応募認定（法第8条の2第1項第1号の募集に限る）、任期終了等

(カ) 11年未満勤続のその者の事情によらないで引き続いて勤続することを困難とする理由により退職した者

なお、(エ)～(カ)については、法第3条第1項において「次条又は第5条の規定に該当する場合を除くほか」とされており、法律上、直接規定しているわけではない。各退職理由の詳細については、法第4条の解説を参照されたい。

(2) 退職手当の算定の基礎となる俸給月額の取扱いについては、法第2条の4の解説(4)(a)を参照されたい。
(3) 勤続期間の計算については、法第7条の解説を参照されたい。
(4) 合計額の算出方法を、一例をとって示すと次のとおりである。

〔例示〕 勤続期間22年、(通勤によらない)公務外傷病退職、俸給月額326,500円(行(一)3級63号俸)の場合

1 勤続期間1年以上10年以下の期間　　$\frac{100}{100} \times 10 (年) = \frac{1,000}{100}$

2 勤続期間11年以上15年以下の期間　　$\frac{110}{100} \times 5 (年) = \frac{550}{100}$

3 勤続期間16年以上20年以下の期間　　$\frac{160}{100} \times 5 (年) = \frac{800}{100}$

4 勤続期間21年以上22年以下の期間　　$\frac{200}{100} \times 2 (年) = \frac{400}{100}$

合　計　　$\frac{2,750}{100}$

支給額　　$326,500円 \times \frac{2,750}{100} \times \frac{83.7}{100} = 7,515,213円$

　　(注) 退職手当の基本額には、平成25年1月以降、勤続期間にかかわらず調整率を乗じることとされている(法附則第6項～第8項、昭和48年法律第30号附則第5項～第7項及び平成15年法律第62号附則第4項参照)。

(5) 第2項は、勤続期間の短い、その者の都合により退職した者(自己都合等退職者)に対する退職手当の減額規定である。

本項は、傷病又は死亡による退職、応募認定退職には適用されない。短期勤続者でも、傷病又は死亡による退職の場合も応募認定退職の場合もあえて退職手当額を減額しないこととしているわけである。本項でいう傷病又は死亡は、もちろん、公務上の原因によらないものである(第5条第1項参照)。

「傷病」の程度については、施行令において、厚生年金保険法による障害共済年金が支給される程度の障害の状態にある傷病とされている。

○施　行　令 (抄)
　　(傷病の程度)
第2条 法第3条第2項、第4条第2項又は第5条第1項第4号若しくは第2項に規定す

る傷病は、厚生年金保険法（昭和29年法律第115号）第47条第2項に規定する障害等級に該当する程度の障害の状態にある傷病とする。

次に、「死亡」であるが、自殺も（立法論としては議論もありえようが）これに含まれる。国家公務員法第78条第4号の分限免職処分を伴う整理退職の対象予定者が整理退職前に公務外の事由で死亡した場合も、「死亡」による退職であると解される。

また、早期退職募集制度に基づく応募認定退職についても、同制度が職員の年齢別構成の適正化を通じた組織活力の維持等を目的とする、早期退職のインセンティブを付与する制度であるため、支給率の算定に当たっては勤続年数に応じて定年退職又は整理退職と同率で扱うこととし、減額の対象外とされている。

また、運用方針は、次に掲げる者の場合は、減額対象とならないことを明らかにしている。

○運用方針（抄）
第3条関係
　三　本条第2項の規定は、次に掲げる者に対しては適用しない。
　　イ　国家公務員法（昭和22年法律第120号）第81条の6第1項の規定により退職した者（同法第81条の7第1項の期限又は同条第2項の規定により延長された期限の到来により退職した者を含む。）又はこれに準ずる他の法令の規定により退職した者
　　ロ　定年に達した日以後その者の非違によることなく退職した者（イに該当する者を除き、次のいずれかに該当する者を含む。）
　　　(1)　国家公務員法等の一部を改正する法律（令和3年法律第61号。以下「令和3年国家公務員法等改正法」という。）附則第3条第5項に規定する旧国家公務員法勤務延長期限若しくは同条第6項の規定により延長された期限の到来により退職した者又はこれに準ずる他の法令の規定により退職した者
　　　(2)　令和3年国家公務員法等改正法附則第3条第5項に規定する旧国家公務員法勤務延長期限若しくは同条第6項の規定により延長された期限の到来前に退職した者又はこれに準ずる他の法令の規定により退職した者
　　ハ　裁判官で日本国憲法第80条に定める任期を終えて退職し、又は任期の終了に伴う裁判官の配置等の事務の都合により任期の終了前1年内に退職したもの
　　ニ　法律の規定に基づく任期を終えて退職した者（イに該当する者を除く。）
　　ホ　定年の定めのない職を職員の配置等の事務の都合により退職した者
　　ヘ　施行令第3条第4号に掲げる職を職員の配置等の事務の都合により定年に達する日前に退職した者
　　ト　11年未満の期間勤続した者であって、60歳（附則第12項各号に掲げる者にあっては、当該各号に定める年齢）に達した日以後その者の非違によることなく退職した者（附則第14項各号に掲げる者及びイからヘまでに該当する者を除き、ロ(1)又は(2)に該当する者を含む。）

上記のイに掲げる者は、勤続期間20年未満で定年により退職した者のほか、勤続期間20年未満で勤務延長の期限の到来により退職した者である。また、「又はこれに準ずる他の法令の規定により退職した者」とは、国家公務員法の適用を受けない者（例えば、自衛官、国会職員等）で、定年退職、勤務延長の期限の到来等により退職した者をいう。

　上記のロに掲げる者は、勤続期間20年未満で定年に達した日以後定年退職日の前日までの間にその者の非違によることなく退職した者のほか、勤続期間20年未満で勤務延長の期限の到来前にその者の非違によることなく退職した者等である。上記のハ～ヘについては、勤続20年未満で、それぞれ施行令第3条第1号～第4号に掲げる理由により退職した者を指す（法第4条の解説(7)(a)～(d)参照）。

　また、上記トは、勤続期間11年未満で引上げ前の定年年齢以降にその者の非違によることなく退職した者である（附則第12項の解説参照）。

　なお、第2項の減額対象となる者として、法第12条第1項各号に掲げる者を「その者の都合により退職した者」に含めている。これは、たとえ支給制限処分を行わなかったとしても、法第12条第1項各号に規定する退職をした者に対して自己都合退職をした者を上回る一般の退職手当を支給することは適当でないと考えられるためである。

　また、国家公務員法第78条第1号から第3号までの規定等による分限免職処分を受けて退職した者についても「その者の都合により退職した者」として、減額対象に含めている。これは、従前から同法第78条第1号から第3号までの規定等による分限免職処分を受けて退職した者については自己都合退職者と同様に法第3条第2項の適用として取り扱ってきたところ、平成24年法改正において法文上これらの者を含めて「自己都合等退職者」として、明示したものである。

　また、本項の適用に関し、法第7条第1項から第5項までの規定により計算した在職期間が、例えば19年7月となったような場合に本項が適用されるか否かという問題があるが、退職手当の算定基準としての勤続期間は、法第7条第6項の規定により「年を単位」として計算することとされていることから、このような場合にも、本項の適用により減額対象となるものと解すべきである。

(6)　この場合の退職手当の基本額の算出の具体例を示すと次のとおりである。

〔例示〕

　（本項第1号）

　勤続期間3年、自己都合退職、俸給月額164,100円（行㈠1級13号俸）の場合

　$164,100円 \times \frac{100}{100} \times 3（年）\times \frac{60}{100} \times \frac{83.7}{100} ≒ 247,233円$

(本項第2号)

勤続期間15年、自己都合退職、俸給月額282,400円（行㈠3級33号俸）の場合

$$282,400円 \times \{(\frac{100}{100} \times 10) + (\frac{110}{100} \times 5)\} \times \frac{80}{100} \times \frac{83.7}{100} = 2,930,973円$$

(本項第3号)

勤続期間17年、自己都合退職、俸給月額295,800円（行㈠3級41号俸）の場合

$$295,800円 \times \{(\frac{100}{100} \times 10) + (\frac{110}{100} \times 5) + (\frac{160}{100} \times 2)\} \times \frac{90}{100} \times \frac{83.7}{100} = 4,166,848円$$

(注) 退職手当の基本額には、平成25年1月以降、勤続期間にかかわらず調整率を乗じることとされている（法附則第6項〜第8項、昭和48年法律第30号附則第5項〜第7項及び平成15年法律第62号附則第4項参照）。

3　11年以上25年未満勤続後の定年退職等の場合の退職手当の基本額

（11年以上25年未満勤続後の定年退職等の場合の退職手当の基本額）

第4条　11年以上25年未満の期間勤続[1]した者であつて、次に掲げるものに対する退職手当の基本額は、退職日俸給月額[2]に、その者の勤続期間の区分ごとに当該区分に応じた割合を乗じて得た額の合計額[3]とする。

一　国家公務員法第81条の6第1項の規定により退職した者[4]（同法第81条の7第1項の期限又は同条第2項の規定により延長された期限の到来により退職した者を含む[5]。）又はこれに準ずる他の法令の規定により退職した者[6]

二　その者の事情によらないで引き続いて勤続することを困難とする理由により退職した者で政令で定めるもの[7]

三　第8条の2第5項に規定する認定（同条第1項第1号に係るものに限る。）を受けて同条第8項第3号に規定する退職すべき期日に退職した者[8]

2　前項の規定は、11年以上25年未満の期間勤続した者で、通勤（国家公務員災害補償法（昭和26年法律第191号）第1条の2（他の法令において、引用し、準用し、又はその例による場合を含む。）に規定する通勤をいう。次条第2項及び第6条の4第1項において同じ。）による傷病により退職し、死亡（公務上の死亡を除く。）により退職し、又は定年に達した日以後その者の非違によることなく退職した者（前項の規定に該当する者を除く。）に対する退職手当の基本額について準用する[9]。

3　第1項に規定する勤続期間の区分及び当該区分に応じた割合は、次の

とおりとする。
　一　1年以上10年以下の期間については、1年につき100分の125
　二　11年以上15年以下の期間については、1年につき100分の137.5
　三　16年以上24年以下の期間については、1年につき100分の200

【解説】

(1)　本条は、自己都合退職でもなく、長期勤続後の定年退職でもなく、性質上その中間程度の退職手当を支給することが適当な退職の場合を規定している。本条の適用の要件として「勤続11年以上25年未満」とあるのは、法第7条に規定する勤続期間と同じ計算方法による。例えば、在職中に休職の期間があればその期間は原則2分の1として計算する。また、過去の引き続いた在職期間内に退職手当に相当する給付を受けている場合には、その基礎となった期間は除算する。したがって、単に引き続いて11年以上在職したというだけでは足りない（昭和29・6・10蔵計第1372号）。

(2)　退職日俸給月額の取扱いについては、法第2条の4の解説(4)(a)を参照されたい。

(3)　合計額の算出方法は、法第3条の解説(4)を参照されたい。

(4)　本条適用の第1の対象は、11年以上25年未満勤続し、国家公務員法第81条の6第1項に規定する定年に達したことにより退職した者である。その詳細については、法第2条の4の解説(4)(b)を参照されたい。

(5)　第1項第1号括弧内の規定は、勤務延長の期限の到来により退職した者の退職手当については、定年退職者と同様の取扱いをしようとするものである。勤務延長の内容等については、法第2条の4の解説(4)(b)を参照されたい。

(6)　退職手当法上、定年退職とは、国家公務員法第81条の6に基づくものを代表的なものとし、国家公務員法の適用を受けない者が、他の法令の規定に基づいて定年退職をした場合には、「これに準ずる他の法令の規定により退職した者」として位置付けたものである。

(7)　本条適用の第2の対象は、その者の事情によらないで引き続いて勤続することを困難とする理由により退職した者で政令で定めるものであるが、施行令において次のように定めている。

　　○施　行　令（抄）
　　（法第4条第1項第2号に掲げるその者の事情によらないで引き続いて勤続することを困難とする理由により退職した者）

第3条 法第4条第1項第2号に掲げるその者の事情によらないで引き続き勤続することを困難とする理由により退職した者で政令で定めるものは、次に掲げる者とする。
　一　裁判官で日本国憲法第80条に定める任期を終えて退職し、又は任期の終了に伴う裁判官の配置等の事務の都合により任期の終了前1年内に退職したもの
　二　法律の規定に基づく任期を終えて退職した者
　三　定年の定めのない職を職員の配置等の事務の都合により退職した者
　四　次に掲げる職を職員の配置等の事務の都合により定年に達する日前に退職した者
　　イ　各議院事務局の事務総長又は各議院法制局の法制局長がその任命を行うに際し各議院の議長の同意（国会法（昭和22年法律第79号）第27条第2項及び第131条第5項の規定によるものを除く。）を得た職
　　ロ　国立国会図書館の館長がその任命を行うに際し両議院の議長の承認を得た職
　　ハ　裁判官訴追委員会の委員長又は裁判官弾劾裁判所の裁判長がその任命を行うに際し両議院の議長の同意及び両議院の議院運営委員会の承認を得た職（裁判官訴追委員会事務局にあつては事務局長及び事務局次長の職に限り、裁判官弾劾裁判所事務局にあつては事務局長の職に限る。）
　　ニ　参議院事務局の事務総長がその任命を行うに際し参議院の調査会長の同意を得た職
　　ホ　参議院事務局の事務総長がその任命を行うに際し参議院の憲法審査会の会長の同意を得た職
　　ヘ　任命権者又はその委任を受けた者がその任命を行うに際し内閣の承認を得た職
　　ト　内閣がその任免を行う検察庁法（昭和22年法律第61号）第15条第1項に規定する職
　　チ　会計検査院長が会計検査院法（昭和22年法律第73号）第14条第1項の規定により検査官の合議で決するところによりその任免及び進退を行う職（事務総局に置かれる事務総長、事務総局次長及び局長並びに事務総局に置かれる官房に置かれる総括審議官の職に限る。）
　五　競争の導入による公共サービスの改革に関する法律（平成18年法律第51号）第31条第1項に規定する実施期間の初日以後1年を経過する日までの期間内に、任命権者又はその委任を受けた者の要請に応じ、引き続いて同項に規定する対象公共サービス従事者となるために退職した者

上記の施行令第3条に規定する退職理由について、若干説明する。
(a)　第1号の規定は、裁判官特有の問題である。憲法第80条の規定により、下級裁判所の裁判官の任期は10年と定められているが、再任は妨げられない。本号後段で任期終了前1年内の退職者にも本号の適用を認めているのは、一般の国家公務員とは異なる裁判官の人事管理上の特殊性によるものである。
　なお、任期10年を1期のみ務めて退職する場合は、他の勤続11年未満で任期満了退職又は定年退職する職員と同様に法第3条第1項の適用となる。
(b)　次に、第2号の規定は、裁判官以外の者が、法律の規定に基づく任期を

終了して退職した場合には、定年退職者や後述する職員の配置等の事務の都合により退職した者の退職手当と同様の取扱いをする旨定めている。

「法律の規定に基づく任期」としては、例えば国家公務員法第60条に規定する臨時的任用者の任期、国家公務員の育児休業等に関する法律（平成3年法律第109号）第7条第1項に規定する臨時的任用者の任期、一般職の任期付研究員の採用、給与及び勤務時間の特例に関する法律（平成9年法律第65号）第3条に規定する任期付研究員の任期、一般職の任期付職員の採用及び給与の特例に関する法律（平成12年法律第125号）第3条に規定する任期付職員の任期等がある。なお、これらの者が任期終了による退職手当を支給されるためには、所要の期間（法第7条第6項但書の規定により6月以上）勤務することが必要なのは当然である。

次に、第3号から第5号は、平成24年法改正に伴う施行令の改正により勧奨退職が廃止されたことに対応し、追加されたものである。新たに創設された応募認定退職は、これまでの勧奨退職が想定していた官側都合の退職の場面について、その性質上全てを包含するわけではない。そのため、その包含しないものについて、施行令第3条第3号以下に規定したものである。

(c) 第3号の規定は、定年の定めのない職を職員の配置等の事務の都合により退職した者である。これは、早期退職募集制度は定年の定めのない職員を対象としないため（法第8条の2第1項）、例えば、組織運営上必要な時期に定年の定めのない職員に退職してもらう場面は引き続き想定されるものの、早期退職募集の手続によることができないことから、「官側都合による退職」としてこれを整理しているものである。本号に規定する「定年の定めのない職」とは次のような官職である。

ⅰ 特別職の国家公務員の一部
ⅱ 法律により任期を定めて任用される職員
ⅲ 国家行政組織法第3条等に基づく委員会、同法第8条に基づく審議会委員等

なお、非常勤については、そもそも本号は適用されない（施行令第1条第2項）。

前述の「官側都合による退職」とは、具体例として、公務遂行上の理由からある官職を占めている職員を異動させる必要が生じたときに、組織全体の人員配置の都合上、人事刷新も考慮して当該職員をその後異動させて配置すべき官職が組織内に存在しない場合などが想定される。

このような官側の都合による退職を総じて「職員の配置等の事務の都合により退職」と規定している（第4号も同様）。

なお、定年の定めのない職の１つである各議院事務局の事務総長は、当該職に係る選挙の結果により任命される（国会法第27条第１項及び衆議院規則（昭和22年６月議決）第16条等）が、選挙の結果により官職から離れることは「その者の都合によらないで引き続いて勤続することを困難とする理由により退職」に該当するものであり、「職員の配置等」の「等」の一類型として「事務の都合により退職」により退職した者に含まれるものである。

(d) 第４号の規定は、いわゆる内閣等関与人事退職である。第４号に規定するものは、定年の定めのある職であることから、早期退職募集の対象であるものの、募集を行う者（多くは任命権者と同一）でない高次の判断により、定年に達する前に退職する場合があることに対応して、これを「その者の事情によらないで引き続いて勤続することを困難とする理由により退職した者」の一類型として定めているものである。

第４号イからホまでは国会職員（議長同意等）の関係、ヘは内閣承認人事、トは検察組織の幹部である検事総長、次長検事及び検事長（いわゆる検察三職）、チは会計検査院の事務総長、事務総局次長、局長及び総括審議官の４職を想定している。

(e) 第５号の規定は、勧奨退職の廃止により、競争の導入による公共サービスの改革に関する法律（平成18年法律第51号）第31条第１項に規定する「特定退職」に対応する退職手当法上の退職理由が存在しなくなることから規定されたものである。

《退職理由の記録について》

平成25年改正前の施行令第４条の２においては、勧奨の要件として、勧奨の事実を記録するよう義務付けているが、これは任用上「辞職」と位置付けられる「自己都合退職」と「勧奨退職」とを、退職手当法上明確に区分し、その運用の適正化を図る趣旨で昭和60年の法改正に伴い、同年の施行令改正により設けられたものであるが、勧奨退職の廃止に伴い、本規定の必要性はなくなった。

しかしながら、平成25年改正後の施行令第３条に掲げる者のうち、任期付の職員が任期終了により退職する場合以外のものについて、これまでの勧奨記録と同様に、退職理由が事務の都合か自己都合かについて把握する立場にある各省各庁の長等に対し、その退職者が官側都合によることの事実を記録として作

成するよう、その義務が平成25年施行令改正において改めて規定された。
　これにより、例えば、記録を作成しないこととした場合に生じる可能性がある、自己都合退職を安易に事務都合退職に置き換えるといった不都合を回避しようとするものである。

〇施　行　令（抄）
　　（退職の理由の記録）
第4条の2　法第8条の2第1項に規定する各省各庁の長等（以下「各省各庁の長等」という。）は、第3条各号（第1号中任期を終えて退職した者に係る部分及び第2号を除く。）に掲げる者の退職の理由について、内閣官房令で定めるところにより、記録を作成しなければならない。

〇国家公務員退職手当法施行令第4条の2の規定による退職の理由の記録に関する内閣官房令（平成25年総務省令第57号）
　　（退職理由記録の記載事項等）
第1条　国家公務員退職手当法施行令第4条の2の規定により作成する同令第3条各号（第1号中任期を終えて退職した者に係る部分及び第2号を除く。）に掲げる者の退職の理由の記録（以下「退職理由記録」という。）には、次に掲げる事項を記載しなければならない。
　一　作成年月日
　二　氏名及び生年月日
　三　退職の日における勤務官署又は事務所及び職名
　四　勤続期間並びに採用年月日及び退職年月日
　五　退職の理由及び当該退職の理由に該当するに至った経緯
　六　作成者の職名及び氏名
2　退職理由記録の様式は、別記様式とする。
3　退職理由記録には、職員が提出した辞職の申出の書面の写しを添付しなければならない。
　　（作成時期）
第2条　退職理由記録は、職員の退職後速やかに作成しなければならない。
　　（保管）
第3条　退職理由記録は、国家公務員退職手当法（昭和28年法律第182号）第8条の2第1項に規定する各省各庁の長等が保管する。
2　退職理由記録は、その作成の日から5年間保管しなければならない。

　　　附　則（抄）
　　（施行期日）
1　この省令は、平成25年11月1日から施行する。
　　（経過措置）
3　前項の規定により廃止された退職勧奨の記録に関する省令の規定により作成された退職勧奨の記録の保管については、なお従前の例による。

別記様式 (第1条関係)(表面)

退 職 の 理 由 の 記 録

		作成年月日	年　　月　　日
氏名		生年月日	年　　月　　日
勤務官署又は事務所		職　名	
勤続期間	年　　月	採用年月日 年　月　日	退職年月日 年　月　日

退職の理由	国家公務員退職手当法施行令第3条第　　号　　に掲げる者に該当 　　（国家公務員退職手当法第　　条第　　項第　　号）
当該退職の理由に該当するに至った経緯	

作成者の職名及び氏名	

別記様式 （第1条関係）（裏面）

備考
1 退職理由記録の記入要領は、次のとおりとする。
 ⑴ 「作成年月日」欄は、退職理由記録を作成した日を記入する。
 ⑵ 「氏名」欄は、職員の氏名を記入する。
 ⑶ 「勤務官署又は事務所」欄は、退職時に所属していた勤務官署又は事務所の名称を記入する。
 ⑷ 「職名」欄は、退職時の職名を記入する。なお、警察官、海上保安官及び自衛官については、退職時の階級を括弧書で併記する。
 ⑸ 「勤続期間」欄は、退職手当の算定の基礎となる勤続期間（月単位までとし、1月未満の端数は切り捨てる。）を記入する。
 ⑹ 「採用年月日」欄及び「退職年月日」欄は、退職手当の算定の基礎となる在職期間に係る採用年月日及び退職年月日を記入する。
 ⑺ 「退職の理由」欄は、職員が国家公務員退職手当法施行令（昭和28年政令第215号。以下「施行令」という。）第3条各号のうちの該当する号等を記入するとともに、当該職員の勤続年数に応じて国家公務員退職手当法（昭和28年法律第182号）第3条第1項、第4条第1項第2号又は第5条第1項第5号の規定のいずれかの条項を括弧書で併記する。
 ⑻ 「当該退職の理由に該当するに至った経緯」欄は、当該退職の理由に該当するに至った経緯その他の事務の都合の具体的な内容を記入する。なお、施行令第3条第5号に掲げる者に該当するときは、当該者が使用されることとなる競争の導入による公共サービスの改革に関する法律（平成18年法律第51号）第31条第1項に規定する公共サービス実施民間事業者を併記する。
 ⑼ 「作成者の職名及び氏名」欄は、退職理由記録を作成した者の職名及び氏名を記入する。

2 その者の都合による退職と職員の配置等の事務の都合による退職（施行令第3条第5号に掲げる者の退職を含む。以下同じ。）とを明確に区分するため、第1条第3項に規定する辞職の申出については、職員の配置等の事務の都合による退職である旨明らかとなるよう留意されたい。

(8) 本条適用の第3の対象は、法第8条の2第5項に規定する認定（同条第1項第1号に係るものに限る。）を受けて同条第8項第3号に規定する退職すべき期日に退職した者（応募認定退職者）である。応募認定退職については、法第2条の4及び第8条の2の解説を参照されたい。
(9) 20年以上25年未満勤続して公務外死亡により退職した者については、従来、法第3条適用とされていたが、民間企業における業務外死亡の取扱いの実情等を考慮し、昭和48年の法改正により法第4条第1項の支給率を準用することとし、平成17年の法改正により、これを11年以上25年未満勤続に拡大した。また、20年以上25年未満勤続して通勤（災害）による傷病により退職した者についても、従来、法第3条適用とされていたが、通勤災害による被災者を保護する観点から、平成3年の法改正により、通勤（災害）による死亡により退職した者（公務外死亡により退職した者に含まれる。）と同様、法第4条第1項の支給率を準用することとし、平成17年の法改正により、これを11年以上25年未満勤続に拡大した。

なお、「通勤」の認定基準は、国家公務員災害補償法等の認定基準に準拠することとされている。

○施　行　令（抄）
　　（公務又は通勤によることの認定の基準）
第5条　各省各庁の長等は、退職の理由となつた傷病又は死亡が公務上のもの又は通勤によるものであるかどうかを認定するに当たつては、国家公務員災害補償法（昭和26年法律第191号）その他の法律の規定により職員の公務上の災害又は通勤による災害に対する補償を実施する場合における認定の基準に準拠しなければならない。

次に、「定年に達した日以後その者の非違によることなく退職した者（前項の規定に該当する者を除く。）」とは、具体的には、次に掲げる者である。

○運用方針（抄）
第4条関係
　三　本条第2項の規定の適用については、次に定めるところによる。
　　イ　略
　　ロ　「定年に達した日以後その者の非違によることなく退職した者（前項の規定に該当する者を除く。）」とは、次に掲げる者のうち、その者の都合により退職した者をいう。
　　　(1) 定年に達した日以後定年退職日の前日までの間において、その者の非違によることなく退職した者
　　　(2) 国家公務員法第81条の7第1項の期限又は同条第2項の規定により延長された期限の到来前にその者の非違によることなく退職した者
　　　(3) 令和3年国家公務員法等改正法附則第3条第5項に規定する旧国家公務員法勤

務延長期限若しくは同条第6項の規定により延長された期限の到来前にその者の非違によることなく退職した者
　(4)　(2)又は(3)に掲げる規定に準ずる他の法令の規定により勤務した後その者の非違によることなく退職した者
ハ　本条第2項の規定は、令和3年国家公務員法等改正法附則第3条第5項に規定する旧国家公務員法勤務延長期限若しくは同条第6項の規定により延長された期限の到来により退職した者又はこれに準ずる他の法令の規定により退職した者に対しても適用されるものとする。
ニ　例えば第3条関係第4号イ又はロに掲げる場合には、その者の非違によることなく辞職を申し出たものかどうかについて、特に慎重に判断するものとする。

　上記に掲げる者は、特段の定めがない限り、本来自己都合により退職した者として取り扱われるべき性質のものである。しかしながら、上記(1)の者については、既に定年に達していること、裁判官、検察官等の定年退職の取扱い（定年に達した日に退職し、その際定年による退職手当が支給される。）との均衡等を考慮し、その退職について特に本人の落度がない限り、定年退職扱いとするものである。上記(2)又は(3)の者についても、その者が定年退職日に退職したとすれば、定年による退職手当を受給し得る地位にあったこと等を考慮し、その退職について特に本人の落度がない限り、定年退職扱いとするものである。上記(4)の者は国家公務員法の適用を受けない者であり、これらの者についても、他の法令の規定により実質的に上記(2)又は(3)に掲げる者に該当する場合には、同様の取扱いをしようとするものである。
　なお、上記に掲げる者に対しても、一定の条件に該当する場合には、法附則第6項及び昭和48年法律第30号附則第5項の規定が適用されることとなっている。

○運用方針（抄）
第4条関係
　四　附則第6項及び国家公務員等退職手当法の一部を改正する法律（昭和48年法律第30号）附則第5項の規定は、本条第2項の規定により退職した者に対し適用されるものとする。

　これらは、昭和60年の退職手当法の改正の際措置されたものである。

4　25年以上勤続後の定年退職等の場合の退職手当の基本額

（25年以上勤続後の定年退職等の場合の退職手当の基本額）
第5条　次に掲げる者に対する退職手当の基本額は、退職日俸給月額[1]に、その者の勤続期間[2]の区分ごとに当該区分に応じた割合を乗じて得た額の合計額[3]とする。
　一　25年以上勤続し、国家公務員法第81条の6第1項の規定により退職した者（同法第81条の7第1項の期限又は同条第2項の規定により延長された期限の到来により退職した者を含む。）又はこれに準ずる他の法令の規定により退職した者[4]
　二　国家公務員法第78条第4号（裁判所職員臨時措置法において準用する場合を含む。）、自衛隊法第42条第4号又は国会職員法第11条第1項第4号の規定による免職の処分を受けて退職した者[5]
　三　第8条の2第5項に規定する認定（同条第1項第2号に係るものに限る。）を受けて同条第8項第3号に規定する退職すべき期日に退職した者[6]
　四　公務上の傷病又は死亡により退職した者[7]
　五　25年以上勤続し、その者の事情によらないで引き続いて勤続することを困難とする理由により退職した者で政令で定めるもの[8]
　六　25年以上勤続し、第8条の2第5項に規定する認定（同条第1項第1号に係るものに限る。）を受けて同条第8項第3号に規定する退職すべき期日に退職した者[9]
2　前項の規定は、25年以上勤続した者で、通勤による傷病により退職し、死亡により退職し、又は定年に達した日以後その者の非違によることなく退職した者（同項の規定に該当する者を除く。）に対する退職手当の基本額について準用する[10]。
3　第1項に規定する勤続期間の区分及び当該区分に応じた割合は、次のとおりとする。
　一　1年以上10年以下の期間については、1年につき100分の150
　二　11年以上25年以下の期間については、1年につき100分の165
　三　26年以上34年以下の期間については、1年につき100分の180
　四　35年以上の期間については、1年につき100分の105

【解説】

本条は、長期勤続後の定年退職者及び応募認定退職者、公務上の傷病又は死亡により退職した者等に対しては、支給率のうち最も高い支給率による退職手当を支給しようとするものである。

(1) 俸給月額の取扱いについては、法第2条の4の解説(4)(a)を参照されたい。
(2) 勤続期間の計算については、法第7条の解説を参照されたい。
(3) 合計額の算出方法は、法第3条の解説(4)を参照されたい。
(4) 本条適用の第1の対象は、25年以上勤続し、国家公務員法第81条の6第1項に規定する定年に達したことにより退職した者等である。この解釈については、法第2条の4の解説4(b)を参照されたい。
(5) 本条適用の第2の対象者は、勤続期間にかかわらず全ての整理退職者である。ここでいう「整理退職者」は、国家公務員法第78条第4号に基づく分限免職処分又はこれに相当する特別職の分限処分を受けて退職したことを要件としている。整理退職の扱いについては、法第2条の4の解説も参照されたい。
(6) 本条適用の第3の対象者は、勤続期間にかかわらず全ての法第8条の2第5項に規定する認定(同条第1項第2号に係るものに限る。)を受けて退職した者(応募認定退職者)である。応募認定退職については、法第8条の2の解説を参照されたい。
(7) 本条適用の第4の対象者は、勤続期間にかかわらず全ての公務上の傷病又は死亡により退職した者である。公務上の傷病又は死亡により退職した者は、昭和34年10月1日(旧郵政職員等及び旧三公社職員については、昭和34年1月1日)前は、公務外の傷病又は死亡の場合と同率の退職手当が支給されていたが、同日以後は、公務上の傷病に起因する退職や公務災害により死亡した場合については、特に本条の退職手当が支給されることとなり、退職手当の功績報償的性格が明確にされている(なお、死亡(公務上、公務外を問わない。)による退職の場合には、俸給4月分の加算制度があったが、同日以後は廃止されている。)。

本条の退職手当が支給される傷病の程度については、法第3条の解説(5)を参照されたい。

この第4の適用対象の場合には、当該傷病又は死亡が公務上のものであるかどうかが問題となるが、この点については、施行令において次のように定めている。

○施　行　令（抄）
　　（公務又は通勤によることの認定の基準）
　第5条　各省各庁の長等は、退職の理由となつた傷病又は死亡が公務上のもの又は通勤によるものであるかどうかを認定するに当たつては、国家公務員災害補償法（昭和26年法律第191号）その他の法律の規定により職員の公務上の災害又は通勤による災害に対する補償を実施する場合における認定の基準に準拠しなければならない。

(8)　本条適用第5の対象者は、25年以上勤続し、その者の事情によらないで引き続いて勤続することを困難とする理由により退職した者で政令で定めるものである。施行令において次のように定めている。

○施　行　令（抄）
　　（法第5条第1項第5号に掲げる25年以上勤続し、その者の事情によらないで引き続いて勤続することを困難とする理由により退職した者）
　第4条　法第5条第1項第5号に掲げる25年以上勤続し、その者の事情によらないで引き続いて勤続することを困難とする理由により退職した者で政令で定めるものは、25年以上勤続した者であつて、前条各号に掲げるものとする。

　　上記の施行令の規定における退職理由の考え方については、法第4条の解説(7)で述べたところにそのまま従って差し支えない。
(9)　本条適用第6の対象者は、25年以上勤続し、法第8条の2第5項に規定する認定（同条第1項第1号に係るものに限る。）を受けて退職した者である。応募認定退職については、法第8条の2の解説を参照されたい。
(10)　25年以上勤続の公務外死亡については、従来、法第4条適用とされていたが、民間企業における業務外死亡の取扱いの実情等を考慮して、昭和48年の法改正により、法第5条第1項の支給率による退職手当を支給することとされた。また、25年以上勤続して通勤（災害）による傷病により退職した者についても、従来、法第4条適用とされていたが、通勤災害による被災者を保護する観点から、平成3年の法改正により、通勤（災害）による死亡により退職した者（公務外死亡により退職した者に含まれる。）と同様、法第5条第1項の支給率を準用することに改められた。
　　なお、通勤の認定基準については法第4条の解説(9)を参照されたい。
　　「定年に達した日以後その者の非違によることなく退職した者（前項の規定に該当する者を除く。）」の解釈については、法第4条の解説(9)を参照されたい。

5 俸給月額の減額改定以外の理由により俸給月額が減額されたことがある場合の退職手当の基本額に係る特例

（俸給月額の減額改定以外の理由により俸給月額が減額されたことがある場合の退職手当の基本額に係る特例）
第5条の2 退職した者の基礎在職期間中に、俸給月額の減額改定（俸給月額の改定をする法令が制定され、又はこれに準ずる給与の支給の基準が定められた場合において、当該法令又は給与の支給の基準による改定により当該改定前に受けていた俸給月額が減額されることをいう。以下同じ。）以外の理由によりその者の俸給月額が減額されたことがある場合において[(1)]、当該理由が生じた日（以下「減額日」という。）における当該理由により減額されなかつたものとした場合のその者の俸給月額のうち最も多いもの（以下「特定減額前俸給月額」という。）が、退職日俸給月額よりも多いときは[(2)]、その者に対する退職手当の基本額は、前3条の規定にかかわらず、次の各号に掲げる額の合計額とする[(3)]。
一　その者が特定減額前俸給月額に係る減額日のうち最も遅い日の前日に現に退職した理由と同一の理由により退職したものとし、かつ、その者の同日までの勤続期間及び特定減額前俸給月額を基礎として、前3条の規定により計算した場合の退職手当の基本額に相当する額
二　退職日俸給月額に、イに掲げる割合からロに掲げる割合を控除した割合を乗じて得た額
　　イ　その者に対する退職手当の基本額が前3条の規定により計算した額であるものとした場合における当該退職手当の基本額の退職日俸給月額に対する割合
　　ロ　前号に掲げる額の特定減額前俸給月額に対する割合
2　前項の「基礎在職期間」[(4)]とは、その者に係る退職（この法律その他の法律の規定により、この法律の規定による退職手当を支給しないこととしている退職を除く。）の日以前の期間のうち、次の各号に掲げる在職期間に該当するもの（当該期間中にこの法律の規定による退職手当の支給を受けたこと又は地方公務員、第7条の2第1項に規定する公庫等職員（他の法律の規定により、同条の規定の適用について、同項に規定する公庫等職員とみなされるものを含む。以下この項において同じ。）若しくは第8条第1項に規定する独立行政法人等役員として退職したこ

とにより退職手当（これに相当する給付を含む。）の支給を受けたことがある場合におけるこれらの退職手当に係る退職の日以前の期間及び第7条第6項の規定により職員としての引き続いた在職期間の全期間が切り捨てられたこと又は第12条第1項若しくは第14条第1項の規定により一般の退職手当等（一般の退職手当及び第9条の規定による退職手当をいう。以下同じ。）の全部を支給しないこととする処分を受けたことにより一般の退職手当等の支給を受けなかつたことがある場合における当該一般の退職手当等に係る退職の日以前の期間（これらの退職の日に職員、地方公務員、第7条の2第1項に規定する公庫等職員又は第8条第1項に規定する独立行政法人等役員となつたときは、当該退職の日前の期間）を除く。)(5)をいう。

一　職員としての引き続いた在職期間(6)

二　第7条第5項の規定により職員としての引き続いた在職期間に含むものとされた地方公務員としての引き続いた在職期間(7)

三　第7条の2第1項に規定する再び職員となつた者の同項に規定する公庫等職員としての引き続いた在職期間(8)

四　第7条の2第2項に規定する場合における公庫等職員としての引き続いた在職期間(9)

五　第8条第1項に規定する再び職員となつた者の同項に規定する独立行政法人等役員としての引き続いた在職期間(10)

六　第8条第2項に規定する場合における独立行政法人等役員としての引き続いた在職期間(11)

七　前各号に掲げる期間に準ずるものとして政令で定める在職期間(12)

【解説】

　国家公務員については、本人の意に反し降任させる人事は、勤務実績がよくない場合等一定の事由に該当する場合に限り、分限処分として実施できることとなっている（国家公務員法第78条等）。また、本人の同意の下に降任させる人事を行い、俸給月額を減額させることについても、従来の国家公務員退職手当法の仕組みの下では退職時の俸給月額を基礎として退職手当額が算定されるため、俸給月額の減額前に退職したと仮定した場合よりも退職手当額が大幅に下がる可能性があることから、こうした退職手当制度の仕組み自体が在職期間の長期化等に対応するために俸給月額を減額するといった人事運用を実施してい

く上での妨げにもなりかねない。

　こうしたことから、平成17年の退職手当法の改正により、今後の複線型人事管理にも適切に対応できるよう、在職期間中に俸給月額の減額があった場合に適用される退職手当の基本額算定に係る特例を設けることとし、俸給月額の減額前に早期退職する場合よりも退職手当額が大きく下がらないようにすることとしたものである。

(1)　第1項は、本条を適用するための要件及び本条を適用する際の計算方法を規定している。

　　本条を適用するための第1の要件は、退職した者の基礎在職期間（本条第2項についての解説で詳述）中に俸給の減額改定以外の理由によりその者の俸給月額が減額されたことである。したがって、本人の同意や分限処分による降格に伴う減額、専門スタッフ職俸給表への異動等、俸給表間異動に伴う減額、管理監督職勤務上限年齢制による降任に伴う降給などが本特例の適用対象となる。

　　俸給月額の減額改定とは、各種給与法の改正による減額改定のほか、行政執行法人の給与の支給の基準の改正による減額改定等をいう。俸給月額の減額改定については、運用方針に次のとおり規定されている。

　　〇運　用　方　針（抄）
　　第5条の2関係
　　　一　「俸給月額の減額改定」には、職員が引き続いて地方公務員、公庫等職員又は独立行政法人等役員その他職員以外のもの（以下「地方公務員等」という。）となり再び職員となった場合において、当該地方公務員等としての在職期間中に俸給月額の減額改定が行われたことにより再び職員となったときの俸給月額が先の職員として受けていた俸給月額より少なくなった場合を含むものとする。
　　　二　「給与の支給の基準」とは、独立行政法人通則法（平成11年法律第103号）第57条第2項に規定する給与の支給の基準をいう。
　　　三　「俸給月額が減額されたことがある場合」とは、職員として受ける俸給月額が減額されたことがある場合をいい、例えば、次に掲げる場合はこれに該当しない。
　　　　イ　地方公務員等としての在職期間においてその者の本俸（俸給月額に相当するものをいう。以下同じ。）が減額された場合
　　　　ロ　地方公務員等から職員となった場合において地方公務員等を退職した際に受けていた本俸より当該退職に引き続いて職員となった際に受けていた俸給月額が少ない場合
　　　四　略

　　国家公務員の退職手当は、民間賃金に準拠した俸給月額に基づいて算定される水準が妥当であるとの考え方を採っており、また、給与制度において、俸給の増額改定が実施された年度において、あるいは、逆に減額改定が実施

された年度においても、従前の退職手当の支給水準を維持するための特段の措置は講じておらず、俸給の減額改定を当該改定後の退職手当額の算定に連動させないこととするのは適当ではないことから、本条の適用要件を俸給月額の減額改定以外の理由による俸給月額の減額に限ることとしている。

なお、勤務実績がよくないこと又は官職に必要な適格性を欠くことを理由に降任され（分限処分）、俸給月額が減額されたような場合についても、こうした職員の公務貢献性を小さくとらえ、上記特例措置の対象外とすることも考えられるが、①分限処分は、懲戒処分と異なり、本人の非違を罰するものではなく、公務能率増進の観点から官職の職責に適合した能力を有するものを当該官職に任用するためのものであること、②明確にこれらの理由で降任処分が行われることは稀であること、③特例の対象外とすることにより、かえって降任処分が行いにくくなるとの弊害も予想されること、といった理由から特例の対象から除外しないこととしている。

その他、俸給月額の減額改定以外の理由については、運用方針において次のとおりとされている。

○運用方針（抄）
第5条の2関係
　一～三　略
　四　「俸給月額の減額改定以外の理由」には、職員がその者の俸給表の適用を異にして異動した場合において当該異動後に受けていたその者の俸給月額が異動前に受けていたその者の俸給月額より少ない場合を含む。

本特例は、平成17年改正法の施行日（又は適用日）以降の減額が対象であり、同日前のものは対象外である（平成17年改正法の経過措置の解説参照）。また、本特例の対象は職員として受ける俸給月額が減額された場合に限られ、地方公務員、公庫等職員等としての減額は含まれない。

(2) 本条を適用するための第2の要件は、特定減額前俸給月額が退職日俸給月額よりも多いことである。

特定減額前俸給月額とは、職員の俸給月額が俸給月額の減額改定以外の理由により減額された場合において、当該減額された日（減額日）において、俸給月額の減額がなかったものと仮定した場合にその者が受けていたであろう俸給月額（職員の在職中に俸給月額の減額が複数回あった場合には、それぞれの減額日において、それぞれの減額がなかったものと仮定した場合にその者が受けていたであろう俸給月額のうち、最もその額の多いもの）をいう。

例えば、ある職員が平成Ｘ年9月30日において280,000円の俸給月額を受

けていたところ、平成Ｘ年10月１日に降格を理由として、その者の俸給月額が250,000円となったとすると、その者に係る減額日は平成Ｘ年10月１日、特定減額前俸給月額は、280,000円となる。

　また、本条の適用については、俸給月額の減額改定以外の理由による俸給月額の減額のみが対象になるため、例えば、ある職員が平成Ｙ年３月31日において310,000円の俸給月額を受けていたところ、平成Ｙ年４月１日に降格及び俸給月額の減額改定を理由として、その者の俸給月額が285,000円（降格による減額が20,000円分、減額改定による減額が5,000円分）となったとすると、その者に係る減額日は平成Ｙ年４月１日、特定減額前俸給月額は、305,000円となる。

(3)　本条による退職手当の基本額の計算方法については、特定減額前俸給月額に係る減額日（特定減額前俸給月額に係る減額日が複数ある場合には、その最も遅い日）の前日をその者の俸給月額の最高到達点と捉え、次の２つの額の合計額としている。

　①　退職した者の最高到達点までの勤続期間と特定減額前俸給月額を基礎として、その者が実際の退職理由と同一の理由で退職したものと仮定した場合の退職手当の基本額に相当する額

　②　退職日俸給月額に、(1)その者に対する退職手当の基本額が本条による特例を適用しないで計算した額であるものとした場合の退職手当の基本額の支給率から(2)①の場合における退職手当の基本額の支給率に相当する割合を控除した割合を乗じて得た額

　なお、本条による退職手当額の計算方法を例をとって示すと事例１～３のとおりである。

(4)　第２項は、基礎在職期間について定めている。

　基礎在職期間とは、その者が在職していた期間の長さを示す在職期間とは別に、退職手当の支給の基礎となるものとして規定する引き続いた期間（出向期間等も含めて通算した在職期間全体そのもの）を指す概念であり、本条のほか、退職手当の調整額の計算（第６条の４）、退職手当の支払の差止（第13条第１項第２号及び同条第２項第１号）、退職後禁錮以上の刑に処せられた場合の退職手当の支給制限（第14条第１項第１号）、退職をした者の退職手当の返納（第15条第１項第１号）及び退職手当受給者の相続人からの退職手当相当額の納付（第17条第３項及び同条第４項）の各規定の適用に係る構成要素となっている。

【事例１】

特定減額前俸給月額(A)×ロ＋退職日俸給月額(B)×（イ－ロ）＋調整額

ロ：現に退職した理由と同一の理由及び減額日の前日までの勤続期間に基づく支給率

イ：退職した理由と当該勤続期間に基づく支給率

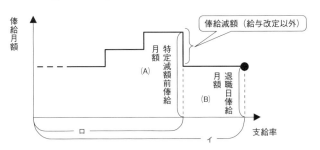

- 特定減額前俸給月額(A)＝行(一)７級52号俸＝439,500円
- 退職日俸給月額(B)＝行(一)６級68号俸＝405,900円
- 減額日前日支給率ロ＝勤続32年・定年退職＝43.81695
- 退職日支給率イ＝勤続42年・定年退職＝47.709
- 調整額は300万円と仮定

退職手当額＝(A)×ロ＋(B)×（イ－ロ）＋調整額＝約2,394万円

【事例２】　定年前早期退職特例措置の対象である場合

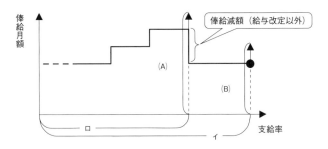

- 特定減額前俸給月額(A)＝指定４号俸、退職時58歳＝895,000円×1.07＝957,650円
- 退職日俸給月額(B)＝行(一)９級36号俸、退職時58歳＝524,300円×1.07（特定減額前俸給月額が指定４号俸であるため割増率は１％となる（第５条の３の解説参照））＝561,001円
- 減額日前日支給率(ロ)＝勤続32年・応募認定退職（１号）＝43.81695
- 退職日支給率(イ)＝勤続35年・応募認定退職（１号）＝47.709
- 調整額は4,420,000円と仮定

退職手当額＝(A)×ロ＋(B)×（イ－ロ）＋調整額＝約4,856万円

（早期退職割増の１年当たり割増率は特定減額前俸給月額(A)により、割増年数は退職時年齢により判断することになる。）

なお、定年前早期退職特例措置については、令和５年４月１日以降の国家公務員の定年引上げに伴い当分の間の措置が設けられていることに留意が必要である。

【事例３】　様々な俸給減額の場合の特定減額前俸給月額

① 給与改定とそれ以外の理由の俸給減額があった場合

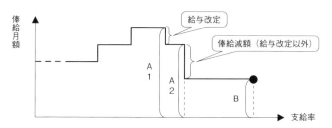

特定減額前俸給月額（給与改定以外の理由での減額前の俸給月額のうち最高額のもの）＝A２

② 給与改定とそれ以外の理由の俸給減額が同時にあった場合

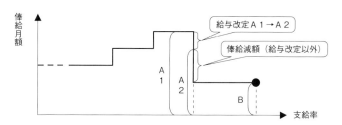

特定減額前俸給月額（給与改定以外の理由での減額前の俸給月額）＝A２

③ 俸給減額が複数回あった場合

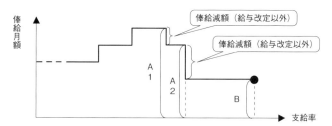

特定減額前俸給月額（給与改定以外の理由での減額前の俸給月額のうち最高額のもの）＝A１

法第5条の2第2項各号に規定する基礎在職期間

基礎在職期間	略図（下線部分が当該各号に規定する期間）
1　職員としての引き続いた在職期間	・<u>職員</u> ・<u>職員（一般職）</u>→<u>職員（特別職）</u>→<u>職員（一般職）</u> ・<u>職員</u>→地方公務員等→<u>職員</u>
2　法第7条第5項の規定により職員としての引き続いた在職期間に含むものとされた地方公務員としての引き続いた在職期間	・<u>地方公務員</u>→職員 ・<u>地方公務員（A県）</u>→<u>地方公務員（B県）</u>→職員
3　法第7条の2第1項に規定する再び職員となった者の同項に規定する公庫等職員としての引き続いた在職期間	・職員→<u>公庫等職員</u>→職員 ・職員→<u>公庫等職員（A公庫）</u>→<u>公庫等職員（B公庫）</u>→職員
4　法第7条の2第2項に規定する場合における公庫等職員としての引き続いた在職期間	・<u>公庫等職員</u>→職員 ・<u>公庫等職員（A公庫）</u>→<u>公庫等職員（B公庫）</u>→職員
5　法第8条第1項に規定する再び職員となった者の同項に規定する独立行政法人等役員としての引き続いた在職期間	・職員→<u>独立行政法人等役員</u>→職員 ・職員→<u>独立行政法人等役員（A法人）</u>→<u>独立行政法人等役員（B法人）</u>→職員
6　法第8条第2項に規定する場合における独立行政法人等役員としての引き続いた在職期間	・<u>独立行政法人等役員</u>→職員 ・<u>独立行政法人等役員（A法人）</u>→<u>独立行政法人等役員（B法人）</u>→職員
7　前各号に掲げる期間に準ずるものとして政令で定める在職期間	施行令第5条の2において、国の機関の独立行政法人化等に伴い当該法人に承継された職員の当該法人職員としての在職期間等を規定するほか、退職手当の算定の基礎となる勤続期間の計算上、地方公務員としての在職期間として計算される一般地方独立行政法人等職員としての在職期間（法第5条の2第2項第2号～第6号の補完的在職期間）について規定。 ・職員→<u>行政執行法人以外の独立行政法人職員（承継職員）</u>→職員 ・地方公務員→<u>一般地方独立行政法人等職員</u>→地方公務員→職員

(5) 基礎在職期間は、退職した者に対する退職手当の支給の基礎となる引き続いた期間であり、次のような場合には、基礎在職期間として通算されないこととなる。
　① 退職したことにより国家公務員退職手当法の規定による退職手当の支給を受けた場合
　② 地方公務員、公庫等職員又は独立行政法人等役員として退職したことにより、退職手当や退職手当に相当する給付の支給を受けた場合
　③ 勤続期間が6月未満であったため職員としての引き続いた在職期間の全期間が切り捨てられて退職手当の支給を受けない退職をした場合
　④ 懲戒免職等処分や欠格条項に該当しての失職等を理由とする退職手当支給制限処分を受けたことにより、一般の退職手当等の全部を支給しないこととされた場合
(6) 職員としての引き続いた在職期間とは、任用上の職員となった日から退職（任命権者の要請に応じ、地方公務員、公庫等職員又は独立行政法人等役員となるための退職を含む。）した日までの期間をいう。
(7) 第7条第5項の規定により職員としての引き続いた在職期間に含むものとされた地方公務員としての引き続いた在職期間とは、第7条第5項に規定する地方公務員から引き続いて職員となった者の当該地方公務員としての在職期間をいう。
(8) 第7条の2第1項に規定する再び職員となった者の同項に規定する公庫等職員としての引き続いた在職期間とは、任命権者の要請に応じ、引き続いて公庫等職員となるため退職し、かつ、引き続き公庫等職員として在職した後職員となった者の当該公庫等職員としての在職期間をいう。
(9) 第7条の2第2項に規定する場合における公庫等職員としての引き続いた在職期間とは、公庫等職員が、任命権者の要請に応じ、引き続いて職員となるため退職し、かつ、引き続いて職員となった場合におけるその者の当該公庫等職員としての在職期間をいう。
(10) 第8条第1項に規定する場合における独立行政法人等役員としての引き続いた在職期間とは、任命権者の要請に応じ、引き続いて独立行政法人等役員となるため退職し、かつ、引き続き独立行政法人等役員として在職した後職員となった者の当該独立行政法人等役員としての在職期間をいう。
(11) 第8条第2項に規定する場合における独立行政法人等役員としての引き続いた在職期間とは、独立行政法人等役員が、任命権者の要請に応じ、引き続いて職員となるため退職し、かつ、引き続いて職員となった場合におけるそ

の者の当該独立行政法人等役員としての在職期間をいう。
⑿　第２項第１号から第６号までに掲げる期間に準ずるものとして政令で定める在職期間として、施行令において次のとおり規定されている。

　○施　行　令（抄）
　（基礎在職期間）
　第５条の２　法第５条の２第２項第７号に規定する政令で定める在職期間は、次に掲げる在職期間とする。
　一　第７条第３項（同条第４項の規定により任命権者の要請に応じ退職したこととみなされる場合を含む。）の規定を適用して職員としての在職期間を計算する場合における先の地方公務員としての引き続いた在職期間及び同条第３項に規定する通算制度を有する一般地方独立行政法人等に使用される者としての引き続いた在職期間
　二　第７条第５項又は第６項の規定を適用して職員としての在職期間を計算する場合における同条第５項に規定する特定公庫等職員としての引き続いた在職期間
　三　第９条の３第１項又は第２項の規定を適用して職員としての在職期間を計算する場合における先の第７条第５項に規定する特定公庫等職員としての引き続いた在職期間及び同条第３項に規定する特定地方公務員又は第９条の３第１項に規定する特定地方公社職員としての引き続いた在職期間
　四　たばこ事業法等の施行に伴う関係法律の整備等に関する法律（昭和59年法律第71号）附則第４条第２項の規定により退職手当の算定の基礎となる勤続期間の計算について職員としての引き続いた在職期間とみなされる日本たばこ産業株式会社の職員としての在職期間
　五　日本電信電話株式会社法及び電気通信事業法の施行に伴う関係法律の整備等に関する法律（昭和59年法律第87号）附則第４条第２項の規定により退職手当の算定の基礎となる勤続期間の計算について職員としての引き続いた在職期間とみなされる日本電信電話株式会社の職員としての在職期間
　六　日本国有鉄道改革法等施行法（昭和61年法律第93号）附則第５条第１項又は第２項の規定により退職手当の算定の基礎となる勤続期間の計算について職員としての引き続いた在職期間とみなされる日本国有鉄道改革法（昭和61年法律第87号）第15条の規定により日本国有鉄道清算事業団となつた旧日本国有鉄道（以下「旧日本国有鉄道」という。）及び同項に規定する承継法人等の職員としての在職期間
　七　独立行政法人鉄道建設・運輸施設整備支援機構法施行令（平成15年政令第293号）附則第13条の規定によりなおその効力を有することとされる独立行政法人鉄道建設・運輸施設整備支援機構法（平成14年法律第180号）附則第16条の規定による改正前の日本国有鉄道清算事業団の債務等の処理に関する法律（平成10年法律第136号）附則第３条第３項の規定により退職手当の算定の基礎となる勤続期間の計算について職員としての引き続いた在職期間とみなされる旧日本国有鉄道、同法附則第２条の規定により解散した旧日本国有鉄道清算事業団（以下「旧日本国有鉄道清算事業団」という。）及び独立行政法人鉄道建設・運輸施設整備支援機構法附則第２条第１項の規定により解散した旧日本鉄道建設公団（以下「旧日本鉄道建設公団」という。）の職員としての在職期間
　八　独立行政法人に係る改革を推進するための文部科学省関係法律の整備に関する法律（平成18年法律第24号。以下「平成18年独法改革文部科学省関係法整備法」という。）

附則第4条第3項の規定によりなおその効力を有することとされる平成18年独法改革文部科学省関係法整備法附則第12条の規定による廃止前の独立行政法人国立青年の家法（平成11年法律第169号）附則第4条第3項の規定により退職手当の算定の基礎となる勤続期間の計算について職員としての引き続いた在職期間とみなされる平成18年独法改革文部科学省関係法整備法附則第9条第1項の規定により解散した旧独立行政法人国立青年の家（以下「旧青年の家」という。）の職員としての在職期間

九　平成18年独法改革文部科学省関係法整備法附則第4条第3項の規定によりなおその効力を有することとされる平成18年独法改革文部科学省関係法整備法附則第12条の規定による廃止前の独立行政法人国立少年自然の家法（平成11年法律第170号）附則第4条第3項の規定により退職手当の算定の基礎となる勤続期間の計算について職員としての引き続いた在職期間とみなされる平成18年独法改革文部科学省関係法整備法附則第9条第1項の規定により解散した旧独立行政法人国立少年自然の家（以下「旧少年自然の家」という。）の職員としての在職期間

十　独立行政法人経済産業研究所法（平成11年法律第200号）附則第4条第3項の規定により退職手当の算定の基礎となる勤続期間の計算について職員としての引き続いた在職期間とみなされる独立行政法人経済産業研究所の職員としての在職期間

十一　貿易保険法の一部を改正する法律（平成11年法律第202号）附則第4条第3項の規定により退職手当の算定の基礎となる勤続期間の計算について職員としての引き続いた在職期間とみなされる貿易保険法及び特別会計に関する法律の一部を改正する法律（平成27年法律第59号）附則第13条第1項の規定により解散した旧独立行政法人日本貿易保険（以下「旧独立行政法人日本貿易保険」という。）の職員としての在職期間

十二　削除

十三　独立行政法人通則法の一部を改正する法律及び独立行政法人通則法の一部を改正する法律の施行に伴う関係法律の整備に関する法律の施行に伴う関係政令の整備等及び経過措置に関する政令（平成27年政令第74号。以下「平成27年独法整備政令」という。）第142条の規定により読み替えて適用する国立研究開発法人宇宙航空研究開発機構法（平成14年法律第161号）附則第4条第3項の規定により退職手当の算定の基礎となる勤続期間の計算について職員としての引き続いた在職期間とみなされる独立行政法人通則法の一部を改正する法律の施行に伴う関係法律の整備に関する法律（平成26年法律第67号。以下「平成26年独法整備法」という。）第88条の規定による改正前の独立行政法人宇宙航空研究開発機構法（平成14年法律第161号。以下「旧独立行政法人宇宙航空研究開発機構法」という。）第3条の独立行政法人宇宙航空研究開発機構（国立研究開発法人宇宙航空研究開発機構を含む。）の職員としての在職期間

十四　独立行政法人労働政策研究・研修機構法（平成14年法律第169号）附則第4条第3項の規定により退職手当の算定の基礎となる勤続期間の計算について職員としての引き続いた在職期間とみなされる独立行政法人労働政策研究・研修機構の職員としての在職期間

十五　独立行政法人原子力安全基盤機構の解散に関する法律（平成25年法律第82号。以下「原子力安全基盤機構解散法」という。）附則第10条の規定によりなおその効力を有することとされる原子力安全基盤機構解散法附則第2条の規定による廃止前の独立行政法人原子力安全基盤機構法（平成14年法律第179号）附則第4条第3項の規定により退職手当の算定の基礎となる勤続期間の計算について職員としての引き続いた在職期間とみなされる原子力安全基盤機構解散法第1条の規定により解散した旧独立行

政法人原子力安全基盤機構（以下「旧独立行政法人原子力安全基盤機構」という。）の職員としての在職期間
十六　独立行政法人医薬品医療機器総合機構法（平成14年法律第192号）附則第8条第3項の規定により退職手当の算定の基礎となる勤続期間の計算について職員としての引き続いた在職期間とみなされる独立行政法人医薬品医療機器総合機構の職員としての在職期間
十七　独立行政法人日本学生支援機構法（平成15年法律第94号）附則第4条第3項の規定により退職手当の算定の基礎となる勤続期間の計算について職員としての引き続いた在職期間とみなされる独立行政法人日本学生支援機構の職員としての在職期間
十八　平成27年独法整備政令第142条の規定により読み替えて適用する国立研究開発法人海洋研究開発機構法（平成15年法律第95号）附則第4条第3項の規定により退職手当の算定の基礎となる勤続期間の計算について職員としての引き続いた在職期間とみなされる平成26年独法整備法第92条の規定による改正前の独立行政法人海洋研究開発機構法（平成15年法律第95号。以下「旧独立行政法人海洋研究開発機構法」という。）第3条の独立行政法人海洋研究開発機構（国立研究開発法人海洋研究開発機構を含む。）の職員としての在職期間
十九　国立大学法人法（平成15年法律第112号）附則第6条第3項の規定により退職手当の算定の基礎となる勤続期間の計算について職員としての引き続いた在職期間とみなされる同法第2条第5項に規定する国立大学法人等の職員としての在職期間
二十　独立行政法人国立高等専門学校機構法（平成15年法律第113号）附則第5条第3項の規定により退職手当の算定の基礎となる勤続期間の計算について職員としての引き続いた在職期間とみなされる独立行政法人国立高等専門学校機構の職員としての在職期間
二十一　独立行政法人大学改革支援・学位授与機構法（平成15年法律第114号）附則第5条第3項の規定により退職手当の算定の基礎となる勤続期間の計算について職員としての引き続いた在職期間とみなされる独立行政法人大学評価・学位授与機構法の一部を改正する法律（平成27年法律第27号。次号において「大学評価・学位授与機構法改正法」という。）による改正前の独立行政法人大学評価・学位授与機構法（平成15年法律第114号。以下「旧独立行政法人大学評価・学位授与機構法」という。）第2条の独立行政法人大学評価・学位授与機構（独立行政法人大学改革支援・学位授与機構を含む。）の職員としての在職期間
二十二　大学評価・学位授与機構法改正法附則第7条の規定によりなおその効力を有することとされる大学評価・学位授与機構法改正法附則第10条の規定による廃止前の独立行政法人国立大学財務・経営センター法（平成15年法律第115号）附則第5条第3項の規定により退職手当の算定の基礎となる勤続期間の計算について職員としての引き続いた在職期間とみなされる大学評価・学位授与機構法改正法附則第2条第1項の規定により解散した旧独立行政法人国立大学財務・経営センター（以下「旧国立大学財務・経営センター」という。）の職員としての在職期間
二十三　独立行政法人に係る改革を推進するための文部科学省関係法律の整備等に関する法律（平成21年法律第18号。以下「平成21年独法改革文部科学省関係法整備法」という。）附則第6条第3項の規定によりなおその効力を有することとされる平成21年独法改革文部科学省関係法整備法第2条の規定による廃止前の独立行政法人メディア教育開発センター法（平成15年法律第116号）附則第5条第3項の規定により退職手

当の算定の基礎となる勤続期間の計算について職員としての引き続いた在職期間とみなされる平成21年独法改革文部科学省関係法整備法附則第2条第1項の規定により解散した旧独立行政法人メディア教育開発センター（以下「旧メディア教育開発センター」という。）の職員としての在職期間

二十四　平成27年独法整備政令第142条の規定により読み替えて適用する独立行政法人産業技術総合研究所法の一部を改正する法律（平成16年法律第83号）附則第4条第3項の規定により退職手当の算定の基礎となる勤続期間の計算について職員としての引き続いた在職期間とみなされる平成26年独法整備法第170条の規定による改正前の独立行政法人産業技術総合研究所法（平成11年法律第203号。以下「旧独立行政法人産業技術総合研究所法」という。）第2条の独立行政法人産業技術総合研究所（国立研究開発法人産業技術総合研究所を含む。）の職員としての在職期間

二十五　独立行政法人医薬基盤研究所法の一部を改正する法律の施行に伴う関係政令の整備及び経過措置に関する政令（平成27年政令第35号）第23条の規定により読み替えて適用する国立研究開発法人医薬基盤・健康・栄養研究所法（平成16年法律第135号）附則第4条第3項の規定により退職手当の算定の基礎となる勤続期間の計算について職員としての引き続いた在職期間とみなされる独立行政法人医薬基盤研究所法の一部を改正する法律（平成26年法律第38号）による改正前の独立行政法人医薬基盤研究所法（平成16年法律第135号。以下「旧独立行政法人医薬基盤研究所法」という。）第2条の独立行政法人医薬基盤研究所（国立研究開発法人医薬基盤・健康・栄養研究所を含む。）の職員としての在職期間

二十六　平成27年独法整備政令第142条の規定により読み替えて適用する独立行政法人情報通信研究機構法の一部を改正する法律（平成18年法律第21号）附則第4条第3項の規定により退職手当の算定の基礎となる勤続期間の計算について職員としての引き続いた在職期間とみなされる平成26年独法整備法第47条の規定による改正前の独立行政法人情報通信研究機構法（平成11年法律第162号。以下「旧独立行政法人情報通信研究機構法」という。）第3条の独立行政法人情報通信研究機構（国立研究開発法人情報通信研究機構を含む。）の職員としての在職期間

二十七　独立行政法人酒類総合研究所法の一部を改正する法律（平成18年法律第23号）附則第4条第3項の規定により退職手当の算定の基礎となる勤続期間の計算について職員としての引き続いた在職期間とみなされる独立行政法人酒類総合研究所の職員としての在職期間

二十八　平成18年独法改革文部科学省関係法整備法附則第4条第2項又は第6項の規定により退職手当の算定の基礎となる勤続期間の計算について職員としての引き続いた在職期間とみなされる旧青年の家又は旧少年自然の家の職員としての在職期間及び平成18年独法改革文部科学省関係法整備法附則第3条第2項に規定する施行日後の研究所等（独立行政法人国立特別支援教育総合研究所、国立研究開発法人物質・材料研究機構、国立研究開発法人防災科学技術研究所、国立研究開発法人放射線医学総合研究所法の一部を改正する法律（平成27年法律第51号）による改正前の国立研究開発法人放射線医学総合研究所法の一部を改正する法律（平成27年法律第51号）による改正前の国立研究開発法人放射線医学総合研究所法（平成11年法律第176号。以下「旧国立研究開発法人放射線医学総合研究所法」という。）第2条の国立研究開発法人放射線医学総合研究所及び国立研究開発法人量子科学技術研究開発機構並びに独立行政法人国立文化財機構を含む。）の職員としての在職期間

二十九　独立行政法人に係る改革を推進するための厚生労働省関係法律の整備に関する法律（平成18年法律第25号。以下「平成18年独法改革厚生労働省関係法整備法」という。）附則第4条第3項の規定により退職手当の算定の基礎となる勤続期間の計算について職員としての引き続いた在職期間とみなされる同法附則第3条に規定する施行日後の労働安全衛生総合研究所等の職員としての在職期間

三十　独立行政法人に係る改革を推進するための農林水産省関係法律の整備に関する法律（平成18年法律第26号。以下「平成18年独法改革農林水産省関係法整備法」という。）附則第4条第3項の規定により退職手当の算定の基礎となる勤続期間の計算について職員としての引き続いた在職期間とみなされる平成18年独法改革農林水産省関係法整備法附則第3条に規定する施行日後の研究機構等（国立研究開発法人農業・食品産業技術総合研究機構、独立行政法人に係る改革を推進するための農林水産省関係法律の整備に関する法律（平成27年法律第70号。以下「平成27年独法改革農林水産省関係法整備法」という。）第2条の規定による改正前の国立研究開発法人水産総合研究センター法（平成11年法律第199号。以下「旧国立研究開発法人水産総合研究センター法」という。）第2条の国立研究開発法人水産総合研究センター及び国立研究開発法人水産研究・教育機構、平成27年独法改革農林水産省関係法整備法附則第2条第1項の規定により解散した旧国立研究開発法人農業生物資源研究所（以下「旧国立研究開発法人農業生物資源研究所」という。）、同項の規定により解散した旧国立研究開発法人農業環境技術研究所（以下「旧国立研究開発法人農業環境技術研究所」という。）、国立研究開発法人国際農林水産業研究センター並びに森林法等の一部を改正する法律（平成28年法律第44号）第5条の規定による改正前の国立研究開発法人森林総合研究所法（平成11年法律第198号。以下「旧国立研究開発法人森林総合研究所法」という。）第2条の国立研究開発法人森林総合研究所及び国立研究開発法人森林研究・整備機構を含む。）の職員としての在職期間

三十一　独立行政法人工業所有権情報・研修館法の一部を改正する法律（平成18年法律第27号）附則第4条第3項の規定により退職手当の算定の基礎となる勤続期間の計算について職員としての引き続いた在職期間とみなされる独立行政法人工業所有権情報・研修館の職員としての在職期間

三十二　独立行政法人に係る改革を推進するための国土交通省関係法律の整備に関する法律（平成18年法律第28号。以下「平成18年独法改革国土交通省関係法整備法」という。）附則第4条第3項の規定により退職手当の算定の基礎となる勤続期間の計算について職員としての引き続いた在職期間とみなされる平成18年独法改革国土交通省関係法整備法附則第3条に規定する施行日後の土木研究所等（国立研究開発法人土木研究所、国立研究開発法人建築研究所、独立行政法人に係る改革を推進するための国土交通省関係法律の整備に関する法律（平成27年法律第48号。以下「平成27年独法改革国土交通省関係法整備法」という。）第3条の規定による改正前の国立研究開発法人海上技術安全研究所法（平成11年法律第208号。以下「旧国立研究開発法人海上技術安全研究所法」という。）第2条の国立研究開発法人海上技術安全研究所及び国立研究開発法人海上・港湾・航空技術研究所、平成27年独法改革国土交通省関係法整備法附則第2条第1項の規定により解散した旧国立研究開発法人港湾空港技術研究所（以下「旧国立研究開発法人港湾空港技術研究所」という。）並びに同項の規定により解散した旧国立研究開発法人電子航法研究所（以下「旧国立研究開発法人電子航法研究所」という。）を含む。）の職員としての在職期間

三十三　平成27年独法整備政令第142条の規定により読み替えて適用する独立行政法人国立環境研究所法の一部を改正する法律（平成18年法律第29号）附則第４条第３項の規定により退職手当の算定の基礎となる勤続期間の計算について職員としての引き続いた在職期間とみなされる平成26年独法整備法第204条の規定による改正前の独立行政法人国立環境研究所法（平成11年法律第216号。以下「旧独立行政法人国立環境研究所法」という。）第２条の独立行政法人国立環境研究所（国立研究開発法人国立環境研究所を含む。）の職員としての在職期間

三十四　独立行政法人国立博物館法の一部を改正する法律（平成19年法律第７号）附則第４条第２項の規定により退職手当の算定の基礎となる勤続期間の計算について職員としての引き続いた在職期間とみなされる同法附則第２条第１項の規定により解散した旧独立行政法人文化財研究所（以下「旧文化財研究所」という。）の職員としての在職期間及び独立行政法人国立文化財機構の職員としての在職期間

三十五　独立行政法人に係る改革を推進するための独立行政法人農林水産消費技術センター法及び独立行政法人森林総合研究所法の一部を改正する法律（平成19年法律第８号。以下「農林水産消費技術センター法等改正法」という。）附則第８条第２項の規定により退職手当の算定の基礎となる勤続期間の計算について職員としての引き続いた在職期間とみなされる農林水産消費技術センター法等改正法附則第６条第１項の規定により解散した旧独立行政法人林木育種センター（以下「旧林木育種センター」という。）の職員としての在職期間及び平成26年独法整備法第152条の規定による改正前の独立行政法人森林総合研究所法（平成11年法律第198号。以下「旧独立行政法人森林総合研究所法」という。）第２条の独立行政法人森林総合研究所（旧国立研究開発法人森林総合研究所法第２条の国立研究開発法人森林総合研究所及び国立研究開発法人森林研究・整備機構を含む。）の職員としての在職期間

三十六　自動車検査独立行政法人法及び道路運送車両法の一部を改正する法律（平成19年法律第９号。以下「自動車検査独立行政法人法等改正法」という。）附則第４条第３項の規定により退職手当の算定の基礎となる勤続期間の計算について職員としての引き続いた在職期間とみなされる道路運送車両法及び自動車検査独立行政法人法の一部を改正する法律（平成27年法律第44号。第46号において「道路運送車両法等改正法」という。）第２条の規定による改正前の自動車検査独立行政法人法（平成11年法律第218号。以下「旧自動車検査独立行政法人法」という。）第２条の自動車検査独立行政法人（独立行政法人自動車技術総合機構を含む。）の職員としての在職期間

三十七　郵政民営化法（平成17年法律第97号）第169条第３項の規定により退職手当の算定の基礎となる勤続期間の計算について職員としての引き続いた在職期間とみなされる日本郵政株式会社、同法第176条の３の規定による合併により解散した郵便事業株式会社（以下「旧郵便事業株式会社」という。）又は郵政民営化法等の一部を改正する等の法律（平成24年法律第30号）第３条の規定による改正前の郵便局株式会社法（平成17年法律第100号）第１条の郵便局株式会社（以下「旧郵便局株式会社」という。）の職員としての在職期間

三十八　平成21年独法改革文部科学省関係法整備法附則第６条第２項の規定により退職手当の算定の基礎となる勤続期間の計算について職員としての引き続いた在職期間とみなされる旧メディア教育開発センターの職員としての在職期間及び放送大学学園（放送大学学園法（平成14年法律第156号）第３条に規定する放送大学学園をいう。以下同じ。）の職員としての在職期間

三十九　平成21年独法改革文部科学省関係法整備法附則第6条第2項の規定により退職手当の算定の基礎となる勤続期間の計算について職員としての引き続いた在職期間とみなされる平成21年独法改革文部科学省関係法整備法附則第2条第1項の規定により解散した旧独立行政法人国立国語研究所（以下「旧国立国語研究所」という。）の職員としての在職期間及び大学共同利用機関法人人間文化研究機構の職員としての在職期間

四十　平成27年独法整備政令第142条の規定により読み替えて適用する高度専門医療に関する研究等を行う国立研究開発法人に関する法律（平成20年法律第93号）附則第5条第3項の規定により退職手当の算定の基礎となる勤続期間の計算について職員としての引き続いた在職期間とみなされる平成26年独法整備法第130条の規定による改正前の高度専門医療に関する研究等を行う独立行政法人に関する法律（平成20年法律第93号。以下「旧高度専門医療独立行政法人法」という。）第4条第1項に規定する国立高度専門医療研究センター（高度専門医療に関する研究等を行う国立研究開発法人に関する法律第3条の2に規定する国立高度専門医療研究センターを含む。）の職員としての在職期間

四十一　郵政民営化法第176条の5第2項の規定により退職手当の算定の基礎となる勤続期間の計算について職員としての引き続いた在職期間とみなされる旧郵便事業株式会社又は旧郵便局株式会社の職員としての在職期間及び日本郵便株式会社の職員としての在職期間

四十二　原子力安全基盤機構解散法附則第6条の規定により退職手当の算定の基礎となる勤続期間の計算について職員としての引き続いた在職期間とみなされる旧独立行政法人原子力安全基盤機構の職員としての在職期間

四十三　独立行政法人医薬基盤研究所法の一部を改正する法律附則第3条第2項の規定により退職手当の算定の基礎となる勤続期間の計算について職員としての引き続いた在職期間とみなされる同法附則第2条第1項の規定により解散した旧独立行政法人国立健康・栄養研究所（以下「旧国立健康・栄養研究所」という。）の職員としての在職期間及び国立研究開発法人医薬基盤・健康・栄養研究所の職員としての在職期間

四十四　森林国営保険法等の一部を改正する法律（平成26年法律第21号）附則第5条第3項の規定により退職手当の算定の基礎となる勤続期間の計算について職員としての引き続いた在職期間とみなされる旧独立行政法人森林総合研究所法第2条の独立行政法人森林総合研究所（旧国立研究開発法人森林総合研究所法第2条の国立研究開発法人森林総合研究所及び国立研究開発法人森林研究・整備機構を含む。）の職員としての在職期間

四十五　平成26年独法整備法附則第25条第3項の規定により退職手当の算定の基礎となる勤続期間の計算について職員としての引き続いた在職期間とみなされる独立行政法人国立病院機構の職員としての在職期間

四十六　道路運送車両法等改正法附則第6条第3項又は第14条第2項の規定により退職手当の算定の基礎となる勤続期間の計算について職員としての引き続いた在職期間とみなされる独立行政法人自動車技術総合機構の職員としての在職期間及び道路運送車両法等改正法附則第11条第1項の規定により解散した旧独立行政法人交通安全環境研究所（以下「旧交通安全環境研究所」という。）の職員としての在職期間

四十七　平成27年独法改革国土交通省関係法整備法附則第6条第2項の規定により退職手当の算定の基礎となる勤続期間の計算について職員としての引き続いた在職期間と

みなされる平成26年独法整備法第188条の規定による改正前の独立行政法人港湾空港技術研究所法（平成11年法律第209号。以下「旧独立行政法人港湾空港技術研究所法」という。）第２条の独立行政法人港湾空港技術研究所（旧国立研究開発法人港湾空港技術研究所を含む。）若しくは平成26年独法整備法第189条の規定による改正前の独立行政法人電子航法研究所法（平成11年法律第210号。以下「旧独立行政法人電子航法研究所法」という。）第２条の独立行政法人電子航法研究所（旧国立研究開発法人電子航法研究所を含む。）の職員としての在職期間及び国立研究開発法人海上・港湾・航空技術研究所の職員としての在職期間又は平成27年独法改革国土交通省関係法整備法附則第２条第１項の規定により解散した旧独立行政法人航海訓練所（以下「旧航海訓練所」という。）の職員としての在職期間及び独立行政法人海技教育機構の職員としての在職期間
- 四十八　独立行政法人に係る改革を推進するための厚生労働省関係法律の整備等に関する法律（平成27年法律第17号。以下「平成27年独法改革厚生労働省関係法整備法」という。）附則第11条第２項の規定により退職手当の算定の基礎となる勤続期間の計算について職員としての引き続いた在職期間とみなされる平成27年独法改革厚生労働省関係法整備法附則第８条第１項の規定により解散した旧独立行政法人労働安全衛生総合研究所（以下「旧労働安全衛生総合研究所」という。）の職員としての在職期間及び独立行政法人労働者健康安全機構の職員としての在職期間
- 四十九　平成27年独法改革農林水産省関係法整備法附則第７条第２項又は第12条第２項の規定により退職手当の算定の基礎となる勤続期間の計算について職員としての引き続いた在職期間とみなされる平成27年独法改革農林水産省関係法整備法附則第７条第２項に規定する旧種苗管理センター等の職員としての在職期間及び国立研究開発法人農業・食品産業技術総合研究機構の職員としての在職期間又は平成27年独法改革農林水産省関係法整備法附則第９条第１項の規定により解散した旧独立行政法人水産大学校（以下「旧水産大学校」という。）の職員としての在職期間及び国立研究開発法人水産研究・教育機構の職員としての在職期間
- 五十　教育公務員特例法等の一部を改正する法律（平成28年法律第87号）附則第９条第３項の規定により退職手当の算定の基礎となる勤続期間の計算について職員としての引き続いた在職期間とみなされる独立行政法人教職員支援機構の職員としての在職期間

　施行令第５条の２第１号は、職員が、「特定地方公務員（他の地方公共団体等の公務員としての勤続期間や一般地方独立行政法人等に使用される者としての勤続期間を退職手当の算定上の勤続期間に通算することとしている地方公共団体等の公務員をいう。）①→通算制度を有する一般地方独立行政法人等（地方公務員や他の一般地方独立行政法人等に使用される者としての勤続期間を退職手当の算定上の勤続期間に通算することとしている一般地方独立行政法人等をいう。）に使用される者→特定地方公務員②→職員」という経歴を経た場合におけるその者の先の特定地方公務員としての在職期間（特定地方公務員①の期間）及び通算制度を有する一般地方独立行政法人としての在職期間を規定したものである。なお、この場合において、後の特定地方

公務員としての在職期間（特定地方公務員②の期間）は、法第5条の2第2項第2号の規定により、その者の基礎在職期間に含まれることとなる。

施行令第5条の2第2号は、職員が、「特定公庫等職員（通算制度を有する一般地方独立行政法人等である公庫等に使用される者をいう。）→特定地方公務員→職員」という経歴を経た場合及び「職員→特定公庫等職員→特定地方公務員→職員」という経歴を経た場合におけるその者の特定公庫等職員としての在職期間を規定したものである。

施行令第5条の2第3号は、職員が、「職員→特定公庫等職員①→特定地方公務員又は特定地方公社職員（通算制度を有する一般地方独立行政法人等である地方公社に使用される者をいう。）→特定公庫等職員②→職員」という経歴を経た場合及び「特定公庫等職員①→特定地方公務員又は特定地方公社職員→特定公庫等職員②→職員」という経歴を得た場合におけるその者の先の特定公庫等職員としての在職期間（特定公庫等職員①の期間）及び特定地方公務員又は特定地方公社職員としての在職期間を規定したものである。なお、この場合において、後の特定公庫等職員としての在職期間（特定公庫等職員②の期間）は、法第5条の2第2項第3号又は第4号の規定により、その者の基礎在職期間に含まれることとなる。

施行令第5条の2第4号から第6号までは、旧日本専売公社、旧日本電信電話公社及び旧日本国有鉄道の、日本たばこ産業株式会社、日本電信電話株式会社及び各旅客鉄道株式会社等への移行の際、当該旧公社等の職員から引き続いて当該株式会社等の職員となり、その後、さらに引き続いて職員となった者の旧日本国有鉄道の職員及び当該株式会社等の職員としての在職期間を規定したものである。旧三公社民営化の際に、経過措置として、その承継会社の職員が引き続いて再び国家公務員退職手当法適用職員となり、退職した場合には、退職手当の算定の基礎となる勤続期間の計算において、当該承継会社職員としての引き続いた在職期間を退職手当法上の引き続いた在職期間とみなす等の規定が置かれていることから（例として、日本たばこ産業に関する昭和59年法律第71号〔第7章15〕）、基礎在職期間の規定についても、これと平仄を合わせたものである。

なお、旧日本専売公社及び旧日本電信電話公社は、昭和60年4月1日をもって、それぞれ日本たばこ産業株式会社及び日本電信電話株式会社に移行しているところ、基礎在職期間がその適用に係る構成要素となっている各規定は、最も早いものでも昭和60年4月1日から適用されるものであるため、これらの規定の適用の可能性がない昭和60年3月31日以前の期間である旧日

本専売公社及び旧日本電信電話公社の職員としての在職期間は基礎在職期間には含める必要がないものである。

　施行令第5条の2第7号は、日本国有鉄道清算事業団の解散の日（平成10年10月22日）の前日に当該事業団の職員として在職する者が、引き続いて日本鉄道建設公団（日本国有鉄道清算事業団から移行。その後平成15年10月1日に独立行政法人鉄道建設・運輸施設整備支援機構に移行し解散）の職員となり、かつ、引き続き公団の職員として在職した後引き続いて職員となった場合の旧日本国有鉄道、旧日本国有鉄道清算事業団及び旧日本鉄道建設公団の職員としての在職期間を規定したものである。

　施行令第5条の2第8号から第45号までは、国の機関の非特定独立行政法人化（行政執行法人以外の独立行政法人化）等（例えば、第19号は国立大学等の法人化、第24号は特定独立行政法人の非特定独立行政法人化）に伴うものであり、当該法人の成立の日の前日に職員（第24号等の場合は当該特定独立行政法人の職員）として在職する者が、引き続いて当該法人の職員となり、かつ、引き続き法人の職員として在職した後引き続いて職員となった場合の当該法人の職員としての在職期間を規定したもの等である。これらの法人の制度変更の際にも、旧三公社民営化と同様に、それぞれの法人の個別法において、承継法人の職員の退職手当の取扱いに関する経過措置規定が置かれている。

　なお、例えば、施行令第5条の2第42号等は、特定独立行政法人（行政執行法人）の解散に伴うものであり、当該法人の廃止の日の前日に当該法人の職員として在職する者が、引き続いて国の職員となった場合の当該法人の職員としての在職期間を規定したものである。

6　定年前早期退職者に対する退職手当の基本額に係る特例

> （定年前早期退職者に対する退職手当の基本額に係る特例）
> **第5条の3**　第4条第1項第3号及び第5条第1項（第1号を除く。）に規定する者（退職日俸給月額が一般職の職員の給与に関する法律（昭和25年法律第95号）の指定職俸給表6号俸の額に相当する額以上である者その他政令で定める者を除く。）[1]のうち、定年に達する日から政令で定める一定の期間前までに退職した者であつて[2]、その勤続期間が20年以上であり[3]、かつ、その年齢が政令で定める年齢以上であるもの[4]に

対する第4条第1項、第5条第1項及び前条第1項の規定の適用については、次の表の上欄に掲げる規定中同表の中欄に掲げる字句は、それぞれ同表の下欄に掲げる字句に読み替えるものとする[5][6]。

読み替える規定	読み替えられる字句	読み替える字句
第4条第1項及び第5条第1項	退職日俸給月額	退職日俸給月額及び退職日俸給月額に退職の日において定められているその者に係る定年と退職の日におけるその者の年齢との差に相当する年数1年につき当該年数及び退職日俸給月額に応じて100分の3を超えない範囲内で政令で定める割合を乗じて得た額の合計額
第5条の2第1項第1号	及び特定減額前俸給月額	並びに特定減額前俸給月額及び特定減額前俸給月額に退職の日において定められているその者に係る定年と退職の日におけるその者の年齢との差に相当する年数1年につき当該年数及び特定減額前俸給月額に応じて100分の3を超えない範囲内で政令で定める割合を乗じて得た額の合計額
第5条の2第1項第2号	退職日俸給月額に、	退職日俸給月額及び退職日俸給月額に退職の日において定められているその者に係る定年と退職の日におけるその者の年齢との差に相当する年数1年につき当該年数及び特定減額前俸給月額に応じて100分の3を超えない範囲内で政令で定める割合を乗じて得た額の合計額に、
第5条の2第1項第2号ロ	前号に掲げる額	その者が特定減額前俸給月額に係る減額日のうち最も遅い日の前日に現に退職した理由と同一の理由により退職したものとし、かつ、その者の同日までの勤続期間及び特定減額前俸給月額を基礎として、前3条の規定により計算した場合の退職手当の基本額に相当する額

【解説】

　本条は、昭和60年の退職手当法の改正により追加された、いわゆる「定年前早期退職特例措置」の規定である。その趣旨は、定年前一定年齢以上で、かつ、一定勤続年数以上である職員が、定年前に、その者の事情によらない、いわば公務運営上やむを得ない理由により退職する場合について、退職手当の基本額の算定の基礎となる俸給月額の特例を定めたものである。

　いうまでもなく、公務には、国民の信託にこたえ、能率的、かつ、効率的な運営が要請されており、そのため常に組織の活性化を図るとともに、職員の適正な新陳代謝を図っていく必要がある。また、公務は複雑多岐にわたり、か

つ、職種にも各種各様のものがある一方、常に社会・経済情勢、行政需要等に応じた能率的な行政運営が要請されているところである。加えて、各省庁あるいは個々の職場ごとの職員構成、年齢構成等の事情には様々のものがあり、これら個々の実態に即したきめ細かな人事管理の運営が必要とされているところでもある。

しかし、官側の都合により定年前に退職することとなった者に対し、定年前早期退職に伴う不利益を甘受させることは適当でないため、それらの者が定年まで勤務して退職する者に比べて大きな不利益を被ることのないよう配慮する必要がある。

以上のような諸般の事情を総合的に勘案し、さらに、給与、退職手当を含めた総人件費の累増の抑制などの要請も踏まえつつ、退職手当制度において特例措置を講ずることとしたものである。

(1) 本条を適用するための第1の要件は、法第4条第1項第3号及び法第5条第1項（第1号を除く。）に規定する者であることであるが、そのうち、「退職日俸給月額が一般職の職員の給与に関する法律の指定職俸給表6号俸の額に相当する額以上である者」と「その他政令で定める者」を除くこととしている。前者は、①事務次官・外局長官クラス以上の幹部（一般職給与法が適用されない職員であっても、相当額以上の俸給月額を受ける者を含む。）であり、早期退職慣行是正との政策上の整合性を図る観点等から、平成15年の退職手当法改正により除かれることとなったものである。後者の「その他政令で定める者」は、②裁判官で日本国憲法第80条に定める任期を終えて退職した者、③裁判官で任期の終了に伴う裁判官の配置等の事務の都合により任期の終了前1年内に退職したもの、④法律の規定に基づく任期を終えて退職した者、⑤特定減額前俸給月額が一般職の職員の給与に関する法律の指定職俸給表6号俸の額に相当する額以上である者（施行令第5条の3第1項参照）である。②及び④については、当然に退職するものであることから、本条による特例措置の適用対象から除外することとしている。⑤については、退職日俸給月額が事務次官・外局長官クラス以上の幹部が受ける俸給月額以上の額である者が本条による特例措置の適用対象から除かれていることとの均衡から、仮に退職の日においては当該額を下回る俸給月額を受けていたとしても、退職手当の基本額の算定の基礎となる俸給月額の最高地点（＝特定減額前俸給月額）がその時点における事務次官・外局長官クラス以上の幹部が受ける俸給月額以上の額である場合には、同様に特例の対象から除外するものである。

また、定年前早期退職者に係る特例という性質上、⑥定年退職者、⑦勤務延長の期限の到来により退職した者及び⑧定年制度の適用がない者に対しては、この特例措置が適用されない。
　なお、⑨勤続期間20年以上で通勤（災害）による傷病により退職した者及び公務外の死亡により退職した者については、法第4条第2項及び第5条第2項の規定に該当することから、この特例措置を適用する余地がないことは当然である。
　以上、上記の①から⑨までに掲げる者以外の者で、次の㈠から㈣までに掲げる者がこの特例措置の適用対象となる。これらの者は、退職の原因がその者の事情によらず、官側の都合により退職をすることとなった者である。
㈠　整理退職者（法第5条第1項第2号）
㈡　公務上死傷病による退職者（法第5条第1項第4号）
㈢　応募認定退職者（法第4条第1項第3号、法第5条第1項第3号及び第6号）
㈣　いわゆる内閣等関与人事退職者、公共サービス改革法の特定退職者（法第5条第1項第5号、施行令第3条第4号及び第5号）

(2)　本条を適用するための第2の要件は、定年に達する日から政令で定める一定の期間前までに退職した者であることである。
　「定年に達する日」の計算方法は、「年齢計算ニ関スル法律」（明治35年法律第50号）の定めるところによることとされており、「誕生日の前日」の6か月前の応当日の翌日からがこの特例措置の適用対象とされないこととなる（運用方針第5条の3関係第1号参照）。

〇年齢計算ニ関スル法律（抄）
①　年齢ハ出生ノ日ヨリ之ヲ起算ス
②　民法第143条ノ規定ハ年齢ノ計算ニ之ヲ準用ス
③　略

　すなわち、「誕生日の前日」が定年に達する日となる。
　次に、「政令で定める一定の期間」とは施行令第5条の3第2項において規定するとおり「6月」である。また、その計算方法は、民法（明治29年法律第89号）第143条の規定を準用することとされている（運用方針第5条の3関係第2号参照）。

〇民　　法（抄）
　　（暦による期間の計算）
第143条　週、月又は年によって期間を定めたときは、その期間は、暦に従って計算する。
　2　週、月又は年の初めから期間を起算しないときは、その期間は、最後の週、月又は年

においてその起算日に応当する日の前日に満了する。ただし、月又は年によって期間を定めた場合において、最後の月に応当する日がないときは、その月の末日に満了する。

　したがって、定年に達する日から6月以内に退職した者は、この特例措置の適用対象とされない。このような一定期間を設けたのは、この特例措置が定年により退職する者と定年より早期に退職する者とのバランス、総人件費の節減効果等を考慮したものであり、そのような趣旨からいえば、定年間近の者まで含めることは適当でないと考えられたからである。

(3)　本条を適用するための第3の要件は、勤続期間20年以上の者であることである。

　平成24年改正前は、この特例措置が法第5条第1項に規定する者に対する特例であること、公務における長期勤続化傾向、高齢者の退職実態等を総合的に勘案し「勤続期間25年以上」が要件とされていたところ、平成24年改正により早期退職に対するインセンティブを付与するため、本条の特例措置の対象についても拡充がなされ、「勤続20年以上」が要件とされている。ただし、法第5条第1項第5号を受けた施行令第3条第4号及び第5号に規定する、いわゆる内閣等関与人事退職及び公共サービス改革法の特定退職にあっては、勤続期間25年以上の者のみこの特例の適用対象となることに留意が必要である。

(4)　本条を適用するための第4の要件は、政令で定める年齢以上の者であることである。

　「政令で定める年齢」とは、施行令第5条の3第3項において規定するとおり「退職の日において定められているその者に係る定年から20年を減じた年齢」である。

　すなわち、定年が65歳の場合は45歳である。

　本条の特例の対象は、平成25年の政令改正により「定年前10年」から「定年前15年」に、また、国家公務員の定年引上げに伴い、令和4年の政令改正により「定年前15年」から「定年前20年」に拡充がなされた。

　一定年齢以上の者としたのは、この特例措置の導入の目的、趣旨等に照らし、また職員の採用・退職の実態等をも考慮して講じられたものである。

(5)　この特例措置の内容である。一般的ケースにおいて退職手当の基本額の算定の基礎となるのは、「退職日俸給月額」であるが（法第3条から第5条まで）、この特例措置の下においては、退職日俸給月額に一定の金額を加えた金額をもって退職手当の基本額の算定基礎とするというものである。具体的には、退職日俸給月額にその者に係る定年とその者の年齢との差に相当する年数1

年につき3％（施行令第5条の3第4項参照）を乗じて得た額（退職日俸給月額が一般職給与法の指定職俸給表4号俸の額に相当する額以上である場合には1％、同表1号俸の額に相当する額以上4号俸に相当する額未満である場合及び定年年齢と退職時年齢の差の年数が1年である場合には2％を乗じて得た額）を、当該俸給月額に加えるものである。

〇参　考
　特例措置の内容を簡単に数式化すれば、次のとおりである。
①　退職日俸給月額が一般職給与法の指定職俸給表4号俸相当額未満である場合
　　退職手当の基本額＝（退職日俸給月額）×｛1＋（0.03×定年までの残年数）｝×退職手当の基本額の支給率
②　退職日俸給月額が一般職給与法の指定職俸給表4号俸相当額以上（6号俸相当額未満）である場合
　　退職手当の基本額＝（退職日俸給月額）×｛1＋（0.01×定年までの残年数）｝×退職手当の基本額の支給率

　「退職の日におけるその者の年齢」の単位は、年齢のとなえ方に関する法律（昭和24年法律第96号）第1項の定めるところによることとされており（運用方針第5条の3関係第3号参照）、具体的には、「満年齢の年単位」である。

〇年齢のとなえ方に関する法律（抄）
①　この法律施行の日以後、国民は、年齢を数え年によつて言い表わす従来のならわしを改めて、年齢計算に関する法律（明治35年法律第50号）の規定により算定した年数（1年に達しないときは、月数）によつてこれを言い表わすのを常とするように心がけなければならない。
②　略

　「3％」については、いわゆる一般的な定期昇給の考え方を基本としつつ、定年まで勤務する場合の人件費（給与等）の節減効果等諸般の事情を総合的に勘案して定められたものである。
　この割増率の上限については、平成24年法改正において従来の2％から3％に引き上げられた。これは、同法改正において早期退職募集制度を創設するに当たり、早期退職に対するインセンティブを付与するための措置として併せて講じられたものであり、民間における早期退職優遇制度や希望退職制度における割増率も勘案したものである。
　退職日俸給月額が、一般職給与法の指定職俸給表4号俸相当額以上である場合については、定年までの残年数1年につき1％としているが、これは、指定職俸給表6号俸相当額以上である者が特例措置の対象から除外されることに伴い、同じ勤続年数、同じ年齢で退職していながら、指定職俸給表6号

俸相当額未満である者の退職手当額が、指定職俸給表6号俸相当額以上である者の退職手当額を上回るという逆転が起こらないようにするためである。

なお、令和5年4月1日以降の定年の段階的な引上げに伴い、定年前早期退職特例措置については当分の間の措置が設けられていることに留意されたい（附則第16項の解説参照）。

○参　考

特例措置の内容等を、一般職給与法の指定職俸給表1号俸相当額未満で65歳定年の場合をその例にとって図示すれば、次のとおりである。

退職時俸給月額の割増率（65歳定年の場合）

[図：45歳60％から1歳ごとに3％ずつ逓減し、64歳で2％となる棒グラフ。63歳までは9％、64歳までは6％、定期間該当日前までは2％、それ以降は特例措置適用なしの区分を示す]

※令和5年4月1日以降の定年の段階的な引上げに伴い、定年前早期退職特例措置については当分の間の措置が設けられていることに留意されたい（附則第16項の解説参照）。

(6)　(1)から(4)までの要件を満たす定年前早期退職者であって、その基礎在職期間中に俸給月額の減額改定以外の理由により俸給月額が減額されたことにより法第5条の2の規定による特例を受ける者についても、本条による特例の対象とされる。この場合、退職手当の基本額が「特定減額前俸給月額」と「退職日俸給月額」の2つの算定基礎により計算されることから、両方の算定基礎について所要の割増しを行う必要があるが、割増し対象となる年数については、俸給月額の減額があった時点で実際に退職しているものではなく、単に俸給月額の最高到達点が退職日より前に来ているものと見るべきであることから、減額日時点の当該者の年齢ではなく、「その者に係る定年と退職の日におけるその者の年齢との差に相当する年数」分を特定減額前俸給月額と退職日俸給月額の算定基礎に割り増すものとする。

　また、俸給月額の割増率については、通常の場合の取扱いとの均衡を踏まえ、その者の俸給月額の最高到達点である特定減額前俸給月額等に応じて、1％から3％を特定減額前俸給月額及び退職日俸給月額に乗ずることとしている（施行令第5条の3第5項参照）。

　なお、令和5年4月1日以降の定年の段階的な引上げに伴い、当分の間の措置が設けられていることに留意されたい（附則第16項の解説参照）。

○参　考
法第5条の3による読替え後の法第5条の2の規定

第5条の2　退職した者の基礎在職期間中に、俸給月額の減額改定（俸給月額の改定をする法令が制定され、又はこれに準ずる給与の支給の基準が定められた場合において、当該法令又は給与の支給の基準による改定により当該改定前に受けていた俸給月額が減額されることをいう。以下同じ。）以外の理由によりその者の俸給月額が減額されたことがある場合において、当該理由が生じた日（以下「減額日」という。）における当該理由により減額されなかつたものとした場合のその者の俸給月額のうち最も多いもの（以下「特定減額前俸給月額」という。）が、退職日俸給月額よりも多いときは、その者に対する退職手当の基本額は、前3条の規定にかかわらず、次の各号に掲げる額の合計額とする。

　一　その者が特定減額前俸給月額に係る減額日のうち最も遅い日の前日に現に退職した理由と同一の理由により退職したものとし、かつ、その者の同日までの勤続期間並びに特定減額前俸給月額及び特定減額前俸給月額に退職の日において定められているその者に係る定年と退職の日におけるその者の年齢との差に相当する年数1年につき当該年数及び特定減額前俸給月額に応じて100分の3を超えない範囲内で政令で定める割合を乗じて得た額の合計額を基礎として、前3条の規定により計算した場合の退職手当の基本額に相当する額

　二　退職日俸給月額及び退職日俸給月額に退職の日において定められているその者に係る定年と退職の日におけるその者の年齢との差に相当する年数1年につき当該年数及び特定減額前俸給月額に応じて100分の3を超えない範囲内で政令で定める割合を乗

じて得た額の合計額に、イに掲げる割合からロに掲げる割合を控除した割合を乗じて得た額
　イ　その者に対する退職手当の基本額が前3条の規定により計算した額であるものとした場合における当該退職手当の基本額の退職日俸給月額に対する割合
　ロ　その者が特定減額前俸給月額に係る減額日のうち最も遅い日の前日に現に退職した理由と同一の理由により退職したものとし、かつ、その者の同日までの勤続期間及び特定減額前俸給月額を基礎として、前3条の規定により計算した場合の退職手当の基本額に相当する額の特定減額前俸給月額に対する割合

○参　考
　法第5条の2の規定による特例を受けるものに対する本条の規定による特例措置の内容を簡単に数式化すれば、次のとおりである。
　① 特定減額前俸給月額が当該俸給月額に係る減額日時点の一般職給与法の指定職俸給表1号俸相当額以上4号俸相当額未満である場合
　　退職手当の基本額＝X×{1＋(0.02×定年までの残年数)}×a＋Y×{1＋(0.02×定年までの残年数)}×(b－a)
　② 特定減額前俸給月額が当該俸給月額に係る減額日時点の一般職給与法の指定職俸給表4号俸相当額以上（6号俸相当額未満）である場合
　　退職手当の基本額＝X×{1＋(0.01×定年までの残年数)}×a＋Y×{1＋(0.01×定年までの残年数)}×(b－a)
　　　X　特定減額前俸給月額
　　　a　特定減額前俸給月額に係る減額日のうち最も遅い日までの勤続期間及び現に退職した理由に応じた退職手当の基本額の支給率に相当する割合
　　　Y　退職日俸給月額
　　　b　現に退職した日までの勤続期間及び現に退職した理由に応じた退職手当の基本額の支給率

○施　行　令（抄）
　（定年前早期退職者の範囲等）
第5条の3　法第5条の3に規定する政令で定める者は、次に掲げる者とする。
　一　第3条第1号及び第2号に掲げる者
　二　特定減額前俸給月額が一般職の職員の給与に関する法律（昭和25年法律第95号。以下「一般職給与法」という。）の指定職俸給表6号俸の額に相当する額以上である者
2　法第5条の3に規定する政令で定める一定の期間は、6月とする。
3　法第5条の3に規定する政令で定める年齢は、退職の日において定められているその者に係る定年から20年を減じた年齢とする。
4　法第5条の3の規定により読み替えて適用する法第4条第1項及び第5条第1項に規定する政令で定める割合は、次の各号に掲げる職員の区分に応じて当該各号に定める割合とする。
　一　退職日俸給月額が一般職給与法の指定職俸給表4号俸の額に相当する額以上である職員　100分の1
　二　退職日俸給月額が一般職給与法の指定職俸給表1号俸の額に相当する額以上同表4号俸の額に相当する額未満である職員　100分の2
　三　前2号に掲げる職員以外の職員　100分の3（退職の日において定められているそ

の者に係る定年と退職の日におけるその者の年齢との差に相当する年数が1年である職員にあつては、100分の2）
5　法第5条の3の規定により読み替えて適用する法第5条の2第1項各号に規定する政令で定める割合は、次の各号に掲げる職員の区分に応じて当該各号に定める割合とする。
　一　特定減額前俸給月額が一般職給与法の指定職俸給表4号俸の額に相当する額以上である職員　100分の1
　二　特定減額前俸給月額が一般職給与法の指定職俸給表1号俸の額に相当する額以上同表4号俸の額に相当する額未満である職員　100分の2
　三　前2号に掲げる職員以外の職員　100分の3（退職の日において定められているその者に係る定年と退職の日におけるその者の年齢との差に相当する年数が1年である職員にあつては、100分の2）

○運 用 方 針（抄）
第5条の3関係
　一　「定年に達する日」の計算方法は、第4条関係第3号イに定めるところによる。
　二　「定年に達する日から政令で定める一定の期間」の計算方法は、民法（明治29年法律第89号）第143条の規定を準用するものとする。
　三　「退職の日におけるその者の年齢」の単位は、年齢のとなえ方に関する法律（昭和24年法律第96号）第1項の定めるところによる。
　四　「退職の日において定められているその者に係る定年」は、退職の日に昇任した自衛官については、当該昇任前の階級について定められている定年とする。

7　退職手当の基本額の最高限度額

> （退職手当の基本額の最高限度額）
> **第6条**　第3条から第5条までの規定により計算した退職手当の基本額が退職日俸給月額に60を乗じて得た額を超えるときは、これらの規定にかかわらず、その乗じて得た額をその者の退職手当の基本額とする。

【解説】
　本条は、退職手当の基本額の最高限度額を定めたものである。
　国家公務員の退職手当は、公務員の公務への貢献、すなわち勤続・功労に対する報償を基本とするものであり、その額は勤続年数が長くなるに従い増加することとなるが、退職手当の支給水準の適正化を図る等のため、退職日俸給月額の60月分に相当する額を基本額の支給の上限とし、これを超える場合には、当該額をその者の退職手当の基本額として支給することとしている。
　なお、平成24年法律第96号による退職手当の支給水準の引下げ（官民均衡を

図るため設けられている調整率を段階的に引下げ）に伴い、当面の措置として、平成25年1月1日から同年9月30日までは55.86、同年10月1日から平成26年6月30日までは52.44、同年7月1日以降は49.59、平成30年1月1日以降は47.709が最高支給率となっており、本条の最高限度に達するものはない。この当面の措置については、法附則第6項から第8項、昭和48年法律第30号附則第5項から第7項及び平成15年法律第62号附則第4項の解説を参照されたい。

第6条の2 第5条の2第1項の規定により計算した退職手当の基本額が次の各号に掲げる同項第2号ロに掲げる割合の区分に応じ当該各号に定める額を超えるときは、同項の規定にかかわらず、当該各号に定める額をその者の退職手当の基本額とする。
一 60以上 特定減額前俸給月額に60を乗じて得た額
二 60未満 特定減額前俸給月額に第5条の2第1項第2号ロに掲げる割合を乗じて得た額及び退職日俸給月額に60から当該割合を控除した割合を乗じて得た額の合計額

【解説】

本条は、俸給月額の減額改定以外の理由により俸給月額が減額されたことがある場合の退職手当の基本額について最高限度額を定めたものである。

法第5条の2第1項第2号ロの割合、すなわち、その者の勤続期間を特定減額前俸給月額に係る減額日の前日までの勤続期間とし、退職理由を現に退職した理由と同一のものとした場合の支給割合の区分に応じ、当該割合が60以上の場合には特定減額前俸給月額に60を乗じて得た額を、また、当該割合が60未満の場合には特定減額前俸給月額に当該割合を乗じて得た額に退職日俸給月額に60から当該割合を控除した割合を乗じて得た額を加えた額を、それぞれ、その者の退職手当の基本額の上限とすることとしている。

第6条の3 第5条の3に規定する者に対する前2条の規定の適用については、次の表の上欄に掲げる規定中同表の中欄に掲げる字句は、それぞれ同表の下欄に掲げる字句に読み替えるものとする。

読み替える規定	読み替えられる字句	読み替える字句
第6条	第3条から第5条まで	前条の規定により読み替えて適用する第5条

		退職日俸給月額	退職日俸給月額及び退職日俸給月額に退職の日において定められているその者に係る定年と退職の日におけるその者の年齢との差に相当する年数1年につき当該年数及び退職日俸給月額に応じて100分の3を超えない範囲内で政令で定める割合を乗じて得た額の合計額
		これらの	前条の規定により読み替えて適用する第5条の
第6条の2		第5条の2第1項の	第5条の3の規定により読み替えて適用する第5条の2第1項の
		同項第2号ロ	第5条の3の規定により読み替えて適用する同項第2号ロ
		同項の	同条の規定により読み替えて適用する同項の
第6条の2第1号		特定減額前俸給月額	特定減額前俸給月額及び特定減額前俸給月額に退職の日において定められているその者に係る定年と退職の日におけるその者の年齢との差に相当する年数1年につき当該年数及び特定減額前俸給月額に応じて100分の3を超えない範囲内で政令で定める割合を乗じて得た額の合計額
第6条の2第2号		特定減額前俸給月額	特定減額前俸給月額及び特定減額前俸給月額に退職の日において定められているその者に係る定年と退職の日におけるその者の年齢との差に相当する年数1年につき当該年数及び特定減額前俸給月額に応じて100分の3を超えない範囲内で政令で定める割合を乗じて得た額の合計額
		第5条の2第1項第2号ロ	第5条の3の規定により読み替えて適用する第5条の2第1項第2号ロ
		及び退職日俸給月額	並びに退職日俸給月額及び退職日俸給月額に退職の日において定められているその者に係る定年と退職の日におけるその者の年齢との差に相当する年数1年につき当該年数及び特定減額前俸給月額に応じて100分の3を超えない範囲内で政令で定める割合を乗じて得た額の合計額
		当該割合	当該第5条の3の規定により読み替えて適用する同号ロに掲げる割合

【解説】

本条は、定年前早期退職特例対象者に係る退職手当の基本額の最高限度額を定めたものであり、第6条及び第6条の2の規定を読み替えることにより規定している。

定年前早期退職特例対象者については、特例により割増しされた退職日俸給月額の60月分に相当する額が上限となり、また、定年前早期退職特例対象者で俸給月額の減額改定以外の理由による俸給月額の減額があった場合の特例も適用されるものについては、法第5条の2第1項第2号ロの割合が60以上の場合には特例により割増しされた特定減額前俸給月額に60を乗じて得た額が、また、当該割合が60未満の場合には割増しされた特定減額前俸給月額に当該割合を乗じて得た額に割増しされた退職日俸給月額に60から当該割合を控除した割合を乗じて得た額を加えた額が、それぞれ上限となる。

なお、退職日俸給月額又は特定減額前俸給月額に対する割増しは、それぞれ「政令で定める割合」として施行令で定められており、いずれも法第5条の3に規定する定年前早期退職特例対象者に係る割合である。当該割合については、令和5年4月1日以降の定年の段階的な引上げに伴い、定年前早期退職特例措置については当分の間の措置が設けられていることに留意されたい。

○施　行　令（抄）
（定年前早期退職者の範囲等）
第5条の3　法第5条の3に規定する政令で定める者は、次に掲げる者とする。
　一　第3条第1号及び第2号に掲げる者
　二　特定減額前俸給月額が一般職の職員の給与に関する法律（昭和25年法律第95号。以下「一般職給与法」という。）の指定職俸給表6号俸の額に相当する額以上である者
2　法第5条の3に規定する政令で定める一定の期間は、6月とする。
3　法第5条の3に規定する政令で定める年齢は、退職の日において定められているその者に係る定年から20年を減じた年齢とする。
4　法第5条の3の規定により読み替えて適用する法第4条第1項及び第5条第1項に規定する政令で定める割合は、次の各号に掲げる職員の区分に応じて当該各号に定める割合とする。
　一　退職日俸給月額が一般職給与法の指定職俸給表4号俸の額に相当する額以上である職員　100分の1
　二　退職日俸給月額が一般職給与法の指定職俸給表1号俸の額に相当する額以上同表4号俸の額に相当する額未満である職員　100分の2
　三　前2号に掲げる職員以外の職員　100分の3（退職の日において定められているその者に係る定年と退職の日におけるその者の年齢との差に相当する年数が1年である職員にあつては、100分の2）
5　法第5条の3の規定により読み替えて適用する法第5条の2第1項各号に規定する政令で定める割合は、次の各号に掲げる職員の区分に応じて当該各号に定める割合とす

る。
一　特定減額前俸給月額が一般職給与法の指定職俸給表4号俸の額に相当する額以上である職員　100分の1
二　特定減額前俸給月額が一般職給与法の指定職俸給表1号俸の額に相当する額以上同表4号俸の額に相当する額未満である職員　100分の2
三　前2号に掲げる職員以外の職員　100分の3（退職の日において定められているその者に係る定年と退職の日におけるその者の年齢との差に相当する年数が1年である職員にあつては、100分の2）

（定年前早期退職者に対する退職手当の基本額の最高限度額を計算する場合に退職日俸給月額に乗じる割合等）

第5条の4　法第6条の3の規定により読み替えて適用する法第6条に規定する政令で定める割合は、前条第4項各号に掲げる職員の区分に応じて当該各号に定める割合とする。

2　法第6条の3の規定により読み替えて適用する法第6条の2各号に規定する政令で定める割合は、前条第5項各号に掲げる職員の区分に応じて当該各号に定める割合とする。

8　退職手当の調整額

（退職手当の調整額）

第6条の4　退職した者に対する退職手当の調整額は、その者の基礎在職期間[(1)]（第5条の2第2項に規定する基礎在職期間をいう。以下同じ。）の初日の属する月からその者の基礎在職期間の末日の属する月までの各月（国家公務員法第79条の規定による休職[(2)]（公務上の傷病による休職、通勤による傷病による休職、職員を政令で定める法人その他の団体の業務に従事させるための休職[(3)]及び当該休職以外の休職であつて職員を当該職員の職務に密接な関連があると認められる学術研究その他の業務に従事させるためのもので当該業務への従事が公務の能率的な運営に特に資するものとして政令で定める要件を満たすもの[(4)]を除く。）、同法第82条の規定による停職その他これらに準ずる事由により現実に職務をとることを要しない期間[(2)]のある月（現実に職務をとることを要する日のあつた月を除く。第7条第4項において「休職月等」という。）のうち政令で定めるものを除く[(5)]。）ごとに当該各月にその者が属していた次の各号に掲げる職員の区分[(6)]に応じて当該各号に定める額（以下この項及び第5項において「調整月額」という。）のうちその額が最も多いものから順次その順位を付し、その第1順位から第60順位[(7)]までの調整月額

（当該各月の月数が60月に満たない場合には、当該各月の調整月額）を合計した額とする。
　一　第１号区分　　95,400円
　二　第２号区分　　78,750円
　三　第３号区分　　70,400円
　四　第４号区分　　65,000円
　五　第５号区分　　59,550円
　六　第６号区分　　54,150円
　七　第７号区分　　43,350円
　八　第８号区分　　32,500円
　九　第９号区分　　27,100円
　十　第10号区分　　21,700円
　十一　第11号区分　　零
2　退職した者の基礎在職期間に第５条の２第２項第２号から第７号までに掲げる期間が含まれる場合における前項の規定の適用については、その者は、政令で定めるところにより、当該期間において職員として在職していたものとみなす[8]。
3　第１項各号に掲げる職員の区分は、官職の職制上の段階、職務の級、階級その他職員の職務の複雑、困難及び責任の度に関する事項を考慮して、政令で定める。
4　次の各号に掲げる者に対する退職手当の調整額は、第１項の規定にかかわらず、当該各号に定める額とする。
　一　退職した者（第５号に掲げる者を除く。次号において同じ。）のうち自己都合等退職者以外のものでその勤続期間が１年以上４年以下のもの　第１項の規定により計算した額の２分の１に相当する額[9]
　二　退職した者のうち自己都合等退職者以外のものでその勤続期間が零のもの　零[10]
　三　自己都合等退職者でその勤続期間が10年以上24年以下のもの　第１項の規定により計算した額の２分の１に相当する額[11]
　四　自己都合等退職者でその勤続期間が９年以下のもの　零[12]
　五　次のいずれかに該当する者　第３条から前条までの規定により計算した退職手当の基本額の100分の８に相当する額[13]
　　イ　退職日俸給月額が一般職の職員の給与に関する法律の指定職俸給表８号俸の額に相当する額を超える者その他これに類する者として

政令で定める者
　　ロ　その者の基礎在職期間が全て特別職の職員の給与に関する法律（昭和24年法律第252号）第1条各号（第73号及び第74号を除く。）に掲げる特別職の職員としての在職期間である者その他これに類する者として政令で定める者
5　前各項に定めるもののほか、調整月額のうちにその額が等しいものがある場合において、調整月額に順位を付す方法その他の本条の規定による退職手当の調整額の計算に関し必要な事項は、政令で定める[14]。

【解説】
　退職手当の調整額は、在職期間中の貢献度をより的確に反映し、人材流動化等にもより対応できる制度となるようにとの観点から、平成17年の退職手当法の改正により創設されたもので、職員の在職期間のうち、職務の級等が高い方から60月分（5年分）を勘案した一定額を従来からの算定方法による退職手当の基本額に加算するものであり、民間企業の退職金におけるポイント制の考え方を、国家公務員の人事管理、人事運用等に合わせた形で取り入れた、いわば「職責ポイント」に相当する制度である。
　ここで、5年分を勘案することとしたのは、①国家公務員については、公務の中立、公平性、安定性及び効率性を確保する観点から、引き続き長期勤続・人材定着を促進する人事管理の基本を維持することとしており、勤続期間の終盤で差がつく人事運用を行っていること、②支給率カーブのフラット化を併せて行っており、例えば10年分を勘案することとすると短・中期勤続者と長期勤続者の退職手当額のバランスが崩れること、③非常に多様な職種、職責の公務員について、長期間にわたって職務の級等を勘案することは事務量が膨大なものとなること等が理由である（(7)の解説参照）。
　この制度の導入によって、勤続年数の長短にかかわらず勤続年数に中立的に職責貢献度を勘案できるほか、役職の在職年数をきめ細かく勘案できるといった効果が期待される。また、任期付採用者の増加等にも対応できる退職手当制度となった。
　なお、この制度の導入に伴い、行政職俸給表㈠の適用職員の定年退職者の退職手当額の変動をみると、9級及び10級退職者（平成18年3月31日以前は11級退職者）の退職手当の3級退職者（平成18年3月31日以前は5級退職者）の退職手当額に対する倍率は、改正前の1.4～1.5倍から改正後は1.5～1.7倍に拡大することとなり、民間企業でポイント制を採用する企業と全く遜色ない職責貢

献度を十分に反映する制度となった。
　また、平成26年の法改正により、調整額を拡大する措置が講じられ、従来から進めてきた退職手当への貢献度の反映が更に進められることとなった。
(1)　調整額の算定の対象となる基礎在職期間は、法第5条の2第2項に規定する基礎在職期間であり、当該職員としての在職期間のほか、地方公共団体又は公庫等への退職出向期間も含んだものである。なお、調整額は、当該基礎在職期間の各月ごとに当該各月にその者が属していた職員の区分（第1号区分から第11号区分）に応じて当該各号に定める額を基に算定することとなる。
(2)　基礎在職期間の各月のうち、休職等により現実に職務をとることを要しなかった月については、職務に従事した月と同様に評価することは適当ではないことから、従来からの退職手当額の算定の基礎となる在職期間におけるこれらの期間の除算の考え方にならい、国家公務員法第79条の規定による休職（公務上の傷病による休職等を除く）、同法第82条の規定による停職、その他これらに準ずる事由により現実に職務をとることを要しない期間のある月（＝休職月等）のうち、政令で定めるものについては、調整額の算定の対象となる月から除外することとした（除外される割合については、政令により2分の1が原則となっている。詳しくは(5)の解説を参照されたい。）。
　ちなみに、本条に規定する「休職月等」は、平成17年の法改正による本条の創設に伴い新たに定義されたもので、この「休職月等」は退職手当の基本額算定の基礎となる在職期間から除算する期間として、法第7条第4項において引用されているが、平成17年の法改正前は、本条の「休職月等」として定義されている内容が法第7条第4項に記述されていた。

〇参考　国家公務員退職手当法の一部を改正する法律（平成17年法律第115号）による改正前の法第7条第4項
　　（勤続期間の計算）
第7条　略
2・3　略
4　前3項の規定による在職期間のうちに国家公務員法第79条の規定による休職（公務上の傷病による休職、通勤による傷病による休職及び職員を政令で定める法人その他の団体の業務に従事させるための休職を除く。）、同法第82条の規定による停職その他これらに準ずる事由により現実に職務をとることを要しない期間のある月（現実に職務をとることを要する日のあつた月を除く。）が一以上あつたときは、その月数の2分の1に相当する月数（同法第108条の6第1項ただし書若しくは特定独立行政法人等の労働関係に関する法律（昭和23年法律第257号）第7条第1項ただし書に規定する事由又はこれらに準ずる事由により現実に職務をとることを要しなかつた期間については、その月

数）を前3項の規定により計算した在職期間から除算する。
5〜8 略

　国家公務員法第79条の規定による休職（公務上の傷病による休職等を除く）、同法第82条の規定による停職、その他これらに準ずる事由により現実に職務をとることを要しない期間については、次のように定められている。
　第1は、国家公務員法第79条の規定による休職の期間である。

〇国家公務員法（抄）
　（本人の意に反する休職の場合）
第79条　職員が、左の各号の一に該当する場合又は人事院規則で定めるその他の場合においては、その意に反して、これを休職することができる。
　一　心身の故障のため、長期の休養を要する場合
　二　刑事事件に関し起訴された場合

　上記の国家公務員法第79条に基づく人事院規則は、次のとおりである。

〇人事院規則11－4（職員の身分保障）（抄）
　（休職の場合）
第3条　職員が次の各号のいずれかに該当する場合には、これを休職にすることができる。
　一　学校、研究所、病院その他人事院の指定する公共的施設において、その職員の職務に関連があると認められる学術に関する事項の調査、研究若しくは指導に従事し、又は人事院の定める国際事情の調査等の業務若しくは国際約束等に基づく国際的な貢献に資する業務に従事する場合（次号に該当する場合、派遣法第2条第1項の規定による派遣の場合及び法科大学院派遣法第11条第1項の規定による派遣の場合を除く。）
　二　国及び行政執行法人以外の者がこれらと共同して、又はこれらの委託を受けて行う科学技術に関する研究に係る業務であつて、その職員の職務に関連があると認められるものに、前号に掲げる施設又は人事院が当該研究に関し指定する施設において従事する場合（派遣法第2条第1項の規定による派遣の場合を除く。）
　三　規則14－18（研究職員の研究成果活用企業の役員等との兼業）第2条第1項に規定する研究職員の官職と同規則第1条に規定する役員等の職とを兼ねる場合において、これらを兼ねることが同規則第4条第1項各号（第3号及び第6号を除く。）に掲げる基準のいずれにも該当するときで、かつ、主として当該役員等の職務に従事する必要があり、当該研究職員としての職務に従事することができないと認められるとき。
　四　法令の規定により国が必要な援助又は配慮をすることとされている公共的機関の設立に伴う臨時的必要に基づき、これらの機関のうち、人事院が指定する機関において、その職員の職務と関連があると認められる業務に従事する場合
　　〔注〕　本号の規定に基づいて人事院による指定を受けている機関はない。
　五　水難、火災その他の災害により、生死不明又は所在不明となつた場合
2　法第79条各号又は前項各号のいずれかに該当して休職にされた職員がその休職の事由の消滅又はその休職の期間の満了により復職したときにおいて定員に欠員がない場合には、これを休職にすることができる。法第108条の6第1項ただし書若しくは行政執行

法人の労働関係に関する法律（昭和23年法律第257号）第7条第1項ただし書に規定する許可（以下「専従許可」という。）を受けた職員（以下「専従休職者」という。）が復職したとき又は派遣法第2条第1項の規定により派遣された職員、育児休業法第3条第1項の規定により育児休業をした職員、官民人事交流法第8条第2項に規定する交流派遣職員、法科大学院派遣法第11条第1項の規定により派遣された職員、自己啓発等休業法第2条第5項に規定する自己啓発等休業をした職員、福島復興再生特別措置法（平成24年法律第25号）第48条の3第7項若しくは第89条の3第7項に規定する派遣職員、配偶者同行休業法第2条第4項に規定する配偶者同行休業をした職員、令和7年国際博覧会特措法第25条第7項に規定する派遣職員若しくは令和9年国際園芸博覧会特措法第15条第7項に規定する派遣職員が職務に復帰したときにおいて定員に欠員がない場合についても、同様とする。

半減の対象とされる在職期間の第2は、国家公務員法第82条の規定による停職の期間である。

〇国家公務員法（抄）
　（懲戒の場合）
第82条　職員が次の各号のいずれかに該当する場合には、当該職員に対し、懲戒処分として、免職、停職、減給又は戒告の処分をすることができる。
一　この法律若しくは国家公務員倫理法又はこれらの法律に基づく命令（国家公務員倫理法第5条第3項の規定に基づく訓令及び同条第4項の規定に基づく規則を含む。）に違反した場合
二　職務上の義務に違反し、又は職務を怠つた場合
三　国民全体の奉仕者たるにふさわしくない非行のあつた場合
②　職員が、任命権者の要請に応じ特別職に属する国家公務員、地方公務員又は沖縄振興開発金融公庫その他その業務が国の事務若しくは事業と密接な関連を有する法人のうち人事院規則で定めるものに使用される者（以下この項において「特別職国家公務員等」という。）となるため退職し、引き続き特別職国家公務員等として在職した後、引き続いて当該退職を前提として職員として採用された場合（一の特別職国家公務員等として在職した後、引き続き一以上の特別職国家公務員等として在職し、引き続いて当該退職を前提として職員として採用された場合を含む。）において、当該退職までの引き続く職員としての在職期間（当該退職前に同様の退職（以下この項において「先の退職」という。）、特別職国家公務員等としての在職及び職員としての採用がある場合には、当該先の退職までの引き続く職員としての在職期間を含む。以下この項において「要請に応じた退職前の在職期間」という。）中に前項各号のいずれかに該当したときは、当該職員に対し、同項に規定する懲戒処分を行うことができる。定年前再任用短時間勤務職員が、年齢60年以上退職者となつた日までの引き続く職員としての在職期間（要請に応じた退職前の在職期間を含む。）又は第60条の2第1項の規定によりかつて採用されて定年前再任用短時間勤務職員として在職していた期間中に前項各号のいずれかに該当したときも、同様とする。

第3は、国家公務員法による休職及び停職のほか、これらに準ずる事由により現実に職務をとることを要しない期間である。この準ずる期間の取扱いにつ

いては、施行令において次のように定められている。

○施　行　令（抄）
（現実に職務をとることを要しない期間）
第6条の6　法第6条の4第1項に規定する現実に職務をとることを要しない期間には、裁判官弾劾法（昭和22年法律第137号）第39条の規定による職務の停止の期間及び検察庁法第24条の規定により欠位を待つ期間を含むものとする。

　上記の裁判官弾劾法第39条の規定による職務の停止は、同法による罷免の訴追を受けた裁判官についてとられる措置であり、検察庁法第24条の規定による欠位を待つ期間は、剰員となった検察官について俸給の半額を支給して欠位を待たせる期間である。

　このほか、国家公務員の育児休業等に関する法律（平成3年法律第109号）による育児休業期間など、他の法令により現実に職務をとることを要しない期間に該当することとされるものも含まれる。

　さらに、以上述べたもののほか、国家公務員法の適用を受けない職員（特別職の国家公務員）が、他の法令の規定により国家公務員法に規定する休職、停職等に実質的に該当する場合には、すべて「その他これらに準ずる事由」に含まれる。なお、昭和29年以降、行政整理のため採用された特別待命、臨時待命、臨時定員外指名等の制度によって待命、臨時定員外指名を行われた職員の待命中の期間は、退職手当の在職期間の計算上これを半減しないこととされている。これらの制度が人員整理の円滑化のため職員の優遇を図ること、そのため待命中は有給休暇に準じた扱いをしていること等の理由による。臨時待命については、行政機関職員定員法の一部を改正する法律（昭和29年法律第186号）附則第20項、指名定員外については、行政機関職員定員法の一部を改正する法律（昭和30年法律第29号）附則第13項において、勤続期間の計算上当該待命期間等の半減を行わないことを明らかにしている。

　なお、現実に職務をとらなかった期間であっても、単なる無断欠勤、休暇等の場合は、本項の規定による在職期間の半減を行うことは適当でないし、また、実行不可能でもある。運用方針においても、この点は明らかにされている。

○運　用　方　針（抄）
第6条の4関係
　二　本条第1項に規定する「その他これらに準ずる事由により現実に職務をとることを要しない期間」には、次に掲げる期間は含まれない。
　　イ　一般職給与法第15条の規定により給与の減額をされた期間
　　ロ　一般職の職員の勤務時間、休暇等に関する法律第16条に規定する休暇の期間

ハ　イ又はロに規定する期間に相当する期間

　上記のイに掲げる期間は、いわゆる無断欠勤をした期間である。その内容は、次のとおりである。

○一般職の職員の給与に関する法律（抄）
　（給与の減額）
第15条　職員が勤務しないときは、勤務時間法第13条の２第１項に規定する超勤代休時間、勤務時間法第14条に規定する祝日法による休日（勤務時間法第15条第１項の規定により代休日を指定されて、当該休日に割り振られた勤務時間の全部を勤務した職員にあつては、当該休日に代わる代休日。以下「祝日法による休日等」という。）又は勤務時間法第14条に規定する年末年始の休日（勤務時間法第15条第１項の規定により代休日を指定されて、当該休日に割り振られた勤務時間の全部を勤務した職員にあつては、当該休日に代わる代休日。以下「年末年始の休日等」という。）である場合、休暇による場合その他その勤務しないことにつき特に承認のあつた場合を除き、その勤務しない１時間につき、第19条に規定する勤務１時間当たりの給与額を減額して給与を支給する。

　次に上記のロに掲げる期間は、いわゆる年次休暇等の期間である。その内容は次のとおりである。

○一般職の職員の勤務時間、休暇等に関する法律（抄）
　（休暇の種類）
第16条　職員の休暇は、年次休暇、病気休暇、特別休暇、介護休暇及び介護時間とする。
　（年次休暇）
第17条　年次休暇は、一の年ごとにおける休暇とし、その日数は、一の年において、次の各号に掲げる職員の区分に応じて、当該各号に掲げる日数とする。
　一　次号及び第３号に掲げる職員以外の職員　20日（定年前再任用短時間勤務職員にあつては、その者の勤務時間等を考慮し20日を超えない範囲内で人事院規則で定める日数）
　二　次号に掲げる職員以外の職員であつて、当該年の中途において新たに職員となり、又は任期が満了することにより退職することとなるもの　その年の在職期間等を考慮し20日を超えない範囲内で人事院規則で定める日数
　三　当該年の前年において独立行政法人通則法（平成11年法律第103号）第２条第４項に規定する行政執行法人の職員、特別職に属する国家公務員、地方公務員又は沖縄振興開発金融公庫その他その業務が国の事務若しくは事業と密接な関連を有する法人のうち人事院規則で定めるものに使用される者（以下この号において「行政執行法人職員等」という。）であつた者であつて引き続き当該年に新たに職員となつたものその他人事院規則で定める職員　行政執行法人職員等としての在職期間及びその在職期間中における年次休暇に相当する休暇の残日数等を考慮し、20日に次項の人事院規則で定める日数を加えた日数を超えない範囲内で人事院規則で定める日数
２　年次休暇（この項の規定により繰り越されたものを除く。）は、人事院規則で定める日数を限度として、当該年の翌年に繰り越すことができる。

3 年次休暇については、その時期につき、各省各庁の長の承認を受けなければならない。この場合において、各省各庁の長は、公務の運営に支障がある場合を除き、これを承認しなければならない。
　（病気休暇）
第18条　病気休暇は、職員が負傷又は疾病のため療養する必要があり、その勤務しないことがやむを得ないと認められる場合における休暇とする。
　（特別休暇）
第19条　特別休暇は、選挙権の行使、結婚、出産、交通機関の事故その他の特別の事由により職員が勤務しないことが相当である場合として人事院規則で定める場合における休暇とする。この場合において、人事院規則で定める特別休暇については、人事院規則でその期間を定める。
　（介護休暇）
第20条　介護休暇は、職員が要介護者（配偶者等で負傷、疾病又は老齢により人事院規則で定める期間にわたり日常生活を営むのに支障があるものをいう。以下同じ。）の介護をするため、各省各庁の長が、人事院規則の定めるところにより、職員の申出に基づき、要介護者の各々が当該介護を必要とする一の継続する状態ごとに、3回を超えず、かつ、通算して6月を超えない範囲内で指定する期間（以下「指定期間」という。）内において勤務しないことが相当であると認められる場合における休暇とする。
2　介護休暇の期間は、指定期間内において必要と認められる期間とする。
3　介護休暇については、一般職の職員の給与に関する法律第15条の規定にかかわらず、その期間の勤務しない1時間につき、同法第19条に規定する勤務1時間当たりの給与額を減額する。
　（介護時間）
第20条の2　介護時間は、職員が要介護者の介護をするため、要介護者の各々が当該介護を必要とする一の継続する状態ごとに、連続する3年の期間（当該要介護者に係る指定期間と重複する期間を除く。）内において1日の勤務時間の一部につき勤務しないことが相当であると認められる場合における休暇とする。
2　介護時間の時間は、前項に規定する期間内において1日につき2時間を超えない範囲内で必要と認められる時間とする。
3　介護時間については、一般職の職員の給与に関する法律第15条の規定にかかわらず、その勤務しない1時間につき、同法第19条に規定する勤務1時間当たりの給与額を減額する。

○人事院規則15－14（職員の勤務時間、休日及び休暇）（抄）

　（特別休暇）
第22条　勤務時間法第19条の人事院規則で定める場合は、次の各号に掲げる場合とし、その期間は、当該各号に定める期間とする。
　一　職員が選挙権その他公民としての権利を行使する場合で、その勤務しないことがやむを得ないと認められるとき　必要と認められる期間
　二　職員が裁判員、証人、鑑定人、参考人等として国会、裁判所、地方公共団体の議会その他官公署へ出頭する場合で、その勤務しないことがやむを得ないと認められるとき　必要と認められる期間
　三　職員が骨髄移植のための骨髄若しくは末梢血幹細胞移植のための末梢血幹細胞の提供希望者としてその登録を実施する者に対して登録の申出を行い、又は配偶者、父

母、子及び兄弟姉妹以外の者に、骨髄移植のため骨髄若しくは末梢血幹細胞移植のため末梢血幹細胞を提供する場合で、当該申出又は提供に伴い必要な検査、入院等のため勤務しないことがやむを得ないと認められるとき　必要と認められる期間
四　職員が自発的に、かつ、報酬を得ないで次に掲げる社会に貢献する活動（専ら親族に対する支援となる活動を除く。）を行う場合で、その勤務しないことが相当であると認められるとき　一の年において5日の範囲内の期間
　イ　地震、暴風雨、噴火等により相当規模の災害が発生した被災地又はその周辺の地域における生活関連物資の配布その他の被災者を支援する活動
　ロ　障害者支援施設、特別養護老人ホームその他の主として身体上若しくは精神上の障害がある者又は負傷し、若しくは疾病にかかった者に対して必要な措置を講ずることを目的とする施設であって人事院が定めるものにおける活動
　ハ　イ及びロに掲げる活動のほか、身体上若しくは精神上の障害、負傷又は疾病により常態として日常生活を営むのに支障がある者の介護その他の日常生活を支援する活動
五　職員が結婚する場合で、結婚式、旅行その他の結婚に伴い必要と認められる行事等のため勤務しないことが相当であると認められるとき　人事院が定める期間内における連続する5日の範囲内の期間
五の二　職員が不妊治療に係る通院等のため勤務しないことが相当であると認められる場合　一の年において5日（当該通院等が体外受精その他の人事院が定める不妊治療に係るものである場合にあっては、10日）の範囲内の期間
六　6週間（多胎妊娠の場合にあっては、14週間）以内に出産する予定である女子職員が申し出た場合　出産の日までの申し出た期間
七　女子職員が出産した場合　出産の日の翌日から8週間を経過する日までの期間（産後6週間を経過した女子職員が就業を申し出た場合において医師が支障がないと認めた業務に就く期間を除く。）
八　生後1年に達しない子を育てる職員が、その子の保育のために必要と認められる授乳等を行う場合　1日2回それぞれ30分以内の期間（男子職員にあっては、その子の当該職員以外の親（当該子について民法（明治29年法律第89号）第817条の2第1項の規定により特別養子縁組の成立について家庭裁判所に請求した者（当該請求に係る家事審判事件が裁判所に係属している場合に限る。）であって当該子を現に監護するもの又は児童福祉法第27条第1項第3号の規定により当該子を委託されている養子縁組里親である者若しくは養育里親である者（同条第4項に規定する者の意に反するため、同項の規定により、養子縁組里親として委託することができない者に限る。）を含む。）が当該職員がこの号の休暇を使用しようとする日におけるこの号の休暇（これに相当する休暇を含む。）を承認され、又は労働基準法（昭和22年法律第49号）第67条の規定により同日における育児時間を請求した場合は、1日2回それぞれ30分から当該承認又は請求に係る各回ごとの期間を差し引いた期間を超えない期間）
九　職員が妻（届出をしないが事実上婚姻関係と同様の事情にある者を含む。次号において同じ。）の出産に伴い勤務しないことが相当であると認められる場合　人事院が定める期間内における2日の範囲内の期間
十　職員の妻が出産する場合であってその出産予定日の6週間（多胎妊娠の場合にあっては、14週間）前の日から当該出産の日以後1年を経過する日までの期間にある場合において、当該出産に係る子又は小学校就学の始期に達するまでの子（妻の子を含

む。）を養育する職員が、これらの子の養育のため勤務しないことが相当であると認められるとき　当該期間内における5日の範囲内の期間
十一　小学校就学の始期に達するまでの子（配偶者の子を含む。以下この号において同じ。）を養育する職員が、その子の看護（負傷し、若しくは疾病にかかったその子の世話又は疾病の予防を図るために必要なものとして人事院が定めるその子の世話を行うことをいう。）のため勤務しないことが相当であると認められる場合　一の年において5日（その養育する小学校就学の始期に達するまでの子が2人以上の場合にあっては、10日）の範囲内の期間
十二　勤務時間法第20条第1項に規定する要介護者（以下「要介護者」という。）の介護その他の人事院が定める世話を行う職員が、当該世話を行うため勤務しないことが相当であると認められる場合　一の年において5日（要介護者が2人以上の場合にあっては、10日）の範囲内の期間
十三　職員の親族（別表第2の親族欄に掲げる親族に限る。）が死亡した場合で、職員が葬儀、服喪その他の親族の死亡に伴い必要と認められる行事等のため勤務しないことが相当であると認められるとき　親族に応じ同表の日数欄に掲げる連続する日数（葬儀のため遠隔の地に赴く場合にあっては、往復に要する日数を加えた日数）の範囲内の期間
十四　職員が父母の追悼のための特別な行事（父母の死亡後人事院の定める年数内に行われるものに限る。）のため勤務しないことが相当であると認められる場合　1日の範囲内の期間
十五　職員が夏季における盆等の諸行事、心身の健康の維持及び増進又は家庭生活の充実のため勤務しないことが相当であると認められる場合　一の年の7月から9月までの期間内における、週休日、勤務時間法第13条の2第1項の規定により割り振られた勤務時間の全部について超勤代休時間が指定された勤務日等、休日及び代休日を除いて原則として連続する3日の範囲内の期間
十六　地震、水害、火災その他の災害により次のいずれかに該当する場合その他これらに準ずる場合で、職員が勤務しないことが相当であると認められるとき　7日の範囲内の期間
　　イ　職員の現住居が滅失し、又は損壊した場合で、当該職員がその復旧作業等を行い、又は一時的に避難しているとき。
　　ロ　職員及び当該職員と同一の世帯に属する者の生活に必要な水、食料等が著しく不足している場合で、当該職員以外にはそれらの確保を行うことができないとき。
十七　地震、水害、火災その他の災害又は交通機関の事故等により出勤することが著しく困難であると認められる場合　必要と認められる期間
十八　地震、水害、火災その他の災害又は交通機関の事故等に際して、職員が退勤途上における身体の危険を回避するため勤務しないことがやむを得ないと認められる場合　必要と認められる期間
2～4　略

　最後に、運用方針第6条の4関係第2号ハに掲げる期間（「イ又はロに規定する期間に相当する期間」）は、主として特別職の国家公務員や行政執行法人職員のように一般職給与法及び勤務時間法の適用を受けない者に係る欠勤や休暇の期間を指している。

国家公務員法第79条の規定による休職のうち、公務上の傷病による休職、通勤による傷病による休職、職員を政令で定める法人その他の団体の業務に従事させるための休職及び当該休職以外の休職であって職員を当該職員の職務に密接な関連があると認められる学術研究その他の業務に従事させるためのもので当該業務への従事が公務の能率的な運営に特に資するものとして政令で定める要件を満たすものについては、他の休職と同様に当該期間を調整額の算定の対象から除くことは適当でないことから、当該期間はすべて調整額の算定の対象とした。

(3) 「職員を政令で定める法人その他の団体の業務に従事させるための休職」の期間については、これをすべて調整額の算定対象とする措置は、本条の創設により新たに講じられたものであるが、当該期間を退職手当の基本額算定の基礎となる在職期間から除算しないこととする措置は、昭和48年の退職手当法の改正に際し、公庫、公団への退職出向期間を全期間職員としての在職期間に通算することとした措置との均衡を考慮して講じられたものである。「政令で定める法人その他の団体」は、施行令第6条第1項に規定されており、同項各号に掲げる法人で人事院規則11－4（職員の身分保障）第3条第1項第4号等の規定に該当するいわゆる設立援助休職等に係る法人の要件を満たし、かつ、当該法人の退職手当に関する規程において、その休職期間に対応する当該法人の職員としての在職期間について退職手当を支給しないことと定めているもの及び内閣総理大臣がこれらに準ずるものとして指定するものである。

　○施　行　令〔抄〕
　　　（職員を休職させてその業務に従事させる法人その他の団体等）
　第6条　法第6条の4第1項に規定する政令で定める法人その他の団体は、次に掲げる法人で、退職手当（これに相当する給付を含む。）に関する規程において、職員が国家公務員法（昭和22年法律第120号）第79条の規定により休職され、引き続いてその法人に使用される者となつた場合におけるその者の在職期間の計算については、その法人に使用される者としての在職期間はなかつたものとすることと定めているもの及びこれらに準ずる法人その他の団体で内閣総理大臣の指定するものとする。
　　一　平成26年独法整備法第97条の規定による改正前の独立行政法人日本原子力研究開発機構法（平成16年法律第155号。以下「旧独立行政法人日本原子力研究開発機構法」という。）附則第2条第1項の規定により解散した旧日本原子力研究所
　　二　日本貿易振興会法及び通商産業省設置法の一部を改正する法律（平成10年法律第44号）附則第3条第1項の規定により解散した旧アジア経済研究所
　　三　地方職員共済組合
　　四　公立学校共済組合
　　五　警察共済組合

六　都市職員共済組合連合会
七　地方公務員災害補償基金
八　独立行政法人国民生活センター法（平成14年法律第123号）附則第2条第1項の規定により解散した旧国民生活センター
九　独立行政法人国立重度知的障害者総合施設のぞみの園法（平成14年法律第167号）附則第2条第1項の規定により解散した旧心身障害者福祉協会
十　沖縄振興開発金融公庫
十一　軽自動車検査協会
十二　日本下水道事業団（下水道事業センター法の一部を改正する法律（昭和50年法律第41号）附則第2条の規定により日本下水道事業団となつた旧下水道事業センターを含む。）
十三　総合研究開発機構を廃止する法律（平成19年法律第100号。以下この号において「廃止法」という。）による廃止前の総合研究開発機構法（昭和48年法律第51号）により設立された総合研究開発機構（廃止法附則第2条に規定する旧法適用期間が経過する時までの間におけるものに限る。以下「旧総合研究開発機構」という。）
十四　自動車安全運転センター
十五　危険物保安技術協会
十六　国立研究開発法人科学技術振興機構（新技術開発事業団法の一部を改正する法律（平成元年法律第52号）附則第2条の規定により新技術事業団となつた旧新技術開発事業団、平成26年独法整備法第85条の規定による改正前の独立行政法人科学技術振興機構法（平成14年法律第158号。以下「旧独立行政法人科学技術振興機構法」という。）附則第6条の規定による廃止前の科学技術振興事業団法（平成8年法律第27号）附則第8条第1項の規定により解散した旧新技術事業団及び旧独立行政法人科学技術振興機構法附則第2条第1項の規定により解散した旧科学技術振興事業団並びに旧独立行政法人科学技術振興機構法第3条の独立行政法人科学技術振興機構を含む。）
　　（注）　昭和48年の退職手当法改正前に、施行令第6条第1号から第12号までに掲げる法人に休職出向した経歴を有する者の退職手当の取扱いについては、昭和48年政令第134号附則において経過措置が定められ、当該出向期間は職員としての在職期間から除算されないこととされているが、その詳細については後述の解説を参照されたい。

(4)　一方、「当該休職以外の休職であつて職員を当該職員の職務に密接な関連があると認められる学術研究その他の業務に従事させるためのもので当該業務への従事が公務の能率的な運営に特に資するものとして政令で定める要件を満たすもの」については、当該期間をすべて調整額の算定対象とすることはもとより、退職手当の基本額の算定の基礎となる在職期間から除算しないとすることについても、本条の創設によって新たに講じられた措置である。
　国家公務員退職手当法においては、休職、停職等により「現実に職務をとることを要しない期間」がある月については、原則として、その月数の2分の1に相当する月数を退職手当の基本額の算定の基礎となる在職期間から除算することとしており、平成17年の法改正により創設された調整額の算定に

おいても、この考え方にならい、原則として、2分の1に相当する月数を算定の対象としないこととしている。

しかし、「現実に職務をとることを要しない期間」であっても、各派遣法に基づく派遣期間や研究開発システムの改革の推進等による研究開発能力の強化及び研究開発等の効率的推進等に関する法律又は旧研究交流促進法に基づく共同研究休職期間等、当該期間中における業務への従事が公務の能率的な運営に資するものである場合には、退職手当の算定上の不利益が生じないよう特例を設けており、学術研究等に従事させるための休職についても、一定の要件を満たす場合には、当該休職期間中における学術研究等への従事が、特例が認められている他の期間と同程度に公務の能率的な運営に資するものとなり得ることから、当該要件を満たす場合には、当該休職期間をすべて調整額の算定対象とし、また、退職手当の基本額の算定の基礎となる在職期間からも除算しないこととしたものである。当該要件については、施行令等において次のように定めている。

〇施 行 令（抄）
（職員を休職させてその業務に従事させる法人その他の団体等）
第6条　略
2　法第6条の4第1項に規定する政令で定める要件は、次の各号のいずれにも該当することとする。
　一　退職した者が、その休職の期間中、次に掲げる法人に使用される者（常時勤務に服することを要しない者を除く。）として学術の調査、研究又は指導に従事していたこと。
　　イ　国立大学法人（国立大学法人法第2条第1項に規定する国立大学法人をいう。以下同じ。）、大学共同利用機関法人（同条第3項に規定する大学共同利用機関法人をいう。以下同じ。）、公立大学法人（地方独立行政法人法（平成15年法律第118号）第68条第1項に規定する公立大学法人をいう。）及び放送大学学園、沖縄科学技術大学院大学学園（沖縄科学技術大学院大学学園法（平成21年法律第76号）第2条に規定する沖縄科学技術大学院大学学園をいう。以下同じ。）その他の学校教育法（昭和22年法律第26号）第1条に規定する大学を設置する学校法人（私立学校法（昭和24年法律第270号）第3条に規定する学校法人をいう。）。
　　ロ　行政執行法人以外の独立行政法人及び特殊法人（法律により直接に設立された法人又は特別の法律により特別の設立行為をもつて設立された法人で総務省設置法（平成11年法律第91号）第4条第1項第8号の規定の適用を受けるものをいい、放送大学学園及び沖縄科学技術大学院大学学園を除く。ハにおいて同じ。）。
　　ハ　退職した者の休職の期間中、イに該当していたもの、行政執行法人若しくは旧特定独立行政法人（独立行政法人通則法の一部を改正する法律（平成26年法律第66号）による改正前の独立行政法人通則法（平成11年法律第103号）第2条第2項に規定する特定独立行政法人をいう。）以外の独立行政法人に該当していたもの又は特殊法人に該当していたもの（イ及びロに掲げるものを除く。）

二 前号に掲げるもののほか、同号の学術の調査、研究又は指導への従事が公務の能率的な運営に特に資するものとして内閣総理大臣の定める要件に該当すること。

施行令第6条第2項第1号では要件として、休職先の法人、法人での身分及び従事する業務について定めている。

第1号イでは国立大学法人、大学共同利用機関法人、公立大学法人及び放送大学学園・私立大学を、また、同号ロでは行政執行法人以外の独立行政法人、特殊法人をそれぞれ休職先の法人として定めている。これは、前者については、これらの法人が「学術の中心として、広く知識を授けるとともに、深く専門の学芸を教授研究し、知的、道徳的及び応用的能力を展開させることを目的とする」（学校教育法第83条第1項）大学を設置する法人又は「大学における学術研究の発展等に資するために設置される大学の共同利用の研究所」（国立大学法人法第2条第4項）である大学共同利用機関を設置する法人であり、学術の調査、研究又は指導を実施する中心的な機関であること、また、後者については、その業務が国の事務又は事業と密接な関連を有する法人であることから、これらの法人において実施される学術の調査、研究又は指導に職員が従事することは、公務の能率的な運営に特に資するものであると思料されるからである。なお、同号ハについては、職員の休職時にはイに該当していたもの、行政執行法人若しくは旧特定独立行政法人（独立行政法人通則法の一部を改正する法律（平成26年法律第66号）による改正前の独立行政法人通則法（平成11年法律第103号）第2条第2項に規定する特定独立行政法人をいう。）以外の独立行政法人に該当していたもの又は特殊法人であった法人が、職員の退職時にはイ又はロに該当しない団体となっていた場合や解散して無くなっていた場合に、研究休職等の特例を適用できるよう規定するものである。

休職先の法人での身分については、常勤職員として学術の調査、研究又は指導に従事することが、それ以外（学生、非常勤職員など）として従事するよりも、公務の能率的な運営に資するより大きな成果を上げることが見込まれること、また、退職手当法が原則として常勤職員に適用されているものであることから、退職手当の特例の対象とするのは常勤職員である場合に限定している。

また、休職先で従事する業務については、法人の業務は多種多様であることから、公務上の必要性を明確にしやすい学術の調査、研究又は指導のみに限定している。

施行令第6条第2項第2号の要件については、より適切な運用を確保する

ため、前号の学術の調査、研究又は指導への従事が公務の能率的な運営に特に資するものとして内閣総理大臣の定める要件に該当することとするものである。内閣総理大臣の定める要件は次のとおりである。

○国家公務員退職手当法の一部を改正する法律（平成17年法律第115号）の施行後の退職手当の取扱いについて（平成18年3月14日総人恩総第204号）（抄）
第一 国家公務員退職手当法施行令第6条第2項関係
1 国家公務員退職手当法施行令（以下「施行令」という。）第6条第2項第2号に規定する内閣総理大臣の定める要件は、次の各号のいずれにも該当することとする。
 (1) 学術の調査、研究又は指導への従事が、休職の期間の初日の前日（休職の期間が更新された場合にあっては、更新された休職の期間の初日の前日）において、次のいずれにも該当するものであったこと。
  イ 相当程度高度な学術の調査、研究又は指導に従事するものであること。
  ロ その成果によって休職の期間の終了後においても公務の能率的な運営に特に資することが見込まれるものであること。
 (2) 学術の調査、研究又は指導への従事が、法人の要請に基づき行われたものであったこと。
 (3) 学術の調査、研究又は指導への従事によって退職した者が法人から退職手当（これに相当する給付を含む。）の支給を受けていないこと。
2 休職の期間の初日（休職の期間が更新された場合にあっては、更新された休職の期間の初日）が平成29年1月1日前である場合における前項の規定の適用については、同項第1号中「休職の期間の初日の前日（休職の期間が更新された場合にあっては、更新された休職の期間の初日の前日）において、次のいずれにも該当するものであった」とあるのは「次のいずれにも該当することにつき、休職の期間の初日の前日（休職の期間が更新された場合にあっては、更新された休職の期間の初日の前日）までに、各省各庁の長等（財政法（昭和22年法律第34号）第20条第2項に規定する各省各庁の長及び独立行政法人通則法（平成11年法律第103号）第2条第4項に規定する行政執行法人の長並びにこれらの委任を受けた者をいう。）が内閣総理大臣の承認を受けていた」とする。ただし、裁判所職員の休職又は国会職員の休職については、この限りでない。
3 休職の期間の初日（休職の期間が更新された場合にあっては、更新された休職の期間の初日）が平成18年4月1日である場合における第1項の規定の適用については、前項の規定にかかわらず、第1項第1号中「休職の期間の初日の前日（休職の期間が更新された場合にあっては、更新された休職の期間の初日の前日）において、次のいずれにも該当するものであった」とあるのは「次のいずれにも該当することにつき、休職の期間の初日（休職の期間が更新された場合にあっては、更新された休職の期間の初日）までに、各省各庁の長等（財政法第20条第2項に規定する各省各庁の長及び独立行政法人通則法第2条第4項に規定する行政執行法人の長並びにこれらの委任を受けた者をいう。）が内閣総理大臣の承認を受けていた」とする。ただし、裁判所職員の休職又は国会職員の休職については、この限りでない。

○参　考
国家公務員国際機関派遣法等の他法により「現実に職務をとることを要しない期間には該当しないもの」とみなされているもの

- 国際機関等に派遣される一般職の国家公務員の処遇等に関する法律(昭和45年法律第117号)第9条第2項
- 国際機関等に派遣される防衛省の職員の処遇等に関する法律(平成7年法律第122号)第10条第2項
- 科学技術・イノベーション創出の活性化に関する法律(平成20年法律第63号)第17条第1項
- 教育公務員特例法(昭和24年法律第1号)第34条第1項
- 国と民間企業との間の人事交流に関する法律(平成11年法律第224号)第17条第2項
- 法科大学院への裁判官及び検察官その他の一般職の国家公務員の派遣に関する法律(平成15年法律第40号)第19条第2項
- 判事補及び検事の弁護士職務経験に関する法律(平成16年法律第121号)第11条第2項
- 令和3年東京オリンピック競技大会・東京パラリンピック競技大会特別措置法(平成27年法律第33号)第24条第2項
- 平成31年ラグビーワールドカップ大会特別措置法(平成27年法律第34号)第11条第2項
- 福島復興再生特別措置法(平成24年法律第24号)第48条の10第2項、第89条の10第2項
- 令和7年に開催される国際博覧会の準備及び運営のために必要な特別措置に関する法律(平成31年法律第18号)第32条第2項
- 令和9年に開催される国際園芸博覧会の準備及び運営のために必要な特別措置に関する法律(令和4年法律第15号)第22条第2項

(5) 休職月等のうち政令で定めるものが調整額の算定の対象となる基礎在職期間の各月から除かれることとなる。当該休職月等について政令では次のとおり規定している。

   ○施 行 令(抄)
   (職員を休職させてその業務に従事させる法人その他の団体等)
   第6条 略
   2 略
   3 法第6条の4第1項に規定する政令で定める休職月等は、次の各号に掲げる休職月等の区分に応じ、当該各号に定める休職月等とする。
   一 国家公務員法第108条の6第1項ただし書若しくは行政執行法人の労働関係に関する法律(昭和23年法律第257号)第7条第1項ただし書に規定する事由若しくはこれらに準ずる事由により現実に職務をとることを要しない期間又は国家公務員の自己啓発等休業に関する法律(平成19年法律第45号)第2条第5項(同法第10条及び裁判所職員臨時措置法(昭和26年法律第299号)において準用する場合を含む。)に規定する自己啓発等休業(国家公務員の自己啓発等休業に関する法律第8条第2項(同法第10条及び裁判所職員臨時措置法において準用する場合を含む。)の規定により読み替えて適用する法第7条第4項に規定する場合に該当するものを除く。)若しくは国家公務員の配偶者同行休業に関する法律(平成25年法律第78号)第2条第4項(同法第11条及び裁判所職員臨時措置法において準用する場合を含む。)に規定する配偶者同行

休業、国会職員の配偶者同行休業に関する法律（平成25年法律第80号）第２条第３項に規定する配偶者同行休業若しくは裁判官の配偶者同行休業に関する法律（平成25年法律第91号）第２条第２項に規定する配偶者同行休業により現実に職務をとることを要しない期間のあつた休職月等（次号及び第３号に規定する現実に職務をとることを要しない期間のあつた休職月等を除く。）　当該休職月等
二　育児休業（国会職員の育児休業等に関する法律（平成３年法律第108号）第３条第１項の規定による育児休業、国家公務員の育児休業等に関する法律（平成３年法律第109号）第３条第１項（同法第27条第１項及び裁判所職員臨時措置法において準用する場合を含む。）の規定による育児休業及び裁判官の育児休業に関する法律（平成３年法律第111号）第２条第１項の規定による育児休業をいう。以下同じ。）により現実に職務をとることを要しない期間（当該育児休業に係る子が１歳に達した日の属する月までの期間に限る。）又は育児短時間勤務（国会職員の育児休業等に関する法律第12条第１項に規定する育児短時間勤務（同法第18条の規定による勤務を含む。）及び国家公務員の育児休業等に関する法律第12条第１項（同法第27条第１項及び裁判所職員臨時措置法において準用する場合を含む。）に規定する育児短時間勤務（国家公務員の育児休業等に関する法律第22条（同法第27条第１項及び裁判所職員臨時措置法において準用する場合を含む。）の規定による勤務を含む。）をいう。）により現実に職務をとることを要しない期間のあつた休職月等　退職した者が属していた法第６条の４第１項各号に掲げる職員の区分（以下「職員の区分」という。）が同一の休職月等がある休職月等にあつては職員の区分が同一の休職月等ごとにそれぞれその最初の休職月等から順次に数えてその月数の３分の１に相当する数（当該相当する数に１未満の端数があるときは、これを切り上げた数）になるまでにある休職月等、退職した者が属していた職員の区分が同一の休職月等がない休職月等にあつては当該休職月等
三　第１号に規定する事由以外の事由により現実に職務をとることを要しない期間のあつた休職月等（前号に規定する現実に職務をとることを要しない期間のあつた休職月等を除く。）　退職した者が属していた職員の区分が同一の休職月等がある休職月等にあつては職員の区分が同一の休職月等ごとにそれぞれその最初の休職月等から順次に数えてその月数の２分の１に相当する数（当該相当する数に１未満の端数があるときは、これを切り上げた数）になるまでにある休職月等、退職した者が属していた職員の区分が同一の休職月等がない休職月等にあつては当該休職月等

　第１号は、いわゆる専従休職期間や自己啓発等休業期間等のある休職月等について定めたものである。
　専従休職期間（国家公務員法第108条の６第１項ただし書に規定する事由等により現実に職務をとることを要しない期間）や自己啓発等休業期間等のある休職月等については、その期間を基礎在職期間から除くこととしている。専従休職はいわゆる在籍専従が本人の意思により本来の職務と関係のない職員団体の業務に従事するものであり、しかも職員団体は使用者である国との関係において自主的に運営されるべきものであること、自己啓発等休業は自発的に職務を離れて大学等における修学や国際貢献活動を希望する職員に対し、その身分を保有したまま職務に従事せず、これらの活動を行うこと

を認める制度であること、配偶者同行休業は、自発的に職務を離れて配偶者の海外への転勤等に伴い同行することを希望する職員に対し、その身分を保有したまま職務に従事せず、同行することを認める制度であることを考慮し、その全期間を基礎在職期間から除算するという趣旨である。なお、人事院規則17－2（職員団体のための職員の行為）第6条の規定に基づく短期従事の許可を受けて、登録された職員団体の業務に従事した期間については、当該従事した期間が月の初日から末日までの全期間に及ぶ場合を除き職員としての在職期間から除算されないこととなる。これは、法第6条の4第1項の規定による在職期間からの除算が月を単位として行われること、すなわち「現実に職務をとることを要する日のあつた月」についてはその月を在職期間から除算しないこととしていることによるものである。また、自己啓発等休業の期間中の大学等における修学又は国際貢献活動の内容が公務の能率的な運営に資するものと認められることその他の内閣総理大臣が定める要件に該当する場合には、自己啓発等休業期間であっても本号から除外されるため、第3号（第1号及び第2号以外の事由により現実に職務をとることを要しない期間のあった休職月等）に該当することとなる。

　なお、いわゆる専従休職は、昭和40年の国家公務員法及び公共企業体等労働関係法の一部改正により設けられ、昭和43年12月14日以降適用されることとなったものであり、同日前におけるいわゆる専従期間は、人事院規則15－6（休暇）第1項に基づく無給休暇として取り扱われていた。この無給休暇の期間については、退職手当の算定の基礎となる勤続期間の計算上、「現実に職務をとることを要しない期間」に含まれないことから、除算対象とされず、全期間が通算されることとなる。

〔参　考〕
〇現行運用方針（昭和60年4月30日総人第261号）（抄）
第6条の4関係
　一　略
　二　本条第1項に規定する「その他これらに準ずる事由により現実に職務をとることを要しない期間」には、次に掲げる期間は含まれない。
　　イ　一般職給与法第15条の規定により給与の減額をされた期間
　　ロ　一般職の職員の勤務時間、休暇等に関する法律第16条に規定する休暇の期間
　　ハ　イ又はロに規定する期間に相当する期間
　三　略

〇旧運用方針（昭和28年9月3日蔵計第1832号）（抄）
第7条関係
　　第4項「その他これらに準ずる事由に因り現実に職務をとることを要しない期間」に

は、次に掲げるものは含まれない。
一　一般職給与法第15条の規定により俸給の減額をされた期間
二　人事院規則15－6（休暇）第１項に規定する有給休暇及び無給休暇の期間
三　前２号に規定する期間と同様のもの

　仮に同一の休職月等において第１号に規定する休職月等とそれ以外の休職月等が混在している場合には、当該休職月等は第１号以外の休職月等として取り扱うこととなる。
　第２号は、育児休業期間（当該育児休業に係る子が１歳に達した日の属する月までの期間）又は育児短時間勤務期間のある休職月等について定めたものである。
　育児休業（国会職員育休法、国家公務員育休法及び裁判官育休法に規定する育児休業）又は育児短時間勤務（国会職員育休法及び国家公務員育休法に規定する育児短時間勤務）により現実に職務をとることを要しない期間（育児休業の場合は子が１歳に達した日の属する月までの期間に限る。）のある休職月等については、職員の区分が同一の休職月等がある休職月等にあっては当該職員の区分が同一の休職月等ごとに、それぞれ最初の月から数えてその総月数の３分の１に相当する数（１未満の端数は切り上げ）になるまでにある休職月等について、職員の区分が同一の休職月等がない休職月等にあっては当該休職月等について基礎在職期間から除算するというものである。
　この育児休業期間については、職員が現実に職務をとることを要しない期間として、その期間の２分の１に相当する月数を退職手当の基本額の算定上の基礎となる在職期間から除算することとしていたところであるが、平成17年の法改正において急速に少子化が進行する中で、次世代育成を支援する観点から、育児中の職員の継続的な勤務を促進し、公務の円滑な運営に資するため、他の休職期間との均衡も踏まえつつ、その除算の度合いを、本号に規定する調整額の算定における取扱いも含め、２分の１から３分の１とする特例を設けることとしたものである。
　なお、３分の１除算の特例は、民間企業の職員については、育児休業、介護休業等育児又は家族介護を行う労働者の福祉に関する法律（平成３年法律第76号）において、原則としてその養育する１歳に満たない子について育児休業をすることができることとされていることとの均衡を考慮し、子が１歳に達した日の属する月までの期間に限ることとした。
　また、育児短時間勤務制度は、育児休業制度と育児時間制度（国会職員育休法及び国家公務員育休法に規定する育児時間の制度）との間に位置するも

のであり、退職手当の取扱いについても両制度の間に位置することが適当であることから、育児短時間勤務期間については、子の年齢に関係なく、その期間の3分の1に相当する月数を退職手当の基本額の算定上の基礎となる在職期間から除算することとする特例を設けたものである。

育児休業期間又は育児短時間勤務期間に係る退職手当の基本額の算定上の基礎となる在職期間からの除算については、各個別法により次のように規定されている。

＜参考＞　個別法における育児休業期間又は育児短時間勤務期間に係る退職手当の基本額の算定上の基礎となる在職期間の取扱い

〇国会職員の育児休業等に関する法律（平成3年法律第108号）（抄）
　（育児休業をした国会職員についての国家公務員退職手当法の特例）
第10条　略
2　育児休業をした期間（当該育児休業に係る子が1歳に達した日の属する月までの期間に限る。）についての国家公務員退職手当法第7条第4項の規定の適用については、同項中「その月数の2分の1に相当する月数」とあるのは、「その月数の3分の1に相当する月数」とする。
　（育児短時間勤務国会職員についての国家公務員退職手当法の特例）
第16条　略
2　育児短時間勤務をした期間についての国家公務員退職手当法第7条第4項の規定の適用については、同項中「その月数の2分の1に相当する月数」とあるのは、「その月数の3分の1に相当する月数」とする。
3　略

〇国家公務員の育児休業等に関する法律（平成3年法律第109号）（抄）
　（育児休業をした職員についての国家公務員退職手当法の特例）
第10条　略
2　育児休業をした期間（当該育児休業に係る子が1歳に達した日の属する月までの期間に限る。）についての国家公務員退職手当法第7条第4項の規定の適用については、同項中「その月数の2分の1に相当する月数」とあるのは、「その月数の3分の1に相当する月数」とする。
　（育児短時間勤務職員についての国家公務員退職手当法の特例）
第20条　略
2　育児短時間勤務をした期間についての国家公務員退職手当法第7条第4項の規定の適用については、同項中「その月数の2分の1に相当する月数」とあるのは、「その月数の3分の1に相当する月数」とする。
3　略

〇裁判官の育児休業に関する法律（平成3年法律第111号）（抄）
　（退職手当に関する育児休業の期間の取扱い）
第7条　略
2　育児休業をした期間（当該育児休業に係る子が1歳に達した日の属する月までの期間に限る。）についての国家公務員退職手当法第7条第4項の規定の適用については、同

項中「その月数の２分の１に相当する月数」とあるのは、「その月数の３分の１に相当する月数」とする。

　この３分の１除算の特例の対象には、平成17年の改正法の施行日前（国営企業等職員にあっては適用日前）における国会職員の育児休業等に関する法律第３条第１項の規定による育児休業、国家公務員の育児休業等に関する法律第３条第１項（同法第27条及び裁判所職員臨時措置法において準用する場合を含む。）の規定による育児休業及び裁判官の育児休業に関する法律第２条第１項の規定による育児休業のほか、国会職員の育児休業等に関する法律附則第２条の規定により同法第３条の規定による育児休業の承認とみなされる育児休業の許可に係る育児休業及び国家公務員の育児休業等に関する法律附則第２条の規定により同法第３条の規定による育児休業の承認とみなされる育児休業の許可に係る育児休業も含まれる。すなわち、平成４年４月１日前に女子教育職員等育児休業法（昭和50年法律第62号）に基づく育児休業の許可で、その期間の終期が同日以後のもので国家公務員の育児休業等に関する法律附則第２条等の規定により同法第３条の規定による育児休業の承認等とみなされるものも対象とするものである。

○運用方針（抄）
第６条の４関係
　三　施行令第６条第３項第２号に規定する育児休業には、国家公務員退職手当法の一部を改正する法律（平成17年法律第115号）施行日前（国営企業等職員にあっては適用日前）における国会職員の育児休業等に関する法律（平成３年法律第108号）第３条第１項の規定による育児休業（国会職員の育児休業等に関する法律の一部を改正する法律（平成22年法律第62号）による改正前の国会職員の育児休業等に関する法律附則第２条の規定により同法第３条の規定による育児休業の承認とみなされる育児休業の許可に係る育児休業を含む。）、国家公務員の育児休業等に関する法律（平成３年法律第109号）第３条第１項（同法第27条第１項及び裁判所職員臨時措置法において準用する場合を含む。）の規定による育児休業（一般職の職員の給与に関する法律等の一部を改正する法律（平成22年法律第53号）附則第７条の規定による改正前の国家公務員の育児休業等に関する法律附則第２条の規定により同法第３条の規定による育児休業の承認とみなされる育児休業の許可に係る育児休業を含む。）及び裁判官の育児休業に関する法律（平成３年法律第111号）第２条第１項の規定による育児休業を含む。

退職手当の調整額（第6条の4） 151

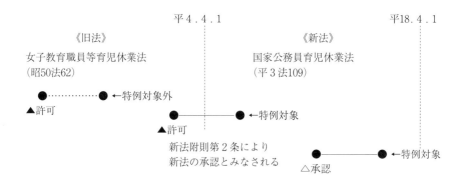

＜参考＞ 調整額の計算の対象としない休職月等の特定の方法の例
【ケース１】
　①及び②＝勤務、③＝10日勤務の後、病気休職（公務外）、④〜⑩＝病気休職、⑪＝20日病気休職の後、勤務、⑫＝勤務
　※①〜⑫の各月は同一の職員の区分

　休職月等に該当するのは、④〜⑩の７月（③及び⑪は、現実に職務をとることを要する日があるので休職月等には該当しない）
　$7 \times 1/2 = 3.5 \Rightarrow 4$（１未満の端数を切り上げ）
　よって、基礎在職期間から除かれる休職月等は、最初の月から順次に数えて４になるまでにある休職月等、すなわち④、⑤、⑥及び⑦の月
【ケース２】
　①及び②＝勤務、③＝10日勤務の後、病気休職、④及び⑤＝病気休職、⑥＝勤務、⑦〜⑪＝病気休職、⑫＝勤務
　※①〜⑦の各月は第８号区分、⑧の月は途中より第７号区分、⑨〜⑫の各月は第７号区分

　同一の月に２以上の職員の区分に属している場合は、最も高い額となる職員の区分に属していたこととなるため⑧は第７号区分
　休職月等に該当するのは、④、⑤及び⑦（第８号区分）並びに⑧〜⑪（第７号区分）の各月。職員の区分が同一である休職月等のグループごとに計算するので、
　第８号区分グループ：$3 \times 1/2 = 1.5 \Rightarrow 2$
　第７号区分グループ：$4 \times 1/2 = 2$
　よって、基礎在職期間から除かれる休職月等は、第８号区分に属していた休職月等については④及び⑤の月、第７号区分に属していた休職月等については⑧及び⑨の月

【ケース３】
　①及び②＝勤務、③＝10日勤務の後、病気休職、④及び⑤＝病気休職、⑥＝10日病気休職の後、育児休業（子は０歳）、⑦～⑨＝育児休業（子は０歳）、⑩＝育児休業（15日間子は０歳、以降は１歳）、⑪＝育児休業（子は１歳）、⑫＝勤務
　※①～⑫の各月において同一の職員の区分

| ① | ② | ③ | ④ | ⑤ | ⑥ | ⑦ | ⑧ | ⑨ | ⑩ | ⑪ | ⑫ |

　休職月等に該当するのは、④～⑪の８月（病気休職＝④及び⑤、育児休業（０歳）＝⑥～⑩、育児休業（１歳）＝⑪）
　1/2除外の対象となるのは④、⑤及び⑪の３月であるから、３×1/2＝1.5⇒２
　1/3除外の対象となるのは⑥～⑩の５月であるから、５×1/3≒1.67⇒２
　よって、基礎在職期間から除かれる休職月等は、1/2除外の休職月等については④及び⑤の月、1/3除外の休職月等については⑥及び⑦の月

　第３号は、第１号及び第２号以外の事由により現実に職務をとることを要しない期間のある休職月等について定めたものである。

　これらの休職月等については、職員の区分が同一の休職月等がある休職月等にあっては職員の区分が同一の休職月等ごとにそれぞれ最初の月から数えてその総月数の２分の１に相当する数（１未満の端数は切り上げ）になるまでにある休職月等が、また、職員の区分が同一の休職月等がない休職月等にあっては当該休職月等が、それぞれ調整額の算定対象となる基礎在職期間から除かれることとなる。

　なお、仮に同一の休職月等において、本号に規定する休職月等と第２号に規定する休職月等が混在している場合には、当該休職月等は、後者による休職月等として取り扱うこととなる。

(6) 「職員の区分」すなわち、退職した職員の基礎在職期間における各月が、法第６条の４第１項第１号から第11号のいずれの区分に属するのかは、同条第３項の規定により「官職の職制上の段階、職務の級、階級その他職員の職務の複雑、困難及び責任の度に関する事項を考慮して、政令で定める。」とされており、施行令において次のとおり規定されている。

　○施　行　令（抄）
　　（職員の区分）
　第６条の３　退職した者は、その者の基礎在職期間の初日の属する月からその者の基礎在職期間の末日の属する月までの各月ごとにその者の基礎在職期間に含まれる時期の別により定める別表第１イ又はロの表の下欄に掲げるその者の当該各月における区分に対応するこれらの表の上欄に掲げる職員の区分に属していたものとする。この場合において、その者が同一の月においてこれらの表の下欄に掲げる２以上の区分に該当していたときは、その者は、当該月において、これらの区分のそれぞれに対応するこれらの表の

上欄に掲げる職員の区分に属していたものとする。
  別表第1　略

職員の区分の決定は、具体的には施行令第6条の3の規定に基づき別表第1において判断されることとなるが、ここでは、別表第1のロの表（平成18年4月1日以後の基礎在職期間における職員の区分についての表）から、一般職給与法の指定職俸給表及び行政職俸給表㈠の適用を受けていた者に係るものを抜粋し、調整額の算定例も含め、示すこととする。

　ロ　平成18年4月1日以後の基礎在職期間における職員の区分についての表（抄）

第1号区分	平成18年4月1日以後適用されている一般職給与法（他の法令において、引用し、準用し、又はその例による場合を含む。以下「平成18年4月以後の一般職給与法」という。）の指定職俸給表の適用を受けていた者で同表6号俸の俸給月額以上の俸給月額を受けていたもの
第2号区分	平成18年4月以後の一般職給与法の指定職俸給表の適用を受けていた者で同表1号俸から5号俸までの俸給月額を受けていたもの
第3号区分	平成18年4月以後の一般職給与法の行政職俸給表㈠の適用を受けていた者でその属する職務の級が10級であつたもの
第4号区分	平成18年4月以後の一般職給与法の行政職俸給表㈠の適用を受けていた者でその属する職務の級が9級であつたもの
第5号区分	平成18年4月以後の一般職給与法の行政職俸給表㈠の適用を受けていた者でその属する職務の級が8級であつたもの
第6号区分	平成18年4月以後の一般職給与法の行政職俸給表㈠の適用を受けていた者でその属する職務の級が7級であつたもの
第7号区分	平成18年4月以後の一般職給与法の行政職俸給表㈠の適用を受けていた者でその属する職務の級が6級であつたもの
第8号区分	平成18年4月以後の一般職給与法の行政職俸給表㈠の適用を受けていた者でその属する職務の級が5級であつたもの
第9号区分	平成18年4月以後の一般職給与法の行政職俸給表㈠の適用を受けていた者でその属する職務の級が4級であつたもの
第10号区分	平成18年4月以後の一般職給与法の行政職俸給表㈠の適用を受けていた者でその属する職務の級が3級であつたもの
第11号区分	第1号区分から第10号区分までのいずれの職員の区分にも属しないこととなる者

　　＜調整額の算定例＞
　行政職俸給表㈠の適用を受けていた者で6級であつた期間が3年（36月）、7級であつた期間が2年（24月）の場合は、調整月額43,350円（第7号区分）×36月＋調整月額54,150円（第6号区分）×24月＝2,860,200円が退職手当の調整額となる。

施行令別表第１では、平成17年の法改正の施行日（平成18年４月１日）前をイの表とし、施行日以後をロの表としてそれぞれ職員の区分を定めており、施行日前についてはその対象期間を平成８年４月１日以後としている。これは、当該施行日前から長期間在職している者が退職した場合における退職手当の調整額の算定に当たっては、そのすべての在職期間について遡って調整月額を付すことは事務に困難を伴うこと、また、これまでの人事管理の実情を踏まえれば、退職時から相当期間遡った時期に職務・職責の度が高かった期間があるとは考えにくいことから、除算の対象となる休職期間（いわゆる専従休職は５年（当分の間は７年）、研究休職は５年）等を勘案し、当該改正法の施行日の10年前である平成８年４月１日以降の期間を対象とすることとしたものである。

　なお、職員の区分を定める上で必要な詳細な規定並びに行政執行法人、旧国営企業及び旧日本郵政公社等の職員に係る職員の区分については内閣総理大臣の定めにより規定している。

　具体的には、「国家公務員退職手当法の一部を改正する法律（平成17年法律第115号）の施行後の退職手当の取扱いについて」（平成18年３月14日総人恩総第204号）により定められており、一般職給与法適用者については、期末・勤勉手当の役職段階別加算の区分、俸給の特別調整額の区分、特定の役職等への在職期間等により、職員を更に区分すること等が規定されている。例えば、行政職俸給表㈡の３級適用者で第10号区分に該当する者については、３級以上の在職期間が120月を超えていた者であることを要件とすることが定められている。

(7)　調整額を調整月額の高い方から60月分（５年分）としたのは、国家公務員については、公務の中立性・安定性等を確保するための観点から、長期勤続、人材定着促進型の人事管理・運用が採られており、在職期間における終期の一定期間分を調整額の算定対象とすることにより、公務への貢献の差に対して、役職に応じて段階的に設定された調整額でメリハリのきいた報償を行うことができること、一方、調整額の算定対象となる月数を多くすると、短・中期勤続者と長期勤続者とで均衡を欠くおそれがあることなどから、制度の趣旨を生かしつつ、弊害が生じない期間として60月分（５年分）が適当であるとしたものである。また、退職時から60月分とはせずに調整月額の高い方から60月分としたのは、在職期間長期化等に伴う降格など今後人事管理が複線化した場合にも対応できるようにしたものである。

(8)　第２項は、基礎在職期間に地方公共団体、公庫等へ退職出向している期間

等（特定基礎在職期間）がある場合の当該期間における職員の区分、すなわち調整額に係る取扱いについての規定である。これらの期間については、政令で定めるところにより、職員として在職していたものとみなすことによって、職員の区分を決定し、調整額を算定することとしている。政令では次のとおり規定している。

〇施　行　令（抄）
（基礎在職期間に特定基礎在職期間が含まれる者の取扱い）
第6条の2　退職した者の基礎在職期間に法第5条の2第2項第2号から第7号までに掲げる期間（以下「特定基礎在職期間」という。）が含まれる場合における法第6条の4第1項並びに前条及び次条の規定の適用については、その者は、内閣総理大臣の定めるところにより、次の各号に掲げる特定基礎在職期間において当該各号に定める職員として在職していたものとみなす。
　一　職員としての引き続いた在職期間（その者の基礎在職期間に含まれる期間に限る。）に連続する特定基礎在職期間　当該職員としての引き続いた在職期間の末日にその者が従事していた職務と同種の職務に従事する職員又は当該特定基礎在職期間に連続する職員としての引き続いた在職期間の初日にその者が従事していた職務と同種の職務に従事する職員
　二　前号に掲げる特定基礎在職期間以外の特定基礎在職期間　当該特定基礎在職期間に連続する職員としての引き続いた在職期間の初日にその者が従事していた職務と同種の職務に従事する職員（当該従事していた職務が内閣総理大臣の定めるものであつたときは、内閣総理大臣の定める職務に従事する職員）

　施行令第6条の2では、特定基礎在職期間と職員としての在職期間との連続形態によって、第1号と第2号に分けてどのような職務に従事している職員として在職していたものとみなすかについて規定している。
　第1号は、職員として在職した後、地方公共団体、公庫等へ退職出向し、再び職員として復帰した場合における当該地方公共団体、公庫等職員としての在職期間（特定基礎在職期間）について規定しており、当該特定基礎在職期間を先の職員としての在職期間の末日に従事していた職務と同種の職務に従事する職員、又は後の職員としての在職期間の初日に従事していた職務と同種の職務に従事する職員として在職していたものとみなすこととしている。
　なお、当該特定基礎在職期間を先の職員としての在職期間の末日に従事していた職務と同種の職務に従事する職員として在職していたものとみなすのか、又は後の職員としての在職期間の初日に従事していた職務と同種の職務に従事する職員として在職していたものとみなすのかは、内閣総理大臣の定めにおいて整理されており、後の職員としての在職期間の初日に従事してい

た職務が、一般職給与法の指定職俸給表適用職員、裁判官、検察官、特別職給与法適用職員（同法第1条第73号に掲げる職員及び第74号に掲げる職員で国会職員給与規程の特別給料表及び指定職給料表の適用を受ける職員以外のものを除く。）が従事する職務（以下「特定職務」という。）であった場合は、先の職員としての在職期間の末日に従事していた職務と同種の職務に従事する職員として在職していたものとみなし、特定職務以外の職務であった場合は、当該職務、すなわち、後の職員としての在職期間の初日に従事していた職務と同種の職務に従事する職員として在職していたものとみなすこととしている。

　一方、第2号は、地方公共団体、公庫等の職員から引き続いて職員となった場合における当該地方公共団体、公庫等職員としての在職期間（特定基礎在職期間）について規定しており、当該特定基礎在職期間に引き続く職員としての在職期間の初日にその者が従事していた職務が特定職務であった場合は、当該特定基礎在職期間にその者が現に従事していた職務又は業務が当該特定基礎在職期間を通じておおむね1種類の職員が従事する職務と類似しているものであった場合にあっては当該職員が従事する職務、それ以外の場合にあっては内閣総理大臣が決定（個々の事例ごとに決定）する職務に従事する職員として在職していたものとみなし、また、当該特定基礎在職期間に引き続く職員としての在職期間の初日にその者が従事していた職務が特定職務以外の職務であった場合は、当該職務と同種の職務に従事する職員として在職していたものとみなすこととしている。

　基礎在職期間に特定基礎在職期間が含まれる場合において、当該特定基礎在職期間を職員として在職していたものとみなすことについて、当該特定基礎在職期間に従事していたとみなされる職務についての定めのほか、当該特定基礎在職期間の各月にその者が属していた職員の区分を決めるのに必要な職務の級、階級、号俸又は俸給月額の定め方、当該特定基礎在職期間における俸給の特別調整額の取扱い及び当該特定基礎在職期間に行われた処分又は行為についての取扱いについて、内閣総理大臣の定めでは次のとおり規定している。

〇国家公務員退職手当法の一部を改正する法律（平成17年法律第115号）の施行後の退職手当の取扱いについて　（平成18年3月14日総人恩総第204号）（抄）
第二　国家公務員退職手当法施行令第6条の2関係
　1　退職した者の基礎在職期間に施行令第6条の2第1号の特定基礎在職期間が含まれる場合においては、その者は、次の各号に掲げる当該特定基礎在職期間に連続する職

員としての引き続いた在職期間の初日にその者が従事していた職務の区分に応じ、当該特定基礎在職期間において、当該各号に定める職員として在職していたものとみなす。
 (1) 一般職給与法（他の法令において、引用し、準用し、又はその例による場合を含む。以下同じ。）の指定職俸給表の適用を受ける職員が従事する職務、裁判官の職務、検察官の職務及び特別職の職員の給与に関する法律（昭和24年法律第252号。以下「特別職給与法」という。）第1条各号に掲げる特別職の職員（同条第73号に掲げる職員及び第74号に掲げる職員で国会職員の給与等に関する規程（昭和22年10月16日両院議長決定。以下「国会職員給与規程」という。）の特別給料表又は指定職給料表の適用を受ける職員以外のものを除く。）が従事する職務（以下「特定職務」という。）　当該特定基礎在職期間の直前の職員としての引き続いた在職期間の末日にその者が従事していた職務と同種の職務に従事する職員
 (2) 特定職務以外の職務　当該職務と同種の職務に従事する職員
2　退職した者の基礎在職期間に施行令第6条の2第2号の特定基礎在職期間が含まれる場合においては、その者は、次の各号に掲げる当該特定基礎在職期間に連続する職員としての引き続いた在職期間の初日にその者が従事していた職務の区分に応じ、当該特定基礎在職期間において、当該各号に定める職員として在職していたものとみなす。
 (1) 特定職務　当該特定基礎在職期間にその者が現に従事していた職務又は業務が当該特定基礎在職期間を通じておおむね1種類の職員が従事する職務と類似しているものであった場合にあっては当該職員が従事する職務、それ以外の場合にあっては内閣総理大臣が決定する職務に従事する職員
 (2) 特定職務以外の職務　当該職務と同種の職務に従事する職員
3　退職した者が前2項の規定により特定基礎在職期間において前2項各号に定める職員として在職していたものとみなされる場合に、当該特定基礎在職期間の初日の属する月から当該特定基礎在職期間の末日の属する月までの各月にその者が属していた職員の区分を決めるのに必要な官職の職制上の段階、職務の級、階級その他職員の職務の複雑、困難及び責任の度に関する事項のうち、職務の級、階級、号俸又は俸給月額については、当該特定基礎在職期間にその者に適用されることとなる初任給の決定、昇格、昇給等に関する規定の例により定める。
4　退職した者が第1項の規定により特定基礎在職期間において同項各号に定める職員として在職していたものとみなされる場合に当該特定基礎在職期間の初日の属する月から当該特定基礎在職期間の末日の属する月までの各月にその者が属していた職員の区分を決めるのに必要な官職の職制上の段階、職務の級、階級その他職員の職務の複雑、困難及び責任の度に関する事項のうち、一般職給与法第10条の2第1項の規定による俸給の特別調整額（これに準ずる額を含む。以下この項において「俸給の特別調整額」という。）については、次の各号のいずれにも該当する場合に限り、その者は、当該特定基礎在職期間において、当該特定基礎在職期間の直前の職員としての引き続いた在職期間の末日（以下この項において「特定基礎在職期間の直前の日」という。）にその者が占めていた官職に応じた俸給の特別調整額の区分（平成8年4月1日から平成19年3月31日までの間において適用されていた人事院規則9-17（俸給の特別調整額）第2条に規定する区分及び平成19年4月1日以後適用されている同規則第1条第2項に規定する区分をいう。以下同じ。）と当該特定基礎在職期間に連続する職

としての引き続いた在職期間の初日（以下この項において「特定基礎在職期間に連続する日」という。）にその者が占めていた官職に応じた俸給の特別調整額の区分のうちいずれか低い区分による俸給の特別調整額の支給を受けていたものとみなす。
(1) 特定基礎在職期間の直前の日にその者が従事していた職務と特定基礎在職期間に連続する日にその者が従事していた職務が同種のものであること。
(2) 特定基礎在職期間の直前の日及び特定基礎在職期間に連続する日にその者が属する職務の級が同一であり、かつ、その者が俸給の特別調整額の支給を受けていたこと。
5 退職した者が第1項及び第2項の規定により特定基礎在職期間においてこれらの項の各号に定める職員として在職していたものとみなされる場合には、当該特定基礎在職期間中の次の各号に掲げる期間に関して行われた処分又は行為は、当該各号に定める期間に関して行われた処分又は行為とみなす。
(1) 地方公務員法（昭和25年法律第261号）第55条の2ただし書若しくは地方公営企業等の労働関係に関する法律（昭和27年法律第289号）第6条第1項ただし書の規定による休職の期間、法人の就業規則等に定められている休業で労働組合業務に専ら従事するためのものの期間、地方公務員法第26条の5第1項に規定する自己啓発等休業の期間、法人の就業規則等に定められている休業で国家公務員の自己啓発等休業に関する法律（平成19年法律第45号）第2条第5項に規定する自己啓発等休業に相当するものの期間、地方公務員法第26条の6第1項に規定する配偶者同行休業の期間又は法人の就業規則等に定められている休業で国家公務員の配偶者同行休業に関する法律（平成25年法律第78号）第2条第4項に規定する配偶者同行休業に相当するものの期間　施行令第6条第3項第1号に規定する現実に職務をとることを要しない期間
(2) 地方公務員の育児休業等に関する法律（平成3年法律第110号）第2条第1項の規定による育児休業の期間（当該育児休業に係る子が1歳に達した日の属する月までの期間に限る。）、育児休業、介護休業等育児又は家族介護を行う労働者の福祉に関する法律（平成3年法律第76号）第5条の規定による育児休業の期間（当該育児休業に係る子が1歳に達した日の属する月までの期間に限る。）、地方公務員の育児休業等に関する法律第10条第1項に規定する育児短時間勤務の期間又は法人の就業規則等に定められている短時間勤務で国家公務員の育児休業等に関する法律（平成3年法律第109号）第12条第1項に規定する育児短時間勤務に相当するものの期間　施行令第6条第3項第2号に規定する現実に職務をとることを要しない期間
(3) 地方公務員法第28条第2項に規定する休職の期間（公務上の傷病による休職及び通勤による傷病による休職の期間を除く。）、同法第27条第2項に基づき条例で規定する休職の期間（地方公務員を施行令第6条で定める法人の業務に従事させるための休職の期間を除く。）、同法第29条に規定する停職の期間、外国の地方公共団体の機関等に派遣される一般職の地方公務員の処遇等に関する法律（昭和62年法律第78号）第2条の規定による派遣の期間、地方公務員の育児休業等に関する法律第2条第1項に規定する育児休業の期間（前号に掲げる期間を除く。）、公益的法人等への一般職の地方公務員の派遣等に関する法律（平成12年法律第50号）第2条の規定による職員派遣の期間、法人の就業規則等に定められている休職の期間（第1号に掲げる期間並びに業務上の傷病による休職及び通勤による傷病による休職の期間を除く。）若しくは停職の期間（これに相当する出勤停止の期間を含む。）又は育児休

業、介護休業等育児又は家族介護を行う労働者の福祉に関する法律第5条の規定による育児休業の期間（前号に掲げる期間を除く。）　施行令第6条第3項第3号に規定する現実に職務をとることを要しない期間

　内閣総理大臣の定めの第2第1項及び第2項は、前述のとおり当該特定基礎在職期間に従事していたとみなされる職務について規定したものであり、それぞれを図示すれば次頁の図のとおりとなる。
　第3項は、特定基礎在職期間の各月にその者が属していた職員の区分を決めるのに必要な職務の級、階級、号俸又は俸給月額についての規定である。これらについては、当該特定基礎在職期間にその者に適用されることとなる初任給の決定、昇格、昇給等に関する規定の例により定めることとしており、例えば、特定基礎在職期間において一般職給与法適用職員として在職していたものとみなされる場合には、「人事院規則9－8（初任給、昇格、昇給等の基準）」、「人事交流による採用者等の職務の級及び号俸の決定について（通知）（給実甲第442号）」等の例により当該特定基礎在職期間の各月における職務の級を決定することとなる。
　第4項は、特定基礎在職期間における各月にその者が属していた職員の区分を決定する際の特例措置である。官職の職制上の段階、職務の級、階級その他職員の職務の複雑、困難及び責任の度に関する事項のうち、一般職給与法第10条の2第1項の規定による俸給の特別調整額（これに準ずる額を含む。）について、その支給の有無等までを勘案し職員の区分を決定することは困難であるが、第1号及び第2号のいずれにも該当する場合に限り、当該特定基礎在職期間において特定の俸給の特別調整額の支給を受けていたものとみなすこととしたものであり、あくまでも例外的な措置として定めるものである。
　第5項は、特定基礎在職期間中に施行令第6条第3項第1号から第3号までに規定する現実に職務をとることを要しない期間に相当する期間がある場合について定めたものであり、当該現実に職務をとることを要しない期間に相当する期間を施行令第6条第3項第1号から第3号までに規定する現実に職務をとることを要しない期間とみなすことでこれらの規定が適用されることとなる。

＜例1＞　行㈠　→　地方公務員等　→　指定職
　　　　職員（行㈠）　　地方公務員等　　職員（指定職＝特定職務）

| 行㈠ | 行㈠みなし | 指定職 | （第1項第1号） |

<例2> 行㈠ → 地方公務員等 → 税務職

職員（行㈠）	地方公務員等	職員（税務職）	
行㈠	税務職みなし		（第1項第2号）

<例3> 地方公務員等 → 指定職

地方公務員等（※）	職員（指定職＝特定職務）	
例えば、当該期間を通じておおむね研究職相当の職務又は業務に従事していた場合には、研究職みなしとする		（第2項第1号）

（※） 特定基礎在職期間にその者が現に従事していた職務又は業務が当該特定基礎在職期間を通じておおむね１種類の職員が従事する職務と類似しているものであった場合にあっては当該職員が従事する職務、それ以外の場合にあっては内閣総理大臣が決定する職務に従事する職員

<例4> 地方公務員等 → 教育㈠

地方公務員等	職員（教育㈠）	
教育㈠みなし		（第2項第2号）

○参　考

施行令第６条第３項第１号の現実に職務をとることを要しない期間に該当するもの（第１号）
- 地方公務員法（昭和25年法律第261号）第55条の２ただし書による休職の期間
- 地方公営企業等の労働関係に関する法律（昭和27年法律第289号）第６条第１項ただし書の規定による休職の期間
- 法人の就業規則等に定められている休職で労働組合業務に専ら従事するためのものの期間
- 地方公務員法第26条の５第１項に規定する自己啓発等休業の期間
- 法人の就業規則等に定められている休業で国家公務員の自己啓発等休業に関する法律（平成19年法律第45号）第２条第５項に規定する自己啓発等休業に相当するものの期間
- 地方公務員法第26条の６第１項に規定する配偶者同行休業の期間
- 法人の就業規則等に定められている休業で国家公務員の配偶者同行休業に関する法律（平成25年法律第78号）第２条第４項に規定する配偶者同行休業に相当するものの期間

施行令第６条第３項第２号の現実に職務をとることを要しない期間に該当するもの（第２号）
- 地方公務員の育児休業等に関する法律（平成３年法律第110号）第２条第１項の規定による育児休業の期間（当該育児休業に係る子が１歳に達した日の属する月までの期間に限る。）

- 育児休業、介護休業等育児又は家族介護を行う労働者の福祉に関する法律（平成3年法律第76号）第5条の規定による育児休業の期間（当該育児休業に係る子が1歳に達した日の属する月までの期間に限る。）
- 地方公務員の育児休業等に関する法律第10条第1項に規定する育児短時間勤務の期間
- 法人の就業規則等に定められている短時間勤務で国家公務員の育児休業等に関する法律（平成3年法律第109号）第12条第1項に規定する育児短時間勤務に相当するものの期間

施行令第6条第3項第3号の現実に職務をとることを要しない期間に該当するもの（第3号）
- 地方公務員法第28条第2項に規定する休職の期間（公務上の傷病による休職及び通勤による傷病による休職の期間を除く。）
- 地方公務員法第27条第2項に基づき条例で規定する休職の期間（地方公務員を施行令第6条で定める法人の業務に従事させるための休職の期間を除く。）
- 地方公務員法第29条に規定する停職の期間
- 外国の地方公共団体の機関等に派遣される一般職の地方公務員の処遇等に関する法律（昭和62年法律第78号）第2条の規定による派遣の期間
- 地方公務員の育児休業等に関する法律第2条第1項に規定する育児休業の期間（第2号に掲げる期間を除く。）
- 公益的法人等への一般職の地方公務員の派遣等に関する法律（平成12年法律第50号）第2条の規定による職員派遣の期間
- 法人の就業規則等に定められている休職の期間（第1号に掲げる期間並びに業務上の傷病による休職及び通勤による傷病による休職の期間を除く。）又は停職の期間（これに相当する出勤停止の期間を含む。）
- 育児休業、介護休業等育児又は家族介護を行う労働者の福祉に関する法律第5条の規定による育児休業の期間（第2号に掲げる期間を除く。）

　なお、「国家公務員退職手当法の一部を改正する法律の施行に伴う経過措置に関する政令」（平成18年政令第30号）第5条は、一般職給与法の旧教育職俸給表㈡、㈢の在職期間、平成18年4月1日までに非公務員化された特定独立行政法人の在職期間等について、職員としての在職を職員以外の者としての在職とみなし、調整額について特定基礎在職期間と同様に取り扱うことが規定されている（第7章**43**の解説⑿を参照）。

(9)　勤続4年以下の短期勤続の退職者については、特別職幹部職員との均衡の観点から、調整額を半額とすることとしている。

⑽　法第7条第6項の規定により、在職期間が6月未満であった場合には勤続期間が零となり、したがって退職手当の基本額が零となる。このような場合には、退職手当の調整額が基本額を補完するために設けられるものであるため、調整額も零としている。

⑾　勤続10年以上24年以下の自己都合等退職者については、人材定着等人事管

理上の観点から調整額を半額とすることとしている。
⑿　短期（勤続9年以下）で自己都合等退職するものについては、勤続による公務への貢献度が低く、また、退職手当の基本額の部分とその補完部分としての退職手当の調整額との均衡や短期任用が中心である第4項第5号に規定する特別職幹部職員等の退職手当額とこれらの者の退職手当額との均衡がとれなくなることから、退職手当の調整額に相当する部分を支給しないこととしている。
⒀　特別職幹部職員等については、昇任、昇給という考え方を採るものではないことのほか、退職手当額の抑制等の観点から、調整額の算定の特例として、その者の退職手当の基本額に100分の8（附則第11項の規定による読替えにより、当分の間は100分の8.3）を乗じて得た額を調整額とすることとした。ここで特別職幹部職員等とは、退職手当の基本額の算定基礎である俸給月額が一般職の指定職俸給表8号俸の額（事務次官クラス）に相当する額を超える者、又は、その者の基礎在職期間の全てが特別職公務員（特別職の職員の給与に関する法律第1条各号に掲げる特別職公務員で宮内庁一部職員及び国会職員以外のもの）としての在職期間である者である。なお、調整額導入時は、当該率は100分の6であったがこれは、平成18年度に行われた給与構造改革による俸給月額の引下げ率及び平成17年の法改正による指定職の退職手当の引下げ率を踏まえたものであった。その後、平成26年改正により、一般職職員の調整額が拡大されたことに伴い、一般職職員との均衡を図るため100分の8に引き上げられ、また、平成29年改正による退職手当の支給基準の引下げにより基本額が引き下げられた際、基本額を基に計算される特別職幹部職員等の調整額に影響が生じないように、附則第11項の規定により、当分の間、100分の8を100分の8.3と読み替えることとされた。なお、第5号イの「政令で定めるもの」は、施行令第6条の4で次のとおり定められている。

〇施　行　令（抄）
　（退職日俸給月額が一般職給与法の指定職俸給表8号俸の額に相当する額を超える者に類する者）
第6条の4　法第6条の4第4項第5号イに規定する政令で定める者は、別表第2の上欄に掲げるいずれかの期間（その者の基礎在職期間に含まれる期間に限る。）において同表の下欄に掲げる額を超える俸給月額を受けていた者とする。

別表第2 （第6条の4関係）

平成8年4月1日から平成10年3月31日まで	一般職の職員の給与に関する法律及び一般職の任期付研究員の採用、給与及び勤務時間の特例に関する法律の一部を改正する法律（平成9年法律第112号）第1条の規定による改正前の一般職給与法の指定職俸給表11号俸の額に相当する額
（略）	（略）
平成18年4月1日から退職の日の前日まで	一般職給与法の指定職俸給表8号俸の額に相当する額

⑭ 調整月額が等しいものが複数ある場合の調整月額に順位を付す方法等については、施行令第6条の5において次のとおり規定している。

○施　行　令（抄）
（調整月額に順位を付す方法等）
第6条の5　第6条の3（第6条の2の規定により同条各号に定める職員として在職していたものとみなされる場合を含む。）後段の規定により退職した者が同一の月において2以上の職員の区分に属していたこととなる場合には、その者は、当該月において、当該職員の区分のうち、調整月額が最も高い額となる職員の区分のみに属していたものとする。
2　調整月額のうちにその額が等しいものがある場合には、その者の基礎在職期間の末日の属する月に近い月に係るものを先順位とする。

　第1項では、月の途中で昇任又は降任したこと等により、複数の職員の区分に属する場合には、調整月額が最も高いものを用いることを、また、第2項では、調整月額でその額が等しいものが複数ある場合には、その者の基礎在職期間の末日の属する月に近い月、すなわち退職月に近いものを先順位とすることを、それぞれ規定している。なお、第2項は、調整額は調整月額のうちその額が最も多いものから順次その順位を付し、その第1順位から第60順位までの調整月額を合計した額とするとされていることから、調整月額が等しいものにも順位を付す必要があるために設けられた規定である。

9　一般の退職手当の額に係る特例

（一般の退職手当の額に係る特例）
第6条の5　第5条第1項に規定する者で次の各号に掲げる者に該当するものに対する退職手当の額が退職の日におけるその者の基本給月額に当

該各号に定める割合を乗じて得た額に満たないときは、第2条の4、第5条、第5条の2及び前条の規定にかかわらず、その乗じて得た額をその者の退職手当の額とする[(1)]。
　一　勤続期間1年未満の者　　　　　100分の270
　二　勤続期間1年以上2年未満の者　　100分の360
　三　勤続期間2年以上3年未満の者　　100分の450
　四　勤続期間3年以上の者　　　　　　100分の540
2　前項の「基本給月額」とは、一般職の職員の給与に関する法律の適用を受ける職員(以下「一般職の職員」という。)については同法に規定する俸給及び扶養手当の月額並びにこれらに対する地域手当、広域異動手当及び研究員調整手当の月額の合計額をいい、その他の職員については一般職の職員の基本給月額に準じて政令で定める額をいう[(2)]。

【解説】
(1)　第1項は、短期勤続者に対する一般の退職手当の最低保障額の規定である。応募認定退職（2号募集）、公務上の死亡又は傷病等による退職の場合に実益がある。短期勤続者は、法第3条の自己都合等退職による退職手当の場合は比較的不利であるが、応募認定退職（2号募集）等である場合については手厚く取り扱っているわけである。この最低保障額の運用例を示す。

　〔例示〕　勤続期間3年、公務上死亡、俸給月額164,100円（行㈠1級13号俸）、地域手当19,692円（4級地）の者の場合
　　1　法第5条第1項の規定による支給額
　　　　$164,100円 \times \frac{150}{100} \times 3（年）\times \frac{83.7}{100} = 618,082円$
　　2　法第6条の5第1項の規定による支給額（最低保障額）
　　　　$(164,100円 + 19,692円) \times \frac{540}{100} = 992,476円$
　　3　したがって、2の金額992,476円が支給される。

　本項にいう勤続期間の計算は、この法律の規定、すなわち法第7条の規定によって計算される。ただし、その場合、1年未満の端数は切り捨てるとする法第7条第6項の規定の適用がないことが、同条第7項で明らかにされている。最低保障額の趣旨を生かすための措置である。

(2)　第2項は、退職手当の計算の基礎となる「基本給月額」の取扱いに関する規定であり、一般職の国家公務員については、俸給、扶養手当、地域手当、広域異動手当、研究員調整手当の月額の合計額が本項に規定する基本給月額

とされる。

次に、一般職の国家公務員以外の者の基本給月額については、施行令において次のように定められている。

○施　行　令（抄）
（一般職の職員の基本給月額に準ずる額）
第6条の7　法第6条の5第2項に規定する一般の職員の基本給月額に準ずる額は、次の各号に掲げる職員の区分に応じ、当該各号に定める額とする。
　一　自衛官　俸給、扶養手当及び営外手当の月額、これらに対する地域手当及び広域異動手当の月額並びに航空手当、乗組手当、落下傘隊員手当、特別警備隊員手当及び特殊作戦隊員手当の月額の合計額
　二　前号に掲げる職員以外の職員で一般の職員以外のもの　俸給及び扶養手当の月額並びにこれらに対する地域手当及び広域異動手当の月額又はこれらの給与に相当する給与の月額の合計額

なお、法附則第9項において、俸給の減額改定が行われる際に現給との差額が俸給として支給される場合、この差額は原則として退職手当の額の算定の基礎となる俸給月額には含まないこととされているが、同項ただし書により、法第6条の5第2項の基本給月額に含まれる俸給の月額については、その例外とされている（第6章4法附則第9項の解説参照）。

10　勤続期間の計算

（勤続期間の計算）
第7条　退職手当の算定の基礎となる勤続期間の計算は[1]、職員としての引き続いた在職期間[2]による。
2　前項の規定による在職期間の計算は、職員となつた日の属する月から退職した日の属する月までの月数[3]による。
3　職員[4]が退職した場合（第12条第1項各号のいずれかに該当する場合を除く[5]。）において、その者が退職の日又はその翌日に再び職員となつたときは、前2項の規定による在職期間の計算については、引き続いて在職したものとみなす。
4　前3項の規定による在職期間のうちに休職月等[6]が一以上あつたときは、その月数の2分の1に相当する月数[7]（国家公務員法第108条の6第1項ただし書若しくは行政執行法人の労働関係に関する法律（昭和23年法律第257号）第7条第1項ただし書に規定する事由又はこれらに準

ずる事由により現実に職務をとることを要しなかつた期間については、その月数[8]を前3項の規定により計算した在職期間から除算する。
5　第1項に規定する職員としての引き続いた在職期間には、地方公務員が機構の改廃、施設の移譲その他の事由によつて引き続いて職員となつたときにおけるその者の地方公務員としての引き続いた在職期間を含む[9]ものとする。この場合において、その者の地方公務員としての引き続いた在職期間の計算については、前各項の規定を準用するほか、政令でこれを定める[10]。
6　前各項の規定により計算した在職期間に1年未満の端数がある場合には、その端数は、切り捨てる[11]。ただし、その在職期間が6月以上1年未満（第3条第1項（傷病又は死亡による退職に係る部分に限る。）、第4条第1項又は第5条第1項の規定により退職手当の基本額を計算する場合にあつては、1年未満）の場合には、これを1年とする[12]。
7　前項の規定は、前条又は第10条の規定により退職手当の額を計算する場合における勤続期間の計算については、適用しない[13]。
8　第10条の規定により退職手当の額を計算する場合における勤続期間の計算については、前各項の規定により計算した在職期間に1月未満の端数がある場合には、その端数は、切り捨てる。

【解説】

(1)　勤続期間は、退職時の俸給月額とともに、退職手当の基本額の計算の基本的要素である。本条は、この勤続期間の計算方法について規定したものである。
(2)　勤続期間の計算は、職員としての引き続いた在職期間により計算される。「引き続いた在職期間」とは、引き続いて職員としての身分を保有している期間である。この場合、引き続いてというのは文字どおりの引き続きで身分保有に1日以上の空白がないことである。職員としての身分を保有している期間であるから、休職、停職、欠勤により現実に職務をとることを要しない期間があつてもこれに含まれる。そして、この「職員」というのは、法第2条第1項に規定する職員であるから、転任、転官等により勤務官庁が変わつても、また、一般会計、特別会計相互の間で異動（この場合、形式が転任でも、出向でも、また退職の上即日再就職でもよい。）しても、日付等の関係でその間が引き続いてさえいれば、すべて職員として引き続いた在職期間と

して扱われる。在職期間が引き続かない場合は、本条第３項、法第20条等の規定に該当する場合を別とすれば、法第２条第１項の規定により、必ず退職として取り扱い、退職手当を支給しなければならない。在職期間が引き続いていない場合において、先に受けた退職手当を返還して前後の在職期間を通算することは、もとより許されない。

なお、法２条第２項に規定する非常勤職員で、施行令第１条第１項の規定により、職員とみなされて退職手当が支給される者の勤続期間の取扱いについては、施行令において次のような定めをしている。

〇施　行　令（抄）
（勤続期間の計算の特例）
第８条　次の各号に掲げる者に対する退職手当の算定の基礎となる勤続期間の計算については、当該各号に掲げる期間は、法第７条第１項に規定する職員としての引き続いた在職期間とみなす。
　一　第１条第１項第２号に掲げる者　その者の同号に規定する勤務した日が引き続いて12月をこえるに至るまでのその引き続いて勤務した期間
　二　第１条第１項各号に掲げる者以外の常時勤務に服することを要しない者のうち、同項第２号に規定する勤務した日が引き続いて12月をこえるに至るまでの間に引き続いて職員となり、通算して12月をこえる期間勤務したもの　その職員となる前の引き続いて勤務した期間

　上記の施行令の規定に関連して補足すると、常勤職員給与支弁職員の引き続いた在職期間は、施行令第８条の規定とは関わりなく、その長短を問わず、法第７条第１項の引き続いた在職期間として当然に取り扱われる。また、施行令第８条第１号に掲げる者については、施行令第１条の規定により職員（常時勤務を要する国家公務員）とみなされるに至ったときに、その引き続いて12月を超えるに至ったところの非常勤職員として勤務した期間の始めの時点（12月前）までさかのぼって在職期間とみなされることとされる。施行令第８条第２号に掲げる者については、たとえ、12月以内に職員（常勤職員）となっても、非常勤職員と（常勤）職員の勤務した期間を通算して12月を超えないうちに職員でなくなった場合には、その職員となる前の非常勤職員として引き続いて勤務した期間は法第７条第１項の引き続いた在職期間として取り扱われない。

　（注）　昭和34年政令第208号附則第６項において、上記の「12月」は「６月」に読み替えられている。

(3)　いわゆる月計算の方法である。したがって、月の中途で職員となり、又は

【参考】非常勤職員（施行令第1条第1項第2号に該当する者）期間の在職期間への通算例

① | 非常勤職員(a) | 常勤労務者(b) | 常勤職員(c) |
　　―3月― ―2月― ―8月―
　⇨ (a) + (b) + (c)
　（法第2条第2項、施行令第1条第1項、第8条第2号）

② | 常勤労務者(a) | 非常勤職員(b) | 常勤職員(c) |
　　―12月― ―3月― ―8月―
　⇨ (b) + (c)
　（法第2条第2項、施行令第1条第1項、第8条第2号）
　※ 常勤職員（みなされる者も含む。）から非常勤職員となった場合は、その退職時点でその後の非常勤職員期間が在職期間に通算できるものであるか不明であるため、(a)退職時に退職手当を支給しなければならない。

③ | A省庁非常勤職員(a) | B省庁非常勤職員(b) | B省庁職員(c) |
　　―12月― ―3月― ―8月―
　⇨ (b) + (c)
　（法第2条第2項、施行令第1条第1項、第8条第2号、通達（昭和60年総人第260号）第1項）
　※ (a)と(b)は雇用関係が事実上継続していないため。

④ | 地方の非常勤職員(a) | 地方の常勤職員(b) | 国の常勤職員(c) |
　　―3月― ―4月― ―8月―
　⇨ (a) + (b) + (c)
　（法第2条第2項、施行令第1条第1項、第8条、第9条）

⑤ | 地方の非常勤職員(a) | 国の常勤職員(b) |
　　―3月― ―8月―
　⇨ (b)のみ
　（法第2条第2項、施行令第1条第1項、第8条、第9条）
　※ (a)は施行令第1条第1項第2号に相当する地方公務員に至っていないため。

⑥ | 地方の非常勤職員(a) | 国の非常勤職員(b) | 国の常勤職員(c) |
　　―3月― ―4月― ―8月―
　⇨ (b) + (c)
　（法第2条第2項、施行令第1条第1項、第8条、第9条）
　※ (a)は施行令第1条第1項第2号に相当する地方公務員に至っていないため。

退職しても、その就職又は退職の月は1月として計算される。したがって、例えば、採用された日が月の末日である場合や退職の日が月の初日である場合にも、それぞれ、その月は1月として計算される。この場合、月の初日が日曜、祝日等の場合であってもその月が1月として計算されることはもちろんである。同一月中において退職し、その翌々日以降において（1日以上の空白をおいて）再就職した場合には、その月は前の職員としての在職期間にも、後の職員としての在職期間にも含まれることとなる。

(4)　職員の意味は、法第2条第1項に規定するとおりであり、同条の解説を参照されたい。職員が退職の日又はその翌日付けで再就職した場合には退職手当が支給されないことは、法第20条第1項で規定しているとおりであるが、その場合には、前後の在職期間を引き続いたものとして取り扱おうとするのが本項の趣旨である。

(5)　本条第3項括弧内の規定の趣旨は、職員が退職し、退職の日又はその翌日に再就職した場合でも、当該退職が法第12条第1項各号のいずれかに該当する場合、例えば、懲戒免職、失職等によるものである場合には第12条の規定により当該退職については退職手当の全部又は一部が支給されないことから、当該退職までの在職期間は、再就職後の在職には引き続かないという意味である。

(6)　本条第4項は、退職手当が勤続に対する報償である性格に鑑みて、引き続いた在職期間のうちに休職月等（休職月等の説明については、第6条の4第1項の解説を参照）があった場合には、勤続期間の計算上、その期間を半減し、又は全期間を除算する旨定めた規定である。

(7)　「2分の1」というのは、恩給法（第40条ノ2参照）上、休職、停職等の期間については、在職年の計算上半減することとされていることに歩調を合わせたものである。2分の1であるから端数を生ずることもあるが、在職期間の計算に当たっては、第6項でまとめて端数計算の対象とすることとなる。なお、育児休業期間のうち、当該育児休業に係る子が1歳に達した日の属する月までの期間については、国家公務員の育児休業等に関する法律等により、「3分の1」に相当する月数を除算することとされる（詳しくは、第6条の4の解説(5)を参照されたい）。

(8)　いわゆる専従休職期間については、第6条の4第1項における基礎在職期間の取扱いと同様、その期間を職員としての在職期間から除算することとしている。この趣旨等については第6条の4の解説(5)を参照されたい。

(9)　第5項は、地方公務員から引き続いて（本条第1項及び第3項に規定する

意味で）職員となった場合について、地方公務員としての期間を通算しようとする趣旨である。「機構の改廃、施設の移譲その他の事由によつて」とあり、「機構の改廃、施設の移譲」はいわば例示であり、「その他の事由」については、特段の制限が付されておらず、要は、引き続いていれば通算される。

○運用方針（抄）
第7条関係
　本条第5項に規定する「その他の事由」とは、自己の意思に基づく転職、異動等すべての場合を含む。

⑽　地方公務員が引き続いて職員となった場合、地方公務員としての引き続いた在職期間は職員としての在職期間に含まれるが、この職員期間に通算される地方公務員としての引き続いた在職期間の計算については、それが、常時勤務に服することを要する地方公務員として在職した期間でなければならないが、さらに、常時勤務に服することを要しない地方公務員として在職した期間であっても、国家公務員の場合と同様に、一定条件に該当するものは、職員期間に通算が認められる。施行令においては、次のように定めている。

○施行令（抄）
第9条　法第7条第5項に規定する地方公務員としての引き続いた在職期間には、第1条第1項各号に掲げる者に相当する地方公務員としての引き続いた在職期間を含むものとする。
２　前条の規定は、地方公務員であつた者に対する退職手当の算定の基礎となる勤続期間の計算について準用する。

　職員期間に通算される引き続いた地方公務員の在職期間の計算については、上記のような施行令の取扱いを含めて、法第7条第1項から第4項までの規定が準用されることとなる。したがって、地方公務員から職員となった者が地方公務員として地方公共団体又は特定地方独立行政法人（以下「地方公共団体等」という。）を転々としている場合にも、その間は法第7条第1項及び第3項に規定する意味で引き続いたものでなければならないし、また、その間現実に職務をとることを要しない期間があった場合には、その期間は半減等される。さらに、（非常勤たる地方公務員を退職し、引き続いて常勤たる地方公務員となった場合とは異なり、）常勤たる地方公務員を退職し、退職した日又はその翌日に非常勤たる地方公務員となった場合には、その際退職手当の支給を受けていなくても、勤続期間としては引き続かない。したがって、その者がその後引き続いて常勤たる地方公務員となっても、前

の常勤たる地方公務員の期間を職員としての期間に含ませることができないのは当然である。また、地方公務員たる引き続いた在職期間中に懲戒免職、失職等の事実があった場合には、それ以前の引き続いた地方公務員としての在職期間を職員としての期間に含ませることができないのはもちろんである。

なお、法第7条第1項から第4項までの規定により計算した地方公務員としての引き続いた在職期間中に、地方公共団体等によっては退職手当を支給している場合もある。この場合には、その退職手当の計算の基礎となった地方公務員としての在職期間を職員としての在職期間に含ませることは適当でない。施行令においては、この点を次のように定めている。

○施　行　令（抄）
（地方公務員としての引き続いた在職期間の計算）
第7条　法第7条第5項の場合において、地方公務員が退職により法の規定による退職手当に相当する給付の支給を受けているときは、当該給付の計算の基礎となつた在職期間（当該給付の計算の基礎となるべき在職期間がその者が在職した地方公共団体の退職手当に関する規定又は特定地方独立行政法人の退職手当の支給の基準において明確に定められていない場合においては、当該給付の額を退職の日におけるその者の俸給月額で除して得た数に12を乗じて得た数（1未満の端数を生じたときは、その端数を切り捨てる。）に相当する月数）は、その者の地方公務員としての引き続いた在職期間には、含まないものとする。
2～6　略

上記の施行令第7条第1項中括弧内の規定は、地方公共団体等で受けた退職手当相当の給付が勤続何年分かが条例等の規定上明確であればもちろんそれによるが、そうでない場合には、勤続1年につき俸給1月分という基準で、当該給付の基礎となった在職期間を逆算しようというわけである。当該給付の支給事由が任意退職であれ、傷病による退職であれ、整理退職であれ、問うところではない。仮に、職員が当該支給を受けた退職手当を地方公共団体等に返還したとしても、条例等において適正に支給されたものであれば、右の在職期間の通算を行うことはできない。

次に、職員が地方公務員となり、その後再び職員となるというような場合については、次のとおり、施行令において一定の条件の下にその全期間を通算できる旨定めている。

○施　行　令（抄）
第7条　略
2　職員が法第20条第2項の規定により退職手当を支給されないで地方公務員となり、引き続き地方公務員として在職した後法第7条第5項に規定する事由によつて引き続いて

職員となつた場合においては、先の職員としての引き続いた在職期間の始期から地方公務員としての引き続いた在職期間の終期までの期間をその者の地方公務員としての引き続いた在職期間として計算する。
3～6　略

　上記の施行令の反対解釈として、職員が地方公務員となる際、退職手当法第20条第2項の規定に該当しないため、国から退職手当の支給を受けている場合には、前の職員としての在職期間を上記の施行令第7条第2項でいう地方公務員としての引き続いた在職期間に含ませることができないことは当然である。
　国が引き続いた地方公務員としての在職期間を通算することに伴う、国と地方公共団体等との間の費用分担については、現在、法律的にも予算的にも別段の措置がなされていない。また、国と地方公共団体等との間では、国は地方公務員としての在職期間をそのまま通算するのに対し、地方公共団体等は、法第20条第2項の規定によれば職員としての在職期間を通算するかどうかを任意に定められる建前になっている。しかし、この点については、「職員の退職手当に関する条例案」（昭和28年9月10日自丙行発第49号）に、国家公務員としての在職期間を当該地方公共団体の職員としての在職期間に含むものとする規定（同条例案第7条第5項）が置かれているので、地方公共団体においては、実際上は国の職員としての在職期間を当該地方公共団体の職員としての在職期間に通算しているケースがほとんどである。
　最後に、地方公務員から引き続いて職員となった者のうち、地方公務員としての在職期間中に他の地方公共団体等の公務員又は一般地方独立行政法人、地方公社、公庫等の職員としての経歴がある者の地方公務員としての引き続いた在職期間の計算については、法第7条第5項の規定に基づき施行令第7条第3項から第6項までに規定されているところであるので、順次、これを説明する。

〇施　行　令（抄）
第7条　略
2　略
3　地方公共団体又は特定地方独立行政法人（以下「地方公共団体等」という。）で、退職手当に関する規定又は退職手当の支給の基準において、他の地方公共団体等の公務員又は一般地方独立行政法人（地方独立行政法人法第8条第1項第5項に規定する一般地方独立行政法人をいう。）、地方公社（地方住宅供給公社、地方道路公社及び土地開発公社をいう。以下同じ。）若しくは公庫等（法第7条の2第1項に規定する公庫等をいう。以下同じ。）（以下「一般地方独立行政法人等」という。）に使用される者（役員及び常

時勤務に服することを要しない者を除く。以下同じ。）が、任命権者若しくはその委任を受けた者又は一般地方独立行政法人等の要請に応じ、退職手当を支給されないで、引き続いて当該地方公共団体等の公務員となつた場合に、他の地方公共団体等の公務員又は一般地方独立行政法人等に使用される者としての勤続期間を当該地方公共団体等の公務員としての勤続期間に通算することと定めているものの公務員（以下「特定地方公務員」という。）が、任命権者又はその委任を受けた者の要請に応じ、引き続いて一般地方独立行政法人等で、退職手当（これに相当する給付を含む。以下この項において同じ。）に関する規程において、地方公務員又は他の一般地方独立行政法人等に使用される者が、任命権者若しくはその委任を受けた者又は一般地方独立行政法人等の要請に応じ、退職手当を支給されないで、引き続いて当該一般地方独立行政法人等に使用される者となつた場合に、地方公務員又は他の一般地方独立行政法人等に使用される者としての勤続期間（法第20条第2項の規定により退職手当を支給されないで地方公務員となつた者の職員としての勤続期間を含む。）を当該一般地方独立行政法人等に使用される者としての勤続期間に通算することと定めているもの（以下「通算制度を有する一般地方独立行政法人等」という。）に使用される者（役員及び常時勤務に服することを要しない者を除く。以下同じ。）となるため退職し、かつ、引き続き通算制度を有する一般地方独立行政法人等に使用される者として在職した後引き続いて再び特定地方公務員となるため退職し、かつ、引き続き地方公務員として在職した後更に法第7条第5項に規定する事由によつて引き続いて職員となつた場合においては、先の地方公務員としての引き続いた在職期間（法第20条第2項の規定により退職手当を支給されないで地方公務員となつた者にあつては、先の職員としての引き続いた在職期間）の始期から後の地方公務員としての引き続いた在職期間の終期までの期間をその者の地方公務員としての引き続いた在職期間として計算する。
4 通算制度を有する一般地方独立行政法人等である移行型一般地方独立行政法人（地方独立行政法人法第59条第2項に規定する移行型一般地方独立行政法人をいう。以下同じ。）の成立の日の前日に特定地方公務員として在職し、同項の規定により引き続いて当該移行型一般地方独立行政法人に使用される者（役員及び常時勤務に服することを要しない者を除く。）となつた者に対する前項の規定の適用については、同条第2項の規定により地方公務員としての身分を失つたことを任命権者の要請に応じ通算制度を有する一般地方独立行政法人等に使用される者となるため退職したこととみなす。
5 通算制度を有する一般地方独立行政法人等である公庫等に使用される者（役員及び常時勤務に服することを要しない者を除く。以下「特定公庫等職員」という。）が、公庫等の要請に応じ、引き続いて特定地方公務員となるため退職し、かつ、引き続き地方公務員として在職した後法第7条第5項に規定する事由によつて引き続いて職員となつた場合においては、特定公庫等職員としての引き続いた在職期間の始期から地方公務員としての引き続いた在職期間の終期までの期間をその者の地方公務員としての引き続いた在職期間として計算する。
6 職員が、任命権者又はその委任を受けた者の要請に応じ、特定公庫等職員となるため退職し、かつ、引き続き特定公庫等職員として在職した後引き続いて特定地方公務員となるため退職し、かつ、引き続き地方公務員として在職した後法第7条第5項に規定する事由によつて引き続いて職員となつた場合においては、先の職員としての引き続いた在職期間の始期から地方公務員としての引き続いた在職期間の終期までの期間をその者の地方公務員としての引き続いた在職期間として計算する。

第3項は、いわゆる通算制度を有する地方公共団体等の公務員（特定地方公務員という。）が通算制度を有する一般地方独立行政法人等に退職出向した後再び特定地方公務員となり、さらに、法第7条第5項に規定する事由によって国の職員となった場合におけるその者の職員としての在職期間の計算に当たっては、一般地方独立行政法人等の職員としての在職期間をも含めた期間をその者の地方公務員としての引き続いた在職期間として取り扱うこととする規定である。

これを図示すれば、次のとおりである。

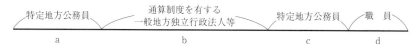

在職期間＝（a＋b＋c）＋d

(注) 本項で用いられている用語の概念を整理すれば、次のとおりである。
　(ア) 一般地方独立行政法人……地方独立行政法人法（平成15年法律第118号）第8条第3項に規定する一般地方独立行政法人
　(イ) 地方公社……地方住宅供給公社法（昭和40年法律第124号）に規定する地方住宅供給公社、地方道路公社法（昭和45年法律第82号）に規定する地方道路公社及び公有地の拡大の推進に関する法律（昭和47年法律第66号）に規定する土地開発公社
　(ウ) 特定地方公務員……退職手当に関する規定又は退職手当の支給の基準において、他の地方公共団体又は特定地方独立行政法人の公務員、一般地方独立行政法人職員、地方公社職員又は公庫等職員がそれぞれの任命権者の要請に応じ、退職手当を支給されないで当該地方公共団体又は特定地方独立行政法人の公務員となった場合において、これらの職員としての勤続期間を当該地方公共団体又は特定地方独立行政法人の職員としての勤続期間に通算することを定めている地方公共団体又は特定地方独立行政法人の公務員
　(エ) 通算制度を有する一般地方独立行政法人等……退職手当に関する規程において、地方公務員、他の一般地方独立行政法人職員、地方公社職員又は公庫等職員がそれぞれの任命権者の要請に応じ、退職手当を支給されないで当該一般地方独立行政法人、地方公社又は公庫等の職員となった場合において、これらの職員としての勤続期間を当該一般地方独立行政法人、地方公社又は公庫等の職員としての勤続期間に通算することを定めている一般地方独立行政法人、地方公社又は公庫等

本項の規定の適用上留意すべき点としては、第1に、特定地方公務員が、任命権者等の要請に応じて、引き続いて通算制度を有する一般地方独立行政法人等の職員として出向した場合にのみ本項の規定が適用されるということ

である。第2には、当該出向先が一般地方独立行政法人、特定の地方公社又は法第7条の2第1項に規定する公庫等でなければならないことである。したがって、当該地方公共団体等とある公法人との間に退職手当制度上のいわゆる通算関係が存した場合においても、当該法人が法第7条の2第1項に規定する公庫等として、国との間に通算関係が認められていない場合には、当該地方公共団体から当該法人へ出向していた勤続期間について、国の職員としての在職期間に通算される地方公務員としての在職期間として取り扱うことはできない。

第4項は、一般地方独立行政法人の成立の際に、地方独立行政法人法第59条第2項により地方公共団体の公務員から一般地方独立行政法人の職員へと承継される者について、その承継により地方公務員でなくなったことを第3項の一般地方独立行政法人等への退職出向とみなすことにより、承継される場合にも在職期間が通算されることとする規定である。

第5項は、特定公庫等職員すなわち「通算制度を有する一般地方独立行政法人等である公庫等に使用される者」が、公庫等の要請に応じ特定地方公務員となり、さらに国の職員となった場合には、当該公庫等職員（特定公庫等職員）としての在職期間を含めた期間をその者の地方公務員としての引き続いた在職期間として取り扱うこととする規定である。

これを図示すれば、次のとおりである。

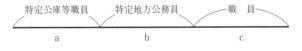

本項の規定の適用上留意すべき点は、国の職員の在職期間として通算される対象は、法第7条の2第1項に規定する公庫等職員としての在職期間に限定されており、一般地方独立行政法人職員又は地方公社職員が特定地方公務員を経由して国の職員となった場合における在職期間の計算については、仮に当該地方公共団体等と当該一般地方独立行政法人又は地方公社との間に通算関係が存する場合においても、これを国の職員としての在職期間に通算される地方公務員としての在職期間とすることは認めていないことである。その理由としては、公庫等と一般地方独立行政法人・地方公社とは設立目的、事業内容等に照らして国との関係においては基本的な相違があることが挙げられよう。

第6項は、職員が特定公庫等職員となるため退職出向し、さらに、特定地方公務員となった後国の職員として復帰した場合には、先の職員期間から後の特定地方公務員期間までの在職期間をその者の地方公務員としての在職期間として取り扱うこととする規定である。

これを図示すれば、次のとおりである。

在職期間＝（a＋b＋c）＋d

⑾　在職期間は、先に述べたとおり月計算であるが、勤続期間の計算に際しては、1年未満の端数は切り捨てられる。在職期間3年11月でも勤続期間は3年として取り扱われることとなる。この点に関し、退職手当の支給割合を勤続期間1月当たりの月割にして適用すべきではないかという考え方もあり得るが、従来の慣行、取扱いの便宜、さらに退職手当の勤続報償たる性格等からみて、端数切捨てということになっている。

⑿　第6項ただし書は、全在職期間が1年未満の短期勤続者に対する特例的措置である。自己都合等退職（第3条）の場合は在職期間6月以上1年未満は1年とし、第3条のうち傷病又は死亡による退職及び第5条の退職の場合は1年未満は1年とする。後者の場合は在職期間1日でも1年として取り扱われる。

⒀　第7項は、退職手当の最低保障（法第6条の5）及び失業者の退職手当（法第10条）が勤続期間に応じて定められているが、これらの勤続期間の計算について、前項の端数計算の規定をそのまま適用することは、性質上適当でないため、その適用を除外するため特に設けられている規定である。

11　公庫等職員として在職した後引き続いて職員となった者の在職期間の計算

>　（公庫等職員として在職した後引き続いて職員となつた者の在職期間の計算）
>
>　**第7条の2**　職員のうち、任命権者又はその委任を受けた者の要請に応じ[(1)]、引き続いて[(2)]沖縄振興開発金融公庫その他特別の法律により設立された法人（行政執行法人を除く。）でその業務が国の事務又は事業

と密接な関連を有するもののうち政令で定めるもの（退職手当（これに相当する給付を含む。）に関する規程において、職員が任命権者又はその委任を受けた者の要請に応じ、引き続いて当該法人に使用される者となつた場合に、職員としての勤続期間を当該法人に使用される者としての勤続期間に通算することと定めている法人に限る。以下「公庫等[(3)]」という。）に使用される者（役員及び常時勤務に服することを要しない者を除く[(4)]。以下「公庫等職員」という。）となるため退職をし、かつ、引き続き公庫等職員として在職した後引き続いて[(5)]再び職員となつた者の前条第1項の規定による在職期間の計算については、先の職員としての在職期間の始期から後の職員としての在職期間の終期までの期間は、職員としての引き続いた在職期間とみなす[(6)]。

2　公庫等職員が、公庫等の要請に応じ、引き続いて職員となるため退職し、かつ、引き続いて職員となつた場合におけるその者の前条第1項に規定する職員としての引き続いた在職期間には、その者の公庫等職員としての引き続いた在職期間を含むものとする[(7)]。

3　前2項の場合における公庫等職員としての在職期間の計算については、前条（第5項を除く。）の規定を準用するほか、政令で定める[(8)]。

4　第6条の4第1項の政令で定める法人その他の団体に使用される者がその身分を保有したまま引き続いて職員となつた場合におけるその者の前条第1項の規定による在職期間の計算については、職員としての在職期間は、なかつたものとみなす。ただし、政令で定める場合においては、この限りでない[(9)]。

【解説】

本条の趣旨は、国家公務員が人事交流により公庫等の職員として出向し、再び国家公務員に復帰した後退職する場合の退職手当について「勤続期間の計算等の特例」を定めたものである。すなわち、公庫等への出向歴を有する職員の退職手当について、法第7条第1項に規定する勤続期間の計算の原則に従い、公庫等職員としての在職期間を職員としての在職期間に通算しないこととした場合には、公庫等へ出向しなかった職員の退職手当に比較し著しく不利益となるが、これは公庫等への出向が任命権者等の要請により行われたものであること等に鑑みても人事管理上問題があること、また、国（行政執行法人を含む。）と公庫等との間におけるいわゆる人事交流を円滑に行う必要があること、さらには、民間企業においても出向制度を有する企業のほとんどが社員の出向期間

を退職手当の取扱い上通算していること等を考慮したものである。

(1) 第1項は、職員が任命権者の要請により公庫等の職員として出向し、その後、再び職員に復帰した場合には、公庫等職員としての在職期間を含めた全期間を退職手当算定の基礎となる在職期間とするための規定である。

　すなわち、本項は、職員以外の者としての在職期間を一定条件の下に職員としての在職期間に通算することを定めた規定であり、退職手当算定に当たっての勤続期間の取扱いを定めた法第7条第1項の「職員としての引き続いた在職期間による。」旨の規定に対する特例措置である。

　本項を適用するための第1の要件は、職員が任命権者又はその委任を受けた者の要請に応じ、公庫等職員となるため退職したものであることである。

　「任命権者」とは、一般職国家公務員にあっては、内閣総理大臣、各省大臣、会計検査院長、人事院総裁・宮内庁長官及び各外局の長等である。

　また、「要請」とは、次に掲げる運用方針のとおり、公庫等の業務に従事した後、再び職員に復帰させることを前提として、任命権者が職員に対し公庫等に退職出向することを慫慂する行為である。すなわち、単に自己都合により職員を退職して公庫等職員となった場合はもちろんのこと、国の職員として復帰することを前提としない公庫等への「出向」の場合には、本項による特例措置の対象とされていない。したがって、そのような場合にはその際、職員に対し退職手当を支給する必要がある。

○運用方針（抄）
第7条の2関係
　一　本条第1項に規定する「要請」とは、任命権者又はその委任を受けた者が、職員に対し、公庫等職員として在職した後再び職員に復帰させることを前提として、公庫等に退職出向することを慫慂する行為をいう。

(2) 第2の要件である「引き続いて」とは、文字どおりの引き続きである。したがって、要請に応じ退職する職員の辞令上の日付け等の面で公庫等職員との間に1日以上の空白を生じないように留意する必要がある。

(3) 本項が適用されるための第3の要件は、職員の出向先の法人が本項に定める一定の要件を備えた特別の法人であることである。

　施行令第9条の2では、本項に規定する公庫のほか、特殊法人等、行政執行法人以外の独立行政法人や国立大学法人などの法人グループ、移行・解散等によりなくなった旧特殊法人等を指定しているが、これらの法人は、いずれも特別の法律により設立された法人であって、その業務が国の事務等と密接な関連を有するものである。法人の業務が国の事務等と密接な関連を有す

るか否かは、当該法人のいわゆる設立根拠法において、当該法人の予算、事業計画等に関して主務大臣の認可を必要としているか等を参考としつつ、判断される。

なお、施行令第9条の2第113号の行政執行法人以外の独立行政法人、第115号の国立大学法人、第116号の大学共同利用機関法人のような、個別の法人ではなく法人グループを指定しているものについては、これらに該当する新たな法人が設立された場合、施行令の改正を行わなくとも当該法人は指定されることとなる。

さらに、この特例の対象となるべき退職出向先の法人の具備すべき要件としては、退職手当に関する規程において、職員が任命権者等の要請に応じ当該公庫等の職員となった場合には、職員としての在職期間を当該公庫等職員としての在職期間に通算することを定めていることが必要である。

施行令第9条の2で指定されている法人を一覧表にまとめると、次のとおりである。

＜施行令第9条の2において指定されている法人（法第7条の2第1項で明記されている公庫以外の通算対象法人）一覧＞
※明朝書体部分は解散等によりなくなった法人等

令第9条の2号番号	法　人　名
1号	旧都市基盤整備公団、旧日本住宅公団、旧宅地開発公団、旧住宅・都市整備公団
2号	旧日本道路公団
3号	旧独立行政法人緑資源機構、旧農地開発機械公団、旧八郎潟新農村建設事業団、旧農用地開発公団、旧森林開発公団、旧農用地整備公団、旧緑資源公団
4号	旧日本鉄道建設公団、旧日本国有鉄道清算事業団、旧運輸施設整備事業団、旧国内旅客船公団、旧特定船舶整備公団、旧船舶整備公団、旧鉄道整備基金、旧特定船舶製造業安定事業協会、旧造船業基盤整備事業協会
5号	**首都高速道路株式会社**、旧首都高速道路公団
6号	旧独立行政法人日本原子力研究開発機構、旧原子燃料公社、旧日本原子力船開発事業団、旧日本原子力船研究開発事業団、旧動力炉・核燃料開発事業団、旧日本原子力研究所、旧核燃料サイクル開発機構
7号	旧独立行政法人労働者健康福祉機構、旧労働福祉事業団、旧労働安全衛生総合研究所
8号	旧日本貿易振興会、旧アジア経済研究所
9号	旧独立行政法人新エネルギー・産業技術総合開発機構、旧石炭鉱業合理化事業団、旧新エネルギー総合開発機構、旧鉱害基金、旧石炭鉱害事業団、旧新エネルギー・産業技術総合開発機構

10号	**株式会社日本政策金融公庫**、旧日本輸出入銀行、旧海外経済協力基金、旧国民金融公庫、旧環境衛生金融公庫、旧国民生活金融公庫、旧農林漁業金融公庫、旧中小企業金融公庫、旧国際協力銀行
11号	**株式会社日本政策投資銀行**、旧日本開発銀行、旧北海道東北開発公庫、旧日本政策投資銀行
12号	旧独立行政法人理化学研究所、旧理化学研究所
13号	旧独立行政法人科学技術振興機構、旧新技術開発事業団、旧日本科学技術情報センター、旧新技術事業団、旧科学技術振興事業団
14号	旧農畜産業振興事業団、旧日本蚕糸事業団、旧糖価安定事業団、旧畜産振興事業団、旧蚕糸砂糖類価格安定事業団、旧野菜供給安定基金
15号	旧勤労者退職金共済機構、旧特定業種退職金共済組合、旧中小企業退職金共済事業団、旧特定業種退職金共済組合
16号	旧国際観光振興会、旧日本観光協会
17号	旧日本てん菜振興会
18号	旧独立行政法人雇用・能力開発機構、旧雇用・能力開発機構、旧炭鉱離職者援護会、旧雇用促進事業団
19号	旧年金資金運用基金、旧年金福祉事業団
20号	旧簡易保険福祉事業団、旧簡易保険郵便年金福祉事業団
21号	**阪神高速道路株式会社**、旧阪神高速道路公団
22号	旧水資源開発公団、旧愛知用水公団
23号	旧国際協力事業団、旧海外技術協力事業団、旧海外移住事業団
24号	旧中小企業総合事業団、旧日本中小企業指導センター、旧小規模企業共済事業団、旧中小企業共済事業団、旧中小企業振興事業団、旧繊維工業構造改善事業協会、旧中小企業信用保険公庫、旧繊維産業構造改善事業協会、旧中小企業事業団、旧産業基盤整備基金、旧特定不況産業信用基金、旧特定産業信用基金、旧産業基盤信用基金、旧地域振興整備公団、旧産炭地域振興事業団、旧工業再配置・産炭地域振興公団
25号	旧独立行政法人農業・食品産業技術総合研究機構、旧農業機械化研究所、旧生物系特定産業技術研究推進機構、旧独立行政法人種苗管理センター（平成18年独法改革農林水産省関係法整備法の施行の日の前日までの間におけるものを除く。）、旧国立研究開発法人農業生物資源研究所、旧独立行政法人農業生物資源研究所（同日までの間におけるものを除く。）、旧国立研究開発法人農業環境技術研究所、旧独立行政法人農業環境技術研究所同日までの間におけるものを除く。）
26号	旧独立行政法人石油天然ガス・金属鉱物資源機構、旧金属鉱物探鉱促進事業団、旧石油開発公団、旧金属鉱業事業団、旧石油公団
27号	旧農林漁業信用基金、旧林業信用基金、旧中央漁業信用基金、旧農業共済基金
28号	**日本消防検定協会**
29号	旧国立教育会館
30号	旧社会保障研究所
31号	旧オリンピック記念青少年総合センター
32号	旧公害健康被害補償予防協会、旧公害健康被害補償協会、旧環境事業団、

		旧公害防止事業団
33号		旧日本芸術文化振興会、旧国立劇場
34号		**成田国際空港株式会社**、旧新東京国際空港公団
35号		旧日本体育・学校健康センター、旧国立競技場、旧日本学校健康会、旧日本学校給食会、旧日本学校安全会
36号		旧日本労働研究機構、旧日本労働協会
37号		旧日本学術振興会
38号		旧社会福祉・医療事業団、旧社会福祉事業振興会、旧医療金融公庫
39号		削除
40号		旧京浜外貿埠頭公団
41号		旧阪神外貿埠頭公団
42号		旧独立行政法人宇宙航空研究開発機構、旧宇宙開発事業団
43号		**国家公務員共済組合連合会**、旧国家公務員等共済組合連合会
44号		**本州四国連絡高速道路株式会社**、旧日本道路公団、旧本州四国連絡橋公団
45号		**日本私立学校振興・共済事業団**、旧日本私学振興財団
46号		旧情報処理振興事業協会
47号		旧農業者年金基金
48号		旧国民生活センター
49号		旧心身障害者福祉協会
50号		旧国立研究開発法人水産総合研究センター、旧海洋水産資源開発センター、旧独立行政法人水産総合研究センター（平成18年独法改革農林水産省関係法整備法の施行の日の前日までの間におけるものを除く。）、旧水産大学校（同日までの間におけるものを除く。）
51号		旧独立行政法人日本万国博覧会記念機構、旧日本万国博覧会記念協会
52号		旧独立行政法人海洋研究開発機構、旧海洋科学技術センター
53号		**軽自動車検査協会**
54号		**日本下水道事業団**、旧下水道事業センター
55号		旧国際交流基金
56号		旧日本育英会
57号		旧建設省共済組合
58号		旧日本航空株式会社法により設立された日本航空株式会社（昭和62年11月17日までの間におけるものに限る。）
59号		**消防団員等公務災害補償等共済基金**
60号		中小企業投資育成株式会社（昭和61年6月30日までの間におけるものに限る。）
61号		旧日本自動車ターミナル株式会社法により設立された日本自動車ターミナル株式会社（昭和60年4月22日までの間におけるものに限る。）
62号		旧こどもの国協会
63号		**企業年金連合会**、旧厚生年金基金連合会、旧企業年金連合会

64号	石炭鉱業年金基金
65号	旧消費生活用製品安全法により設立された製品安全協会（平成12年9月30日までの間におけるものに限る。）
66号	旧自動車事故対策センター
67号	小型船舶検査機構
68号	旧空港周辺整備機構［平成14年法律第184号により解散したもの］、旧空港周辺整備機構［昭和60年法律第47号により解散したもの］
69号	高圧ガス保安協会
70号	旧北方領土問題対策協会
71号	自動車安全運転センター
72号	旧独立行政法人海上災害防止センター、旧海上災害防止センター
73号	輸出入・港湾関連情報処理センター株式会社、旧航空貨物通関情報処理センター、旧通関情報処理センター、旧独立行政法人通関情報処理センター
74号	旧独立行政法人情報通信研究機構（独立行政法人情報通信機構法の一部を改正する法律の施行の日の前日までの間におけるものを除く。）、旧通信・放送衛星機構、旧通信・放送機構
75号	旧医薬品副作用被害救済・研究振興調査機構、旧医薬品副作用被害救済基金、旧医薬品副作用被害救済・研究振興基金
76号	放送大学学園、旧放送大学学園、旧メディア教育開発センター
77号	旧電源開発促進法により設立された電源開発株式会社（平成15年10月1日までの間におけるものに限る。）
78号	旧国際電信電話株式会社法により設立された国際電信電話株式会社（平成10年7月29日までの間におけるものに限る。）
79号	日本商工会議所
80号	地方職員共済組合
81号	警察共済組合
82号	中央労働災害防止協会
83号	地方公務員災害補償基金
84号	旧貿易研修センター法により設立された貿易研修センター（昭和60年6月14日までの間におけるものに限る。）
85号	預金保険機構
86号	旧総合研究開発機構
87号	危険物保安技術協会
88号	旧独立行政法人高齢・障害者雇用支援機構、旧身体障害者雇用促進協会、旧日本障害者雇用促進協会
89号	旧郵便貯金法により設立された郵便貯金振興会（平成15年3月31日までの間におけるものに限る。）
90号	中央職業能力開発協会
91号	地方公務員共済組合連合会
92号	全国市町村職員共済組合連合会

93号	旧関西国際空港株式会社法により設立された関西国際空港株式会社（平成24年6月30日までの間におけるものに限る。）
94号	**日本たばこ産業株式会社**
95号	**日本電信電話株式会社**
96号	旧基盤技術研究促進センター
97号	**北海道旅客鉄道株式会社**
98号	旧旅客鉄道株式会社及び日本貨物鉄道株式会社に関する法律により設立された東日本旅客鉄道株式会社（平成13年11月30日までの間におけるものに限る。）
99号	旧旅客鉄道株式会社及び日本貨物鉄道株式会社に関する法律により設立された東海旅客鉄道株式会社（平成13年11月30日までの間におけるものに限る。）
100号	旧旅客鉄道株式会社及び日本貨物鉄道株式会社に関する法律により設立された西日本旅客鉄道株式会社（平成13年11月30日までの間におけるものに限る。）
101号	**四国旅客鉄道株式会社**
102号	旧旅客鉄道株式会社及び日本貨物鉄道株式会社に関する法律により設立された九州旅客鉄道株式会社（平成28年3月31日までの間におけるものに限る。）
103号	**日本貨物鉄道株式会社**
104号	旧新幹線鉄道保有機構
105号	旧平和祈念事業特別基金、旧独立行政法人平和祈念事業特別基金
106号	**社会保険診療報酬支払基金**
107号	**国民年金基金連合会**
108号	**公立学校共済組合**
109号	**日本中央競馬会**
110号	**東日本電信電話株式会社**
111号	**西日本電信電話株式会社**
112号	**原子力発電環境整備機構**
113号	**行政執行法人以外の独立行政法人**
114号	**株式会社産業再生機構**
115号	**国立大学法人**
116号	**大学共同利用機関法人**
117号	**中間貯蔵・環境安全事業株式会社、旧日本環境安全事業株式会社**
118号	**東日本高速道路株式会社**
119号	**中日本高速道路株式会社**
120号	**西日本高速道路株式会社**
121号	旧国立大学法人富山大学、旧国立大学法人富山医科薬科大学、旧国立大学法人高岡短期大学

122号	旧国立大学法人筑波技術短期大学
123号	日本郵政株式会社
124号	日本司法支援センター
125号	旧独立行政法人国立青年の家、旧独立行政法人国立少年自然の家
126号	旧住宅金融公庫
127号	旧独立行政法人国立特殊教育総合研究所（平成18年独法改革文部科学省関係法整備法の施行の日の前日までの間におけるものを除く。）
128号	旧独立行政法人国立博物館（平成18年独法改革文部科学省関係法整備法の施行の日の前日までの間におけるものを除く。）、旧独立行政法人文化財研究所（同日までの間におけるものを除く。）
129号	旧国立研究開発法人森林総合研究所、旧林木育種センター（平成18年独法改革農林水産省関係法整備法の施行の日の前日までの間におけるものを除く。）、旧独立行政法人森林総合研究所（同日までの間におけるものを除く。）
130号	削除
131号	日本郵便株式会社、旧郵便事業株式会社、旧郵便局株式会社
132号	旧国立大学法人大阪外国語大学
133号	地方公共団体金融機構、旧公営企業金融公庫、旧地方公営企業等金融機構
134号	地方競馬全国協会
135号	株式会社商工組合中央金庫
136号	全国健康保険協会
137号	農水産業協同組合貯金保険機構
138号	株式会社産業革新投資機構、旧株式会社産業革新機構
139号	株式会社地域経済活性化支援機構、旧株式会社企業再生支援機構
140号	旧独立行政法人国立国語研究所（平成18年独法改革文部科学省関係法整備法の施行の日の前日までの間におけるものを除く。）
141号	日本年金機構
142号	削除
143号	全国土地改良事業団体連合会
144号	全国中小企業団体中央会
145号	全国商工会連合会
146号	漁業共済組合連合会
147号	日本銀行
148号	日本弁理士会
149号	東京地下鉄株式会社
150号	日本アルコール産業株式会社
151号	原子力損害賠償・廃炉等支援機構、旧原子力損害賠償支援機構
152号	沖縄科学技術大学院大学学園、旧独立行政法人沖縄科学技術研究基盤整備機構

153号	株式会社東日本大震災事業者再生支援機構
154号	株式会社国際協力銀行
155号	新関西国際空港株式会社
156号	株式会社農林漁業成長産業化支援機構
157号	株式会社民間資金等活用事業推進機構
158号	株式会社海外需要開拓支援機構
159号	旧独立行政法人原子力安全基盤機構
160号	地方公共団体情報システム機構
161号	株式会社海外交通・都市開発事業支援機構
162号	広域的運営推進機関
163号	旧独立行政法人医薬基盤研究所、旧独立行政法人国立健康・栄養研究所（平成18年独法改革厚生労働省関係法整備法の施行の日の前日までの間におけるものを除く。）
164号	旧独立行政法人物質・材料研究機構（平成18年独法改革文部科学省関係法整備法の施行の日の前日までの間におけるものを除く。）
165号	旧独立行政法人防災科学技術研究所（平成18年独法改革文部科学省関係法整備法の施行の日の前日までの間におけるものを除く。）
166号	旧国立研究開発法人放射線医学総合研究所、旧独立行政法人放射線医学総合研究所（平成18年独法改革文部科学省関係法整備法の施行の日の前日までの間におけるものを除く。）
167号	国立高度専門医療研究センター（旧独立行政法人国立がん研究センター、旧独立行政法人国立循環器病研究センター、旧独立行政法人国立精神・神経医療研究センター、旧独立行政法人国立国際医療研究センター、旧独立行政法人国立成育医療研究センター、旧独立行政法人国立長寿医療研究センター）
168号	削除
169号	削除
170号	旧独立行政法人国際農林水産業研究センター（平成18年独法改革農林水産省関係法整備法の施行の日の前日までの間におけるものを除く。）
171号	旧独立行政法人産業技術総合研究所（独立行政法人産業技術総合研究所法の一部を改正する法律の施行の日の前日までの間におけるものを除く。）
172号	旧独立行政法人土木研究所（平成18年独法改革国土交通省関係法整備法の施行の日の前日までの間におけるものを除く。）
173号	旧独立行政法人建築研究所（平成18年独法改革国土交通省関係法整備法の施行の日の前日までの間におけるものを除く。）
174号	旧国立研究開発法人海上技術安全研究所、旧独立行政法人海上技術安全研究所（平成18年独法改革国土交通省関係法整備法の施行の日の前日までの間におけるものを除く。）、旧国立研究開発法人港湾空港技術研究所、旧独立行政法人港湾空港技術研究所（同日までの間におけるものを除く。）、旧国立研究開発法人電子航法研究所、旧独立行政法人電子航法研究所（同日までの間におけるものを除く。）
175号	削除

176号	削除
177号	旧独立行政法人国立環境研究所（独立行政法人国立環境研究所法の一部を改正する法律の施行の日の前日までの間におけるものを除く。）
178号	**株式会社海外通信・放送・郵便事業支援機構**
179号	旧独立行政法人大学評価・学位授与機構、旧国立大学財務・経営センター
180号	旧自動車検査独立行政法人（自動車検査独立行政法人法等改正法の施行の日の前日までの間におけるものを除く。）、旧交通安全環境研究所（平成18年独法改革国土交通省関係法整備法の施行の日の前日までの間におけるものを除く。）
181号	旧航海訓練所（平成18年独法改革国土交通省関係法整備法の施行の日の前日までの間におけるものを除く。）
182号	**使用済燃料再処理機構**
183号	**外国人技能実習機構**
184号	**株式会社日本貿易保険**、旧独立行政法人日本貿易保険
185号	旧独立行政法人教員研修センター
186号	**農業共済組合連合会**（農業保険法（昭和22年法律第185号）第10条第1項に規定する全国連合会に限る。）
187号	**地方税共同機構**
188号	旧独立行政法人郵便貯金・簡易生命保険管理機構
189号	旧岐阜大学及び旧名古屋大学
190号	旧小樽商科大学及び旧北見工業大学並びに帯広畜産大学
191号	旧奈良教育大学及び旧奈良女子大学
192号	**福島国際研究教育機構**
193号	**株式会社脱炭素化支援機構**

(4) 本項の特例措置が適用されるための第4の要件としては、職員が公庫等の職員として出向することが必要であり、役員又は非常勤職員として出向する場合は対象に含まれない（役員については、第8条の解説を参照）。この場合、出向先のポストが役員であるか否かは、当該法人の設立根拠法及びこれに基づく法人の内部規程等によって判断されることになるが、退職手当支給規程において役員と同様の退職手当支給基準を定められている職員（例えば、参事等の名称を与えられている職員）として出向する場合についても本項の規定の適用が予定されていると考えることは、適当でない。

　非常勤職員として出向する場合を本条の適用から除外しているのは、本条の立法趣旨に照らして当然である。

(5) 特例措置の適用を受けるためには、公庫等職員から職員に復帰する際にも、公庫等へ出向する場合と同様に「引き続いて」いること、すなわち退職

と採用との間に1日以上の空白がないことが必要である。
(6) 公庫等への出向歴のある職員の退職手当の計算に当たっては、公庫等職員としての在職期間及び退職出向前後の職員としての在職期間が法第7条第1項に規定する「職員としての引き続いた在職期間」に該当するものとみなして取り扱うことを定めている。

○参　考
(1) 公庫等への出向期間を職員としての在職期間に通算することとする取扱いは、昭和48年の退職手当法の改正（昭和48年法律第30号）によって講じられた措置（昭和48年5月17日施行）であるが、それ以前の取扱いを整理すれば、次のとおりである。
(ｱ) 昭和35年4月1日前
　　公庫等への出向退職者に関して、何らの特例措置も認めておらず、出向時及び最終退職時に、それぞれ、退職手当を支給することとされていた。
(ｲ) 昭和35年4月1日から昭和48年の改正まで
　(i) 公庫等に出向する際には、いったん自己都合退職の支給率による退職手当を支給し、
　(ii) 最終退職時の退職手当は、先の職員としての在職期間が後の職員としての在職期間に引き続いたものとみなした場合に受けることとなる退職手当の支給割合から、出向前の職員としての在職期間に対応する退職手当の支給割合を控除した支給割合をその者の俸給月額に乗じた額としていた。
　　　この計算方式は、通常、率控除方式と称され、現行法の下においても、後述するように、特殊退職をした職員等の退職手当の計算方式と同じ方式であるので、ここにその計算例を掲げておく。

〔計算例〕

10年＋15年＝25年
25年勤続に対する勧奨退職の支給割合　40.5月
　（昭和48年法改正前であるので，48年改正法附則第5項又は法附則第21項による調整の適用はない。）
10年勤続に対する普通退職の支給割合　7.5月
退職手当額　20万円×（40.5月－7.5月）＝660万円

(2) 昭和48年の退職手当法の改正に際して、次のような趣旨の附帯決議が衆、参議院内閣委員会で行われているので、本項の運用に当たっては関係者において十分な配慮が必要であろう。
　「国家公務員等の期間と公庫等の職員期間との通算措置に伴い、国と公庫等との間における相互人事交流については、いわゆる天下りの弊を厳に慎み、その適正を期すること。」

(7) 第2項は、公庫等から国に出向している職員の在職期間の計算に関しては、公庫等職員としての在職期間を職員としての在職期間として取り扱うこ

ととする規定である。しかしながら、本項は、公庫等の要請に応じ、人事交流として国家公務員となった公庫等職員が公庫等へ復帰せずに退職するケースを本来的に予定しているものではない。すなわち、本項の趣旨は、退職手当法上、公庫等への出向歴のある職員に対する退職手当の通算措置を行う前提として、出向先の法人が具備すべき要件として「職員が任命権者又はその委任を受けた者の要請に応じ、引き続いて当該法人に使用される者となつた場合に、職員としての勤続期間を当該法人に使用される者としての勤続期間に通算することと定めている法人に限る。」こととしているが、このような公庫等の退職手当支給規程に対応するものとして、国の側においても、この通算規程に相当する規定として、本項の規定を設けているものであって、この規定の存在を前提として、法第20条第3項に規定するように、相互の出向時には退職手当を支給しないこととし、職員の最終退職時に国及び公庫等の職員としての在職期間を通算しようとするものである。なぜなら、相互に通算規定がない場合には、退職出向時にいったん退職手当を支給する必要が生じ、最終退職時には、法第7条の2の特例措置が適用されないこととなるからである。

　したがって、本項は、公庫等職員が公庫等の要請に応じ国へ出向し職員を退職する場合における退職手当額計算に当たっての在職期間の通算規定であるが、前述したように、本項が適用されるケースは本来的には予定されておらず、公庫等からの出向職員が客観的にやむを得ない事情、例えば、死亡等の事由によって公庫等へ復帰不可能となったような場合に初めて適用される余地のある規定と考えられる。

　なお、「公庫等の要請」とは、公庫等への復帰を前提として、任命権者が国への出向を慫慂する行為であり、単に、公庫等を退職して国への就職を勧奨する行為ではない。運用方針においては、次のとおり定めている。

○運用方針（抄）
第7条の2関係
　　二　本条第2項に規定する「要請」とは、公庫等が、公庫等職員に対し、職員として在職した後再び公庫等職員に復帰させることを前提として、国に退職出向することを慫慂する行為をいう。

(8)　第3項は、退職手当を支給するに当たって、職員としての在職期間に通算されることとなる公庫等職員としての在職期間の計算の取扱いにつき、法第7条（第5項を除く。）の規定を準用することを定めた規定である。例えば、公庫等への出向期間中に、疾病による休職等のように「現実に職務をとるこ

とを要しない期間」があれば、在職期間の計算上は、その2分の1の期間が除算されるわけである（法第7条第4項参照）。

なお、職員が、任命権者等の要請に応じ、公庫等へ退職出向した後、さらに公庫等から一般財団法人、一般社団法人、民間企業等へ休職又はこれに類する措置により再出向し、さらにその後再び職員に復帰した場合には、形式的には国―公庫等―国となっており、全期間が通算されるのではないかという疑義が生ずる。これについては、法第7条の2の立法趣旨、退職手当の性格、さらには通算対象法人を施行令第9条の2において限定的に列挙している趣旨等に鑑み、通算できないものと解されており、そのような人事運用は厳に慎むこととされている（昭和58年12月23日総人局第952号）。

また、本項は、公庫等職員としての在職期間の計算については、政令で必要な定めをすることとしているが、本項の委任に基づく政令としては、施行令第9条の3がある。施行令で定めているケースは、公庫等職員としての在職期間中に、当該公庫等と地方公共団体等又は地方公社との間の人事交流により地方公共団体等又は地方公社に出向した場合であり、その場合には、当該出向期間中の期間をも職員としての在職期間に通算することとしている。

次に、施行令第9条の3を掲げ、その事例を図示することとする。

〇施　行　令（抄）
（公庫等職員としての引き続いた在職期間の計算）
第9条の3　職員が、任命権者又はその委任を受けた者の要請に応じ、引き続いて特定公庫等職員となるため退職し、かつ、引き続き特定公庫等職員として在職した後引き続いて特定地方公務員又は通算制度を有する一般地方独立行政法人等である地方公社に使用される者（役員及び常時勤務に服することを要しない者を除く。以下「特定地方公社職員」という。）となるため退職し、かつ、引き続き特定地方公務員又は特定地方公社職員として在職した後引き続いて再び特定公庫等職員となるため退職し、かつ、引き続き特定公庫等職員として在職した後引き続いて再び職員となるため退職し、かつ、引き続いて職員となつた場合においては、先の職員としての引き続いた在職期間の始期から後の特定公庫等職員としての引き続いた在職期間の終期までの期間をその者の公庫等職員（法第7条の2第1項に規定する公庫等職員をいう。以下同じ。）としての引き続いた在職期間として計算する。
2　特定公庫等職員が、公庫等の要請に応じ、引き続いて特定地方公務員又は特定地方公社職員となるため退職し、かつ、引き続き特定地方公務員又は特定地方公社職員として在職した後引き続いて再び特定公庫等職員となるため退職し、かつ、引き続き特定公庫等職員として在職した後更に引き続いて職員となるため退職し、かつ、引き続いて職員となつた場合においては、先の特定公庫等職員としての引き続いた在職期間の始期から後の特定公庫等職員としての引き続いた在職期間の終期までの期間をその者の公庫等職員としての引き続いた在職期間として計算する。

第1項は、国の職員が公庫等への出向期間中に、公庫等からさらに地方公共団体等へ出向した場合の在職期間の取扱いに関する規定である。

〔図示〕

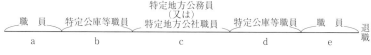

在職期間 =（a + b + c + d）+ e

(注) 本項中、「特定公庫等職員」とは施行令第7条第5項に、「特定地方公務員」及び「通算制度を有する一般地方独立行政法人等」とは同条第3項にそれぞれ規定するとおり、退職手当に関する規程において、在職期間の取扱いに関し、相互通算制度を有する法人又はその職員を意味するものである。

第2項は、国に出向中の公庫等の職員が、出向前に公庫等から地方公共団体等に出向経歴を有する場合の在職期間の取扱いに関する規定である。

〔図示〕

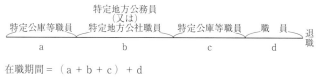

在職期間 =（a + b + c）+ d

(9) 第4項は、法第6条の4第1項の政令で定める法人等（休職出向の場合に、その在職期間について、いわゆる2分の2通算を認めている法人等）の職員が、例えば休職により法人等職員の身分を保有したまま国家公務員となり、再び当該法人等へ復帰する場合には、「職員としての在職期間は、なかつたものとみなす。」こととしている。すなわち、退職手当は支給しないことを定めている規定である。

法第6条の4第1項の規定に基づく休職指定法人は、施行令第6条第1項に規定するところであるが、当該法人の具備すべき要件として、同条は、退職手当に関する規程において職員が休職出向した場合においても「その法人に使用される者としての在職期間はなかつたものとすることと定めているもの」と規定している。法第7条の2第4項は、当該法人のこのような規程に対応する規定であり、相互にこのような定めを設けることにより、同一期間について退職手当の支給計算上二重の評価をすること、すなわち、下記の図の場合において、国がbの在職期間に対応する退職手当を支給し、法人等が（a + b + c）の在職期間に対応する退職手当を支給することを防止するこ

ととするための規定である。

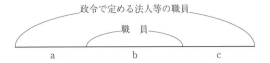

なお、本項の規定に基づく政令は、現時点では定められていない。

最後に、本条に規定する公庫等職員そのものではないが、他の法律の規定によって公庫等職員とみなされるものがある。具体的には次の規定がこれに該当する。

〇**オリンピック東京大会の準備等のために必要な特別措置に関する法律**（昭和36年法律第138号）
　（大会運営者の職員に係る退職手当の特例等）
第6条　大会運営者の職員（常時勤務に服することを要しないものを除く。以下次項において同じ。）は、国家公務員等退職手当法（昭和28年法律第182号）第7条の2の規定の適用については、同条第1項に規定する公庫等職員とみなす。

〇**日本万国博覧会の準備及び運営のために必要な特別措置に関する法律**（昭和41年法律第105号）
　（博覧会協会の職員に係る退職手当の特例等）
第6条　博覧会協会の職員（常時勤務に服することを要しないものを除く。次項において同じ。）は、国家公務員等退職手当法（昭和28年法律第182号）第7条の2の規定の適用については、同条第1項に規定する公庫等職員とみなす。

〇**札幌オリンピック冬季大会の準備等のために必要な特別措置に関する法律**（昭和42年法律第86号）
　（組織委員会の職員に係る退職手当の特例等）
第7条　組織委員会の職員（常時勤務に服することを要しないものを除く。次項において同じ。）は、国家公務員等退職手当法（昭和28年法律第182号）第7条の2の規定の適用については、同条第1項に規定する公庫等職員とみなす。

〇**沖縄国際海洋博覧会の準備及び運営のために必要な特別措置に関する法律**（昭和47年法律第24号）
　（博覧会協会の職員に係る退職手当の特例等）
第5条　博覧会協会の職員（常時勤務に服することを要しないものを除く。次項において同じ。）は、国家公務員退職手当法（昭和28年法律第182号）第7条の2の規定の適用については、同条第1項に規定する公庫等職員とみなす。

〇**国際科学技術博覧会の準備及び運営のために必要な特別措置に関する法律**（昭和56年法律第24号）
　（博覧会協会の職員に係る退職手当の特例等）
第6条　博覧会協会の職員（常時勤務に服することを要しない者を除く。次項において同じ。）は、国家公務員退職手当法（昭和28年法律第182号）第7条の2第1項に規定する

公庫等職員とみなして、同条の規定を適用する。

○国際花と緑の博覧会の準備及び運営のために必要な特別措置に関する法律（昭和61年法律第28号）
（博覧会協会の職員に係る退職手当の特例等）
第5条　博覧会協会の職員（常時勤務に服することを要しない者を除く。次項において同じ。）は、国家公務員退職手当法（昭和28年法律第182号）第7条の2第1項に規定する公庫等職員とみなして、同条の規定を適用する。

○長野オリンピック冬季競技大会の準備及び運営のために必要な特別措置に関する法律（平成4年法律第52号）
（組織委員会の職員に係る退職手当の特例等）
第3条　組織委員会の職員（常時勤務に服することを要しない者を除く。次項において同じ。）は、国家公務員退職手当法（昭和28年法律第182号）第7条の2第1項に規定する公庫等職員とみなして、同条の規定を適用する。

○平成17年に開催される国際博覧会の準備及び運営のために必要な特別措置に関する法律（平成9年法律第118号）
（博覧会協会の職員に係る退職手当の特例等）
第4条　博覧会協会の職員（常時勤務に服することを要しない者を除く。次項において同じ。）は、国家公務員退職手当法（昭和28年法律第182号）第7条の2第1項に規定する公庫等職員とみなして、同条の規定を適用する。

○中部国際空港の設置及び管理に関する法律（平成10年法律第36号）
（指定会社の職員に係る退職手当等の特例）
第12条　指定会社の職員（常時勤務に服することを要しない者を除く。次項において同じ。）は、国家公務員退職手当法（昭和28年法律第182号）第7条の2第1項に規定する公庫等職員とみなして、同条及び同法第20条第3項の規定を適用する。

○平成14年ワールドカップサッカー大会特別措置法（平成10年法律第76号）
（組織委員会の職員に係る退職手当の特例等）
第3条　組織委員会の職員（常時勤務に服することを要しない者を除く。次項において同じ。）は、国家公務員退職手当法（昭和28年法律第182号）第7条の2第1項に規定する公庫等職員とみなして、同条の規定を適用する。

○民間資金等の活用による公共施設等の整備等の促進に関する法律（平成11年法律第117号）
（国派遣職員に係る特例）
第78条　略
2・3　略
4　国派遣職員は、国家公務員退職手当法（昭和28年法律第182号）第7条の2及び第20条第3項の規定の適用については、同法第7条の2第1項に規定する公庫等職員とみなす。
5～7　略

○アイヌの人々の誇りが尊重される社会を実現するための施策の推進に関する法律（平成31年法律第16号）
　（国派遣職員に係る特例）
第25条　略
2　国派遣職員（国家公務員法第2条に規定する一般職に属する職員が、任命権者又はその委任を受けた者の要請に応じ、指定法人の職員（常時勤務に服することを要しない者を除き、第21条に規定する業務に従事する者に限る。以下この項において同じ。）となるため退職し、引き続いて当該指定法人の職員となり、引き続き当該指定法人の職員として在職している場合における当該指定法人の職員をいう。次項において同じ。）は、国家公務員退職手当法（昭和28年法律第182号）第7条の2及び第20条第3項の規定の適用については、同法第7条の2第1項に規定する公庫等職員とみなす。
3　略

○港湾法（昭和25年法律第218号）
　（国派遣職員に係る特例）
第43条の29　国派遣職員（国家公務員法（昭和22年法律第120号）第2条に規定する一般職に属する職員が、任命権者又はその委任を受けた者の要請に応じ、国際戦略港湾の港湾運営会社の職員（常時勤務に服することを要しない者を除き、埠頭群の運営の事業に関する業務に従事する者に限る。以下この項において同じ。）となるため退職し、引き続いて当該港湾運営会社の職員となり、引き続き当該港湾運営会社の職員として在職している場合における当該港湾運営会社の職員をいう。以下この条において同じ。）は、同法第82条第2項の規定の適用については、同項に規定する特別職国家公務員等とみなす。
2・3　略
4　国派遣職員は、国家公務員退職手当法（昭和28年法律第182号）第7条の2及び第20条第3項の規定の適用については、同法第7条の2第1項に規定する公庫等職員とみなす。
5～7　略

　これらに規定する職員は、公庫等職員とみなされることにより、当該職員としての在職期間は、退職手当の調整額の算定の基礎となる基礎在職期間及び退職手当の基本額の算定の基礎となる在職期間の対象とされる。

12　独立行政法人等役員として在職した後引き続いて職員となった者の在職期間の計算

　（独立行政法人等役員として在職した後引き続いて職員となつた者の在職期間の計算）
第8条　職員のうち、任命権者又はその委任を受けた者の要請に応じ[1]、

引き続いて独立行政法人通則法第2条第1項に規定する独立行政法人その他特別の法律により設立された法人でその業務が国の事務又は事業と密接な関連を有するもののうち政令で定めるもの（退職手当（これに相当する給付を含む。）に関する規程において、職員が任命権者又はその委任を受けた者の要請に応じ、引き続いて当該法人の役員となつた場合に、職員としての勤続期間を当該法人の役員としての勤続期間に通算することと定めている法人に限る。以下「独立行政法人等[2]」という。）の役員（常時勤務に服することを要しない者を除く。以下「独立行政法人等役員[3]」という。）となるため退職をし、かつ、引き続き独立行政法人等役員として在職した後引き続いて再び職員となつた者の第7条第1項の規定による在職期間の計算については、先の職員としての在職期間の始期から後の職員としての在職期間の終期までの期間は、職員としての引き続いた在職期間とみなす。
2　独立行政法人等役員が、独立行政法人等の要請に応じ、引き続いて職員となるため退職し、かつ、引き続いて職員となつた場合におけるその者の第7条第1項に規定する職員としての引き続いた在職期間には、その者の独立行政法人等役員としての引き続いた在職期間を含むものとする[4]。
3　前2項の場合における独立行政法人等役員としての在職期間の計算については、第7条（第5項を除く。）の規定を準用するほか、政令で定める[5]。

【解説】
　本条の趣旨は、国家公務員が人事交流により独立行政法人等の役員として出向し、再び国家公務員に復帰した後退職する場合の退職手当について「勤続期間の計算等の特例」を定めたものであり、基本的な内容は、法第7条の2の公庫等の職員として出向する場合の特例と同様である。これは、公務員制度改革大綱（平成13年12月25日閣議決定）において、「役員出向の道を開く」とされたことを踏まえ、平成15年の退職手当法の改正により退職手当上の取扱いの特例が設けられたものである。
(1)　第1項は、職員が任命権者の要請により独立行政法人等の役員として出向し、その後、再び職員に復帰した場合には、独立行政法人等役員としての在職期間を含めた全期間を退職手当算定の基礎となる在職期間とするための規定である。

本項に規定する「要請」とは、次に掲げる運用方針のとおりである。

○運用方針（抄）
第8条関係
一　本条第1項に規定する「要請」とは、任命権者又はその委任を受けた者が、職員に対し、独立行政法人等役員として在職した後再び職員に復帰させることを前提として、独立行政法人等に退職出向することを慫慂する行為をいう。

(2)　職員の出向先の法人は、本項に定める一定の要件を備えた特別の法人であることが必要であり、施行令第9条の4では、本項に規定する独立行政法人のほか、特殊法人等、国立大学法人などの法人グループ、移行・解散等によりなくなった旧法人等を指定している。法人の業務が国の事務等と密接な関連を有するか否かは、法第7条の2の場合と同様に判断することとなる。なお、行政執行法人については、これらの職員は法の適用対象である一方、役員には法の適用がないため（法第2条参照）、法第7条の2については当然に対象外であるが、本条については対象となり得るものである。

また、出向先の法人は、法第7条の2の場合と同様に、施行令において指定されていることに加え、法人の退職手当に関する規程において在職期間通算に係る規定を整備していることが必要である。実際に法人で定められている規程においては、国等から役員出向により法人役員に就任した者が退職する場合の退職金の算定方法については、制度が本来想定している国等に復帰して退職する場合に比べて有利にならないような工夫をしている例が見られるところである。

施行令第9条の4で指定されている法人を一覧表にまとめると、次のとおりである。

＜施行令第9条の4において指定されている法人（法第8条第1項で明記されている独立行政法人以外の通算対象法人）一覧＞
※明朝書体部分は解散等によりなくなった法人等

令第9条の4号番号	法人名
1号	旧住宅金融公庫
2号	旧農林漁業金融公庫
3号	旧中小企業金融公庫
4号	旧日本道路公団

5号	旧独立行政法人日本原子力研究開発機構、旧日本原子力研究所
6号	旧日本自転車振興会
7号	旧独立行政法人理化学研究所、旧理化学研究所
8号	旧首都高速道路公団
9号	旧阪神高速道路公団
10号	**地方競馬全国協会**
11号	旧日本小型自動車振興会
12号	**地方職員共済組合**
13号	**公立学校共済組合**
14号	**警察共済組合**
15号	**地方公務員災害補償基金**
16号	旧本州四国連絡橋公団
17号	**預金保険機構**
18号	**沖縄振興開発金融公庫**
19号	旧総合研究開発機構
20号	**農水産業協同組合貯金保険機構**
21号	旧中小企業総合事業団、旧地域振興整備公団
22号	**日本下水道事業団**
23号	**全国市町村職員共済組合連合会**
24号	**地方公務員共済組合連合会**
25号	**国家公務員共済組合連合会**
26号	旧独立行政法人新エネルギー・産業技術総合開発機構、旧新エネルギー・産業技術総合開発機構
27号	旧独立行政法人情報通信研究機構、旧独立行政法人通信総合研究所、旧通信・放送機構
28号	**日本私立学校振興・共済事業団**
29号	旧国際協力銀行
30号	旧国民生活金融公庫
31号	旧年金資金運用基金
32号	**銀行等保有株式取得機構**
33号	削除

34号	国立大学法人
35号	**大学共同利用機関法人**
36号	旧国立大学法人富山医科薬科大学、旧国立大学法人高岡短期大学
37号	旧国立大学法人筑波技術短期大学
38号	旧独立行政法人国立オリンピック記念青少年総合センター
39号	旧独立行政法人農業・食品産業技術総合研究機構、旧独立行政法人農業・生物系特定産業技術研究機構、旧独立行政法人農業者大学校、旧独立行政法人農業工学研究所、旧独立行政法人食品総合研究所、旧種苗管理センター、旧国立研究開発法人農業生物資源研究所、旧独立行政法人農業生物資源研究所、旧国立研究開発法人農業環境技術研究所、旧独立行政法人農業環境技術研究所
40号	旧国立研究開発法人水産総合研究センター、旧独立行政法人さけ・ます資源管理センター、旧独立行政法人水産総合研究センター、旧水産大学校
41号	旧独立行政法人土木研究所、旧独立行政法人北海道開発土木研究所
42号	**放送大学学園**、旧メディア教育開発センター
43号	旧独立行政法人農林水産消費技術センター、旧独立行政法人肥飼料検査所
44号	旧国立研究開発法人森林総合研究所
45号	旧大阪外国語大学
46号	**地方公共団体金融機構**、旧公営企業金融公庫、旧地方公営企業等金融機構
47号	旧独立行政法人緑資源機構
48号	旧独立行政法人通関情報処理センター
49号	**全国健康保険協会**
50号	旧国立国語研究所
51号	**日本年金機構**
52号	削除
53号	**日本商工会議所**
54号	**全国土地改良事業団体連合会**
55号	**全国中小企業団体中央会**
56号	**全国商工会連合会**
57号	**高圧ガス保安協会**

58号	消防団員等公務災害補償等共済基金
59号	漁業共済組合連合会
60号	軽自動車検査協会
61号	小型船舶検査機構
62号	自動車安全運転センター
63号	危険物保安技術協会
64号	旧関西国際空港株式会社法により設立された関西国際空港株式会社（平成24年6月30日までの間におけるものに限る。）
65号	日本電信電話株式会社
66号	北海道旅客鉄道株式会社
67号	四国旅客鉄道株式会社
68号	削除
69号	日本貨物鉄道株式会社
70号	東日本電信電話株式会社
71号	西日本電信電話株式会社
72号	原子力発電環境整備機構
73号	東京地下鉄株式会社
74号	中間貯蔵・環境安全事業株式会社、旧日本環境安全事業株式会社
75号	成田国際空港株式会社
76号	東日本高速道路株式会社
77号	首都高速道路株式会社
78号	中日本高速道路株式会社
79号	西日本高速道路株式会社
80号	阪神高速道路株式会社
81号	本州四国連絡高速道路株式会社
82号	日本アルコール産業株式会社
83号	日本郵政株式会社
84号	削除
85号	日本郵便株式会社、旧郵便事業株式会社、旧郵便局株式会社
86号	株式会社日本政策金融公庫

87号	株式会社商工組合中央金庫	
88号	株式会社日本政策投資銀行	
89号	輸出入・港湾関連情報処理センター株式会社	
90号	原子力損害賠償・廃炉等支援機構、旧原子力損害賠償支援機構	
91号	旧独立行政法人雇用・能力開発機構	
92号	旧高齢・障害者雇用支援機構	
93号	沖縄科学技術大学院大学学園、旧沖縄科学技術研究基盤整備機構	
94号	株式会社国際協力銀行	
95号	新関西国際空港株式会社	
96号	旧独立行政法人平和祈念事業特別基金	
97号	旧独立行政法人海上災害防止センター	
98号	株式会社産業革新機構、旧株式会社産業革新機構	
99号	株式会社農林漁業成長産業化支援機構	
100号	株式会社地域経済活性化支援機構	
101号	株式会社民間資金等活用事業推進機構	
102号	株式会社海外需要開拓支援機構	
103号	旧独立行政法人原子力安全基盤機構	
104号	地方公共団体情報システム機構	
105号	旧独立行政法人日本万国博覧会記念機構	
106号	株式会社海外交通・都市開発事業支援機構	
107号	広域的運営推進機関	
108号	旧国立健康・栄養研究所	
109号	旧独立行政法人物質・材料研究機構	
110号	旧独立行政法人防災科学技術研究所	
111号	旧国立研究開発法人放射線医学総合研究所、旧独立行政法人放射線医学総合研究所	
112号	旧独立行政法人科学技術振興機構	
113号	旧独立行政法人宇宙航空研究開発機構	
114号	旧独立行政法人海洋研究開発機構	
115号	削除	

116号	削除
117号	旧独立行政法人国際農林水産業研究センター
118号	旧独立行政法人産業技術総合研究所
119号	旧独立行政法人建築研究所
120号	旧国立研究開発法人海上技術安全研究所、旧独立行政法人海上技術安全研究所、旧国立研究開発法人港湾空港技術研究所、旧独立行政法人港湾空港技術研究所、旧国立研究開発法人電子航法研究所、旧独立行政法人電子航法研究所
121号	削除
122号	削除
123号	旧独立行政法人国立環境研究所
124号	**株式会社海外通信・放送・郵便事業支援機構**
125号	旧独立行政法人大学評価・学位授与機構、旧国立大学財務・経営センター
126号	旧自動車検査独立行政法人
127号	旧航海訓練所
128号	旧独立行政法人労働者健康福祉機構、旧労働安全衛生総合研究所
129号	**使用済燃料再処理機構**
130号	**外国人技能実習機構**
131号	**株式会社日本貿易保険**、旧独立行政法人日本貿易保険
132号	旧独立行政法人教員研修センター
133号	**地方税共同機構**
134号	旧独立行政法人郵便貯金・簡易生命保険管理機構
135号	旧岐阜大学及び旧名古屋大学
136号	旧小樽商科大学、旧北見工業大学及び旧帯広畜産大学
137号	旧奈良教育大学及び旧奈良女子大学
138号	**福島国際研究教育機構**
139号	**株式会社脱炭素化支援機構**

(3) 本条の特例措置は、職員が独立行政法人等の役員として出向する場合に適用されるものであり、非常勤の役員として出向する場合は対象に含まれない。なお、独立行政法人等の役員への出向の運用については、「独立行政法

人、特殊法人等への役員出向の運用について」（平成15年6月15日関係府省官房長等申合せ）が定められ、これに基づいて行われている。

　〇参考　独立行政法人、特殊法人等への役員出向の運用について（平成15年6月15日関係府省官房長等申合せ）
　　独立行政法人、特殊法人等への公務員の再就職に関しては、「特殊法人等整理合理化計画（平成13年12月19日閣議決定）」及び「公務員制度改革大綱（平成13年12月25日閣議決定）」に基づき、役員出向の道を開くため、退職手当の支給等に係る条件整備を行ったところである。
　　役員出向の運用に当たっては、短期の在職期間で高額の退職金が支払われているのではないか等の批判に応えるとともに、職員の職務経験の多様化や早期退職慣行の是正に資するなど、その趣旨の徹底が図られるよう、以下のとおり申し合わせる。
　1　役員出向の活用
　　　任命権者が、職員を独立行政法人、特殊法人等の役員に転出させる場合には、可能な限り、役員出向を活用するものとする。
　2　対象とする職員
　　　役員出向は、法人における職務経験を公務に活かすことを目的の1つとするものであることから、退職出向させる職員の選任に当たっては、国への復帰を前提とするものとする。
　3　出向期間
　　　役員の短期在職は避けることとし、最低一任期を満了とすることを原則とする。ただし、任期途中であっても、業務実績が悪化した場合等による役員解任を妨げるものではない。
　4　早期退職募集制度の取扱い
　　　役員出向者が任期満了時点で国に復帰した場合に、直ちに早期退職募集制度に応募し、退職することを妨げないものとする。また、役員出向者が任期途中に出身府省に復帰して早期退職募集制度に応募し、退職することについては、法人をあたかも国の出先機関のように捉えて国の人事の一環として異動を行っているように受け止められないようにする必要があることから、役員出向者の選任に当たっては、任期途中に早期退職募集制度への応募が見込まれる者は可能な限り除外するよう努めるものとする。なお、出向後のやむを得ない事情の変化等がある場合には、出身府省の人事当局が法人と調整の上、役員出向者を任期途中に復帰させ、早期退職募集制度に応募し、退職することを妨げないものとする。

(4)　第2項は、独立行政法人等の役員から国に出向している職員の在職期間の計算に関しては、独立行政法人等役員としての在職期間を職員としての在職期間として取り扱うこととする規定である。しかしながら、本項は、法第7条の2の場合と同様に、独立行政法人等へ復帰せずに退職するケースを本来的に予定しているものではない。
　　なお、本項に規定する「要請」とは、次に掲げる運用方針のとおりである。

〇運用方針（抄）
第8条関係
二　本条第2項に規定する「要請」とは、独立行政法人等が、独立行政法人等役員に対し、職員として在職した後再び独立行政法人等役員に復帰させることを前提として、国に退職出向することを慫慂する行為をいう。

(5)　第3項は、退職手当を支給するに当たって、職員としての在職期間に通算されることとなる独立行政法人等役員としての在職期間の計算の取扱いにつき、法第7条（第5項を除く。）の規定を準用することを定めた規定である。これについても、法第7条の2の場合と同様である。
　　なお、本項の委任に基づく政令は、現時点では定められていない。

13　定年前に退職する意思を有する職員の募集等

（定年前に退職する意思を有する職員の募集等）
第8条の2　各省各庁の長等[1]（財政法（昭和22年法律第34号）第20条第2項に規定する各省各庁の長及び行政執行法人の長並びにこれらの委任を受けた者をいう。以下この条において同じ。）は、定年前に退職する意思を有する職員の募集[2]であつて、次に掲げるものを行うことができる。
　一　職員の年齢別構成の適正化を図ることを目的とし、第5条の3の政令で定める年齢以上の年齢である職員を対象として行う募集[3]
　二　組織の改廃又は官署若しくは事務所の移転を円滑に実施することを目的とし、当該組織又は官署若しくは事務所に属する職員を対象として行う募集[4]
2　各省各庁の長等は、前項の規定による募集（以下この条において単に「募集」という。）を行うに当たつては、同項各号の別、第5項の規定により認定を受けた場合に退職すべき期日又は期間、募集をする人数及び募集の期間その他当該募集に関し必要な事項であつて政令で定めるものを記載した要項（以下この条において「募集実施要項」という。）[5]を当該募集の対象となるべき職員[6]に周知しなければならない。
3　次に掲げる者以外の職員は、内閣官房令で定めるところにより、募集の期間中いつでも応募し、第8項第3号に規定する退職すべき期日が到来するまでの間いつでも応募の取下げを行うことができる[7]。

一 第2条第2項の規定により職員とみなされる者
二 臨時的に任用される職員その他の法律により任期を定めて任用される者
三 前項に規定する退職すべき期日又は同項に規定する退職すべき期間の末日が到来するまでに定年に達する者
四 国家公務員法第82条の規定による懲戒処分（管理又は監督に係る職務を怠つた場合における処分で政令で定めるもの[8]を除く。）又はこれに準ずる処分[9]を募集の開始の日において受けている者又は募集の期間中に受けた者

4 前項の規定による応募（以下この条において単に「応募」という。）又は応募の取下げは職員の自発的な意思に委ねられるものであつて、各省各庁の長等は職員に対しこれらを強制してはならない[10]。

5 各省各庁の長等は、応募をした職員（以下この条において「応募者」という。）について、次の各号のいずれかに該当する場合を除き、応募による退職が予定されている職員である旨の認定（以下この条において単に「認定」という。）をするものとする[11]。ただし、次の各号のいずれにも該当しない応募者の数が第2項に規定する募集をする人数を超える場合であつて、あらかじめ、当該場合において認定をする者の数を当該募集をする人数の範囲内に制限するために必要な方法を定め、募集実施要項と併せて周知していたときは、各省各庁の長等は、当該方法に従い、当該募集をする人数を超える分の応募者について認定をしないことができる[12]。

一 応募が募集実施要項又は第3項の規定に適合しない場合
二 応募者が応募をした後国家公務員法第82条の規定による懲戒処分（第3項第4号の政令で定める処分を除く。）又はこれに準ずる処分[13]を受けた場合
三 応募者が前号に規定する処分を受けるべき行為（在職期間中の応募者の非違に当たる行為であつて、その非違の内容及び程度に照らして当該処分に値することが明らかなものをいう。）をしたことを疑うに足りる相当な理由がある場合その他応募者に対し認定を行うことが公務に対する国民の信頼を確保する上で支障を生ずると認める場合[14]
四 応募者を引き続き職務に従事させることが公務の能率的運営を確保し[15]、又は長期的な人事管理を計画的に推進する[16]ために特に必要であると認める場合

6　各省各庁の長等は、認定をし、又はしない旨の決定をしたときは、遅滞なく、内閣官房令で定めるところにより、その旨（認定をしない旨の決定をした場合においてはその理由を含む。）を応募者に書面により通知するものとする[17]。
7　各省各庁の長等が募集実施要項において退職すべき期間を記載した場合には、認定を行つた後遅滞なく、当該期間内のいずれかの日から退職すべき期日を定め、内閣官房令で定めるところにより、前項の規定により認定をした旨を通知した応募者に当該期日を書面により通知するものとする[18]。
8　認定を受けた応募者が次の各号のいずれかに該当するときは、認定は、その効力を失う[19]。
　一　第12条第1項各号のいずれかに該当するに至つたとき[20]。
　二　第20条第1項又は第2項の規定により退職手当を支給しない場合に該当するに至つたとき[21]。
　三　募集実施要項に記載された退職すべき期日若しくは前項の規定により応募者に通知された退職すべき期日が到来するまでに退職し、又はこれらの期日に退職しなかつたとき（前2号に掲げるときを除く。）[22]。
　四　国家公務員法第82条の規定による懲戒処分（懲戒免職の処分及び第3項第4号の政令で定める処分を除く。）又はこれに準ずる処分を受けたとき[23]。
　五　第3項の規定により応募を取り下げたとき。
9　各省各庁の長等は、この条の規定による募集及び認定について、内閣官房令で定めるところにより、内閣総理大臣に対し、募集実施要項（第5項に規定する方法を周知した場合にあつては当該方法を含む。次項において同じ。）を送付するとともに、認定を受けた応募者の数を報告しなければならない[24]。
10　内閣総理大臣は、毎年度、前項の規定により送付を受けた募集実施要項及び同項の規定により報告を受けた認定を受けた応募者の数を取りまとめ、公表するものとする[25]。

【解説】
　本条は、平成24年の退職手当法の改正において創設された早期退職募集制度の趣旨及び同制度に係る募集など一連の手続等について定めているものであ

る。

(1) 「各省各庁の長等」とは、財政法（昭和22年法律第34号）第20条第2項に規定する各省各庁の長及び独立行政法人通則法（平成11年法律第103号）第2条第4項に規定する行政執行法人の長並びにこれらの委任を受けた者をいう。この場合の委任は、募集の都度行っても、事務分掌規程等で包括的に定めてもよい。

　○財　政　法（昭和22年法律第34号）（抄）
　第20条　略
　②　衆議院議長、参議院議長、最高裁判所長官、会計検査院長並びに内閣総理大臣及び各省大臣（以下各省各庁の長という。）は、毎会計年度、第18条の閣議決定のあつた概算の範囲内で予定経費要求書、継続費要求書、繰越明許費要求書及び国庫債務負担行為要求書（以下予定経費要求書等という。）を作製し、これを財務大臣に送付しなければならない。

(2)　早期退職募集制度は定年前に退職する意思を有する職員の募集を行うものであり、定年制のない職員（本条第3項第2号に掲げる法律により任期を定めて任用されるものを除く。）に対しては、募集をかけることができない。これは、定年制のない職員には、特別職のうち例えば大使公使、大臣等が挙げられるが、いずれも身分保障がなく任意に免職され得るため定年制を設けていない趣旨に鑑み、早期退職募集をかけるにはなじまない官職であることによる。

(3)　職員の年齢別構成の適正化を図ることを目的とし、法第5条の3の政令で定める年齢以上の年齢である職員を対象として行う募集（以下「1号募集」という。）である。

　　法第5条の3の政令で定める年齢については施行令第5条の3に規定されており、退職の日において定められているその者に係る定年から20年を減じた年齢（令和5年4月1日以降の定年の段階的な引上げに伴い、当分の間、施行令附則第3項の適用を受ける者にあっては、引上げ前の定年から15年を減じた年齢。詳細は附則第16項の解説参照。）以上の年齢である職員を対象としている。なお、1号募集に応募して本条第5項による認定を受けた職員が、同条第8項第3号に規定する退職すべき期日に退職した場合には、その退職手当の算定に当たっては、定年退職した場合と同一水準の支給率（勤続年数に応じ、法第3条、第4条又は第5条）を適用する。

　　また、認定を受けて退職した者が法第5条の3の要件に該当する場合、同

条に規定する定年前早期退職者に対する退職手当の基本額に係る特例が適用される。

　なお、本条の規定により退職した者の退職手当の額の計算に当たって、国家公務員退職手当法の一部を改正する法律（平成17年法律第115号）附則第3条は適用しない。

○施　行　令（抄）
（定年前早期退職者の範囲等）
第5条の3　略
　2　略
　3　法第5条の3に規定する政令で定める年齢は、退職の日において定められているその者に係る定年から20年を減じた年齢とする。

　なお、「定年前」、「定年に達する日」及び「年齢以上の年齢」の意味については、運用方針に次のとおり示されている。

○運　用　方　針（抄）
第8条の2関係
　一　本条第1項に規定する「定年前」とは、定年に達する日前をいい、「定年に達する日」の計算方法は、年齢計算ニ関スル法律の定めるところによる。
　二　本条第1項第1号に定める「年齢以上の年齢」の単位は、年齢のとなえ方に関する法律第1項の定めるところによる。
国家公務員退職手当法の一部を改正する法律（平成17年法律第115号）附則第3条関係
　　本条の規定は、国家公務員退職手当法第8条の2第5項に規定する認定を受けて同条第8項第3号に規定する退職すべき期日に退職した者には適用しない。

(4)　組織の改廃又は官署若しくは事務所の移転を円滑に実施することを目的とし、当該組織又は官署若しくは事務所に属する職員を対象として行う募集（以下「2号募集」という。）である。

　2号募集は、法第5条第1項第2号に掲げる国家公務員法第78条第4号等の規定による組織改廃等に伴う免職の処分を受けて退職する者（いわゆる整理退職者）が発生する前段階で、できる限り職員本人の退職意思を尊重しつつ、円滑な組織改廃等を進め、もって人事当局における機動的な人事管理に資することを目的とするものである。

　「組織の改廃」とは、法令（法律、政令、省令）等により明確に規定されている組織の改廃をいい、「勤務していた官署若しくは事務所の移転」とは、法令等で明確に定められた勤務官署の移転であり、かつ、旧所在地からの通勤が不可能又は極めて困難であり職員の生計に著しい影響を与える程度のものである場合をいう。「組織の改廃」及び「勤務していた官署若しくは事務

所の移転」には、法律自体によるもののほか、法律の明確な委任に基づく命令等によるものも含まれる。

　なお、2号募集に応募して本条第5項による認定を受けた職員が、同条第8項第3号に規定する退職すべき期日に退職した場合には、整理退職した場合と同一の支給率（法第5条）を適用する。

　また、1号募集と同様に、2号募集による認定を受けて退職した者が法第5条の要件の3に該当する場合、同条に規定する定年前早期退職者に対する退職手当の基本額に係る特例が適用される。

(5)　各省各庁の長等が早期退職募集を行うに当たっては、「募集実施要項」を募集の対象となるべき職員に周知しなければならない。

　本条第2項には、募集実施要項に記載すべき事項として、第8条の2第1項各号の別、第5項の規定により認定を受けた場合に退職すべき期日又は期間、募集をする人数及び募集の期間その他当該募集に関し必要な事項であって、政令で定めるものを規定している。

　「政令で定めるもの」は施行令第9条の5に規定されている。

　また、募集実施要項の必要な記載事項は、国家公務員退職手当法の規定による早期退職希望者の募集及び認定の制度に係る書面の様式等を定める内閣官房令第5条にも規定されている。

○施　行　令（抄）
　（募集実施要項の記載事項）
第9条の5　法第8条の2第2項に規定する政令で定めるものは、次に掲げる事項とする。
　一　法第8条の2第1項の規定による募集（以下この条及び第9条の7において「募集」という。）の対象となるべき職員の範囲
　二　法第8条の2第2項に規定する募集実施要項（以下この条及び第9条の7第3項において「募集実施要項」という。）の内容を周知させるための説明会を開催する予定があるときは、その旨
　三　法第8条の2第3項の規定による応募（以下この条及び第9条の7第3項において「応募」という。）又は応募の取下げに係る手続
　四　法第8条の2第6項の規定による通知の予定時期
　五　第9条の7第3項に規定する時点で募集の期間が満了するものとするときは、その旨及び同項に規定する応募上限数
　六　募集に関する問合せを受けるための連絡先
　七　その他内閣官房令で定める事項
2　各省各庁の長等は、募集実施要項に前項第1号に掲げる職員の範囲を記載するときは、当該職員の範囲に含まれる職員の数が募集をする人数に1を加えた人数以上となるようにしなければならない。ただし、法第8条の2第1項第2号に掲げる募集を行う場合は、この限りでない。

3 　各省各庁の長等は、募集実施要項に募集の期間を記載するときは、その開始及び終了の年月日時を明らかにしてしなければならない。

〇様　式　令（抄）
　　（募集実施要項の記載事項）
第5条　国家公務員退職手当法施行令（以下「施行令」という。）第9条の5第1項第7号の内閣官房令で定める事項は、次に掲げるものとする。
　一　法第8条の2第3項各号に掲げる職員が応募をすることはできない旨
　二　法第8条の2第5項の規定により認定をしない旨の決定をする場合がある旨
　三　認定を行った後遅滞なく、退職すべき期間のいずれかの日から退職すべき期日を定め、第7項通知を行うこととなる旨（募集実施要項に退職すべき期間を記載した場合に限る。）
　四　施行令第9条の7第1項の規定により募集の期間を延長する場合があるときは、その旨
　五　施行令第9条の8第1項の規定により退職すべき期日を繰り上げ、又は繰り下げる場合があるときは、その旨

　これらの規定の内容をまとめて必要的記載事項を整理解説すると以下のとおりである。
① 　募集を行う目的
　1号募集又は2号募集の別を併せて明記する。
② 　募集の対象となるべき職員の範囲
　(ア)　募集の対象となるべき職員（以下、「対象者」という。）の範囲、当該職員の範囲に含まれる職員の数が募集をする人数に1を加えた人数以上となるように設定する。
　　　これは、応募が職員の自発的な意思に基づくものであることを前提として、募集対象に含まれる職員数と募集人数が一致する募集を行った場合、対象に含まれるある職員がたとえ応募を望んでいなくとも、当該募集後は、例えば当該職員について公務への忠誠度や職場での評判等が低下し、人事管理上望ましくない結果をもたらす可能性や指名解雇化すること等が懸念されるためである。
　　　なお、2号募集の場合は、対象者の総数と募集人数が同数となることも容認されている。これは、例えば当該組織に所属する職員全員を募集の対象にし、募集人数も同数とするようなことも想定され、分限免職処分を伴う整理退職を回避するためである。
　(イ)　職員の範囲については、職位、階級、年齢、勤務地、勤務している部局若しくは機関又は勤続年数等により、各省各庁の長等が設定する。この場合、性別等による差別的な特定はできない。また、年齢について

は、1号募集の場合は退職日において定められているその者に係る定年から15年を減じた年齢以上であることが必要である。
　(ｳ)　対象者には本条第3項各号に掲げる職員が含まれないことを注記する。
③　募集人数（認定予定者数）
　募集人数は、対象者の総数と同数にならないよう設定する。ただし、2号募集の場合は同数となることも容認されていることは前述のとおりである。
④　募集の期間（応募受付期間）
　(ｱ)　「募集の期間」は、例えば「2週間」「1か月」などと記載する。
　(ｲ)　募集の期間は、早期退職募集が職員の年齢別構成の適正化を図ること又は組織の改廃又は官署若しくは事務所の移転を円滑に実施することを目的とした臨時的・時限的な性格を有することを踏まえ、対象者の総数や組織の業務形態、人事管理の事情等を勘案の上、各省各庁の長等が適切と考える期間を任意に設定する。この場合、募集の期間を通年と設定することはできない。一方、年度を跨ぐ募集の期間を設定することはできる。
　(ｳ)　募集の期間の開始及び終了の年月日時を記載する。当該期間は、各省各庁の長等が職員が募集の期間中に懲戒処分を受けたか否かを判断する際や、職員が応募を決断する際の重要な要素となる。
　(ｴ)　募集の期間を延長する場合があり得るときは、その旨を記載する。
　(ｵ)　募集の期間の終了の年月日時が到来するまでに応募をした職員の数が募集人数以上の一定数（以下「応募上限数」という。）に達した時点で募集の期間は満了するものとするときは、その旨及び応募上限数を記載する。
⑤　認定を受けた場合に退職すべき期日又は期間
　(ｱ)　退職すべき期間は、募集時から明確な退職すべき期日を示すことは困難な場合が多いことから、退職すべき期日に代えて記載することが可能とされた。退職すべき期間は「平成27年7月24日から平成27年7月31日まで」というように、対象者が具体的な退職時期を予測できるよう配慮すべきであり、例えば、「1年間のうちのいずれかの日」というような記載（期間が長期であったり、不明確な記載）は適切ではない。
　(ｲ)　退職すべき期間を記載する場合には、各省各庁の長等が認定を行った後遅滞なく、当該期間内のいずれかの日から退職すべき期日を定め、本

条第7項の規定に基づき通知する旨を記載し、対象者が具体的な退職時期を予測できるよう配慮しなければならない。
- (ウ) 認定を行った後に生じた事情に鑑み、当該認定を受けた職員（以下「認定応募者」という。）が退職すべき期日に退職することにより公務の能率的運営の確保に著しい支障を及ぼすこととなると認める場合において、当該認定応募者にその旨及びその理由を明示し、退職すべき期日の繰上げ同意書（様式令第6条第1号別記様式第7）又は退職すべき期日の繰下げ同意書（様式令第6条第2号別記様式第8）により当該認定応募者の同意を得て、公務の能率的運営を確保するために必要な限度で、当該退職すべき期日を繰り上げ、又は繰り下げることがあり得るときは、その旨を記載する。

⑥ 募集実施要項の内容を周知するための説明会を開催する予定があるときは、その旨。

⑦ 応募申請書（様式令第1条第1項別記様式第1）及び応募取下げ申請書（様式令第1条第2項別記様式第2）の提出手続
受付窓口、担当者名、受付（提出）方法を記載する。

⑧ 不認定となる場合がある旨の明示

⑨ 応募をした職員に対する認定又は不認定の通知の予定時期
早期退職募集に応募した職員にとって、応募は人事当局に対して自ら退職する意思の明示にほかならず、人事当局の都合で当該職員にいつまでも認定又は不認定の連絡をしないことは、当該職員を不安定な状況下に長く置くこととなり、適切ではない。

⑩ 募集に関する問合せを受けるための連絡先
募集に関する各種問合せが想定されるため、予めその連絡先を記載しなければならない。

各省各庁の長等が早期退職募集を実施するに当たっての必要な事項として、募集期間の延長等の手続について施行令第9条の7に次のように規定されている。

〇施　行　令（抄）
（募集の期間の延長等に係る手続）
第9条の7　各省各庁の長等は、募集の目的を達成するため必要があると認めるときは、募集の期間を延長することができる。
2　各省各庁の長等は、前項の規定により募集の期間を延長した場合には、直ちにその旨

及び延長後の募集の期間の終了の年月日時を当該募集の対象となるべき職員に周知しなければならない。
3　各省各庁の長等が募集実施要項に募集の期間の終了の年月日時が到来するまでに応募をした職員の数が募集をする人数以上の一定数（以下この項において「応募上限数」という。）に達した時点で募集の期間は満了するものとする旨及び応募上限数を記載している場合には、応募をした職員の数が応募上限数に達した時点で募集の期間は満了するものとする。
4　各省各庁の長等は、前項の規定により募集の期間が満了した場合には、直ちにその旨を当該募集の対象となるべき職員に周知しなければならない。

　各省各庁の長等は、応募者が集まらなかった場合に、募集の目的（職員の年齢別構成の適正化を図ること又は組織の改廃又は官署若しくは事務所の移転を円滑に実施すること）を達成するためには、応募者を引き続き確保する必要があるが、その際、最初から募集し直すことが事務手続等の観点から適当ではない場合もあろう。そこで、各省各庁の長等は、必要があると認めるときは、募集の期間を延長することができるとされている。なお、この場合、延長に伴う募集の期間以外の募集実施要項の記載事項を変更することはできない。
　募集の期間を延長した場合には、直ちにその旨及び延長後の募集の期間の終了の年月日時を当該募集の対象となるべき職員に周知しなければならない。これは当初の募集では応募者が少数だった場合に、一部の者のみに対して募集の期間の延長を示唆し、他の募集対象者にはその旨を知らせないという、ある種これまでの勧奨退職類似の状況を発生させ、募集の対象となるべき職員間で不公平が生ずることを防止するためである。この場合の「募集の対象となるべき職員」とは、募集の期間を延長した時点で判断されるものであり、募集実施要項の制定当初の対象者に対しても人事異動等を遡って周知するよう求める趣旨ではない。
　各省各庁の長等が募集実施要項に募集の期間の終了の年月日時が到来するまでに応募をした職員の数が募集をする人数以上の一定数（以下「応募上限数」という。）に達した時点で募集の期間は満了するものとする旨及び応募上限数を記載している場合には、応募をした職員の数が応募上限数に達した時点で募集の期間は満了する。
　これにより募集の期間が満了した場合、各省各庁の長等は、直ちにその旨を当該募集の対象となるべき職員に周知しなければならない。職員からすれば、応募数が応募上限数に達して募集の期間が満了した場合や期間延長中に同様に応募上限数に達して募集の期間が満了した場合については、その満了の事実を知る術はない。また、応募上限数に達して募集の期間が満了した後、当初の募

集の期間の終了時までは、対象者が応募する可能性も否定できない。この場合、募集の期間が満了しているため応募を受け付けられないが、当該職員にとっては、自分が早期退職の意思を有していることを人事当局に知られる結果となり、その後職場に居づらくなる等の弊害も懸念される。そうした不都合の発生を未然に防ぐ趣旨である。

募集の期間を延長したが、再延長の必要が生じた場合、再延長をし、再延長後に応募上限数に達した時点で募集の期間が満了することは可能である。

(6)　各省各庁の長等は自らの組織に属する職員に対して募集を実施することとなるが、この場合の職員とは、常時勤務に服することを要する国家公務員（国家公務員法（昭和22年法律第120号）第81条の4第1項又は第81条の5第1項の規定により採用された者及びこれらに準ずる他の法令の規定により採用された者並びに行政執行法人の役員を除く。）であって、募集を行う各省各庁の長等の組織に現に所属しているものをいう。したがって、職員以外の者（例えば、異動により他府省に所属している者）に対して周知する義務は負わない。一方、当該組織への復帰を前提として出向している者（他府省への出向者、退職出向者等）に対しては、必要に応じ、募集実施要項等の内容について情報提供をすることは可能である。

(7)　下記①から④までに掲げる者は、制度上早期退職募集に応募することはできない。なお、本項は、各省各庁の長等が募集実施要項を定める際に、下記①から④以外において募集の対象となるべき職員の範囲を絞ってはならないことを意味するものではなく、例えば、募集の対象となるべき職員の範囲を「応募の日において本省内部部局に勤務する職員」とした募集実施要項を定めることは可能である。

①　法第2条第2項の規定により職員とみなされる者（期間業務職員等の非常勤職員）

②　臨時的に任用される職員その他の法律により任期を定めて任用される者（任期付職員や育児休業に伴う臨時的職員等）

③　募集の際に示された退職すべき期日又はこれに代えて示された退職すべき期間の末日が到来するまでに定年に達する者

④　国家公務員法第82条の規定による懲戒処分（管理又は監督に係る職務を怠った場合における処分で政令で定めるものを除く。）又はこれに準ずる処分を募集の開始の日において受けている者又は募集の期間中に受けた者

〈処分と早期退職募集制度の関係〉

	処分がなされた日			
	募集の期間の前	募集の期間中	応募の後	認定の後
戒告	○（応募可能）	×（応募不可）	×（不認定）	×（認定失効）
減給・停職	処分終了が募集の期間の 初日より前：○（応募可能）　初日以後：×（応募不可）	×（応募不可）	×（不認定）	×（認定失効）

　職員が早期退職希望者の募集に応募をする場合には、応募申請書に必要事項を記入の上、募集の期間内に募集実施要項で指定された窓口に提出することとなる。なお、各省各庁の長等は、上記(6)の情報提供等の結果、出向者から職員復帰後に応募をする旨の意向を確認した場合には、その者について、人事上の措置を講じて職員に復帰させ、その後応募申請書を受け付けることはできる。また、いつでも取り下げることができることとしたのは、本人の自発的な意思を尊重することに重きを置いたものである。

(8)　「政令で定めるもの」とは、故意又は重大な過失によらないで管理又は監督に係る職務を怠った場合における懲戒処分である。懲戒処分を受けた者であっても、処分事由が本人の非違行為によらない監督責任関係のものであって、かつ、軽過失である場合については、早期退職募集制度の対象とすることが許容される。

　　○施　行　令（抄）
　　　（法第8条の2第3項第4号に規定する懲戒処分から除かれる処分）
　　第9条の6　法第8条の2第3項第4号に規定する政令で定めるものは、故意又は重大な過失によらないで管理又は監督に係る職務を怠つた場合における懲戒処分とする。

(9)　「これに準ずる処分」とは、国家公務員法の適用を受けない職員について、実質的に国家公務員法第82条の規定による懲戒処分（故意又は重大な過失によらないで管理又は監督に係る職務を怠った場合における懲戒処分を除く。）に相当する処分が定められている場合の当該処分をいう。具体的には、国会職員が対象となる国会職員法第28条及び第29条の規定による「懲戒の処分」、裁判官が対象となる裁判官分限法第2条の規定による「懲戒」及び防衛省の職員が対象となる自衛隊法第46条の規定による「懲戒処分」が該当する。

　　○運用方針（抄）
　　第8条の2関係
　　　四　本条第3項第4号、第5項第2号及び第8項第4号に規定する「これに準ずる処分」とは、例えば次に掲げる規定による処分（故意又は重大な過失によらないで管理

又は監督に係る職務を怠った場合における処分を除く。）をいう。
　　イ　国会職員法第28条及び第29条
　　ロ　裁判官分限法（昭和22年法律第127号）第2条
　　ハ　自衛隊法第46条

○国会職員法（昭和22年法律第85号）（抄）
第28条　各議院事務局の事務総長、議長又は副議長の秘書事務をつかさどる参事及び常任委員会専門員、各議院法制局の法制局長並びに国立国会図書館の館長及び専門調査員を除く国会職員は、次の各号のいずれかに該当する場合において懲戒の処分を受ける。
　一　職務上の義務に違反し、又は職務を怠つたとき。
　二　職務の内外を問わずその信用を失うような行為があつたとき。
② （略）
第29条　懲戒は左の通りとする。
　一　戒告
　二　減給
　三　停職
　四　免職

○裁判官分限法（昭和22年法律第127号）（抄）
第2条（懲戒）　裁判官の懲戒は、戒告又は1万円以下の過料とする。

○自衛隊法（昭和29年法律第165号）（抄）
（懲戒処分）
第46条　隊員が次の各号のいずれかに該当する場合には、当該隊員に対し、懲戒処分として、免職、降任、停職、減給又は戒告の処分をすることができる。
　一　職務上の義務に違反し、又は職務を怠つた場合
　二　隊員たるにふさわしくない行為のあつた場合
　三　その他この法律若しくは自衛隊員倫理法（平成11年法律第130号）又はこれらの法律に基づく命令に違反した場合
　2　略

⑽　各省各庁の長等が実施する早期退職募集に対する応募又は応募の取下げは、職員の自発的な意思に委ねられるものであって、各省各庁の長等は職員に対しこれらを強制してはならないのは当然である。ただし、早期退職募集への応募を慫慂する行為は、それが強制にわたらない限り認められる。

⑾　各省各庁の長等は、応募をした職員について、次に掲げるいずれかに該当する場合を除き、応募による退職が予定されている職員である旨の認定をすることとされている。なお、以下のいずれかに該当する場合には当然に「不認定」にしなければならないのであって、「認定してもよい」との解釈は成り立たない。
　①　応募が募集実施要項又は第3項の規定に適合しない場合

② 応募者が応募をした後国家公務員法第82条の規定による懲戒処分（第3項第4号の政令で定める処分を除く。）又はこれに準ずる処分を受けた場合
③ 応募者が前号に規定する処分を受けるべき行為（在職期間中の応募者の非違に当たる行為であつて、その非違の内容及び程度に照らして当該処分に値することが明らかなものをいう。）をしたことを疑うに足りる相当な理由がある場合その他応募者に対し認定を行うことが公務に対する国民の信頼を確保する上で支障を生ずると認める場合
④ 応募者を引き続き職務に従事させることが公務の能率的運営を確保し、又は長期的な人事管理を計画的に推進するために特に必要であると認める場合

また、留意すべき点として次のとおり運用方針に示されている。

○運 用 方 針（抄）
第8条の2関係
　五　本条第5項に規定する認定をし、又はしない旨の決定を行うに当たっては、応募者の意思の尊重と応募者間の不公平感の払拭に留意しつつ、厳正かつ公正に対処するものとする。

　「認定」は「処分」であるか否かであるが、判例では、「処分」とは、「公権力の主体たる国または地方公共団体が行う行為のうち、その行為によって、直接国民の権利義務を形成しまたはその範囲を確定することが法律上認められているもの」をいうと判示されている（最判昭39.10.29）。したがって、「認定」は「処分」に該当するものである。なお、これは公務員に対してその職務又は身分に関してされる処分であるため、行政手続法は適用除外となる。
　「不認定」も同様に「処分」であるが、国家公務員法第89条にいう「いちじるしく不利益な処分」にはあたらず、不服申立てはできない。

⑿　本条第5項各号のいずれにも該当しない応募者の数が募集人数を超える場合であって、予め当該場合において認定をする者の数を当該募集をする人数の範囲内に制限するために必要な方法を定め、募集実施要項と併せて周知していたときは、各省各庁の長等は、当該方法に従い、当該募集人数を超える分の応募者について認定をしないことができる。例えば、募集する人数が10人のところに50人の応募があった場合、本条第5項各号のいずれにも該当しなければ、何ら規定がない場合、応募者全員を認定することとなる。しかし、それではあまりにもその後の人事管理への影響が大きいと考えられることから、予め応募者が過多の場合の処理方法について各省各庁の長等が募集時に

周知していた場合には、当該方法を用いて不認定を出すことも可能とされた。応募者はその方法により不認定となる可能性があることも承知の上で応募することとなるので、公平と考えられる。具体的な処理方法としては、先着順、年齢順等が考えられる。なお、本項ただし書は「認定をしないことができる」と規定しているものであり、本項各号に該当しない応募者全員を（たとえ募集人数を超えていたとしても）「認定をしてもよい」と各省各庁の長等が判断するのであれば、認定をすることは可能である。

⒀ 「これに準ずる処分」については、⑼と同様である。

⒁ 「その他応募者に対し認定を行うことが公務に対する国民の信頼を確保する上で支障を生ずると認める場合」については、運用方針で次のように規定されている。

　○運用方針（抄）
　第8条の2関係
　　六　本条第5項第3号に規定する「その他応募者に対し認定を行うことが公務に対する国民の信頼を確保する上で支障を生ずると認める場合」とは、例えば次に掲げる場合をいう。
　　　イ　応募者に非違行為があると思料される場合で、例えば次に掲げる場合
　　　　⑴　応募者が逮捕され、その逮捕の理由となった犯罪又はその者が犯したと思料される犯罪に係る法定刑の上限が禁錮以上に当たるものである場合
　　　　⑵　応募者が本条第5項第2号に規定する処分を受けるべき行為をしたと思料されるが、その者が行方不明となり事実の聴取等ができない場合
　　　ロ　応募者が選挙の公認候補予定者である場合等、応募者が選挙に立候補することが明らかである場合

⒂ 「公務の能率的運営を確保」するとは、各省各庁の長等が組織として求められる各種能力（機能）を最大限発揮し、公務の運営を効率的に行って、現下の課題に即時かつ的確に対応できるよう、確実に環境を整えることをいう。「公務の能率的運営を確保…するために特に必要であると認める場合」の趣旨は、組織として現下の課題に即時かつ的確に対応していく上で応募者が不可欠な人材であり、当該応募者に組織から抜けられてはその円滑かつ速やかな欠員補充が困難で、公務の能率的な運営に支障を来たす場合であって、かつ、応募者が自らの意思に基づき応募したこととのバランスを図る観点から、「特に必要」と認めるときについて、不認定にすることとされたものである。

⒃ 「長期的な人事管理を計画的に推進する」とは、各省各庁の長等が、近視眼的でなく長期的な展望（巨視的な人材戦略）をもって、所掌する事務分野の職務内容の特殊性や人員構成等を勘案し、昇任昇格のスピードや職員の志

気等を適正に維持し続けるために必要な人事管理、特に「任用」を継続的に行っていることをいう。「長期的な人事管理を計画的に推進するために特に必要であると認める場合」の趣旨は、将来の公務の能率的な運営にとって応募者が不可欠な人材であり、現時点で当該応募者に組織から抜けられては巨視的な人材戦略上問題がある場合であって、かつ、応募者が自らの意思に基づき応募したこととのバランスを図る観点（基本的に職員の意思を尊重するのが今般の新制度の趣旨）から、「特に必要」と認めるときについて、不認定にすることとされたものである。

⒄　各省各庁の長等は、認定をし、又はしない旨の決定をしたときは、遅滞なく、応募者にその旨（認定をしない旨の決定をした場合においてはその理由を含む。）を内閣官房令で定める様式により通知することとされている。

　なお、応募認定退職は、退職手当の取扱いにおいては官側の都合による退職であるが、任用上においてはあくまで本人の自発的な退職の意思に基づいた辞職である。手続面においても、本制度における応募については、あくまで割り増された応募認定退職の退職手当を受けるための申出であって、その認定をもって直ちに辞職願の承認となるものではなく、認定・不認定の通知を受けて改めて職員が自らの退職意思を確認し、自ら辞職願を提出することとなる。

⒅　各省各庁の長等が募集実施要項において退職すべき期間を記載した場合には、認定を行った後遅滞なく、当該期間内のいずれかの日から退職すべき期日を定め、内閣官房令で定める様式により、認定をした旨を通知した応募者に当該期日を通知しなければならない。

　退職すべき期日は、各職員の配置された職場における事務引継状況や年間の業務量の変化、後任者の人選等も考慮して、組織全体の人事運営や円滑な公務の遂行にとってふさわしい日が設定されるものであり、その限りにおいて各応募者により退職すべき期日が異なることは当然許容される。

○様　式　令（抄）
　　（退職すべき期日の通知の様式）
第3条　法第8条の2第7項の規定による通知（以下「第7項通知」という。）は、別記様式第5の通知書によるものとする。ただし、前条第1号に定める通知書により第7項通知を併せて行った場合は、別記様式第5の通知書を省略することができる。

　各省各庁の長等が、応募者に認定を行った後に生じた事情に鑑みると、当該者に退職すべき期日に退職されては公務の能率的運営に著しい支障があると考えるに至る場合が想定されることから、施行令第9条の8並びに様式令

第6条及び第7条で次のように規定されている。

○施　行　令（抄）
（退職すべき期日の変更に係る手続）
第9条の8　各省各庁の長等は、法第8条の2第5項に規定する認定（以下この項において「認定」という。）を行った後に生じた事情に鑑み、認定を受けた職員（以下この条において「認定応募者」という。）が同条第8項第3号に規定する退職すべき期日（以下この条において「退職すべき期日」という。）に退職することにより公務の能率的運営の確保に著しい支障を及ぼすこととなると認める場合において、当該認定応募者にその旨及びその理由を明示し、内閣官房令で定めるところにより、退職すべき期日の繰上げ又は繰下げについて当該認定応募者の書面による同意を得たときは、公務の能率的運営を確保するために必要な限度で、退職すべき期日を繰り上げ、又は繰り下げることができる。
2　各省各庁の長等は、前項の規定により退職すべき期日を繰り上げ、又は繰り下げた場合には、直ちに、内閣官房令で定めるところにより、新たに定めた退職すべき期日を当該認定応募者に書面により通知しなければならない。

○様　式　令（抄）
（退職すべき期日の繰上げ又は繰下げに係る同意の様式）
第6条　施行令第9条の8第1項の規定による同意は、次の各号の区分に応じて当該各号に定める同意書によるものとする。
一　退職すべき期日を繰り上げるとき　別記様式第7
二　退職すべき期日を繰り下げるとき　別記様式第8
（新たに定めた退職すべき期日の通知の様式）
第7条　施行令第9条の8第2項の規定による新たに定めた退職すべき期日の通知は、別記様式第9の通知書によるものとする。

　これらの規定の趣旨は、職員本人の意思は早期退職であり、こうした職員本人の意思を尊重することと人事当局の都合とのバランスをとる必要がある。そこで、①公務の能率的運営に著しい支障がある場合であること、②応募者にその旨及びその理由を明示し、その同意を得ることを要件として、③公務の能率的運営を確保するため必要な限度で、退職すべき期日を繰り上げ又は繰り下げることができるとされたものである。
　職員本人にとっては、退職すべき期日が前後することで、次の職場への影響や退職手当の額の変動がありえるし、また、応募認定退職が「官側の都合」によるとはいえ、一度官側は「認定」をし、本人に一定の期待を持たせていることから、職員の利益保護の観点をより考慮する必要があることから、「本人の同意」が必要とされている。なお、職員の申出によって退職すべき期日を変更することは認められない。
　また、繰り上げ又は繰り下げの範囲は、募集実施要項で示された退職すべき

期間外でも差し支えないが、「公務の能率的運営を確保するために必要な限度」内でなければならない。

退職すべき期日は職員にとって重要な事柄であるため、期日を変更する場合には直ちに様式令第7条の書面により、新たに定めた退職すべき期日を通知しなければならない。

⒆　認定を受けた応募者が次の場合のいずれかに該当するときは、認定は、その効力を失うこととなる。なお、各省各庁の長等がこれ以外の理由により認定を取り消すことはできない。
　①　応募者が法第12条第1項各号のいずれかに該当するに至った場合（懲戒免職、失職）
　②　法第20条第1項又は第2項の規定により退職手当を支給しない場合に該当するに至った場合（退職した日又はその翌日に再び職員になったときなど）
　③　募集実施要項に記載された退職すべき期日若しくは応募者に通知された退職すべき期日が到来するまでに退職し、又はこれらの期日に退職しなかった場合（上記①及び②の場合を除く。）
　④　国家公務員法第82条の規定による懲戒処分（懲戒免職の処分及び第3項第4号の政令で定める処分を除く。）又はこれに準ずる処分を受けた場合
　⑤　応募を自ら取り下げた場合

⒇　応募者が法第12条第1項各号のいずれかに該当した場合、すなわち懲戒免職や失職した場合には、その認定は失効するが、このとき、当該者に係る退職手当の支給率については、勤続19年以下は法第3条第1項及び第2項が、20年以上は同条第1項がそれぞれ適用され、その者の都合により退職した者として自己都合等退職者の支給率が適用され、当該退職者に対する支給制限処分等については、自己都合等退職者の支給率を適用した退職手当額を基に行うことになる。

㉑　法第20条第1項及び第2項は、それぞれ、退職の後に引き続いて職員（第1項）、地方公務員（第2項）となり、在職期間を引き続き通算する場合において、当該退職時には退職手当を支給しない旨を規定したものである。例えば早期退職募集に応募し認定を受けた者が、その後自らの再就職活動によって他府省等の職員や地方公務員として再就職する事案が想定されるため、認定の失効事由とされている。なお、同条第3項及び第4項の規定により退職の後に引き続いて公庫等の職員や独立行政法人等の役員として退職出向する場合は、そもそも退職出向は任命権者又はその委任を受けた者の要請

⑵ に応じて再び職員に復帰することを前提に退職するものであり、早期退職募集制度によって退職することが想定されないことから、認定の失効事由として本項には掲げられていない。
⑵ 応募認定退職となるためには、本条第5項に規定する認定を受けただけでは足りず、「退職すべき期日」に退職しなければならず、当該期日以外の日に退職した場合には、その認定の効力を失わせることとしている。したがって、認定は受けたものの未だ「退職すべき期日」の指定がないまま、自己の都合により退職した応募者については、退職すべき期日以外の日に退職したことから、自己の都合による退職となる。
⑵ 「これに準ずる処分」については、⑼と同様である。応募する際も懲戒処分等を募集開始日に受けているか又は募集期間中に受けたかが問題となり、また、応募後認定を受けるまでの間について懲戒処分等を受けたか否かが認定・不認定の問題になることから、認定を受けた後指定された退職すべき期日に退職するまでの間についても、同様に、懲戒処分等を受けたか否かを認定の効力維持要件に係らしめたものである。
⑵ 募集実施要項（本条第5項に規定する方法を周知した場合にあつては当該方法を含む。）及び認定を受けた応募者の数を公表するため、各省各庁の長等は、内閣官房令で定めるところにより、内閣総理大臣に対し、募集実施要項を送付するとともに、認定を受けた応募者の数を報告しなければならない。
⑵ 内閣総理大臣は、本条第9項の規定により各省各庁の長等から送付を受けた募集実施要項（本条第5項に規定する方法を周知した場合はそれを含む。）及び同様に報告を受けた認定者数を取りまとめ、毎年度公表することとされている。

〇様　式　令（抄）
　（内閣総理大臣に対する送付及び報告）
第4条　法第8条の2第9項の規定による送付及び報告は、次の各号に掲げる機関（当該機関が所管する行政執行法人（独立行政法人通則法（平成11年法律第103号）第2条第4項に規定する行政執行法人をいう。）を含む。）ごとに、毎年4月中に、前年度に認定を受けた応募をした職員の数及び当該認定に係る全ての募集実施要項（法第8条の2第2項に規定する募集実施要項をいう。以下同じ。）（同条第5項に規定する必要な方法を周知した場合にあっては、当該方法を含む。）について、別記様式第6により行うものとする。
　一～二十八　略

第3章　特別の退職手当

1　予告を受けない退職者の退職手当

> （予告を受けない退職者の退職手当）
> **第9条**　職員の退職が労働基準法（昭和22年法律第49号）第20条及び第21条又は船員法（昭和22年法律第100号）第46条の規定に該当する場合におけるこれらの規定による給与[1]又はこれらに相当する給与[2]は、一般の退職手当に含まれるものとする[3]。但し、一般の退職手当の額がこれらの規定による給与の額に満たないときは、一般の退職手当の外、その差額に相当する金額を退職手当として支給する[4]。

【解説】
(1)　まず、労働基準法第20条及び第21条の規定による給与、いわゆる解雇手当は、次のとおりである。

　〇労働基準法（抄）
　　（解雇の予告）
　第20条　使用者は、労働者を解雇しようとする場合においては、少くとも30日前にその予告をしなければならない。30日前に予告をしない使用者は、30日分以上の平均賃金を支払わなければならない。但し、天災事変その他やむを得ない事由のために事業の継続が不可能となつた場合又は労働者の責に帰すべき事由に基いて解雇する場合においては、この限りでない。
　②　前項の予告の日数は、1日について平均賃金を支払つた場合においては、その日数を短縮することができる。
　③　前条第2項の規定は、第1項但書の場合にこれを準用する。
　第21条　前条の規定は、左の各号の一に該当する労働者については適用しない。但し、第1号に該当する者が1箇月を超えて引き続き使用されるに至つた場合、第2号若しくは第3号に該当する者が所定の期間を超えて引き続き使用されるに至つた場合又は第4号に該当する者が14日を超えて引き続き使用されるに至つた場合においては、この限りでない。
　　一　日日雇い入れられる者
　　二　2箇月以内の期間を定めて使用される者
　　三　季節的業務に4箇月以内の期間を定めて使用される者
　　四　試の使用期間中の者

　次に、船員法第46条の規定による給与、いわゆる雇止手当は、次のとおり

である。

○船　員　法（抄）
（雇止手当）
第46条　船舶所有者（第４号の場合には旧所有者）は、左の各号の一に該当する場合には、遅滞なく、船員に１箇月分の給料の額と同額の雇止手当を支払わなければならない。
　一　第40条第６号の規定により船舶所有者が雇入契約を解除したとき。
　二　第41条第１項第１号又は第２号の規定により船員が雇入契約を解除したとき。
　三　第42条の規定により船舶所有者が雇入契約を解除したとき。
　四　第43条第１項の規定により雇入契約が終了したとき。
　五　船員が第83条の健康証明書を受けることができないため雇入契約が解除されたとき。

　なお、退職手当法の適用を受ける職員のうち労働基準法及び船員法それ自体の適用を受ける者は、一般職の国家公務員のうち行政執行法人の労働関係に関する法律の適用を受ける職員及び特別職の国家公務員のうちの一部の職員である。

⑵　この部分の規定は、職員のうち労働基準法及び船員法の適用を受けない者、主として一般職の国家公務員のうち行政執行法人の労働関係に関する法律の適用を受けない職員、特別職の国家公務員のうち防衛省職員等に関するものである。この職員について、もし労働基準法第20条及び第21条又は船員法第46条の規定を適用したならば受けられるであろう給与を「これらに相当する給与」としているわけである。

⑶　「一般の退職手当に含まれるものとする」という意味は、既に一般の退職手当を支給することにより、解雇手当や雇止手当に相当する額が実質上支給されているので、一般の退職手当とは別個に、改めてそれらを支給しないということである。

⑷　ただし書の規定は、支給を受けた一般の退職手当の額が解雇手当若しくは雇止手当又はこれに相当する給与より少ないときは、その差額に相当する部分を、一般の退職手当のほかに、追加して支給するという意味であり、一般には、この追加支給された退職手当を、「予告を受けない退職者の退職手当」と呼んでいる。

　なお、この予告を受けない退職者の退職手当について、若干説明を加えておく。

　第１に、常勤を要する者ではあるが勤続期間６月未満で退職したため一般の退職手当を受けられない職員でも、この予告を受けない退職者の退職手当

が支給できるかどうかである。潜在的には一般の退職手当が支給される建前であるので本項の規定による退職手当が支給されることとなろう。この場合には、既に受けた一般の退職手当というものがないから、解雇手当又は雇止手当に相当する給付が全額退職手当として支給されるわけであるが、その趣旨は、労働基準法に定める解雇手当と同様に職員の生活保障たる観点から支給されるものである。

　なお、期間業務職員等の非常勤職員については、この予告を受けない退職者の退職手当が支給されるためには、その前提として、退職手当法上の「職員」とみなされる必要がある。すなわち、所定の要件を満たす月が引き続いて6月を超えるに至ることが必要とされる。

　第2に、職員が懲戒、刑の確定等の事由により退職した場合にも、この予告を受けない退職者の退職手当が支給できるかどうかである。この場合には、通常、労働基準法第20条第1項ただし書に規定する「労働者の責に帰すべき事由」があるものと認められるので、解雇手当に相当する給付は支給すべきでないことから、予告を受けない退職者の退職手当についても、一般の退職手当と同様、支給制限処分の対象とされている。

　第3に、労働基準法第21条第4号に規定する試の使用期間中の者は、14日を超えて使用した場合に限り、解雇手当が支給されることとなっている。一般職の国家公務員のうちいわゆる6月の条件附採用期間中の者が、採用後15日以後に予告なくして退職させられた場合にも同様に取り扱ってよいであろうが、採用後14日以内に予告なくして退職させられた場合には、この予告を受けない退職者の退職手当は支給されないと解すべきである。

　最後に、予告を受けない退職者の退職手当の額を計算する場合には、労働基準法第12条の規定どおりに計算した平均賃金の30日分、又は船員保険法の規定どおりに計算した給料の1か月分を基準として、これと一般の退職手当の支給額との差額を支給すれば足りる。

2　失業者の退職手当

1　失業者の退職手当制度の概要

(1)　雇用保険法（昭和49年法律第116号）との関連において、法第10条に「失業者の退職手当」が設けられている。
(2)　最初に、失業者の退職手当制度の趣旨について述べる。
　雇用保険法は、その目的として、労働者（雇用保険の被保険者）が失業した

場合及び労働者について雇用の継続が困難となる事由が生じた場合に必要な給付を行うこと等により、労働者の生活及び雇用の安定を図るとともに、求職活動を容易にする等その就職を促進し、併せて、労働者の職業の安定に資するため、失業の予防、雇用状態の是正及び雇用機会の増大、労働者の能力の開発及び向上その他労働者の福祉の増進を図ることを掲げている。この雇用保険制度は、社会保険制度の仕組みの一つとなっており、被保険者及び事業主は応分の保険料を負担することとなっている。

国家公務員については、法律によって身分が保障されており、民間の労働者のような景気変動による失業が予想されにくいこと等もあって、一部の者を除き、雇用保険法の適用対象から除外されている。したがって、保険料負担も失業等給付もない。

しかしながら、雇用保険法は、その目的・趣旨からみて、本来、社会保険制度として広く適用されるべき建前のものであり、国家公務員といえども退職後失業している場合には、同法の失業等給付程度のものはこれを保障する必要がある。

このような趣旨から、法第10条において「失業者の退職手当」を設け、国家公務員が退職した場合において、退職時に支給された退職手当の額が雇用保険法の失業等給付相当額に満たず、かつ、退職後一定の期間失業しているときは、その差額分を特別の退職手当として、失業の認定を受けた日について公共職業安定所等を通じて支給しようとするものである。

(3) 次に、国家公務員の雇用保険法からの適用除外について述べる。

〇雇用保険法（抄）

（適用除外）

第6条 次に掲げる者については、この法律は、適用しない。

一　1週間の所定労働時間が20時間未満である者（第37条の5第1項の規定による申出をして高年齢被保険者となる者及びこの法律を適用することとした場合において第43条第1項に規定する日雇労働被保険者に該当することとなる者を除く。）

二　同一の事業主の適用事業に継続して31日以上雇用されることが見込まれない者（前2月の各月において18日以上同一の事業主の適用事業に雇用された者及びこの法律を適用することとした場合において第42条に規定する日雇労働者であつて第43条第1項各号のいずれかに該当するものに該当することとなる者を除く。）

三　季節的に雇用される者であつて、第38条第1項各号のいずれかに該当するもの

四　学校教育法（昭和22年法律第26号）第1条、第124条又は第134条第1項の学校の学生又は生徒であつて、前3号に掲げる者に準ずるものとして厚生労働省令で定める者

五　船員法（昭和22年法律第100号）第1条に規定する船員（船員職業安定法（昭和23年法律第130号）第92条第1項の規定により船員法第2条第2項に規定する予備船員とみなされる者及び船員の雇用の促進に関する特別措置法（昭和52年法律第96号）第

14条第1項の規定により船員法第2条第2項に規定する予備船員とみなされる者を含む。以下「船員」という。）であつて、漁船（政令で定めるものに限る。）に乗り組むため雇用される者（1年を通じて船員として適用事業に雇用される場合を除く。）

六　国、都道府県、市町村その他これらに準ずるものの事業に雇用される者のうち、離職した場合に、他の法令、条例、規則等に基づいて支給を受けるべき諸給与の内容が、求職者給付及び就職促進給付の内容を超えると認められる者であつて、厚生労働省令で定めるもの

○雇用保険法施行規則（抄）
（法第6条第6号の厚生労働省令で定める者）
第4条　法第6条第6号の厚生労働省令で定める者は、次のとおりとする。
一　国又は独立行政法人通則法（平成11年法律第103号）第2条第4項に規定する行政執行法人（以下「行政執行法人」という。）の事業に雇用される者（国家公務員退職手当法（昭和28年法律第182号）第2条第1項に規定する常時勤務に服することを要する国家公務員以外の者であつて、同条第2項の規定により職員とみなされないものを除く。）
二・三　略

　雇用保険法第6条の趣旨、退職手当法の規定の仕方等からみて、退職手当法の適用を受け、一般の退職手当の支給を受ける資格のある者は、雇用保険法の適用除外となる。したがって、定員内職員及び常勤職員給与支弁職員については、その採用の日から雇用保険法を適用させる必要がない。

　ところが、期間業務職員等の非常勤職員については、退職手当法上の「職員」とみなされて一般の退職手当が支給されるためには、一定の要件を満たす必要があることは法第2条の解説(8)(9)(10)で述べられたとおりである。したがって、非常勤職員については、その採用の日から雇用保険法上の被保険者とし、保険料を負担すべきである。しかしながら、非常勤職員が、定員内職員並みの勤務時間により勤務した日が職員みなし日数以上ある月が引き続いて12月（当分の間6月）を超えるに至った場合には、「職員」とみなされることとなるので、その時点から雇用保険法の適用対象から除外されることとなる。

(4)　最後に、雇用保険法における失業等給付について整理すれば、次頁の図のとおりである。

　上記に掲げた諸給付のうち、日雇労働被保険者に対する求職者給付、労働者の主体的な能力開発の取組を支援する教育訓練給付及び高齢者や介護休業者の雇用の継続を援助する雇用継続給付を除いた他の給付については、退職手当制度上も、これに相当する退職手当の支給について規定されているわけである。その具体的な支給要件、支給額等については、条項に沿って述べる

こととする。

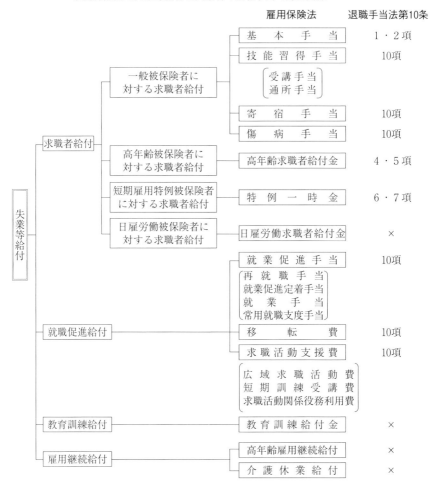

雇用保険法の失業等給付と失業者の退職手当の対応関係

2 失業者の退職手当制度の内容

まず、基本条文である退職手当法第10条の規定を次に掲げる。

（失業者の退職手当）
第10条 勤続期間12月以上（特定退職者（雇用保険法（昭和49年法律第

116号）第23条第2項に規定する特定受給資格者に相当するものとして内閣官房令で定めるものをいう。以下この条において同じ。）にあつては、6月以上）で退職した職員[1]（第4項又は第6項の規定に該当する者を除く[2]。）であつて、第1号に掲げる額が第2号に掲げる額に満たないもの[3]が、当該退職した職員を同法第15条第1項に規定する受給資格者と、当該退職した職員の勤続期間（当該勤続期間に係る職員となつた日前に職員又は政令で定める職員に準ずる者（以下この条において「職員等」という。）であつたことがあるものについては、当該職員等であつた期間を含むものとし、当該勤続期間又は当該職員等であつた期間に第2号イ又はロに掲げる期間が含まれているときは、当該同号イ又はロに掲げる期間に該当する全ての期間を除く。以下この条において「基準勤続期間」[4]という。）の年月数を同法第22条第3項に規定する算定基礎期間の年月数と、当該退職の日を同法第20条第1項第1号に規定する離職の日と、特定退職者を同法第23条第2項に規定する特定受給資格者[5]とみなして同法第20条第1項を適用した場合における同項各号に掲げる受給資格者の区分に応じ、当該各号に定める期間（当該期間内に妊娠、出産、育児その他内閣官房令で定める理由により引き続き30日以上職業に就くことができない者が、内閣官房令で定めるところにより公共職業安定所長にその旨を申し出た場合には、当該理由により職業に就くことができない日数を加算するものとし、その加算された期間が4年を超えるときは、4年とする。次項及び第3項において「支給期間」という。）内に失業している場合[6]において、第1号に規定する一般の退職手当等の額を第2号に規定する基本手当の日額で除して得た数（1未満の端数があるときは、これを切り捨てる。）に等しい日数（以下この項において「待期日数」という。）を超えて失業しているとき[7]は、第1号に規定する一般の退職手当等のほか、その超える部分の失業の日につき第2号に規定する基本手当の日額に相当する金額を、退職手当として、同法の規定による基本手当の支給の条件に従い、公共職業安定所（政令で定める職員については、その者が退職の際所属していた官署又は事務所その他政令で定める官署又は事務所とする。以下同じ。）を通じて支給する[8]。ただし、同号に規定する所定給付日数から待期日数を減じた日数分を超えては支給しない[9]。

一　その者が既に支給を受けた当該退職に係る一般の退職手当等の額[10]

二　その者を雇用保険法第15条第1項に規定する受給資格者と、その者の基準勤続期間を同法第17条第1項に規定する被保険者期間と、当該退職の日を同法第20条第1項第1号に規定する離職の日と、その者の基準勤続期間の年月数を同法第22条第3項に規定する算定基礎期間の年月数とみなして同法の規定を適用した場合に、同法第16条の規定によりその者が支給を受けることができる基本手当の日額にその者に係る同法第22条第1項に規定する所定給付日数（次項において「所定給付日数」という。）を乗じて得た額[11]
　　イ　当該勤続期間又は当該職員等であつた期間に係る職員等となつた日の直前の職員等でなくなつた日が当該職員等となつた日前1年の期間内にないときは、当該直前の職員等でなくなつた日前の職員等であつた期間
　　ロ　当該勤続期間に係る職員等となつた日前に退職手当の支給を受けたことのある職員については、当該退職手当の支給に係る退職の日以前の職員等であつた期間
2　勤続期間12月以上（特定退職者にあつては、6月以上）で退職した職員（第5項又は第7項の規定に該当する者を除く。）が支給期間内に失業している場合において、退職した者が一般の退職手当等の支給を受けないときは、その失業の日につき前項第2号の規定の例によりその者につき雇用保険法の規定を適用した場合にその者が支給を受けることができる基本手当の日額に相当する金額を、退職手当として、同法の規定による基本手当の支給の条件に従い、公共職業安定所を通じて支給する。ただし、前項第2号の規定の例によりその者につき雇用保険法の規定を適用した場合におけるその者に係る所定給付日数に相当する日数分を超えては支給しない[12]。
3　前2項の規定による退職手当の支給に係る退職が定年に達したことその他の内閣官房令で定める理由によるものである職員が雇用保険法第20条第2項に規定するときに相当するものとして内閣官房令で定めるときに該当する場合又は当該退職の日後に事業（その実施期間が30日未満のものその他内閣官房令で定めるものを除く。）を開始した職員その他これに準ずるものとして内閣官房令で定める職員が同法第20条の2に規定する場合に相当するものとして内閣官房令で定める場合に該当する場合に関しては、内閣官房令で、これらの規定に準じて、支給期間についての特例を定めることができる[13]。

4　勤続期間6月以上で退職した職員（第6項の規定に該当する者を除く。）であつて、その者を雇用保険法第4条第1項に規定する被保険者とみなしたならば同法第37条の2第1項に規定する高年齢被保険者に該当するもののうち、第1号に掲げる額が第2号に掲げる額に満たないものが退職の日後失業している場合には、一般の退職手当等のほか、第2号に掲げる額から第1号に掲げる額を減じた額に相当する金額を、退職手当として、同法の規定による高年齢求職者給付金の支給の条件に従い、公共職業安定所を通じて支給する(14)。
　一　その者が既に支給を受けた当該退職に係る一般の退職手当等の額
　二　その者を雇用保険法第37条の3第2項に規定する高年齢受給資格者と、その者の基準勤続期間を同法第17条第1項に規定する被保険者期間と、当該退職の日を同法第20条第1項第1号に規定する離職の日と、その者の基準勤続期間の年月数を同法第37条の4第3項の規定による期間の年月数とみなして同法の規定を適用した場合に、その者が支給を受けることができる高年齢求職者給付金の額に相当する額(15)

5　勤続期間6月以上で退職した職員（第7項の規定に該当する者を除く。）であつて、その者を雇用保険法第4条第1項に規定する被保険者とみなしたならば同法第37条の2第1項に規定する高年齢被保険者に該当するものが退職の日後失業している場合において、退職した者が一般の退職手当等の支給を受けないときは、前項第2号の規定の例によりその者につき同法の規定を適用した場合にその者が支給を受けることができる高年齢求職者給付金の額に相当する金額を、退職手当として、同法の規定による高年齢求職者給付金の支給の条件に従い、公共職業安定所を通じて支給する(16)。

6　勤続期間6月以上で退職した職員であつて、雇用保険法第4条第1項に規定する被保険者とみなしたならば同法第38条第1項に規定する短期雇用特例被保険者に該当するもののうち、第1号に掲げる額が第2号に掲げる額に満たないものが退職の日後失業している場合には、一般の退職手当等のほか、第2号に掲げる額から第1号に掲げる額を減じた額に相当する金額を、退職手当として、同法の規定による特例一時金の支給の条件に従い、公共職業安定所を通じて支給する(17)。
　一　その者が既に支給を受けた当該退職に係る一般の退職手当等の額
　二　その者を雇用保険法第39条第2項に規定する特例受給資格者と、その者の基準勤続期間を同法第17条第1項に規定する被保険者期間とみ

なして同法の規定を適用した場合に、その者が支給を受けることができる特例一時金の額に相当する額[18]
7 勤続期間6月以上で退職した職員であつて、雇用保険法第4条第1項に規定する被保険者とみなしたならば同法第38条第1項に規定する短期雇用特例被保険者に該当するものが退職の日後失業している場合において、退職した者が一般の退職手当等の支給を受けないときは、前項第2号の規定の例によりその者につき同法の規定を適用した場合にその者が支給を受けることができる特例一時金の額に相当する金額を、退職手当として、同法の規定による特例一時金の支給の条件に従い、公共職業安定所を通じて支給する[19]。
8 前2項の規定に該当する者が、これらの規定による退職手当の支給を受ける前に公共職業安定所長の指示した雇用保険法第41条第1項に規定する公共職業訓練等を受ける場合には、その者に対しては、前2項の規定による退職手当を支給せず、同条の規定による基本手当の支給の条件に従い、当該公共職業訓練等を受け終わる日までの間に限り、第1項又は第2項の規定による退職手当を支給する[20]。
9 第1項、第2項又は前項に規定する場合のほか、これらの規定による退職手当の支給を受ける者に対しては、次に掲げる場合には、雇用保険法第24条から第28条までの規定による基本手当の支給の例により、当該基本手当の支給の条件に従い、第1項又は第2項の退職手当を支給することができる[21]。
 一 その者が公共職業安定所長の指示した雇用保険法第24条第1項に規定する公共職業訓練等を受ける場合[22]
 二 その者が次のいずれかに該当する場合[23]
  イ 特定退職者であつて、雇用保険法第24条の2第1項各号に掲げる者に相当する者として内閣官房令で定める者のいずれかに該当し、かつ、公共職業安定所長が同項に規定する指導基準に照らして再就職を促進するために必要な職業安定法（昭和22年法律第141号）第4条第4項に規定する職業指導を行うことが適当であると認めたもの[24]
  ロ 雇用保険法第22条第2項に規定する厚生労働省令で定める理由により就職が困難な者であつて、同法第24条の2第1項第2号に掲げる者に相当する者として内閣官房令で定める者に該当し、かつ、公共職業安定所長が同項に規定する指導基準に照らして再就職を促進

するために必要な職業安定法第4条第4項に規定する職業指導を行うことが適当であると認めたもの[25]
　三　厚生労働大臣が雇用保険法第25条第1項の規定による措置を決定した場合[26]
　四　厚生労働大臣が雇用保険法第27条第1項の規定による措置を決定した場合[27]
10　第1項、第2項及び第4項から前項までに定めるもののほか、第1項又は第2項の規定による退職手当の支給を受けることができる者で次の各号の規定に該当するものに対しては、雇用保険法第36条、第37条及び第56条の3から第59条までの規定に準じて政令で定めるところにより、それぞれ当該各号に掲げる給付を、退職手当として支給する[28]。
　一　公共職業安定所長の指示した雇用保険法第36条に規定する公共職業訓練等を受けている者については、技能習得手当[29]
　二　前号に規定する公共職業訓練等を受けるため、その者により生計を維持されている同居の親族（届出をしていないが、事実上その者と婚姻関係と同様の事情にある者を含む。）と別居して寄宿する者については、寄宿手当[30]
　三　退職後公共職業安定所に出頭し求職の申込みをした後において、疾病又は負傷のために職業に就くことができない者については、傷病手当[31]
　四　職業に就いたものについては、就業促進手当[32]
　五　公共職業安定所、職業安定法第4条第9項に規定する特定地方公共団体若しくは同法第18条の2に規定する職業紹介事業者の紹介した職業に就くため、又は公共職業安定所長の指示した雇用保険法第58条第1項に規定する公共職業訓練等を受けるため、その住所又は居所を変更する者については、移転費[33]
　六　求職活動に伴い雇用保険法第59条第1項各号のいずれかに該当する行為をする者については、求職活動支援費[34]
11　前項の規定は、第4項又は第5項の規定による退職手当の支給を受けることができる者（第4項又は第5項の規定により退職手当の支給を受けた者であつて、当該退職手当の支給に係る退職の日の翌日から起算して一年を経過していないものを含む。）及び第6項又は第7項の規定による退職手当の支給を受けることができる者（第6項又は第7項の規定により退職手当の支給を受けた者であつて、当該退職手当の支給に係る

退職の日の翌日から起算して6箇月を経過していないものを含む。）について準用する。この場合において、前項中「次の各号」とあるのは「第4号から第6号まで」と、「雇用保険法第36条、第37条及び」とあるのは「雇用保険法」と読み替えるものとする[35]。

12　第10項第3号に掲げる退職手当の支給があつたときは、第1項、第2項又は第10項の規定の適用については、当該支給があつた金額に相当する日数分の第1項又は第2項の規定による退職手当の支給があつたものとみなす[36]。

13　第10項第4号に掲げる退職手当の支給があつたときは、第1項、第2項又は第10項の規定の適用については、政令で定める日数分の第1項又は第2項の規定による退職手当の支給があつたものとみなす[37]。

14　雇用保険法第10条の4の規定は、偽りその他不正の行為によつて第1項、第2項又は第4項から第11項までの規定による退職手当の支給を受けた者がある場合について準用する[38]。

15　本条の規定による退職手当は、雇用保険法の規定によるこれに相当する給付の支給を受ける者に対して支給してはならない[39]。

【解説】

(1)　第1項は、一般の退職手当等の支給を受けた者に対し、その額がその者に雇用保険法を適用した場合に支給されることとなる基本手当の支給総額（後述の(11)を参照のこと）に満たない場合には、その差額を退職手当として、公共職業安定所等を通じて支給することとするための規定である。

　　第1項に規定する退職手当の支給を受けるためには、第1の要件として、勤続期間が12月以上（特定退職者は6月以上）あることが必要である。ここで勤続期間とは、法第7条の規定により計算された期間を言うが一般の退職手当に係る勤続期間を計算する場合と異なり、「月を単位」として取り扱うこととされ、1月未満の端数を切り捨てることとされている（法第7条第7項及び第8項参照）。また、雇用保険法で定める期間の計算方法と異なる点に留意する必要がある。

　　したがって、特定退職者を除き、勤続期間が6月以上12月未満で退職した場合は、一般の退職手当等は支給されるが、第1項又は第2項の規定による失業者の退職手当は支給されない。

　　なお、期間業務職員等の非常勤職員については、施行令第1条並びに「国家公務員退職手当法の適用を受ける非常勤職員等について」（昭和60年総人第

260号）第1項、第3項及び第4項に規定する一定の要件を満たした月が引き続いて12月（当分の間6月）を超えることが必要であり、特定退職者に該当する場合でも、単に6月勤務しただけで要件を満たしていない場合は勤続期間が足りない。

(2) 第4項又は第6項の規定に該当する者、すなわち高年齢求職者給付金に相当する退職手当又は特例一時金に相当する退職手当の支給が受けられる者には、第1項の規定による退職手当が支給されない。

(3) 第1項の規定による退職手当を受けるための第2の要件としては、第1号に掲げる額、すなわち退職時に支給された一般の退職手当等の額が、第2号に掲げる額、すなわち雇用保険法の規定による基本手当の支給総額に満たないことが必要である。なお、これらの額の算定については、後述の⑽⑾の解説を参照されたい。

(4) 基本手当に相当する退職手当を計算する上で必要とされる「所定給付日数」（⑾参照）は、退職時の年齢と勤続期間等に応じ定められることとなっている。

　この勤続期間には、一般の退職手当の支給の基礎となった職員としての引き続く勤続期間のほか、当該勤続期間に係る職員となった日前に職員等[注]であった期間も含むこととされている。ただし、当該勤続期間又は当該職員等であった期間に係る職員等となった日の直前の職員等でなくなった日が当該職員等となった日前1年の期間内にないときは、当該直前の職員等でなくなった日前の職員等であった期間（第1項第2号イ）、当該勤続期間に係る職員等となった日前に退職手当の支給を受けたことのある職員については、当該退職手当の支給に係る退職の日前の職員等であった期間（同号ロ）の全ての期間を除く。法第10条においては、これらの期間を総じて「基準勤続期間」と定義し、当該所定給付日数を定めることとしている。なお、雇用保険法における被保険者期間（「算定基礎期間」）も同様な取扱いがなされている。

　　(注)　職員等とは、職員及び職員に準ずる者（引き続き職員について定められている勤務時間以上勤務した日が1月以上あるもの（季節的業務に4月以内の期間を定めて雇用されていた者にあっては、引き続き当該所定の期間を超えて勤務した場合に限る。））をいう。

「基準勤続期間」を図示すると下記の図のとおりとなる。

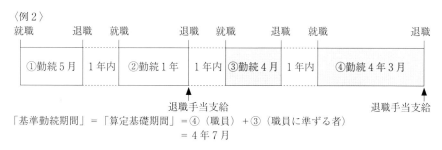

〈例１〉
「基準勤続期間」＝「算定基礎期間」＝④（職員）＋③（職員に準ずる者）＋②（職員に準ずる者）
　　　　　　　　　　　　　　　　　＝５年

〈例２〉
「基準勤続期間」＝「算定基礎期間」＝④（職員）＋③（職員に準ずる者）
　　　　　　　　　　　　　　　　　＝４年７月

　職員に準ずる者を定める政令及びこれに基づく内閣総理大臣の定めは次のとおりである。

　○施　行　令（抄）
　　（法第10条第１項に規定する政令で定める職員に準ずる者）
　第９条の９　法第10条第１項に規定する政令で定める職員に準ずる者は、職員以外の者で、内閣総理大臣の定めるところにより、引き続き職員について定められている勤務時間以上勤務した日（法令の規定により、勤務を要しないこととされ、又は休暇を与えられた日を含む。）が１月以上あるものとする。ただし、季節的業務に４箇月以内の期間を定めて雇用され、又は季節的に４箇月以内の期間を定めて雇用されていた者にあつては、引き続き当該所定の期間を超えて勤務した場合に限る。

　○国家公務員退職手当法の適用を受ける非常勤職員等について（昭和60年総人第260号）（抄）
　１　国家公務員退職手当法施行令（以下「施行令」という。）第１条第１項第２号に規定する「内閣総理大臣の定めるところにより、職員について定められている勤務時間以上勤務した日（法令の規定により、勤務を要しないこととされ、又は休暇を与えられていた日を含む。）が引き続いて12月を超えるに至つたもの」は、雇用関係が事実上継続していると認められる場合において、同項に規定する職員について定められている勤務時間以上勤務した日（以下「勤務日数」という。）が18日（１月間の日数（行政機関の休日に関する法律（昭和63年法律第91号）第１条第１項各号に掲げる日の日数は、算入しない。）が20日に満たない日数の場合にあっては、18日から20日と当該日数との差に相

当する日数を減じた日数。次項において「職員みなし日数」という。）以上ある月が引き続いて12月を超えるに至った者とする。
2　施行令第9条の9に規定する「内閣総理大臣の定めるところにより、引き続き職員について定められている勤務時間以上勤務した日（法令の規定により、勤務を要しないこととされ、又は休暇を与えられた日を含む。）が1月以上あるもの」は、雇用関係が事実上継続していると認められる場合において、勤務日数が職員みなし日数以上ある月が1月以上ある者とする。
3　前2項の勤務日数には、次の各号に掲げる日を含むものとする。
　一　国家公務員法（昭和22年法律第120号）第79条の規定による休職、同法第82条の規定による停職、国家公務員の育児休業等に関する法律（平成3年法律第109号。以下「育児休業法」という。）第3条第1項の規定による育児休業その他これらに準ずる事由により勤務を要しないこととされた日（任命権者又はその委任を受けた者が当該事由がなければ勤務を要するものとして定めた日に限る。）
　二　育児休業法第26条第1項の規定による育児時間その他これに準ずる事由により勤務しない時間を勤務したものとみなした場合に、職員について定められている勤務時間以上勤務した日
　三　一般職の職員の勤務時間、休暇等に関する法律（平成6年法律第33号）第23条の規定に基づく人事院規則により休暇を与えられた日（これに相当する日を含む。以下同じ。）
　四　前3号に掲げる日に準ずる日
4　第1項及び第2項の勤務日数には、行政機関の休日に関する法律第1条第1項各号に掲げる日（実際に勤務した日及び休暇を与えられた日を除く。）を含まないものとする。
5〜7　略

(5)　雇用保険法第23条第2項（⑾参照）に規定する特定受給資格者とは、倒産・解雇等による離職者である。退職手当法上は「特定退職者」として、これに相当する者を内閣官房令で定めることとしており、失業者の退職手当支給規則第6条の2において規定されている。

○失業者の退職手当支給規則（昭和50総理府令14号）（抄）
　　（法第10条第1項に規定する内閣官房令で定める者）
第6条の2　法第10条第1項に規定する内閣官房令で定める者は、次のとおりとする。
　一　法第5条第1項第2号に規定する者
　二　法第8条の2第5項に規定する認定を受けて同条第8項第3号に規定する退職すべき期日に退職した者
　三　国家公務員法（昭和22年法律第120号）第78条第2号の規定による免職又はこれに準ずる処分を受けた者
　四　公務上の傷病により退職した者
　五　施行令第3条各号（第1号及び第2号を除く。）に掲げる者

(6)　第1項の規定による退職手当を受けるための第3の要件としては、受給資格者の区分に応じ雇用保険法第20条第1項各号（⑾参照）に定める期間内に

おいて失業していることが必要である。これらの期間は、換言すれば、基本手当に相当する退職手当の「支給期間（受給期間）」を意味するが、この期間については、妊娠、出産、育児その他内閣官房令で定める理由により引き続き30日以上職業に就くことができない者が、内閣官房令の定めるところにより公共職業安定所長にその旨を申し出た場合には、最長4年間まで受給期間が延長される。

〇失業者の退職手当支給規則（抄）
　　（法第10条第1項に規定する内閣官房令で定める理由）
第7条　法第10条第1項に規定する内閣官房令で定める理由は、次のとおりとする。
　一　疾病又は負傷（法第10条第10項第3号の規定により傷病手当に相当する退職手当の支給を受ける場合における当該給付に係る疾病又は負傷を除く。）
　二　前号に掲げるもののほか、管轄公共職業安定所の長がやむを得ないと認めるもの
　　（受給期間延長の申出）
第8条　法第10条第1項の申出は、別記様式第4による受給期間延長等申請書に医師の証明書その他の第7条各号に掲げる理由に該当することの事実を証明することができる書類及び受給資格証（受給資格証の交付を受けていない場合には、退職票。以下この条において同じ。）を添えて管轄公共職業安定所の長に提出することによつて行うものとする。ただし、受給資格証を添えて提出することができないことについて正当な理由があるときは、これを添えないことができる。
2　前項の申出は、当該申出に係る者が法第10条第1項に規定する理由に該当するに至つた日の翌日から、基本手当に相当する退職手当の支給を受ける資格に係る退職の日の翌日から起算して4年を経過する日までの間（同項の規定により加算された期間が4年に満たない場合は、当該期間の最後の日までの間）にしなければならない。ただし、天災その他申出をしなかつたことについてやむを得ない理由があるときは、この限りでない。
3　前項ただし書の場合における第1項の申出は、当該理由がやんだ日の翌日から起算して7日以内にしなければならない。
4～8　略

「失業」とは、雇用保険法第4条第3項で定めるところと同じであって、「被保険者が離職し、労働の意思及び能力を有するにもかかわらず、職業に就くことができない状態にあること」であり(11)参照)、失業等給付金が失業している日について支給されるものであるという意味において、失業等給付制度の根底をなす概念である。したがって、妊娠、出産、育児、家事の手伝いのために退職した者は、その離職理由に鑑み、一応労働の意思又は能力を失ったものと考えることが妥当であろう。その具体的な認定は、本人が公共職業安定所に出頭して求職の申込みをした時点で、個々の事情を総合勘案して、公共職業安定所長が行うこととされている。

(7)　第1項の規定による退職手当を受けるための第4の要件として、本人が「待期日数」を超えて失業していることである。

　「待期日数」とは、退職時に支給された一般の退職手当等の額を基本手当の日額で除して得た数に等しい日数である。すなわち、退職時に支給された一般の退職手当等を本項の規定による退職手当の先渡しとみなして、何日分の基本手当相当額を支給したかを計算し、当該日数を超えて失業している場合に初めて本項の退職手当を支給しようとするものである。この「待期日数」は、雇用保険法第21条（⑾参照）に規定する待期の日数とは異なる、退職手当法独自の概念であることに注意する必要がある。

(8)　基本手当の日額に相当する退職手当は、雇用保険法の定める支給条件に従い、すなわち、失業の認定を受けた日について、所定給付日数から待期日数を減じた日数を限度として公共職業安定所等から支給されることになる。

　なお、公共職業安定所以外から支給される者について規定する政令は、次のとおりである。

〇施　行　令（抄）
　（失業者の退職手当の支給官署の特例の適用を受ける職員）
第10条　法第10条第1項に規定する政令で定める職員は、行政執行法人の職員とする。

　行政執行法人については、公共職業安定所の平常業務の遂行に支障を来すおそれがあること等から、その者については、退職の際所属していた行政執行法人の事務所を支給官署とする特例が設けられている。

　この特例に係る支給手続、様式等については、内閣官房令においても種々の特例が講じられている。

(9)　第1項ただし書は、基本手当に相当する退職手当の「支給限度日数」を定めたものであり、その者に係る所定給付日数から待期日数を減じた日数を超えて失業していても、基本手当に相当する退職手当は当該減じた日数を超えては支給されないことを定めている。

(10)　「一般の退職手当等」については、法第5条の2第2項に「一般の退職手当及び第9条の規定による退職手当」という定義がある。「一般の退職手当」については、法第2条の3第2項に「次条〔＝第2条の4〕及び第6条の5の規定による退職手当」という定義がある。要するに本条に規定する失業者の退職手当以外の退職手当である。

(11)　第2号に規定する額、すなわち基本手当の支給総額は、退職した者、その者の基準勤続期間、退職の日等を、それぞれ、雇用保険法に規定する受給資

格者、被保険者期間、離職の日等とみなした上、基本手当の日額に所定給付日数を乗ずることによって得られる。

基本手当の日額については、内閣官房令において次のとおり定めている。

〇失業者の退職手当支給規則（抄）
（基本手当の日額）
第１条 国家公務員退職手当法（以下「法」という。）第10条第１項に規定する基本手当の日額は、次条の規定により算定した賃金日額を雇用保険法（昭和49年法律第116号）第17条に規定する賃金日額とみなして同法第16条の規定を適用して計算した金額とする。
（賃金日額）
第２条 賃金日額は、退職の月前における最後の６月（月の末日に退職した場合には、その月及び前５月。以下「退職の月前６月」という。）に支払われた給与（臨時に支払われる給与及び３箇月を超える期間ごとに支払われる給与を除く。以下この条において同じ。）の総額を180で除して得た額とする。
2 給与が、労働した日若しくは時間によつて算定され、又は出来高払制その他の請負制によつて定められている場合において、前項の規定による額が、退職の月前６月に支払われた給与の総額を当該期間中に労働した日数で除して得た額の100分の70に相当する額に満たないときは、同項の規定にかかわらず、当該額をもつて賃金日額とする。
3 前２項に規定する給与の総額は、職員に通貨で支払われたすべての給与によつて計算する。
4 退職の月前６月に給与の全部又は一部を支払われなかつた場合における給与の総額は、前項の規定にかかわらず、次の各号に掲げる額とする。
　一 退職の月前６月において給与の全部を支払われなかつた場合においては、当該６月の各月において受けるべき基本給月額（法第６条の５第２項に規定する基本給月額をいう。以下この項において同じ。）の合計額
　二 退職の月前６月のうちいずれかの月において給与の全部を支払われなかつた場合においては、その月において受けるべき基本給月額と退職の月前６月に支払われた給与の額との合計額
　三 退職の月前６月のうちいずれかの月において給与の一部を支払われなかつた期間がある場合においては、当該期間の属する月において受けるべき基本給月額（当該基本給月額が、その期間の属する月に支払われた給与の額に満たないときは、その支払われた額とする。）と退職の月前６月のうち当該期間の属する月以外の月に支払われた給与の額との合計額
5 第１項から前項までの規定にかかわらず、これらの規定により算定した賃金日額が、雇用保険法第17条第４項第１号に掲げる額に満たないときはその額を、同項第２号に掲げる額を超えるときはその額を、それぞれ賃金日額とする。

○基本手当日額（令和4年8月1日適用）

賃　金　日　額	基本手当日額の算定方法
2,657円以上　5,030円未満	賃金日額 × 80／100
5,030円以上　12,380円以下（11,120円）	賃金日額×厚生労働省令で定める率〈8〜5（4.5）割で逓減〉
12,380円超（11,120円）　16,710円以下（15,950円）	賃金日額 × 50／100（45／100）

※ (1) 「16,710円」というのは、賃金日額の上限であり、45歳以上60歳未満の者に適用される。30歳以上45歳未満の者については、「15,190円」が、30歳未満の者については、「13,670円」が、それぞれ適用される。
　 (2) （　）内は、60歳以上65歳未満の者の基本手当日額を算定する際に適用
　 (3) 厚生労働省令で定める率＝$0.8 \times 賃金日額 - 0.3 \left\{ \dfrac{賃金日額 - 5,030}{7,350} \right\} \times 賃金日額$

（60歳以上65歳未満は、$0.8 \times 賃金日額 - 0.35 \left\{ \dfrac{賃金日額 - 5,030}{6,090} \right\} \times 賃金日額$、
$0.05 \times 賃金日額 + 4,448$のいずれか低い方の額）

○基本手当の給付率

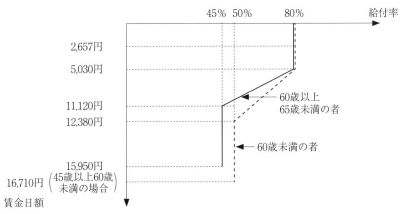

（注）　図中の年齢は、受給資格に係る離職の日におけるもの。

　雇用保険法第16条に規定されている基本手当日額は、賃金日額に、当該賃金日額に応じた率（原則50〜80％）を乗じて得た額とされている。令和4年8月現在における基本手当日額は前記のとおりである。
　次に、所定給付日数であるが、被保険者期間、被保険者の年齢・離職の理由等に応じてその者の給付日数が決定される仕組みとなっている。なお、「雇用保険法第22条第1項に規定する所定給付日数」は、「所定給付日数」という概念のみを特定したものであり、適用する所定給付日数を、便宜、表にすれば、下記のとおりである。

○雇用保険の基本手当の所定給付日数

1．特定受給資格者及び特定理由離職者（3．就職困難者を除く）（第23条第1項）

区分 \ 被保険者であった期間	1年未満	1年以上5年未満	5年以上10年未満	10年以上20年未満	20年以上
30歳未満	90日	90日	120日	180日	―
30歳以上35歳未満	90日	120日	180日	210日	240日
35歳以上45歳未満	90日	150日	180日	240日	270日
45歳以上60歳未満	90日	180日	240日	270日	330日
60歳以上65歳未満	90日	150日	180日	210日	240日

2．特定受給資格者及び特定理由離職者以外の離職者（3．就職困難者を除く）（第22条第1項）

区分 \ 被保険者であった期間	1年未満	1年以上5年未満	5年以上10年未満	10年以上20年未満	20年以上
全年齢	―	90日	90日	120日	150日

3．就職困難者（第22条第2項）

区分 \ 被保険者であった期間	1年未満	1年以上5年未満	5年以上10年未満	10年以上20年未満	20年以上
45歳未満	150日	300日	300日	300日	300日
45歳以上65歳未満	150日	360日	360日	360日	360日

参考に、関係する雇用保険法の条文を掲げておく。

○雇用保険法（抄）

（定義）

第4条 この法律において「被保険者」とは、適用事業に雇用される労働者であつて、第6条各号に掲げる者以外のものをいう。

2　略

3　この法律において「失業」とは、被保険者が離職し、労働の意思及び能力を有するにもかかわらず、職業に就くことができない状態にあることをいう。

4・5　略

（基本手当の受給資格）

第13条 基本手当は、被保険者が失業した場合において、離職の日以前2年間（当該期間に疾病、負傷その他厚生労働省令で定める理由により引き続き30日以上賃金の支払を受けることができなかつた被保険者については、当該理由により賃金の支払を受けることができなかつた日数を2年に加算した期間（その期間が4年を超えるときは、4年間）。第17条第1項において「算定対象期間」という。）に、次条の規定による被保険者期間

が通算して12箇月以上であつたときに、この款の定めるところにより、支給する。
2・3　略
　　（失業の認定）
第15条　基本手当は、受給資格を有する者（次節から第４節までを除き、以下「受給資格者」という。）が失業している日（失業していることについての認定を受けた日に限る。以下この款において同じ。）について支給する。
2～5　略
　　（基本手当の日額）
第16条　基本手当の日額は、賃金日額に100分の50（2,460円以上4,920円未満の賃金日額（その額が第18条の規定により変更されたときは、その変更された額）については100分の80、4,920円以上12,090円以下の賃金日額（その額が同条の規定により変更されたときは、その変更された額）については100分の80から100分の50までの範囲で、賃金日額の逓増に応じ、逓減するように厚生労働省令で定める率）を乗じて得た金額とする。
2　受給資格に係る離職の日において60歳以上65歳未満である受給資格者に対する前項の規定の適用については、同項中「100分の50」とあるのは「100分の45」と、「4,920円以上12,090円以下」とあるのは「4,920円以上10,880円以下」とする。
　　（賃金日額）
第17条　賃金日額は、算定対象期間において第14条（第１項ただし書を除く。）の規定により被保険者期間として計算された最後の６箇月間に支払われた賃金（臨時に支払われる賃金及び３箇月を超える期間ごとに支払われる賃金を除く。次項、第６節及び次章において同じ。）の総額を180で除して得た額とする。
2　前項の規定による額が次の各号に掲げる額に満たないときは、賃金日額は、同項の規定にかかわらず、当該各号に掲げる額とする。
　一　賃金が、労働した日若しくは時間によつて算定され、又は出来高払制その他の請負制によつて定められている場合には、前項に規定する最後の６箇月間に支払われた賃金の総額を当該最後の６箇月間に労働した日数で除して得た額の100分の70に相当する額
　二　賃金の一部が、月、週その他一定の期間によつて定められている場合には、その部分の総額をその期間の総日数（賃金の一部が月によつて定められている場合には、１箇月を30日として計算する。）で除して得た額と前号に掲げる額との合算額
3・4　略
　　（基本手当の日額の算定に用いる賃金日額の範囲等の自動的変更）
第18条　厚生労働大臣は、年度（４月１日から翌年の３月31日までをいう。以下同じ。）の平均給与額（厚生労働省において作成する毎月勤労統計における労働者の平均定期給与額を基礎として厚生労働省令で定めるところにより算定した労働者１人当たりの給与の平均額をいう。以下同じ。）が平成27年４月１日から始まる年度（この条の規定により自動変更対象額が変更されたときは、直近の当該変更がされた年度の前年度）の平均給与額を超え、又は下るに至つた場合においては、その上昇し、又は低下した比率に応じて、その翌年度の８月１日以後の自動変更対象額を変更しなければならない。
2　前項の規定により変更された自動変更対象額に５円未満の端数があるときは、これを切り捨て、５円以上10円未満の端数があるときは、これを10円に切り上げるものとする。
3　前２項の規定に基づき算定された各年度の８月１日以後に適用される自動変更対象額

のうち、最低賃金日額（当該年度の４月１日に効力を有する地域別最低賃金（最低賃金法（昭和34年法律第137号）第９条第１項に規定する地域別最低賃金をいう。）の額を基礎として厚生労働省令で定める算定方法により算定した額をいう。）に達しないものは、当該年度の８月１日以後、当該最低賃金日額とする。
4　前３項の「自動変更対象額」とは、第16条第１項（同条第２項において読み替えて適用する場合を含む。）の規定による基本手当の日額の算定に当たつて、100分の80を乗ずる賃金日額の範囲となる同条第１項に規定する2,460円以上4,920円未満の額及び100分の80から100分の50までの範囲の率を乗ずる賃金日額の範囲となる同項に規定する4,920円以上12,090円以下の額並びに前条第４項各号に掲げる額をいう。
　（基本手当の減額）
第19条　受給資格者が、失業の認定に係る期間中に自己の労働によつて収入を得た場合には、その収入の基礎となつた日数（以下この項において「基礎日数」という。）分の基本手当の支給については、次に定めるところによる。
　一　その収入の１日分に相当する額（収入の総額を基礎日数で除して得た額をいう。）から1,282円（その額が次項の規定により変更されたときは、その変更された額。同項において「控除額」という。）を控除した額と基本手当の日額との合計額（次号において「合計額」という。）が賃金日額の100分の80に相当する額を超えないとき　基本手当の日額に基礎日数を乗じて得た額を支給する。
　二　合計額が賃金日額の100分の80に相当する額を超えるとき（次号に該当する場合を除く。）　当該超える額（次号において「超過額」という。）を基本手当の日額から控除した残りの額に基礎日数を乗じて得た額を支給する。
　三　超過額が基本手当の日額以上であるとき　基礎日数分の基本手当を支給しない。
2　厚生労働大臣は、年度の平均給与額が平成27年４月１日から始まる年度（この項の規定により控除額が変更されたときは、直近の当該変更がされた年度の前年度）の平均給与額を超え、又は下るに至つた場合においては、その上昇し、又は低下した比率を基準として、その翌年度の８月１日以後の控除額を変更しなければならない。
3　受給資格者は、失業の認定を受けた期間中に自己の労働によつて収入を得たときは、厚生労働省令で定めるところにより、その収入の額その他の事項を公共職業安定所長に届け出なければならない。
　（支給の期間及び日数）
第20条　基本手当は、この法律に別段の定めがある場合を除き、次の各号に掲げる受給資格者の区分に応じ、当該各号に定める期間（当該期間内に妊娠、出産、育児その他厚生労働省令で定める理由により引き続き30日以上職業に就くことができない者が、厚生労働省令で定めるところにより公共職業安定所長にその旨を申し出た場合には、当該理由により職業に就くことができない日数を加算するものとし、その加算された期間が４年を超えるときは、４年とする。）内の失業している日について、第22条第１項に規定する所定給付日数に相当する日数分を限度として支給する。
　一　次号及び第３号に掲げる受給資格者以外の受給資格者　当該基本手当の受給資格に係る離職の日（以下この款において「基準日」という。）の翌日から起算して１年
　二　基準日において第22条第２項第１号に該当する受給資格者　基準日の翌日から起算して１年に60日を加えた期間
　三　基準日において第23条第１項第２号イに該当する同条第２項に規定する特定受給資格者　基準日の翌日から起算して１年に30日を加えた期間

2 受給資格者であつて、当該受給資格に係る離職が定年（厚生労働省令で定める年齢以上の定年に限る。）に達したことその他厚生労働省令で定める理由によるものであるものが、当該離職後一定の期間第15条第2項の規定による求職の申込みをしないことを希望する場合において、厚生労働省令で定めるところにより公共職業安定所長にその旨を申し出たときは、前項中「次の各号に掲げる受給資格者の区分に応じ、当該各号に定める期間」とあるのは「次の各号に掲げる受給資格者の区分に応じ、当該各号に定める期間と、次項に規定する求職の申込みをしないことを希望する一定の期間（1年を限度とする。）に相当する期間を合算した期間（当該求職の申込みをしないことを希望する一定の期間内に第15条第2項の規定による求職の申込みをしたときは、当該各号に定める期間に当該基本手当の受給資格に係る離職の日（以下この款において「基準日」という。）の翌日から当該求職の申込みをした日の前日までの期間に相当する期間を加算した期間）」と、「当該期間内」とあるのは「当該合算した期間内」と、同項第1号中「当該基本手当の受給資格に係る離職の日（以下この款において「基準日」という。）」とあるのは「基準日」とする。

3 前2項の場合において、第1項の受給資格（以下この項において「前の受給資格」という。）を有する者が、前2項の規定による期間内に新たに受給資格、第37条の3第2項に規定する高年齢受給資格又は第39条第2項に規定する特例受給資格を取得したときは、その取得した日以後においては、前の受給資格に基づく基本手当は、支給しない。

（待期）

第21条 基本手当は、受給資格者が当該基本手当の受給資格に係る離職後最初に公共職業安定所に求職の申込みをした日以後において、失業している日（疾病又は負傷のため職業に就くことができない日を含む。）が通算して7日に満たない間は、支給しない。

（所定給付日数）

第22条 一の受給資格に基づき基本手当を支給する日数（以下「所定給付日数」という。）は、次の各号に掲げる受給資格者の区分に応じ、当該各号に定める日数とする。
一 算定基礎期間が20年以上である受給資格者 150日
二 算定基礎期間が10年以上20年未満である受給資格者 120日
三 算定基礎期間が10年未満である受給資格者 90日

2 前項の受給資格者で厚生労働省令で定める理由により就職が困難なものに係る所定給付日数は、同項の規定にかかわらず、その算定基礎期間が1年以上の受給資格者にあつては次の各号に掲げる当該受給資格者の区分に応じ当該各号に定める日数とし、その算定基礎期間が1年未満の受給資格者にあつては150日とする。
一 基準日において45歳以上65歳未満である受給資格者 360日
二 基準日において45歳未満である受給資格者 300日

3 前2項の算定基礎期間は、これらの規定の受給資格者が基準日まで引き続いて同一の事業主の適用事業に被保険者として雇用された期間（当該雇用された期間に係る被保険者となつた日前に被保険者であつたことがある者については、当該雇用された期間と当該被保険者であつた期間を通算した期間）とする。ただし、当該期間に次の各号に掲げる期間が含まれているときは、当該各号に掲げる期間に該当するすべての期間を除いて算定した期間とする。
一 当該雇用された期間又は当該被保険者であつた期間に係る被保険者となつた日の直前の被保険者でなくなつた日が当該被保険者となつた日前1年の期間内にないときは、当該直前の被保険者でなくなつた日前の被保険者であつた期間

二 当該雇用された期間に係る被保険者となつた日前に基本手当又は特例一時金の支給を受けたことがある者については、これらの給付の受給資格又は第39条第2項に規定する特例受給資格に係る離職の日以前の被保険者であつた期間

4 一の被保険者であつた期間に関し、被保険者となつた日が第9条の規定による被保険者となつたことの確認があつた日の2年前の日より前であるときは、当該確認のあつた日の2年前の日に当該被保険者となつたものとみなして、前項の規定による算定を行うものとする。

5 次に掲げる要件のいずれにも該当する者（第1号に規定する事実を知つていた者を除く。）に対する前項の規定の適用については、同項中「当該確認のあつた日の2年前の日」とあるのは、「次項第2号に規定する被保険者の負担すべき額に相当する額がその者に支払われた賃金から控除されていたことが明らかである時期のうち最も古い時期として厚生労働省令で定める日」とする。
 一 その者に係る第7条の規定による届出がされていなかつたこと。
 二 厚生労働省令で定める書類に基づき、第9条の規定による被保険者となつたことの確認があつた日の2年前の日より前に徴収法第32条第1項の規定により被保険者の負担すべき額に相当する額がその者に支払われた賃金から控除されていたことが明らかである時期があること。

第23条 特定受給資格者（前条第3項に規定する算定基礎期間（以下この条において単に「算定基礎期間」という。）が1年（第5号に掲げる特定受給資格者にあつては、5年）以上のものに限る。）に係る所定給付日数は、前条第1項の規定にかかわらず、次の各号に掲げる当該特定受給資格者の区分に応じ、当該各号に定める日数とする。
 一 基準日において60歳以上65歳未満である特定受給資格者　次のイからニまでに掲げる算定基礎期間の区分に応じ、当該イからニまでに定める日数
  イ　20年以上　240日
  ロ　10年以上20年未満　210日
  ハ　5年以上10年未満　180日
  ニ　1年以上5年未満　150日
 二 基準日において45歳以上60歳未満である特定受給資格者　次のイからニまでに掲げる算定基礎期間の区分に応じ、当該イからニまでに定める日数
  イ　20年以上　330日
  ロ　10年以上20年未満　270日
  ハ　5年以上10年未満　240日
  ニ　1年以上5年未満　180日
 三 基準日において35歳以上45歳未満である特定受給資格者　次のイからハまでに掲げる算定基礎期間の区分に応じ、当該イからニまでに定める日数
  イ　20年以上　270日
  ロ　10年以上20年未満　240日
  ハ　5年以上10年未満　180日
  ニ　1年以上5年未満　150日
 四 基準日において30歳以上35歳未満である特定受給資格者　次のイからニまでに掲げる算定基礎期間の区分に応じ、当該イからニまでに定める日数
  イ　20年以上　240日
  ロ　10年以上20年未満　210日

ハ　5年以上10年未満　180日
　　　ニ　1年以上5年未満　120日
　　五　基準日において30歳未満である特定受給資格者　次のイ又はロに掲げる算定基礎期間の区分に応じ、当該イ又はロに定める日数
　　　イ　10年以上　180日
　　　ロ　5年以上10年未満　120日
2　前項の特定受給資格者とは、次の各号のいずれかに該当する受給資格者（前条第2項に規定する受給資格者を除く。）をいう。
　一　当該基本手当の受給資格に係る離職が、その者を雇用していた事業主の事業について発生した倒産（破産手続開始、再生手続開始、更生手続開始又は特別清算開始の申立てその他厚生労働省令で定める事由に該当する事態をいう。第57条第2項第1号において同じ。）又は当該事業主の適用事業の縮小若しくは廃止に伴うものである者として厚生労働省令で定めるもの
　二　前号に定めるもののほか、解雇（自己の責めに帰すべき重大な理由によるものを除く。第57条第2項第2号において同じ。）その他の厚生労働省令で定める理由により離職した者

⑿　第2項は、一般の退職手当等の支給を受けなかった者に係る基本手当に相当する退職手当の支給に関する規定である。

　職員が、失職、懲戒免職等により退職した場合には、一般の退職手当等の全部又は一部を支給しないこととする処分を行うことができることは後述（法第12条の解説）のとおりであるが、失業者の退職手当制度が失業者の生活保障等を図る趣旨で設けられていることに鑑み、一般の退職手当等の全部を支給しないこととする処分を受けた者についても、勤続期間12月以上（特定退職者は6月以上）であって、受給資格者の区分に応じ雇用保険法第20条第1項各号に定める期間内に失業している場合においては、基本手当に相当する退職手当を支給することを本項は定めている。なお、一般の退職手当等の一部を支給しないこととする処分を受けた者については、本条第1項が適用されることとなる。

　一般の退職手当等の全部を支給しないこととする処分を受けた場合、待期日数は発生しないので、支給限度日数は、その者に係る所定給付日数となる。ただし、この者に対する基本手当に相当する退職手当の支給については、雇用保険法第33条の規定の趣旨に従い、1月以上3月以内の期間で、給付制限が加えられることとなる。

○雇用保険法（抄）
第33条　被保険者が自己の責めに帰すべき重大な理由によつて解雇され、又は正当な理由がなく自己の都合によつて退職した場合には、第21条の規定による期間〔7日、筆者

注〕の満了後1箇月以上3箇月以内の間で公共職業安定所長の定める期間は、基本手当を支給しない。ただし、公共職業安定所長の指示した公共職業訓練等を受ける期間及び当該公共職業訓練等を受け終わつた日後の期間については、この限りでない。
2 受給資格者が前項の場合に該当するかどうかの認定は、公共職業安定所長が厚生労働大臣の定める基準に従つてするものとする。
3～5 略

(13) 第3項は、第1項及び第2項の規定による退職手当に係る支給期間の特例に関する規定である。

雇用保険法第20条第2項及び第3項(⑾参照)において、定年退職等をした者について、当該離職後一定の期間求職の申込みをしないことを希望する場合に受給期間の延長が設けられていることに対応し、内閣官房令で特例を設けることができることとしているが、一般的に、定年退職者にあっては、勤続期間も長く、かつ高額の退職手当となることから、「失業者の退職手当」の受給資格を得ることは極めて稀であること等により、現在、内閣官房令は定められていない。

一方、雇用保険法第20条の2において、自営業やフリーランスとして就業する者へのセーフティーネットとして、基準日後に事業を開始した者等が当該事業の実施期間は受給期間に算定しない特例が設けられていることに対応し、内閣官房令の定めるところにより公共職業安定所長にその旨を申し出た場合には、最大3年間まで受給期間に算定しない特例が設けることができるとしており、失業者の退職手当支給規則第8条の2から第8条の5において規定されている（注）。

（注）事業を開始した者等の支給期間の特例については、令和4年7月1日以降に「事業を開始した場合」「事業に専念し始めた場合」「事業の準備に専念し始めた場合」のいずれかが対象。

〇雇用保険法（抄）
（支給の期間の特例）
第20条の2 受給資格者であつて、基準日後に事業（その実施期間が30日未満のものその他厚生労働省令で定めるものを除く。）を開始したものその他これに準ずるものとして厚生労働省令で定める者が、厚生労働省令で定めるところにより公共職業安定所長にその旨を申し出た場合には、当該事業の実施期間（当該実施期間の日数が4年から前条第1項及び第2項の規定により算定される期間の日数を除いた日数を超える場合における当該超える日数を除く。）は、同条第1項及び第2項の規定による期間に算入しない。

○失業者の退職手当支給規則（抄）
　（法第10条第3項の内閣官房令で定める事業）
第8条の2　法第10条第3項の内閣官房令で定める事業は、次の各号のいずれかに該当するものとする。
　一　その事業を開始した日又はその事業に専念し始めた日から起算して、30日を経過する日が、法第10条第1項に規定する雇用保険法第20条第1項を適用した場合における同項各号に掲げる受給資格者の区分に応じ、当該各号に定める期間の末日後であるもの
　二　その事業について当該事業を実施する受給資格者が第21条第1項に規定する就業手当又は再就職手当の支給を受けたもの
　三　その事業により当該事業を実施する受給資格者が自立することができないと管轄公共職業安定所の長が認めたもの
　（法第10条第3項の内閣官房令で定める職員）
第8条の3　法第10条第3項の内閣官房令で定める職員は、次の各号のいずれかに該当するものとする。
　一　法第10条第1項に規定する退職の日以前に同条第3項に規定する事業を開始し、当該退職の日後に当該事業に専念する職員
　二　その他事業を開始した職員に準ずるものとして管轄公共職業安定所の長が認めた職員
　（支給の期間の特例の申出）
第8条の4　法第10条第3項に規定する雇用保険法第20条の2に規定する場合に相当するものとして内閣官房令で定める場合は、法第10条第1項に規定する退職の日後に同条第3項に規定する事業を開始した職員又は前条に規定する職員が公共職業安定所長にその旨を申し出た場合とする。
2　前項の申出は、別記様式第4による受給期間延長等申請書に登記事項証明書その他法第10条第1項に規定する退職の日後に同条第3項に規定する事業を開始した職員又は前条に規定する職員に該当することの事実を証明することができる書類及び受給資格証（受給資格証の交付を受けていない場合には、退職票。以下この条において同じ。）を添えて管轄公共職業安定所の長に提出することによつて行うものとする。
3　前2項の申出（以下この条において「特例申出」という。）は、当該特例申出に係る者が法第10条第3項に規定する事業を開始した日又は当該事業に専念し始めた日の翌日から起算して、2箇月以内にしなければならない。ただし、天災その他申出をしなかつたことについてやむを得ない理由があるときは、この限りでない。
4～6　略
　（法第10条第3項の支給期間の特例）
第8条の5　法第10条第3項の内閣官房令で定める支給期間についての特例は、同項に規定する事業の実施期間（当該実施期間の日数が4年から同条第1項により算定される支給期間の日数を除いた日数を超える場合における当該超える日数を除く。）を同項の規定による支給期間に算入しないものとする。

(14)　第4項は、一般の退職手当等の支給を受けた者に対する高年齢求職者給付金に相当する退職手当の支給に関する規定である。

高年齢求職者給付金（被保険者期間に応じ、原則として基本手当の日額の30日分又は50日分）は、経済・社会情勢の変化に伴い雇用構造が著しく変化していること等に鑑み、雇用保険制度の効率的な運用を図る等の観点から、昭和59年の雇用保険法の一部改正により、65歳に達した日以降新規に雇用される者は、雇用保険法の適用を除外するとともに、同一の事業主に65歳に達した日の前日から引き続いて65歳に達した日以降雇用されている者が失業した場合に支給するとされていたが、高年齢者の雇用が進んでいる状況を踏まえ、平成28年の雇用保険法の一部改正により、65歳を超えても、その意欲と能力に応じて、生涯現役で働き続けることができるよう、65歳以降に新規に雇用された者も雇用保険法の適用対象とし、これらの者が失業した場合にも支給することとされた。

○雇用保険法（抄）
　（高年齢被保険者）
第37条の2　65歳以上の被保険者（第38条第1項に規定する短期雇用特例被保険者及び第43条第1項に規定する日雇労働被保険者を除く。以下「高年齢被保険者」という。）が失業した場合には、この節の定めるところにより、高年齢求職者給付金を支給する。
2　高年齢被保険者に関しては、前節（第14条を除く。）、次節及び第4節の規定は、適用しない。

　したがって、勤続期間6月以上で退職した者のうち、雇用保険法第37条の2に規定する高年齢被保険者に相当する者は、本項によって退職手当の支給を受けることができる。ただし、国家公務員の定年年齢は60歳〜65歳であることから、本項の規定による退職手当が支給されるケースは基本的に想定されないが、例えば、任期付職員や非常勤職員等の定年の定めのない職員について適用を受ける場合はある。
　本項による退職手当は、第1項の規定による退職手当と同様の考え方の下に、雇用保険法の規定による高年齢求職者給付金に相当する額から既に支給した一般の退職手当等の額を減じた額を、同法の高年齢求職者給付金の支給の条件に従い、公共職業安定所等を通じて支給するものである。
(15)　高年齢求職者給付金の受給資格と額については、雇用保険法において次のように定めている。

○雇用保険法（抄）
　（高年齢受給資格）
第37条の3　高年齢求職者給付金は、高年齢被保険者が失業した場合において、離職の日以前1年間（当該期間に疾病、負傷その他厚生労働省令で定める理由により引き続き30

日以上賃金の支払を受けることができなかつた高年齢被保険者である被保険者については、当該理由により賃金の支払を受けることができなかつた日数を1年に加算した期間（その期間が4年を超えるときは、4年間））に、第14条の規定による被保険者期間が通算して6箇月以上であつたときに、次条に定めるところにより、支給する。この場合における第14条の規定の適用については、同条第3項中「12箇月（前条第2項の規定により読み替えて適用する場合にあつては、6箇月）」とあるのは、「6箇月」とする。

2　前項の規定により高年齢求職者給付金の支給を受けることができる資格（以下「高年齢受給資格」という。）を有する者（以下「高年齢受給資格者」という。）が次条第5項の規定による期間内に高年齢求職者給付金の支給を受けることなく就職した後再び失業した場合（新たに高年齢受給資格又は第39条第2項に規定する特例受給資格を取得した場合を除く。）において、当該期間内に公共職業安定所に出頭し、求職の申込みをした上、次条第5項の認定を受けたときは、その者は、当該高年齢受給資格に基づく高年齢求職者給付金の支給を受けることができる。

（高年齢求職者給付金）

第37条の4　高年齢求職者給付金の額は、高年齢受給資格者を第15条第1項に規定する受給資格者とみなして第16条から第18条まで（第17条第4項第2号を除く。）の規定を適用した場合にその者に支給されることとなる基本手当の日額に、次の各号に掲げる算定基礎期間の区分に応じ、当該各号に定める日数（第5項の認定があつた日から同項の規定による期間の最後の日までの日数が当該各号に定める日数に満たない場合には、当該認定のあつた日から当該最後の日までの日数に相当する日数）を乗じて得た額とする。

一　1年以上　50日
二　1年未満　30日

2　前項の規定にかかわらず、同項の規定により算定した高年齢受給資格者の賃金日額が第17条第4項第2号ニに定める額（その額が第18条の規定により変更されたときは、その変更された額）を超えるときは、その額を賃金日額とする。

3　第1項の算定基礎期間は、当該高年齢受給資格者を第15条第1項に規定する受給資格者と、当該高年齢受給資格に係る離職の日を第20条第1項第1号に規定する基準日とみなして第22条第3項及び第4項の規定を適用した場合に算定されることとなる期間に相当する期間とする。

4　前項に規定する場合における第22条第3項の規定の適用については、同項第2号中「又は特例一時金」とあるのは「、高年齢求職者給付金又は特例一時金」と、「又は第39条第2項」とあるのは「、第37条の3第2項に規定する高年齢受給資格又は第39条第2項」とする。

5　高年齢求職者給付金の支給を受けようとする高年齢受給資格者は、離職の日の翌日から起算して1年を経過する日までに、厚生労働省令で定めるところにより、公共職業安定所に出頭し、求職の申込みをした上、失業していることについての認定を受けなければならない。

6　略

(16)　第5項は、一般の退職手当等の支給を受けなかつた者、すなわち懲戒免職処分等により退職し当該一般の退職手当等の全部を支給しない処分を受けた者に対する高年齢求職者給付金に相当する退職手当の支給に関する規定であ

る。

本項による退職手当の支給については、一般の退職手当等が支給されていないという点を除き、第4項の規定による退職手当の支給の場合と同様である。

⒄　第6項は、一般の退職手当等の支給を受けた者に対する特例一時金に相当する退職手当の支給に関する規定である。

雇用保険法においては、季節的に雇用される者については、失業に伴う失業等給付と被保険者の負担との均衡等を図る観点から、短期雇用特例被保険者制度を設け、短期雇用特例被保険者が失業した場合には、基本手当に代えて、原則として、基本手当の日額の30日分に相当する特例一時金を支給することとしている。

○雇用保険法（抄）
　　（短期雇用特例被保険者）
第38条　被保険者であつて、季節的に雇用されるもののうち次の各号のいずれにも該当しない者（第43条第1項に規定する日雇労働被保険者を除く。以下「短期雇用特例被保険者」という。）が失業した場合には、この節の定めるところにより、特例一時金を支給する。
　一　4箇月以内の期間を定めて雇用される者
　二　1週間の所定労働時間が20時間以上であつて厚生労働大臣の定める時間数未満である者
　2　被保険者が前項各号に掲げる者に該当するかどうかの確認は、厚生労働大臣が行う。
　3　短期雇用特例被保険者に関しては、第2節（第14条を除く。）、前節及び次節の規定は、適用しない。

したがって、勤続期間6月以上で退職した者のうち、これらの短期雇用特例被保険者に相当する者は、本項によって退職手当の支給を受けることができる。

本項による退職手当は、第1項の規定による退職手当と同様の考え方の下に、雇用保険法の規定による特例一時金に相当する額から既に支給した一般の退職手当等の額を減じた額を、同法の特例一時金の支給の条件に従い、公共職業安定所等を通じて支給するものである。

⒅　特例一時金の受給資格と額については、雇用保険法において次のように定めている。

○雇用保険法（抄）
　　（特例受給資格）
第39条　特例一時金は、短期雇用特例被保険者が失業した場合において、離職の日以前1

年間(当該期間に疾病、負傷その他厚生労働省令で定める理由により引き続き30日以上賃金の支払を受けることができなかつた短期雇用特例被保険者である被保険者については、当該理由により賃金の支払を受けることができなかつた日数を1年に加算した期間(その期間が4年を超えるときは、4年間))に、第14条の規定による被保険者期間が通算して6箇月以上であつたときに、次条に定めるところにより、支給する。この場合における第14条の規定の適用については、同条第3項中「12箇月(前条第2項の規定により読み替えて適用する場合にあつては、6箇月)」とあるのは、「6箇月」とする。

2　前項の規定により特例一時金の支給を受けることができる資格(以下「特例受給資格」という。)を有する者(以下「特例受給資格者」という。)が次条第3項の規定による期間内に特例一時金の支給を受けることなく就職した後再び失業した場合(新たに第14条第2項第1号に規定する受給資格、高年齢受給資格又は特例受給資格を取得した場合を除く。)において、当該期間内に公共職業安定所に出頭し、求職の申込みをした上、次条第3項の認定を受けたときは、その者は、当該特例受給資格に基づく特例一時金の支給を受けることができる。

(特例一時金)

第40条　特例一時金の額は、特例受給資格者を第15条第1項に規定する受給資格者とみなして第16条から第18条までの規定を適用した場合にその者に支給されることとなる基本手当の日額の30日分(第3項の認定があつた日から同項の規定による期間の最後の日までの日数が30日に満たない場合には、その日数に相当する日数分)とする。

2　前項に規定する場合における第17条第4項の規定の適用については、同項第2号ニ中「30歳未満」とあるのは「30歳未満又は65歳以上」とする。

3　特例一時金の支給を受けようとする特例受給資格者は、離職の日の翌日から起算して6箇月を経過する日までに、厚生労働省令で定めるところにより、公共職業安定所に出頭し、求職の申込みをした上、失業していることについての認定を受けなければならない。

4　略

附　則

(特例一時金に関する暫定措置)

第8条　第40条第1項の規定の適用については、当分の間、同項中「30日」とあるのは、「40日」とする。

⒆　第7項は、一般の退職手当等の支給を受けなかつた者、すなわち懲戒免職等処分等により退職し当該一般の退職手当等の全部を支給しない処分を受けた者に対する特例一時金に相当する退職手当の支給に関する規定である。

本項による退職手当の支給については、一般の退職手当等が支給されていないという点を除き、第6項の規定による退職手当の支給の場合と同様である。

⒇　第8項は、第6項又は第7項の規定に該当する者(以下「特例受給資格者」という。)が、特例一時金に相当する退職手当の支給を受ける前に公共職業安定所長の指示した公共職業訓練等を受講する場合には、当該退職手当を支給せず、公共職業訓練等が終わる日まで基本手当に相当する退職手当を

支給するという特例受給資格者に対する給付の特例を定めたものである。

　これは、特例受給資格者が公共職業訓練等を受けることによってその者の知識及び技能の開発向上を図ろうとする場合においては、特例一時金の支給のみでは保護が十分とはいえず、むしろ一般の受給資格者と同様の給付内容とするほうが実態に即しているからである。

　公共職業訓練等を受ける場合については、雇用保険法において次のように定めている。

○雇用保険法（抄）
　　（公共職業訓練等を受ける場合）
第41条　特例受給資格者が、当該特例受給資格に基づく特例一時金の支給を受ける前に公共職業安定所長の指示した公共職業訓練等（その期間が政令で定める期間に達しないものを除く。）を受ける場合には、第10条第３項及び前３条の規定にかかわらず、特例一時金を支給しないものとし、その者を第15条第１項に規定する受給資格者とみなして、当該公共職業訓練等を受け終わる日までの間に限り、第２節（第33条第１項ただし書の規定を除く。）に定めるところにより、求職者給付を支給する。
　２　略

　なお、本項の公共職業訓練等については、雇用保険法施行令第11条によって30日間を超える公共職業訓練等であることを要件としている。この場合、特例受給資格者に対する特例一時金は30日分の給付日数を基礎としているので、特例受給資格者が公共職業訓練等を受ける場合には、特例一時金の額を上回る求職者給付を受給することとなる。

(21)　第９項は、第１項、第２項又は第８項の規定により、基本手当に相当する退職手当の支給を受ける者が、雇用保険法に定める基本手当の給付日数の延長事由に該当する場合には、当該延長に係る基本手当に相当する退職手当を支給するための規定である。

　基本手当に係る所定給付日数は、先に述べたように、その者の被保険者期間、被保険者の年齢、離職の理由等に応じて定められているが、その者の個別、具体的な事情やその時の雇用事情等によっては、所定給付日数分の基本手当の支給のみでは必ずしも十分ではない場合があり、このため、雇用保険法においては、４種類の給付日数の延長措置を定めているわけである。

(22)　第９項第１号は、受給資格者が公共職業安定所長の指示により、公共職業訓練等を受講する場合には、その訓練等が終了する日まで、給付日数が延長されることとされている場合等である。

　なお、雇用保険法第24条第２項は本号に適用されないので注意が必要である。

○雇用保険法（抄）
（訓練延長給付）

第24条 受給資格者が公共職業安定所長の指示した公共職業訓練等（その期間が政令で定める期間を超えるものを除く。以下この条、第36条第1項及び第2項並びに第41条第1項において同じ。）を受ける場合には、当該公共職業訓練等を受ける期間（その者が当該公共職業訓練等を受けるため待期している期間（政令で定める期間に限る。）を含む。）内の失業している日について、所定給付日数（当該受給資格者が第20条第1項及び第2項の規定による期間内に基本手当の支給を受けた日数が所定給付日数に満たない場合には、その支給を受けた日数。第33条第3項を除き、以下この節において同じ。）を超えてその者に基本手当を支給することができる。

2　公共職業安定所長が、その指示した公共職業訓練等を受ける受給資格者（その者が当該公共職業訓練等を受け終わる日における基本手当の支給残日数（当該公共職業訓練等を受け終わる日の翌日から第4項の規定の適用がないものとした場合における受給期間（当該期間内の失業している日について基本手当の支給を受けることができる期間をいう。以下同じ。）の最後の日までの間に基本手当の支給を受けることができる日数をいう。以下この項及び第4項において同じ。）が政令で定める日数に満たないものに限る。）で、政令で定める基準に照らして当該公共職業訓練等を受け終わつてもなお就職が相当程度に困難な者であると認めたものについては、同項の規定による期間内の失業している日について、所定給付日数を超えてその者に基本手当を支給することができる。この場合において、所定給付日数を超えて基本手当を支給する日数は、前段に規定する政令で定める日数から支給残日数を差し引いた日数を限度とするものとする。

3　第1項の規定による基本手当の支給を受ける受給資格者が第20条第1項及び第2項の規定による期間を超えて公共職業安定所長の指示した公共職業訓練等を受けるときは、その者の受給期間は、これらの規定にかかわらず、当該公共職業訓練等を受け終わる日までの間とする。

4　第2項の規定による基本手当の支給を受ける受給資格者の受給期間は、第20条第1項及び第2項の規定にかかわらず、これらの規定による期間に第2項前段に規定する政令で定める日数から支給残日数を差し引いた日数を加えた期間（同条第1項及び第2項の規定による期間を超えて公共職業安定所長の指示した公共職業訓練等を受ける者で、当該公共職業訓練等を受け終わる日について第1項の規定による基本手当の支給を受けることができるものにあつては、同日から起算して第2項前段に規定する政令で定める日数を経過した日までの間）とする。

(23)　第9項第2号は、特定退職者又は雇用保険法第22条第2項に規定する就職が困難な者について、心身の状況が厚生労働省令で定める基準に該当する者や、雇用されていた適用事業が激甚災害若しくはその他の災害により離職を余儀なくされた者で、かつ、公共職業安定所長が厚生労働省令で定める基準に照らして再就職を促進するために必要な職業指導を行うことが適当であると認めたものについて、給付日数を延長して基本手当に相当する退職手当を支給することができるための規定である。

なお、雇用保険法第13条第3項に規定する「特定理由離職者」に相当する

者は退職手当法において規定されていないので注意が必要である。

○雇用保険法（抄）
（所定給付日数）
第22条 略
2　前項の受給資格者で厚生労働省令で定める理由により就職が困難なものに係る所定給付日数は、同項の規定にかかわらず、その算定基礎期間が１年以上の受給資格者にあつては次の各号に掲げる当該受給資格者の区分に応じ当該各号に定める日数とし、その算定基礎期間が１年未満の受給資格者にあつては150日とする。
　一　基準日において45歳以上65歳未満である受給資格者　360日
　二　基準日において45歳未満である受給資格者　300日
3～5　略

○雇用保険法施行規則（抄）
（法第22条第２項の厚生労働省令で定める理由により就職が困難な者）
第32条　法第22条第２項の厚生労働省令で定める理由により就職が困難な者は、次のとおりとする。
　一　障害者の雇用の促進等に関する法律（昭和35年法律第123号。以下「障害者雇用促進法」という。）第２条第２号に規定する身体障害者（以下「身体障害者」という。）
　二　障害者雇用促進法第２条第４号に規定する知的障害者（以下「知的障害者」という。）
　三　障害者雇用促進法第２条第６号に規定する精神障害者（以下「精神障害者」という。）
　四　売春防止法（昭和31年法律第118号）第26条第１項の規定により保護観察に付された者及び更生保護法（平成19年法律第88号）第48条各号又は第85条第１項各号に掲げる者であつて、その者の職業のあつせんに関し保護観察所長から公共職業安定所長に連絡のあつたもの
　五　社会的事情により就職が著しく阻害されている者

⑷　第２号イは、特定退職者であつて雇用保険法第24条の２第１項各号に掲げる者に相当する者として内閣官房令で定める者のいずれかに該当し、かつ、公共職業安定所長が厚生労働省令で定める基準に照らして再就職を促進するために必要な職業指導を行うことが適当であると認めた場合である。

⑸　第２号ロは、雇用保険法第22条第２項に規定する就職が困難な者であつて、同法第24条の２第１項第２号に掲げる者に相当する者として内閣官房令で定める者に該当し、かつ、公共職業安定所長が雇用保険法第24条の２第１項に規定する指導基準に照らし、職業安定法第４条第４項に規定する職業指導を行うことが適当であると認めた場合である。

○失業者の退職手当支給規則（抄）
（法第10条第9項第2号に規定する内閣官房令で定める者）
第13条の2 法第10条第9項第2号イに規定する内閣官房令で定める者のうち次の各号に掲げる者は、当該各号に定める者とする。
一 雇用保険法第24条の2第1項第1号に掲げる者に相当する者　退職職員（退職した法第2条第1項に規定する職員（同条第2項の規定により職員とみなされる者を含む。）をいう。以下この項において同じ。）であつて、雇用保険法第24条の2第1項第1号に掲げる者に該当するもの
二 雇用保険法第24条の2第1項第2号に掲げる者に相当する者　退職職員であつて、その者を同法第4条第1項に規定する被保険者と、その者が退職の際勤務していた国又は行政執行法人（独立行政法人通則法（平成11年法律第103号）第2条第4項に規定する行政執行法人をいう。次号において同じ。）の事務又は事業を雇用保険法第5条第1項に規定する適用事業とみなしたならば同法第24条の2第1項第2号に掲げる者に該当するもの
三 雇用保険法第24条の2第1項第3号に掲げる者に相当する者　退職職員であつて、その者を同法第4条第1項に規定する被保険者と、その者が退職の際勤務していた国又は行政執行法人の事務又は事業を同法第5条第1項に規定する適用事業とみなしたならば同法第24条の2第1項第3号に掲げる者に該当するもの
2 法第10条第9項第2号ロに規定する内閣官房令で定める者は、前項第2号に定める者とする。

○雇用保険法（抄）
（個別延長給付）
第24条の2 第22条第2項に規定する就職が困難な受給資格者以外の受給資格者のうち、第13条第3項に規定する特定理由離職者（厚生労働省令で定める者に限る。）である者又は第23条第2項に規定する特定受給資格者であつて、次の各号のいずれかに該当し、かつ、公共職業安定所長が厚生労働省令で定める基準（次項において「指導基準」という。）に照らして再就職を促進するために必要な職業指導を行うことが適当であると認めたものについては、第4項の規定による期間内の失業している日（失業していることについての認定を受けた日に限る。）について、所定給付日数を超えて基本手当を支給することができる。
一 心身の状況が厚生労働省令で定める基準に該当する者
二 雇用されていた適用事業が激甚災害に対処するための特別の財政援助等に関する法律（昭和37年法律第150号。以下この項において「激甚災害法」という。）第2条の規定により激甚災害として政令で指定された災害（次号において「激甚災害」という。）の被害を受けたため離職を余儀なくされた者又は激甚災害法第25条第3項の規定により離職したものとみなされた者であつて、政令で定める基準に照らして職業に就くことが特に困難であると認められる地域として厚生労働大臣が指定する地域内に居住する者
三 雇用されていた適用事業が激甚災害その他の災害（厚生労働省令で定める災害に限る。）の被害を受けたため離職を余儀なくされた者又は激甚災害法第25条第3項の規定により離職したものとみなされた者（前号に該当する者を除く。）
2 第22条第2項に規定する就職が困難な受給資格者であつて、前項第2号に該当し、か

つ、公共職業安定所長が指導基準に照らして再就職を促進するために必要な職業指導を行うことが適当であると認めたものについては、第4項の規定による期間内の失業している日（失業していることについての認定を受けた日に限る。）について、所定給付日数を超えて基本手当を支給することができる。
3　前2項の場合において、所定給付日数を超えて基本手当を支給する日数は、次の各号に掲げる受給資格者の区分に応じ、当該各号に定める日数を限度とするものとする。
　一　第1項（第1号及び第3号に限る。）又は前項に該当する受給資格者　60日（所定給付日数が第23条第1項第2号イ又は第3号イに該当する受給資格者にあつては、30日）
　二　第1項（第2号に限る。）に該当する受給資格者　120日（所定給付日数が第23条第1項第2号イ又は第3号イに該当する受給資格者にあつては、90日）
4　略

　雇用保険法においては、令和7年3月31日までの間、同法の附則規定（附則第5条）により、基本手当に係る暫定措置として一定要件を満たす者に地域延長給付を行うことができることとしており、失業者の退職手当においても同様に地域延長給付を行うことができる。

○国家公務員退職手当法（抄）
　　　附　則
10　令和7年3月31日以前に退職した職員に対する第10条第9項の規定の適用については、同項中「第28条まで」とあるのは「第28条まで及び附則第5条」と、同項第2号中「ロ　雇用保険法第22条第2項に規定する厚生労働省令で定める理由により就職が困難な者であつて、同法第24条の2第1項第2号に掲げる者に相当する者として内閣官房令で定める者に該当し、かつ、公共職業安定所長が同項に規定する指導基準に照らして再就職を促進するために必要な職業安定法第4条第4項に規定する職業指導を行うことが適当であると認めたもの」とあるのは「
　ロ　雇用保険法第22条第2項に規定する厚生労働省令で定める理由により就職が困難な者であつて、同法第24条の2第1項第2号に掲げる者に相当する者として内閣官房令で定める者に該当し、かつ、公共職業安定所長が同項に規定する指導基準に照らして再就職を促進するために必要な職業安定法第4条第4項に規定する職業指導を行うことが適当であると認めたもの
　ハ　特定退職者であつて、雇用保険法附則第5条第1項に規定する地域内に居住し、かつ、公共職業安定所長が同法第24条の2第1項に規定する指導基準に照らして再就職を促進するために必要な職業安定法第4条第4項に規定する職業指導を行うことが適当であると認めたもの（イに掲げる者を除く。）
　」とする。

⒃　第9項第3号は、失業者が多数発生した地域で厚生労働大臣が必要と認めて指定した地域において、都道府県労働局長及び公共職業安定所長に広域職業紹介活動を行わせた場合において、公共職業安定所長が受給資格者に対し90日を限度として、広域職業紹介活動により職業のあっせんを受けることが

適当と認める日数を延長する場合である。

○雇用保険法（抄）
（広域延長給付）
第25条　厚生労働大臣は、その地域における雇用に関する状況等から判断して、その地域内に居住する求職者がその地域において職業に就くことが困難であると認める地域について、求職者が他の地域において職業に就くことを促進するための計画を作成し、関係都道府県労働局長及び公共職業安定所長に、当該計画に基づく広範囲の地域にわたる職業紹介活動（以下この条において「広域職業紹介活動」という。）を行わせた場合において、当該広域職業紹介活動に係る地域について、政令で定める基準に照らして必要があると認めるときは、その指定する期間内に限り、公共職業安定所長が当該地域に係る当該広域職業紹介活動により職業のあつせんを受けることが適当であると認定する受給資格者について、第4項の規定による期間内の失業している日について、所定給付日数を超えて基本手当を支給する措置を決定することができる。この場合において、所定給付日数を超えて基本手当を支給する日数は、政令で定める日数を限度とするものとする。
2　前項の措置に基づく基本手当の支給（以下「広域延長給付」という。）を受けることができる者が厚生労働大臣の指定する地域に住所又は居所を変更した場合には、引き続き当該措置に基づき基本手当を支給することができる。
3　公共職業安定所長は、受給資格者が広域職業紹介活動により職業のあつせんを受けることが適当であるかどうかを認定するときは、厚生労働大臣の定める基準によらなければならない。
4　広域延長給付を受ける受給資格者の受給期間は、第20条第1項及び第2項の規定にかかわらず、これらの規定による期間に第1項後段に規定する政令で定める日数を加えた期間とする。

○雇用保険法施行令（抄）
（法第25条第1項の政令で定める基準及び日数）
第6条　法第25条第1項の政令で定める基準は、同項に規定する広域職業紹介活動に係る地域について、第1号に掲げる率が第2号に掲げる率の100分の200以上となるに至り、かつ、その状態が継続すると認められることとする。
　一　毎月、その月前4月間に、当該地域において離職し、当該地域を管轄する公共職業安定所において基本手当の支給を受けた初回受給者の合計数を、当該期間内の各月の末日において当該地域に所在する事業所に雇用されている一般被保険者の合計数で除して計算した率
　二　毎年度、当該年度の前年度以前5年間における全国の初回受給者の合計数を当該期間内の各月の末日における全国の一般被保険者の合計数で除して計算した率
2　法第25条第1項の措置が決定された場合において、当該措置に係る地域に近接する地域（同項に規定する広域職業紹介活動に係る地域に限る。）のうち、失業の状況が前項の状態に準ずる地域であつて、他の地域において職業に就くことを希望する受給資格者で法第24条第1項に規定する所定給付日数（法第33条第3項又は第57条第1項の規定に該当する者については、法第33条第4項又は第57条第3項の規定により読み替えられた法第24条第1項に規定する所定給付日数）に相当する日数分の基本手当の支給を受け終

わるまでに職業に就くことができないものが相当数生じると認められるものは、法第25条第1項に規定する基準に該当するものとみなす。
3　法第25条第1項の政令で定める日数は、90日とする。

⑵⁷　第9項第4号は、失業の状況が全国的に著しく悪化し、一定の基準に該当するに至った場合において、受給資格者の就職状況に照らし、厚生労働大臣が90日を限度として、全受給資格者を対象として給付日数を延長する場合である。

○雇用保険法（抄）
（全国延長給付）
第27条　厚生労働大臣は、失業の状況が全国的に著しく悪化し、政令で定める基準に該当するに至つた場合において、受給資格者の就職状況からみて必要があると認めるときは、その指定する期間内に限り、第3項の規定による期間内の失業している日について、所定給付日数を超えて受給資格者に基本手当を支給する措置を決定することができる。この場合において、所定給付日数を超えて基本手当を支給する日数は、政令で定める日数を限度とするものとする。
2　厚生労働大臣は、前項の措置を決定した後において、政令で定める基準に照らして必要があると認めるときは、同項の規定により指定した期間（その期間がこの項の規定により延長されたときは、その延長された期間）を延長することができる。
3　第1項の措置に基づく基本手当の支給（以下「全国延長給付」という。）を受ける受給資格者の受給期間は、第20条第1項及び第2項の規定にかかわらず、これらの規定による期間に第1項後段に規定する政令で定める日数を加えた期間とする。

○雇用保険法施行令（抄）
（法第27条第1項の政令で定める基準及び日数）
第7条　法第27条第1項の政令で定める基準は、連続する4月間（以下この項において「基準期間」という。）の失業の状況が次に掲げる状態にあり、かつ、これらの状態が継続すると認められることとする。
一　基準期間内の各月における基本手当の支給を受けた受給資格者の数を、当該受給資格者の数に当該各月の末日における一般被保険者の数を加えた数で除して得た率が、それぞれ100分の4を超えること。
二　基準期間内の各月における初回受給者の数を、当該各月の末日における一般被保険者の数で除して得た率が、基準期間において低下する傾向にないこと。
2　法第27条第1項の政令で定める日数は、90日とする。
（法第27条第2項の政令で定める基準）
第8条　法第27条第2項の政令で定める基準は、失業の状況が同項に規定する期間の経過後も前条第1項に規定する基準に該当すると見込まれることとする。

⑵⁸　第10項は、基本手当に相当する退職手当の支給を受けることができる者に対して、当該基本手当に相当する退職手当に付加して支給される退職手当の内容を定めている。

すなわち、基本手当に相当する退職手当の支給を受けることができる者で、同項第1号から第6号までのいずれかに該当するものに対しては、雇用保険法の規定に準じてそれぞれの号に掲げる給付を退職手当として支給することとしている。

(29)　第10項第1号に規定する技能習得手当は、公共職業安定所長の指示により、公共職業訓練等を受講する場合に、その受講を容易にするために、基本手当のほかに、一定額の手当を支給しようとするものであり、その内容は、受講手当及び通所手当に分類されている。

(30)　第10項第2号に規定する寄宿手当は、公共職業安定所長の指示した公共職業訓練等を受講するため、その者により生計を維持されている同居の親族と別居して寄宿する場合に、その期間、基本手当のほかに、毎月定額の寄宿手当を支給するものである。

　○施　行　令（抄）
　　（技能習得手当及び寄宿手当に相当する退職手当）
　第11条　法第10条第10項第1号に掲げる技能習得手当及び同項第2号に掲げる寄宿手当に相当する退職手当は、それぞれ雇用保険法（昭和49年法律第116号）第36条第1項に規定する技能習得手当及び同条第2項に規定する寄宿手当に相当する金額を同法の当該規定によるこれらの手当の支給の条件に従い支給する。

　○雇用保険法（抄）
　　（技能習得手当及び寄宿手当）
　第36条　技能習得手当は、受給資格者が公共職業安定所長の指示した公共職業訓練等を受ける場合に、その公共職業訓練等を受ける期間について支給する。
　2　寄宿手当は、受給資格者が、公共職業安定所長の指示した公共職業訓練等を受けるため、その者により生計を維持されている同居の親族（婚姻の届出をしていないが、事実上その者と婚姻関係と同様の事情にある者を含む。第58条第2項において同じ。）と別居して寄宿する場合に、その寄宿する期間について支給する。
　3　第32条第1項若しくは第2項又は第33条第1項の規定により基本手当を支給しないこととされる期間については、技能習得手当及び寄宿手当を支給しない。
　4　技能習得手当及び寄宿手当の支給要件及び額は、厚生労働省令で定める。
　5　略

(31)　第10項第3号に規定する傷病手当は、退職後、公共職業安定所に出頭し、求職の申込みをした後に傷病により職業に就き得ない場合に、基本手当に代えて支給するものである。本号の手当は、他の各号に規定する諸給付とは異なり、基本手当に付加して支給されるものではなく、その支給額は基本手当と同額であり、その支給日数も基本手当に係る所定給付日数を限度とするものである。

○施行令（抄）

（傷病手当に相当する退職手当）

第12条 法第10条第10項第3号に掲げる傷病手当に相当する退職手当（以下「傷病手当に相当する退職手当」という。）は、支給残日数を超えては支給しない。

2　前項に規定する支給残日数とは、法第10条第1項又は第2項の規定による退職手当の支給を受ける資格に係る同条第1項第2号に規定する所定給付日数から当該資格に係る同項に規定する待期日数及び当該退職手当の支給を受けた日数を控除した日数をいう。

3　傷病手当に相当する退職手当は、雇用保険法第37条第1項に規定する傷病手当の支給の条件に従い支給する。

○雇用保険法（抄）

第3款　傷病手当

第37条　傷病手当は、受給資格者が、離職後公共職業安定所に出頭し、求職の申込みをした後において、疾病又は負傷のために職業に就くことができない場合に、第20条第1項及び第2項の規定による期間（第33条第3項の規定に該当する者については同項の規定による期間とし、第57条第1項の規定に該当する者については同項の規定による期間とする。）内の当該疾病又は負傷のために基本手当の支給を受けることができない日（疾病又は負傷のために基本手当の支給を受けることができないことについての認定を受けた日に限る。）について、第4項の規定による日数に相当する日数分を限度として支給する。

2　前項の認定は、厚生労働省令で定めるところにより、公共職業安定所長が行う。

3　傷病手当の日額は、第16条の規定による基本手当の日額に相当する額とする。

4　傷病手当を支給する日数は、第1項の認定を受けた受給資格者の所定給付日数から当該受給資格に基づき既に基本手当を支給した日数を差し引いた日数とする。

5　第32条第1項若しくは第2項又は第33条第1項の規定により基本手当を支給しないこととされる期間については、傷病手当を支給しない。

6　傷病手当を支給したときは、この法律の規定（第10条の4及び第34条の規定を除く。）の適用については、当該傷病手当を支給した日数に相当する日数分の基本手当を支給したものとみなす。

7　傷病手当は、厚生労働省令で定めるところにより、第1項の認定を受けた日分を、当該職業に就くことができない理由がやんだ後最初に基本手当を支給すべき日（当該職業に就くことができない理由がやんだ後において基本手当を支給すべき日がない場合には、公共職業安定所長の定める日）に支給する。ただし、厚生労働大臣は、必要があると認めるときは、傷病手当の支給について別段の定めをすることができる。

8　第1項の認定を受けた受給資格者が、当該認定を受けた日について、健康保険法（大正11年法律第70号）第99条の規定による傷病手当金、労働基準法（昭和22年法律第49号）第76条の規定による休業補償、労働者災害補償保険法（昭和22年法律第50号）の規定による休業補償給付、複数事業労働者休業給付又は休業給付その他これらに相当する給付であつて法令（法令の規定に基づく条例又は規約を含む。）により行われるもののうち政令で定めるものの支給を受けることができる場合には、傷病手当は、支給しない。

9　略

⑶2 第10項第4号に規定する就業促進手当は、受給資格者が職業に就いた場合において、公共職業安定所長が必要があると認めたときに支給するものである。

　安定した職業に就いた者ではない場合であって就職日前日において基本手当の支給残日数がその者の所定給付日数の3分の1以上かつ45日以上である者に支給される就業手当のほか、再就職手当、常用就職支度手当などがある。

○施 行 令（抄）
　（就業促進手当等に相当する退職手当）
第13条　法第10条第10項第4号に掲げる就業促進手当、同項第5号に掲げる移転費及び同項第6号に掲げる求職活動支援費に相当する退職手当は、それぞれ雇用保険法第56条の3第1項に規定する就業促進手当、同法第58条第1項に規定する移転費及び同法第59条第1項に規定する求職活動支援費に相当する金額を同法の当該規定によるこれらの給付の支給の条件に従い支給する。

○雇用保険法（抄）
　（就業促進手当）
第56条の3　就業促進手当は、次の各号のいずれかに該当する者に対して、公共職業安定所長が厚生労働省令で定める基準に従つて必要があると認めたときに、支給する。
　一　次のイ又はロのいずれかに該当する受給資格者である者
　　イ　職業に就いた者（厚生労働省令で定める安定した職業に就いた者を除く。）であつて、当該職業に就いた日の前日における基本手当の支給残日数（当該職業に就かなかつたこととした場合における同日の翌日から当該受給資格に係る第20条第1項及び第2項の規定による期間（第33条第3項の規定に該当する受給資格者については同項の規定による期間とし、次条第1項の規定に該当する受給資格者については同項の規定による期間とする。）の最後の日までの間に基本手当の支給を受けることができることとなる日数をいう。以下同じ。）が当該受給資格に基づく所定給付日数の3分の1以上かつ45日以上であるもの
　　ロ　厚生労働省令で定める安定した職業に就いた者であつて、当該職業に就いた日の前日における基本手当の支給残日数が当該受給資格に基づく所定給付日数の3分の1以上であるもの
　二　厚生労働省令で定める安定した職業に就いた受給資格者（当該職業に就いた日の前日における基本手当の支給残日数が当該受給資格に基づく所定給付日数の3分の1未満である者に限る。）、高年齢受給資格者（高年齢求職者給付金の支給を受けた者であつて、当該高年齢受給資格に係る離職の日の翌日から起算して1年を経過していないものを含む。以下この節において同じ。）、特例受給資格者（特例一時金の支給を受けた者であつて、当該特例受給資格に係る離職の日の翌日から起算して6箇月を経過していないものを含む。以下この節において同じ。）又は日雇受給資格者（第45条又は第54条の規定による日雇労働求職者給付金の支給を受けることができる者をいう。以下同じ。）であつて、身体障害者その他の就職が困難な者として厚生労働省令で定めるもの

2 　受給資格者、高年齢受給資格者、特例受給資格者又は日雇受給資格者（第58条及び第59条第１項において「受給資格者等」という。）が、前項第１号ロ又は同項第２号に規定する安定した職業に就いた日前厚生労働省令で定める期間内の就職について就業促進手当（同項第１号イに該当する者に係るものを除く。以下この項において同じ。）の支給を受けたことがあるときは、前項の規定にかかわらず、就業促進手当は、支給しない。
3 　就業促進手当の額は、次の各号に掲げる者の区分に応じ、当該各号に定める額とする。
　一　第１項第１号イに該当する者　現に職業に就いている日（当該職業に就かなかつたこととした場合における同日から当該就業促進手当に係る基本手当の受給資格に係る第20条第１項及び第２項の規定による期間（第33条第３項の規定に該当する受給資格者については同項の規定による期間とし、次条第１項の規定に該当する受給資格者については同項の規定による期間とする。）の最後の日までの間に基本手当の支給を受けることができることとなる日があるときに限る。）について、第16条の規定による基本手当の日額（その金額が同条第１項（同条第２項において読み替えて適用する場合を含む。）に規定する12,090円（その額が第18条の規定により変更されたときは、その変更された額）に100分の50（受給資格に係る離職の日において60歳以上65歳未満である受給資格者にあつては、100分の45）を乗じて得た金額を超えるときは、当該金額。以下この条において「基本手当日額」という。）に10分の３を乗じて得た額
　二　第１項第１号ロに該当する者　基本手当日額に支給残日数に相当する日数に10分の６（その職業に就いた日の前日における基本手当の支給残日数が当該受給資格に基づく所定給付日数の３分の２以上であるもの（以下この号において「早期再就職者」という。）にあつては、10分の７）を乗じて得た数を乗じて得た額（同一の事業主の適用事業にその職業に就いた日から引き続いて６箇月以上雇用される者であつて厚生労働省令で定めるものにあつては、当該額に、基本手当日額に支給残日数に相当する日数に10分の４（早期再就職者にあつては、10分の３）を乗じて得た数を乗じて得た額を限度として厚生労働省令で定める額を加えて得た額）
　三　第１項第２号に該当する者　次のイからニまでに掲げる者の区分に応じ、当該イからニまでに定める額に40を乗じて得た額を限度として厚生労働省令で定める額
　　イ　受給資格者　基本手当日額
　　ロ　高年齢受給資格者　その者を高年齢受給資格に係る離職の日において30歳未満である基本手当の受給資格者とみなして第16条から第18条までの規定を適用した場合にその者に支給されることとなる基本手当の日額（その金額がその者を基本手当の受給資格者とみなして適用される第16条第１項に規定する12,090円（その額が第18条の規定により変更されたときは、その変更された額）に100分の50を乗じて得た金額を超えるときは、当該金額）
　　ハ　特例受給資格者　その者を基本手当の受給資格者とみなして第16条から第18条までの規定を適用した場合にその者に支給されることとなる基本手当の日額（その金額がその者を基本手当の受給資格者とみなして適用される第16条第１項（同条第２項において読み替えて適用する場合を含む。）に規定する12,090円（その額が第18条の規定により変更されたときは、その変更された額）に100分の50（特例受給資格に係る離職の日において60歳以上65歳未満である特例受給資格者にあつては、100分の45）を乗じて得た金額を超えるときは、当該金額）

ニ　日雇受給資格者　第48条又は第54条第2号の規定による日雇労働求職者給付金の日額
　4　第1項第1号イに該当する者に係る就業促進手当を支給したときは、この法律の規定（第10条の4及び第34条の規定を除く。次項において同じ。）の適用については、当該就業促進手当を支給した日数に相当する日数分の基本手当を支給したものとみなす。
　5　第1項第1号ロに該当する者に係る就業促進手当を支給したときは、この法律の規定の適用については、当該就業促進手当の額を基本手当日額で除して得た日数に相当する日数分の基本手当を支給したものとみなす。

(33)　第10項第5号に規定する移転費は、受給資格者が公共職業安定所、職業安定法第4条第9項に規定する特定地方公共団体若しくは同法第18条の2に規定する職業紹介事業者の紹介した職業に就くため、又は公共職業安定所長の指示した公共職業訓練等を受講するため住所又は居所を変更する場合で、公共職業安定所長が必要と認めたときに、交通費、移転料及び着後手当を支給するものである。

　〇雇用保険法（抄）
　（移転費）
　第58条　移転費は、受給資格者等が公共職業安定所、職業安定法第4条第9項に規定する特定地方公共団体若しくは同法第18条の2に規定する職業紹介事業者の紹介した職業に就くため、又は公共職業安定所長の指示した公共職業訓練等を受けるため、その住所又は居所を変更する場合において、公共職業安定所長が厚生労働大臣の定める基準に従つて必要があると認めたときに、支給する。
　　2　移転費の額は、受給資格者等及びその者により生計を維持されている同居の親族の移転に通常要する費用を考慮して、厚生労働省令で定める。

(34)　第10項第6号に規定する求職活動支援費は、受給資格者が求職活動に伴う費用を支出した場合で公共職業安定所長が必要と認めたときに、当該求職活動に伴う費用として広域求職活動費、短期訓練受講費及び求職活動関係役務利用費を支給するものである。
　　具体的には、広域求職活動費は公共職業安定所の紹介により広範囲にわたる求職活動を行う場合に、交通費及び宿泊料を支給、短期訓練受講費は公共職業安定所の職業指導により教育訓練を受け修了した場合に、当該教育訓練の受講のために支払った費用の一部を支給、求職活動関係役務利用費は求職活動に伴う各種訓練等を受講するため児童福祉法の規定等による保育等サービスを利用する場合に、当該サービス利用のために負担した費用の一部を支給することとしている。

○雇用保険法（抄）
　（求職活動支援費）
第59条　求職活動支援費は、受給資格者等が求職活動に伴い次の各号のいずれかに該当する行為をする場合において、公共職業安定所長が厚生労働大臣の定める基準に従つて必要があると認めたときに、支給する。
　一　公共職業安定所の紹介による広範囲の地域にわたる求職活動
　二　公共職業安定所の職業指導に従つて行う職業に関する教育訓練の受講その他の活動
　三　求職活動を容易にするための役務の利用
　2　求職活動支援費の額は、前項各号の行為に通常要する費用を考慮して、厚生労働省令で定める。

⑶5　第11項は、高年齢受給資格者（高年齢求職者給付金に相当する退職手当の支給を受けた者であって、退職の日の翌日から起算して1年を経過していない者を含む。）及び、特例受給資格者（特例一時金に相当する退職手当の支給を受けた者であって、退職の日の翌日から起算して6月を経過していない者を含む。）に対して、第10項各号に掲げる諸給付に相当する退職手当のうち、基本手当受給者に対する給付である第1号から第3号までの給付を除き、第4号から第6号までに掲げる、いわゆる就職促進給付に相当する退職手当を雇用保険法に規定する給付条件に従い、支給しようとするものである。（⑶2参照）

⑶6　第12項は、⑶1の説明において述べたように、傷病手当が基本手当に代えて支給される給付であることから、傷病手当に相当する退職手当の支給を受け、その後、基本手当に相当する退職手当の支給を受けるに至った場合には、傷病手当に相当する退職手当が支給された日数分は、基本手当に相当する退職手当の支給があったこととみなす旨定めている。

⑶7　第13項は、就業促進手当について、雇用保険法第56条の3第4項及び第5項（⑶2参照）に規定するとおり、同法の適用については、同条第1項第1号イに該当する者に係る就業促進手当を支給したときは当該就業促進手当を支給した日数相当分の基本手当、同号ロに該当する者に係る就業促進手当を支給したときは当該就業促進手当の額を基本手当の日額で除した日数相当分の基本手当を、それぞれ支給したものとみなすこととしていることから、退職手当法においても、就業促進手当に相当する退職手当の支給を受け、その後、基本手当又は傷病手当に相当する退職手当を受けるに至った場合には、同様の計算により、基本手当に相当する退職手当の支給があったものとみなす旨定めている。

⑶8　第14項は、偽りその他不正の行為によって、退職手当法に定める失業者の

退職手当を受給した者に対しては、雇用保険法の定めを準用して、返還命令等の措置を講じることを定めた規定である。

○雇用保険法（抄）
　（返還命令等）
第10条の4　偽りその他不正の行為により失業等給付の支給を受けた者がある場合には、政府は、その者に対して、支給した失業等給付の全部又は一部を返還することを命ずることができ、また、厚生労働大臣の定める基準により、当該偽りその他不正の行為により支給を受けた失業等給付の額の2倍に相当する額以下の金額を納付することを命ずることができる。
2　前項の場合において、事業主、職業紹介事業者等（労働施策の総合的な推進並びに労働者の雇用の安定及び職業生活の充実等に関する法律（昭和41年法律第132号）第2条に規定する職業紹介機関又は業として職業安定法（昭和22年法律第141号）第4条第4項に規定する職業指導（職業に就こうとする者の適性、職業経験その他の実情に応じて行うものに限る。）を行う者（公共職業安定所その他の職業安定機関を除く。）をいう。以下同じ。）、募集情報等提供事業を行う者（同条第6項に規定する募集情報等提供を業として行う者をいい、同項第3号に掲げる行為（労働者になろうとする者の依頼を受けて行う場合に限る。）を行う者に限る。以下この項及び第76条第2項において同じ。）又は指定教育訓練実施者（第60条の2第1項に規定する厚生労働大臣が指定する教育訓練を行う者をいう。以下同じ。）が偽りの届出、報告又は証明をしたためその失業等給付が支給されたものであるときは、政府は、その事業主、職業紹介事業者等、募集情報等提供事業を行う者又は指定教育訓練実施者に対し、その失業等給付の支給を受けた者と連帯して、前項の規定による失業等給付の返還又は納付を命ぜられた金額の納付をすることを命ずることができる。
3　徴収法第27条及び第41条第2項の規定は、前2項の規定により返還又は納付を命ぜられた金額の納付を怠つた場合に準用する。

(39)　第15項は、同一の失業日について、失業者の退職手当と雇用保険法の規定による失業等給付とが二重に支給されることを防止するための規定である。

　基本手当に相当する退職手当も雇用保険法による失業等給付も12月（特定退職者は6月）以上勤務した場合には、それぞれ受給資格が生ずることとなり、いずれも受給期間が相当に長期であることから、同一の失業日について、退職手当と失業等給付が支給される場合も生じるので、このような場合の調整を図る観点から内閣官房令（失業者の退職手当支給規則）で所要の規定を設けているが、その考え方としては、保険料を負担した失業等給付を優先的に支給することとされている。

3　失業者の退職手当支給規則

　施行令第15条では、失業者の退職手当の支給を受けるために必要な証明書の様式、交付手続等を内閣官房令に委任している。

○施 行 令（抄）
（内閣官房令への委任）
第15条 法第10条の規定による退職手当の支給を受けるために必要な証明書の様式及び交付の手続その他その支給に関し必要な事項は、内閣官房令で定める。

これに基づく内閣官房令として、失業者の退職手当支給規則（昭和50年総理府令第14号）が制定されている。ここでは、同規則の規定のうち、法第10条の解説で取り扱わなかったものについて解説する。

○失業者の退職手当支給規則（抄）
（退職票の交付）
第3条 所属庁等の長（法第8条の2第1項に規定する各省各庁の長等をいう。以下同じ。）は、退職した者が法第10条第1項又は第2項の規定による退職手当（以下「基本手当に相当する退職手当」という。）の支給を受ける資格を有している場合においては、別記様式第1による国家公務員退職票（以下「退職票」という。）をその者に交付しなければならない。

本条は、基本手当に相当する退職手当の支給を受ける資格を有している者に対しては、原則として退職票を交付しなければならないことを規定している。

退職票は、雇用保険法上の「離職票」に該当するものであり、求職者の年齢、退職年月日、退職時の俸給月額、勤続期間等が記入されており、その者が受給する資格のある失業者の退職手当額を決定するために必要とされている。管轄公共職業安定所の長は、退職した職員から「退職票」の提出を受けて、その者が失業者の退職手当の受給資格を有すると認めたときは、その者が失業の認定を受けるべき日を定め、受給資格証を交付することとなっている（規則第6条参照）。

退職者が基本手当に相当する退職手当の支給を受ける資格を有している場合には、退職票を交付しなければならないが、失業者の退職手当制度の趣旨から、次のような場合には、退職者から請求がない限り、退職票を交付しなくてもよい。ただし、交付しない場合であっても、退職後失業の状態であれば退職票の交付を受けられること及びその後「失業」の状態となった場合には請求に基づき交付を受けられることを伝える必要がある。

① 他への就職が決定している等、「失業」の状態が明らかに予想されない場合
② 妊娠、出産、育児その他家事・家事手伝いのための退職等、明らかに再就職の意思がない者

退職票の交付日についての明確な規定はないが、退職日又は退職後速やかに

交付する必要がある。また、退職票の交付を受けた受給資格者は、本規則第5条の規定により、退職後速やかに退職票を公共職業安定所に提出することとなる。

　給与改定等により退職手当額等に変更があった場合に、退職票の再交付が必要であるかどうかは、失業者の退職手当の総額に変更が生じるかどうかによって判断される。さらに、失業者の退職手当の総額に変更が生じるかどうかは、基本手当の日額又は一般の退職手当総額が変更されるか否かによることとなり、以下のとおり、それぞれの事例により異なる結果となる。

① 退職後の給与改定の場合：退職票の再交付は要しない。

　給与改定により退職後に給与が追給されるが、賃金日額に変更は生じない。

　雇用保険法においては、離職前まで遡って昇格が行われることが離職後に決定した場合、その給与の追給分は退職後の所得とみなされ、賃金日額の算定の基礎に参入されない（すなわち賃金日額及び基本手当の日額の再計算は行わない。）こととされている。これと同様に、失業者の退職手当に係る賃金日額の算定についても退職後における給与改定による給与の追給分は退職後の所得とみなし、その基礎に参入されないこととしている。

　なお、基本手当に相当する退職手当の支給対象となっている者のうち、給与改定後の俸給月額で一般の退職手当額を計算すると、当該一般の退職手当額が基本手当の日額の総額を超えることとなる可能性があるが、超えた場合でも基本手当に相当する退職手当の支給を受ける資格がなくなることはないことに注意を要する。

② 一般の退職手当の誤払いの場合：退職票を再交付する必要がある。

　退職手当額を誤払いしていた場合は、本来支払うべき退職手当額と誤払いの退職手当額との差額を追給、若しくは返納することとなり、一般の退職手当の総額に変更が生じる。

　したがって、一般の退職手当の誤払いがあった場合については、退職票を再交付する必要がある。

③ 給与の誤払いの場合：退職票を再交付する必要がある。

　退職の月前6月のいずれかの月の給与うち、本来支払うべき給与額を誤払いしていた場合は、本来支払うべき給与額と誤払いの給与額との差額を追給、若しくは返納することとなり、賃金日額に変更が生じる。

　したがって、給与の誤払いがあった場合については、退職票を再交付する必要がある。

> ○**失業者の退職手当支給規則**（抄）
> （在職票の交付）
> **第4条** 所属庁等の長は、勤続期間12月未満（国家公務員退職手当法施行令（以下「施行令」という。）第1条第1項各号に掲げる者以外の常時勤務に服することを要しない者については、同項第2号に規定する勤務した月が引き続いて12月を超えるに至らない期間とする。以下同じ。）の者が退職する場合においては、別記様式第2による国家公務員在職票（以下「在職票」という。）をその者に交付しなければならない。ただし、施行令第1条第1項各号に掲げる者以外の常時勤務に服することを要しない者のうち施行令第9条の9の規定に該当しない者が退職する場合には、この限りでない。

 本条は在職票についての規定である。

 在職票は「退職票」とは異なり、勤続期間12月未満（期間業務職員等の非常勤職員については、職員とみなされるための一定の要件を満たした月が12月を超えるに至らない期間）の者が退職した場合、すなわち、法第10条に規定する基本手当に相当する退職手当の支給を受ける資格を取得する前に退職した者に対し交付が義務付けられているものである。

 法第10条第1項の説明で述べたとおり、失業者の退職手当を計算する場合の勤続期間は、一般の退職手当を算定する場合の勤続期間とはその考え方が異なり、特別に「基準勤続期間」が用いられる。

 この「基準勤続期間」とは、職員であった期間が1年の間を置かずに複数個あった場合に、それらの期間を通算した期間のことを指す。

 在職票は、複数の勤続期間を通算し、基準勤続期間の計算をする場合に必要なものであり、在職票の交付を受けた退職者が、その退職後に国の職員として再就職した場合には、その在職票を新たな任命権者に提出しなければならない。

 つまり、当該在職票に記載された勤続期間は、その者が、退職後に職員として再就職し、新たに法第10条に規定する基本手当に相当する退職手当の支給を受ける資格を有することとなった場合に、当該退職手当を計算する上で基礎となる基準勤続期間に通算されることとなるのである。

〈例〉

図の例では、法第10条第1項第2号の額（所定給付日数×基本手当の日額）を計算する際の所定給付日数を確定するための算定基礎期間（「基準勤続期間」）として上記①及び②の勤続期間、すなわち在職票に記載された勤続期間が③の勤続期間に通算される。
　したがって、基準勤続期間は①5月＋②4月＋③1年1月の計1年10月となる。
　なお、特定退職者のうち勤続期間6月以上12月未満で退職した者及び期間業務職員等の非常勤職員のうち職員とみなされるための一定の要件を満たした月がちょうど12月で退職した者については、本条及び第3条の規定から退職票と在職票の両方の交付を義務付けられることになるが、退職票を交付すれば同一在職期間にかかる在職票の交付は実務上必要ないことから、退職票の交付のみをもって足りることになる。

> ○失業者の退職手当支給規則（抄）
> 　（退職票の提出）
> **第5条**　基本手当に相当する退職手当の支給を受ける資格を有する者（以下「受給資格者」という。）は、退職後速やかにその住所又は居所を管轄する公共職業安定所（以下「管轄公共職業安定所」という。）に出頭し、第3条の規定により交付を受けた退職票を提出して求職の申込みをするものとする。この場合において、その者が第8条第5項又は第8条の4第4項の規定により受給期間延長等通知書の交付を受けているときは、併せて提出しなければならない。

　本条は、退職票の交付を受けた後、失業者の退職手当を受けようとする者が最初にとらなければならない手続を定めている。

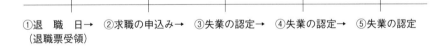

①退　職　日→　②求職の申込み→　③失業の認定→　④失業の認定→　⑤失業の認定
（退職票受領）

　退職した者が、失業者の退職手当の支給を受けようとする場合、まず退職後、速やかに求職の申込みをしなければならない。求職の申込みを行う時期については、「退職後速やかに」とされており、具体的にいつまでという規定は定められていない。
　失業者の退職手当は、「雇用保険法の規定による基本手当の支給の条件に従い、公共職業安定所」を通じて支給されることとなっている。そのため、失業等給付の場合と同様、公共職業安定所において失業の認定を受けなければなら

ず、退職した者が、失業者の退職手当を受給しようとする場合には、退職後速やかに管轄の公共職業安定所に出頭し、(失業の認定を受ける前提として、失業者の退職手当の受給資格を証明するものとしての) 退職票を公共職業安定所に提出し、求職の申込みをしなければならない (支給官署の特例については法第10条の解説(8)参照)。

　求職の申込みとは、受給資格者が、公共職業安定所の紹介によって職業に就こうとする意思を公共職業安定所に対し表示する行為をいう。具体的には、規則第3条により交付を受けた退職票を公共職業安定所に提出し、失業者の退職手当の受給資格者であることを証明した上で、職業に就こうとする意思の表示を行う。

　なお、この求職の申込みは、失業の認定を要件とする基本手当に相当する退職手当の請求行為の一部でもあり、求職の申込日前の期間については失業の認定は行われない。失業者の退職手当の支給を受けるには、法第10条の受給要件を満たしているほか、本条の規定により、公共職業安定所に出頭し、求職の申込みをしたうえ、失業の認定を受けなければならないのであるが、失業の認定の対象となる失業の期間の始期は公共職業安定所への求職の申込みとその申込時における失業の確認により確定するものであって、公共職業安定所は求職の申込みよりも前の期間についての失業の認定を行うことはできないのである。

　求職の申込みが要件とされているのは、失業した者が、真に失業の状態にある、すなわち積極的に自ら又は公共職業安定所の職業紹介により就職しようとする意思を有し、その能力もあり、現在何らの職にも就いていない場合に基本手当に相当する退職手当の支給がされるのであり、そのために求職の申込みを行い、就職しようとする意思を明らかにしなければならないからである。

○**失業者の退職手当支給規則**（抄）
　（受給資格証の交付等）
第6条　管轄公共職業安定所の長は、退職の際施行令第10条に規定する職員（以下「特例職員」という。）以外の受給資格者から前条の規定による退職票の提出及び求職の申込みを受けたときは、別記様式第3（その1）による失業者退職手当受給資格証（以下「受給資格証（その1）」という。）を当該受給資格者に交付しなければならない。
2　管轄公共職業安定所の長は、特例職員である受給資格者から前条の規定による退職票の提出及び求職の申込みを受けたときは、当該退職票に必要な事項を記載し、当該特例職員に返付しなければならない。
3　特例職員である受給資格者は、前項の規定による退職票の返付を受けたときは、速やかに当該退職票をその者に係る法第10条第1項に規定する官署又は事務所（以下「所轄官署等」という。）に提出するものとする。

4 　所轄官署等の長は、前項の規定による退職票の提出を受けたときは、別記様式第3（その2）による失業者退職手当受給資格証（以下「受給資格証（その2）」という。）を当該特例職員に交付しなければならない。
5 　受給資格者は、受給資格証（特例職員以外の受給資格者については受給資格証（その1）を、特例職員である受給資格者については受給資格証（その2）をいう。以下同じ。）の交付を受けた後、氏名を変更した場合にあつては別記様式第3の2による受給資格者氏名変更届に、住所又は居所を変更した場合にあつては別記様式第3の2による受給資格者住所変更届に、氏名又は住所若しくは居所の変更の事実を証明することができる書類及び受給資格証を添えて、変更後最初に出頭した失業の認定日に管轄公共職業安定所の長に提出しなければならない。ただし、受給資格証を提出することができないことについて正当な理由があるときは、これを添えないことができる。
6 　管轄公共職業安定所の長は、受給資格者氏名変更届又は受給資格者住所変更届の提出を受けたときは、受給資格証に必要な改定をし、当該受給資格者に返付しなければならない。

　本条は基本手当に相当する退職手当を受給するために必要である「受給資格証」の交付について規定している。特例職員以外の受給資格者と特例職員である受給資格者とはその手続等が異なるので留意する必要がある。
(1) 　特例職員以外の受給資格者に対する受給資格証の交付

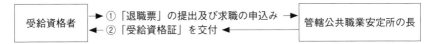

　管轄公共職業安定所の長は、特例職員以外の受給資格者から、退職票の提出及び求職の申込みを受けた場合には、その者に対し受給資格証を交付する。
(2) 　特例職員に対する受給資格証の交付
　　施行令第10条に規定する職員とは、行政執行法人の職員のことをいう。

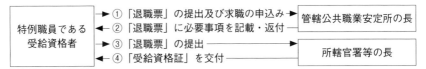

　管轄公共職業安定所の長は、特例職員である受給資格者から退職票の提出及び求職の申込みを受けたときは、その退職票に必要事項を記載して、当該特例職員に返付しなければならない。
　施行令第10条に規定する当該特例職員が退職の際所属していた所轄官署等の長は、必要事項が記載された退職票の提出を受けた場合には、その者に対

し、受給資格証を交付する。

なお、この場合における受給資格証は、特例職員以外の受給資格者に対する受給資格証と異なることに注意を要する。

○失業者の退職手当支給規則（抄）
　（基本手当に相当する退職手当の支給調整）
第9条　基本手当に相当する退職手当で法第10条第1項の規定によるものは、当該受給資格者が第5条の規定による求職の申込みをした日から起算して、雇用保険法第33条に規定する期間及び待期日数（法第10条第1項に規定する待期日数をいう。以下同じ。）に等しい失業の日数を経過した後に支給する[1]。
2　受給資格者が待期日数の期間内に職業に就き、次の各号に掲げるいずれかの給付を受ける資格を取得しないうちに再び離職した場合においては、その離職の日の翌日から起算して待期日数の残日数に等しい失業の日数を経過した後に基本手当に相当する退職手当を支給する[2]。
　一　雇用保険法の規定による基本手当、高年齢求職者給付金又は特例一時金
　二　基本手当に相当する退職手当
　三　法第10条第4項又は第5項の規定による退職手当（以下「高年齢求職者給付金に相当する退職手当」という。）
　四　法第10条第6項又は第7項の規定による退職手当（以下「特例一時金に相当する退職手当」という。）
3　雇用保険法の規定による基本手当の支給を受ける資格を有する者が同法第20条第1項又は第2項に規定する期間内に受給資格者となつた場合においては、当該基本手当の支給を受けることができる日数（法第10条第1項の規定による退職手当に係る場合にあつては、その日数に待期日数を加えた日数）に等しい失業の日数が経過した後に基本手当に相当する退職手当を支給する[3]。
4　受給資格者が、基本手当に相当する退職手当の支給を受けることができる日数（法第10条第1項の規定による退職手当に係る受給資格者にあつては、その日数に待期日数を加えた日数）の経過しないうちに職業に就き、雇用保険法の規定による基本手当の支給を受ける資格を取得した場合においては、当該基本手当の支給を受けることができる日数（法第10条第1項の規定による退職手当に係る受給資格者にあつては、その日数に待期日数の残日数を加えた日数）に等しい失業の日数が経過した後に基本手当に相当する退職手当を支給する[4]。

本条は、基本手当に相当する退職手当の支給開始日について定めており、第1項では雇用保険上の給付制限の期間と失業者の退職手当の支給についての調整、第2項では待機の期間内に再就職し短期間で再離職した場合の調整について、第3項及び第4項では法第10条第15項を受けて、失業者の退職手当の受給資格と雇用保険法の規定による失業等給付等の受給資格を同時に有することとなった場合の調整について規定している。

(1) 第1項では、支給開始日についての一般原則を定めており、失業者の退職手当は、①雇用保険法第33条に規定する期間、②法第10条第1項に規定する待期日数に等しい失業の日数を経過した日が支給開始日となる。

「雇用保険法第33条に規定する期間」とは、労働者が自己の責めに帰すべき重大な理由によって解雇され、又は正当な理由がなく自己の都合によって退職した場合に基本手当を支給しないとする1箇月以上3箇月以内の期間（雇用保険法第33条第1項）のことを指す。

なお、雇用保険法では、第33条に定めるものの他に、第21条において、求職の申込みを行った後の7日間を待期期間として設けているが、この待期期間は、雇用保険法独自のものとされており、基本手当に相当する退職手当の支給には影響を与えない。

（参考）　雇用保険法の場合

「退職手当法第10条第1項に規定する待期日数」とは、失業者の退職手当制度独自のもので、一般の退職手当等の額を基本手当の日額で除して得た数に等しい日数（1未満の端数があるときは、切り捨てる。）のことをいう。すなわち、退職時に支給された一般の退職手当等を法第10条第1項の規定による退職手当の先渡しとみなして、何日分の基本手当に相当する退職手当に当たるかを計算し、当該日数を超えて失業している場合に初めて本項の退職手当を支給しようとするものである（法第10条の解説(7)参照）。

〈例〉　一般の退職手当等の額　÷　基本手当の日額　＝　待期日数
　　　　50,000（円）　　　　　5,000（円）　　　　10（日）

雇用保険法第33条第1項に規定する給付制限期間に14日（雇用保険法第33条第3項及び雇用保険法施行規則第48条の2）及び所定給付日数を加えた期間が、1年を超える場合は、1年に当該超える期間を加えた期間が受給期間となる。

この「14日」というのは、離職日と求人申込日とのズレ（休祝日等）が大きい場合に、給付日数を残して受給期間が終了してしまうおそれがあるため

に設けられたものである。

(注)　雇用保険法第33条第3項は、平成4年法律第8号により、「7日」→「7日を超え30日以下の範囲内で労働省令（現在は「厚生労働省令」）で定める日数」と改正されたが、「7日」については、雇用保険法第21条に規定する同法独自の待期日数であることから、従来より、受給期間の延長には含まれないとされていた。（規則第9条第1項は退職手当法第10条に規定する失業者の退職手当について、雇用保険法第21条の「待期」（7日）を経ることなく、雇用保険法第33条の給付制限期間と退職手当法第10条第1項の待期日数を経れば支給することを定めている。）

したがって、雇用保険法施行規則第48条の2に定める「21日」についても、雇用保険法独自の「待期」7日分を除いた14日分のみを加えることとなっている。

(2)　第2項は、受給資格者がその待期日数の期間中又は雇用保険法第33条に定める期間中に再就職し、雇用保険法による失業等給付、基本手当に相当する退職手当、高年齢求職者給付金に相当する退職手当、特例一時金に相当する退職手当の受給資格を取得しないうちに、再度離職した場合における取扱いを定めている。

この場合においては、当初の待期日数の残期間を再度の離職の日からカウントし、その期間終了後に、失業者の退職手当を支給することとなる。

なお、再就職期間中においては、退職手当法上の待期日数は進行しないが、雇用保険法第33条に定める期間は進行することに注意を要する。

① 待期日数を経過しない間に就職し、離職した場合

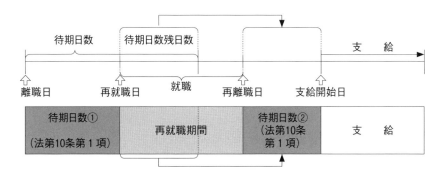

② 待期日数のほかに、雇用保険法第33条に定める期間を経過しない間に就職し、離職した場合

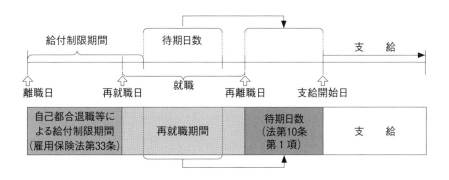

(3) 第3項は、雇用保険法に基づく基本手当の受給資格を有する者が、その受給期間内にさらに基本手当に相当する退職手当の受給資格も取得した場合における支給開始日について定めており、その場合は、まず、雇用保険法に基づく基本手当を支給し、その支給終了後、基本手当に相当する退職手当を支給することとなる。

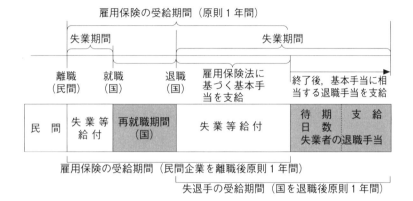

(4) 第4項は、基本手当に相当する退職手当の受給資格を有する者が、その受給期間内にさらに雇用保険法に基づく基本手当の受給資格を取得した場合における支給開始日を定めている。この場合においては、まず、雇用保険法に基づく基本手当を支給し、その支給終了後、基本手当に相当する退職手当を支給することとなる。

この場合、雇用保険法に基づく基本手当が、国を退職してから1年以上の期間にわたって支給されるならば、基本手当に相当する退職手当は支給されないこととなる。

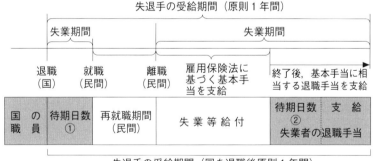

○参　考
雇用保険法に基づく基本手当の受給中に就職し、再離職した場合の基本手当の取扱い
　雇用保険法に基づく基本手当の受給期間は、原則として、受給資格に係る離職の日の翌日から起算して1年間とされているが、基本手当の受給資格者が、その受給資格に係る受給期間内に再就職し、新たな受給資格を満たさないで再離職した場合には、前の受給資格に基づき、基本手当の支給を受けることができる。
　なお、受給資格者が受給期間内に再び就職し、新たに受給資格を得た後に再離職したときは、その再離職の日の翌日から新たな受給期間となり、新たな受給期間に基づく基本手当が支給されるが、この場合、再離職前の受給資格に基づく基本手当は受給することができない。

○**失業者の退職手当支給規則**（抄）
（基本手当に相当する退職手当の支給日）
第10条　基本手当に相当する退職手当は、毎月16日又は管轄公共職業安定所の長の指定する日に、それぞれの前日までの間における失業の認定を受けた日の分を支給する。

　本条は基本手当に相当する退職手当の支給日及び基本手当に相当する退職手当が失業の認定を受けた日分についてのみ支給されることを定めたものである。
　基本手当に相当する退職手当は、毎月16日又は管轄公共職業安定所の長の指定する日に、それぞれの前日までの失業の認定を受けた日分を支給することとなっている。
　原則として失業の認定日と基本手当の支給日は同一となっており、当該認定日（支給日）において認定された日分の基本手当相当額が支給される。

〈例〉

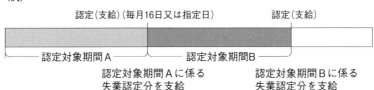

○**失業者の退職手当支給規則**（抄）
（基本手当に相当する退職手当の支給手続）
第11条　法第10条第1項の規定による退職手当に係る受給資格者は、待期日数の経過後速やかに管轄公共職業安定所に出頭して職業の紹介を求め、別記様式第6による失業認定申告書に受給資格証を添えて提出した上、待期日数の間における失業の認定を受けるものとする[(1)]。

2 受給資格者が基本手当に相当する退職手当の支給を受けようとするときは、法第10条第1項の規定による退職手当に係る場合にあつては前項に規定する失業の認定を受けた後、同条第2項の規定による退職手当に係る場合にあつては第5条に規定する求職の申込みをした後に管轄公共職業安定所の長が指定する失業の認定を受けるべき日ごとに管轄公共職業安定所に出頭して職業の紹介を求め、前項に規定する失業認定申告書に受給資格証を添えて提出した上、失業の認定を受けなければならない[(2)]。

3 管轄公共職業安定所の長は、特例職員である受給資格者について前項に規定する失業の認定を行うときは、雇用保険法第19条及び第32条から第34条までの規定に準じて支給の制限を行うべき事実の有無を確認し、当該事実の有無を所轄官署等の長に通知しなければならない。

　本条は、基本手当に相当する退職手当の支給手続について定めたものである。なお、第3項の規定は第6条に規定する特例職員（退職の際行政執行法人の職員）である受給資格者に関する手続きである。

(1) 法第10条第1項の規定による退職手当に係る受給資格者すなわち一般の退職手当等の支給を受けている受給資格者については、待期日数を超えて失業していることが、基本手当に相当する退職手当を受給するための1つの要件とされていることから、まず、この期間に失業状態であったか否かの認定を行う必要がある。

　　具体的には、管轄公共職業安定所の長が交付する「失業者退職手当受給資格証」に記載されている「最初の失業認定日」に出頭し、失業の認定を受けることとなる。

　　失業の認定とは、管轄公共職業安定所の長が基本手当に相当する退職手当の受給資格を持つ者に対し、失業の認定日にその日前の認定対象期間中の各日について、その者が失業していたか否かを確かめ、当該期間中に係る失業の日を確定させることをいう。

　　受給資格者が基本手当に相当する退職手当の支給を受けるためには、本人自身が指定された失業の認定日に居住地の管轄公共職業安定所に出頭して失業認定申告書（別記様式第6）に受給資格証を添えて提出し、失業の認定を受けなければならない（「失業」については法第10条の解説(6)参照）。

(2) 管轄公共職業安定所の長が指定する失業の認定を受けるべき日は、法第10条第1項の規定による退職手当に係る受給資格者（一般の退職手当等の支給を受けている受給資格者）、同条第2項の規定による退職手当に係る受給資格者（一般の退職手当等の支給を受けていない受給資格者）のいずれも、管轄公共職業安定所の長が交付する「失業者退職手当受給資格証」の「失業の認定日及び支給日」欄に記載された日となる。なお、支給日と認定日は原則

として同一の日とされており、毎月16日又は管轄公共職業安定所の長の指定する日である（前条の解説参照）。

定められた失業の認定日に出頭しない場合は、基本手当に相当する退職手当の支給を受けることができなくなる場合がある（別記様式第3（その1）注5、特例職員については（その2）注4）とされている。

（参考）　退職から失業者の退職手当受給の終了に至るまでの流れ

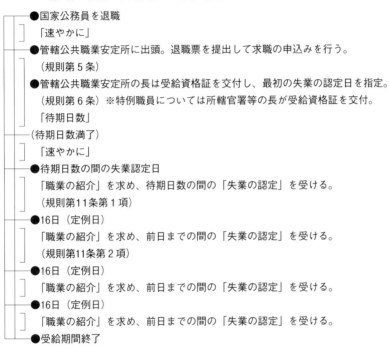

① 最初の失業の認定日（待期日数の間の失業の認定日）に不出頭の場合

待期日数の間の失業の認定が行われないと、待期日数を超えて失業している（法第10条第1項）という支給要件を満たさないこととなるので、最初の失業の認定日後に出頭した時点でも待期日数については失業の認定を行わざるを得ない。よって、最初の失業の認定日に不出頭であり、その後遅れて出頭してきた場合においても、待期日数の間の失業の認定は行われる。

② 最初の失業の認定日以後の失業の認定日に不出頭の場合

例えば、6月16日の定例認定日における失業の認定は、当該認定日に係

る認定対象期間（5月16日～6月15日）についてのみ行えるものであるため、前回認定日（5月16日）に係る認定対象期間（4月16日～5月15日）については認定を行えない。また、認定日に出頭しないときは、雇用保険法の例にならいその後の労働の意思又は能力がないものと推定され、5月16日～6月15日の期間についても、失業の不認定となる。

　ただし、当該期間中に就職（公共職業安定所の紹介によるか否かを問わない。）、求職者への応募、各種国家試験・検定等の資格試験の受験等の事実があれば原則どおり失業の認定は行われる。なお、この場合であっても、不出頭であった認定日（5月16日）当日については、原則として失業の不認定となる。したがって、このような事実がある場合には、5月17日～6月15日の期間について失業の認定が行われる（不出頭の理由が認定日の変更が可能となる特別な理由がある場合は別である（雇用保険法第15条第3項、雇用保険法施行規則第23条、第24条第2項及び第3項）。）。

　定例の失業の認定日の不出頭は、雇用保険法の定めによるが、最初の失業の認定日の不出頭については、待期日数という失業者の退職手当独自の制度に係るものであるため、このように取り扱わざるを得ない。

○雇用保険法（抄）
　（失業の認定）
第15条　略
　2　略
　3　失業の認定は、求職の申込みを受けた公共職業安定所において、受給資格者が離職後最初に出頭した日から起算して4週間に1回ずつ直前の28日の各日について行うものとする。ただし、厚生労働大臣は、公共職業安定所長の指示した公共職業訓練等（国、都道府県及び市町村並びに独立行政法人高齢・障害・求職者雇用支援機構が設置する公共職業能力開発施設の行う職業訓練（職業能力開発総合大学校の行うものを含む。）、職業訓練の実施等による特定求職者の就職の支援に関する法律（平成23年法律第47号）第4条第2項に規定する認定職業訓練（厚生労働省令で定めるものを除く。）その他法令の規定に基づき失業者に対して作業環境に適応することを容易にさせ、又は就職に必要な知識及び技能を習得させるために行われる訓練又は講習であつて、政令で定めるものをいう。以下同じ。）を受ける受給資格者その他厚生労働省令で定める受給資格者に係る失業の認定について別段の定めをすることができる。
　4・5　略

○失業者の退職手当支給規則（抄）
　（公共職業訓練等を受講する場合における届出）
第12条　受給資格者は、公共職業安定所の長の指示により雇用保険法第15条第3項に規定する公共職業訓練等を受けることとなつたときは、速やかに別記様式第7による公共職業訓練等受講届（以下「受講届」という。）及び別記様式第8による公共職業訓練等通

> 所届（以下「通所届」という。）に受給資格証を添えて管轄公共職業安定所等（特例職員である受給資格者については、所轄官署等をいう。以下同じ。）の長に提出するものとする。第8条第1項ただし書の規定は、この場合について準用する。
> 2 管轄公共職業安定所等の長は、前項の規定による受講届及び通所届の提出を受けたときは、受給資格証に必要な事項を記載し、当該受給資格者に返付しなければならない。
> 3 受給資格者は、受講届及び通所届の記載事項に変更があつたときは、速やかにその旨を記載した届書に受給資格証を添えて管轄公共職業安定所等の長に提出しなければならない。第8条第1項ただし書の規定は、この場合について準用する。
> 4 管轄公共職業安定所等の長は、前項の規定による届書の提出を受けたときは、受給資格証に必要な改定をし、当該受給資格者に返付しなければならない。

　本条は、基本手当に相当する退職手当の受給資格者が、公共職業安定所長の指示により雇用保険法第15条第3項に規定する公共職業訓練等を受けることとなったときの、管轄公共職業安定所等に対する届出等の手続について規定している。

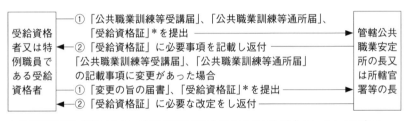

＊受給資格証を提出できない正当な理由がある場合はこれを添えないことができる。

　雇用保険法第15条第3項に規定する公共職業訓練等とは、国、都道府県及び市町村並びに独立行政法人高齢・障害・求職者雇用支援機構が設置する公共職業能力開発施設の行う職業訓練（職業能力開発総合大学校の行うものを含む。）、職業訓練の実施等による特定求職者の就職の支援に関する法律（平成23年法律第47号）第4条第2項に規定する認定職業訓練（厚生労働省令で定めるものを除く。）のほか、次の訓練又は講習をいう（雇用保険法施行令第3条）。
① 雇用保険法第63条第1項第3号の講習及び訓練（求職者及び退職を予定する者に対して、再就職を容易にするために必要な知識及び技能を習得させるための講習並びに作業環境に適応させるための訓練）
② 障害者の雇用の促進等に関する法律第13条の適応訓練（求職者である障害者（身体障害者、知的障害者又は精神障害者に限る。）に対して行うその能力に適合する作業の環境に適応することを容易にすることを目的とする適応訓練）

③ 高年齢者等の雇用の安定等に関する法律第25条第1項の計画に準拠した同項第3号に掲げる訓練（中高年齢失業者等に対する就職促進措置として行われる国又は地方公共団体が実施する訓練（公共職業能力開発施設の行う職業訓練（職業能力開発総合大学校の行うものを含む。）を除く。）で失業者に作業環境に適応することを容易にさせ、又は就職に必要な知識及び技能を習得させるために行われるもの（国又は地方公共団体の委託を受けたものが行うものを含む。））

④ 雇用保険法に規定する船員の職業能力の開発及び向上に資する訓練又は講習として厚生労働大臣が定めるもの

なお、公共職業安定所長の指示した公共職業訓練等を受けている者及び公共職業訓練等を受けるため、その者により生計を維持されている同居の親族（届出をしていないが、事実上その者と婚姻関係と同様の事情にある者を含む。）と別居して寄宿する者については、基本手当に相当する退職手当のほか、雇用保険法第36条第1項及び第2項の規定による支給条件に従い、技能習得手当及び寄宿手当に相当する退職手当が支給されることとなる（法第10条第10項第1号及び第2号、施行令第11条）。

○失業者の退職手当支給規則（抄）
（技能習得手当に相当する退職手当等の支給手続）
第13条 受給資格者は、法第10条第9項第1号又は同条第10項第1号若しくは第2号の規定による退職手当の支給を受けようとするときは、別記様式第8の2による公共職業訓練等受講証明書に受給資格証を添えて管轄公共職業安定所等の長に提出しなければならない。第8条第1項ただし書の規定は、この場合について準用する。
2 管轄公共職業安定所等の長は、前項の規定による証明書の提出を受けたときは、受給資格証に必要な事項を記載し、当該受給資格者に返付しなければならない。

本条は、法第10条第9項第1号（訓練延長給付）又は同条第10項第1号（技能習得手当）若しくは第2号（寄宿手当）を受給しようとする場合の手続を定めている。

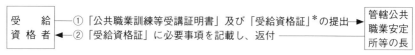

＊受給資格証を提出できない正当な理由がある場合はこれを添えないことができる。

○失業者の退職手当支給規則（抄）
（傷病手当に相当する退職手当の支給手続）
第14条 受給資格者は、法第10条第10項第3号の規定による退職手当の支給を受けようと

> するときは、別記様式第9による傷病手当に相当する退職手当支給申請書に受給資格証を添えて管轄公共職業安定所等の長に提出しなければならない。第8条第1項ただし書の規定は、この場合について準用する。
> 2 管轄公共職業安定所等の長は、前項の規定による支給申請書の提出を受けたときは、受給資格証に必要な事項を記載し、当該受給資格者に返付しなければならない。

　本条は、法第10条第10項第3号の規定による傷病手当に相当する退職手当の支給手当の支給手続について規定している。

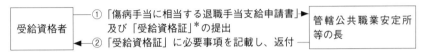

＊受給資格証を提出できない正当な理由がある場合はこれを添えないことができる。

> ○失業者の退職手当支給規則（抄）
> （退職票等の提出）
> **第15条** 退職票又は在職票の交付を受けた者が法第10条第1項に規定する期間内（在職票の交付を受けた者にあつては、当該在職票に係る退職の日の翌日から起算して1年の期間内）に国家公務員となつた場合においては、当該退職票又は在職票を新たに所属することとなつた所属庁等の長に提出しなければならない[(1)]。
> 2 所属庁等の長は、前項の規定により退職票又は在職票を提出した者が勤続期間12月未満で退職するときは、当該退職票又は在職票をその者に返付しなければならない[(2)]。

(1) 　本条は、退職票の交付を受けてから法第10条第1項に規定する期間内（原則として1年内）に再就職し、又は在職票の交付を受けて退職してから1年内に国家公務員となった場合には、当該退職票又は在職票を新たに所属することとなった所属庁等の長に再提出することを義務付ける規定である。これは、失業者の退職手当の算定基礎となる基準勤続期間には、職員を退職して1年内に再度職員になった場合には前の勤続期間も含まれるためである。

(2) 　第2項は、第1項の規定により提出された退職票又は在職票について、その職員が勤続期間12月未満で退職する際に返付することとする規定である。これは、当該職員が1年内に再度職員となり、退職手当の支給を受ける資格を得た場合には、失業者の退職手当の算定基礎となる基準勤続期間に返付された退職票又は在職票に係る勤続期間も含まれるためである。

> ○失業者の退職手当支給規則（抄）
> （退職票等の再交付）
> **第16条** 受給資格者又は勤続期間12月未満で退職した者は、退職票又は在職票を滅失又は

損傷した場合においては、もとの所属庁等の長にその旨を申し出て退職票又は在職票の再交付を受けることができる。
2 　もとの所属庁等の長は、前項の規定による再交付をするときは、その退職票又は在職票に再交付の旨及びその年月日を記載しなければならない。
3 　退職票又は在職票の再交付があつたときは、もとの退職票又は在職票はその効力を失う。
　（受給資格証の再交付）
第17条　前条の規定は、受給資格証の再交付について準用する。この場合において、同条中「退職票又は在職票」とあるのは「受給資格証」と、「もとの所属庁等の長」とあるのは「管轄公共職業安定所等の長」と読み替えるものとする。

　第16条は退職票又は在職票を、第17条は受給資格証を、それぞれ滅失又は損傷した場合の再交付の手続について定めているものである。

○失業者の退職手当支給規則（抄）
　（高年齢受給資格証の交付等）
第17条の2　管轄公共職業安定所の長は、高年齢求職者給付金に相当する退職手当の支給を受ける資格を有する者（以下「高年齢受給資格者」という。）のうち特例職員以外の者から退職票の提出及び求職の申込みを受けたときは、別記様式第9の2（その1）による失業者退職手当高年齢受給資格証（以下「高年齢受給資格証（その1）」という。）をその者に交付しなければならない。
2 　管轄公共職業安定所の長は、特例職員である高年齢受給資格者から退職票の提出及び求職の申込みを受けたときは、当該退職票に必要な事項を記載し、当該特例職員に返付しなければならない。
3 　特例職員である高年齢受給資格者は、前項の規定による退職票の返付を受けたときは、速やかに当該退職票をその者に係る所轄官署等に提出するものとする。
4 　所轄官署等の長は、前項の規定による退職票の提出を受けたときは、別記様式第9の2（その2）による失業者退職手当高年齢受給資格証（以下「高年齢受給資格証（その2）」という。）を当該特例職員に交付しなければならない。

　本条は、法第10条第4項及び第5項に規定する高年齢求職者給付金に相当する退職手当の支給を受ける資格を有する者（高年齢受給資格者）に対し、その支給を受けるために必要な「高年齢受給資格証」の交付の手続を定めたものである。
　その一連の手続の流れは、次に図示したとおりである。

```
高年齢受給        ①「退職票」の提出及び求職の申込み        管轄公共職
資格者（特                                                業安定所等
例職員であ      ②「高年齢受給資格証（その1）」を交付      の長
る高年齢受        （特例職員の場合は、当該「退職票」に必要事項を記載し
給資格者）         返付）

                ③特例職員は、必要事項記載済の「退職票」の提出）    所轄官署等
                ④特例職員に対し「高年齢受給資格証（その2）」を交付）  の長
```

○**失業者の退職手当支給規則**（抄）
（特例受給資格証の交付等）

第18条 管轄公共職業安定所の長は、特例一時金に相当する退職手当の支給を受ける資格を有する者（以下「特例受給資格者」という。）のうち特例職員以外の者から退職票の提出及び求職の申込みを受けたときは、別記様式第10（その1）による失業者退職手当特例受給資格証（以下「特例受給資格証（その1）」という。）をその者に交付しなければならない。

2 管轄公共職業安定所の長は、特例職員である特例受給資格者から退職票の提出及び求職の申込みを受けたときは、当該退職票に必要な事項を記載し、当該特例職員に返付しなければならない。

3 特例職員である特例受給資格者は、前項の規定による退職票の返付を受けたときは、速やかに当該退職票をその者に係る所轄官署等に提出するものとする。

4 所轄官署等の長は、前項の規定による退職票の提出を受けたときは、別記様式第10（その2）による失業者退職手当特例受給資格証（以下「特例受給資格証（その2）」という。）を当該特例職員に交付しなければならない。

本条は、法第10条第6項及び第7項に規定する特例一時金に相当する退職手当の支給を受ける資格を有する者（特例受給資格者）に対し、その支給を受けるために必要な「特例受給資格証」の交付の手続等を定めたものである。一般の受給資格者と特例職員である受給資格者とはその手続等が異なるので留意する必要がある（下図参照）。

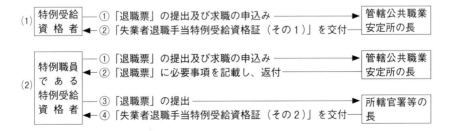

○失業者の退職手当支給規則（抄）
（準用）
第19条　第3条、第5条前段、第6条第5項及び第6項、第9条第2項、第11条第1項及び第3項並びに第15条から第17条までの規定は、高年齢求職者給付金に相当する退職手当の支給について準用する。この場合において、これらの規定（第9条第2項各号を除く。）中「法第10条第1項又は第2項」とあるのは「法第10条第4項又は第5項」と、「基本手当」とあるのは「高年齢求職者給付金」と、「受給資格者」とあるのは「高年齢受給資格者」と、「法第10条第1項」とあるのは「法第10条第4項」と、「別記様式第6による失業認定申告書」とあるのは「別記様式第10の2による高年齢受給資格者失業認定申告書」と、「受給資格証」とあるのは「高年齢受給資格証（特例職員以外の高年齢受給資格者については高年齢受給資格証（その1）を、特例職員である高年齢受給資格者については高年齢受給資格証（その2）をいう。以下同じ。）」と、「法第10条第1項に規定する期間内（在職票の交付を受けた者にあつては、当該在職票に係る退職の日の翌日から起算して1年の期間内）に」とあるのは「当該退職票又は在職票に係る退職の日の翌日から起算して1年を経過する日までに、高年齢求職者給付金に相当する退職手当の支給を受けることなく」と読み替えるものとする[(1)]。

2　第3条、第5条前段、第6条第5項及び第6項、第9条第2項、第11条第1項及び第3項並びに第15条から第17条までの規定は、特例一時金に相当する退職手当の支給について準用する。この場合において、これらの規定（第9条第2項各号を除く。）中「法第10条第1項又は第2項」とあるのは「法第10条第6項又は第7項」と、「基本手当」とあるのは「特例一時金」と、「受給資格者」とあるのは「特例受給資格者」と、「法第10条第1項」とあるのは「法第10条第6項」と、「別記様式第6による失業認定申告書」とあるのは「別記様式第11による特例受給資格者失業認定申告書」と、「受給資格証」とあるのは「特例受給資格証（特例職員以外の特例受給資格者については特例受給資格証（その1）を、特例職員である特例受給資格者については特例受給資格証（その2）をいう。以下同じ。）」と、「法第10条第1項に規定する期間内（在職票の交付を受けた者にあつては、当該在職票に係る退職の日の翌日から起算して1年の期間内）に」とあるのは「当該退職票又は在職票に係る退職の日の翌日から起算して6箇月を経過する日までに、特例一時金に相当する退職手当の支給を受けることなく」と読み替えるものとする[(2)]。

（高年齢求職者給付金に相当する退職手当の支給手続等）
第19条の2　高年齢求職者給付金に相当する退職手当で法第10条第4項の規定によるものは、当該高年齢受給資格者が前条第1項において準用する第5条の規定による求職の申込みをした日から起算して、雇用保険法第33条に規定する期間及び待期日数に等しい失業の日数を経過した後に支給する[(3)]。

2　高年齢受給資格者が高年齢求職者給付金に相当する退職手当の支給を受けようとするときは、法第10条第4項の規定による退職手当に係る場合にあつては前条第1項において準用する第11条第1項の規定による失業の認定を受けた後に、法第10条第5項の規定による退職手当に係る場合にあつては前条第1項において準用する第5条の規定による求職の申込みをした後に管轄公共職業安定所の長が指定する失業の認定を受けるべき日に管轄公共職業安定所に出頭して職業の紹介を求め、高年齢受給資格者失業認定申告書に高年齢受給資格証を添えて提出した上、失業の認定を受けなければならない[(4)]。

3　雇用保険法の規定による基本手当の支給を受ける資格を有する者が同法第20条第1項

又は第2項に規定する期間内に高年齢受給資格者となつた場合においては、当該基本手当の支給を受けることができる日数（法第10条第4項の規定による退職手当に係る高年齢受給資格者にあつては、その日数に待期日数を加えた日数）に等しい失業の日数が経過した後に高年齢求職者給付金に相当する退職手当を支給する[5]。
（特例一時金に相当する退職手当の支給手続等）
第20条 特例一時金に相当する退職手当で法第10条第6項の規定によるものは、当該特例受給資格者が第19条第2項において準用する第5条の規定による求職の申込みをした日から起算して、雇用保険法第33条に規定する期間及び待期日数に等しい失業の日数を経過した後に支給する[6]。
2 特例受給資格者が特例一時金に相当する退職手当の支給を受けようとするときは、法第10条第6項の規定による退職手当に係る場合にあつては第19条第2項において準用する第11条第1項の規定による失業の認定を受けた後に、法第10条第7項の規定による退職手当に係る場合にあつては第19条第2項において準用する第5条の規定による求職の申込みをした後に管轄公共職業安定所の長が指定する失業の認定を受けるべき日に管轄公共職業安定所に出頭して職業の紹介を求め、特例受給資格者失業認定申告書に特例受給資格証を添えて提出した上、失業の認定を受けなければならない[7]。
3 雇用保険法の規定による基本手当の支給を受ける資格を有する者が同法第20条第1項又は第2項に規定する期間内に特例受給資格者となつた場合においては、当該基本手当の支給を受けることができる日数（法第10条第6項の規定による退職手当に係る特例受給資格者にあつては、その日数に待期日数を加えた日数）に等しい失業の日数が経過した後に特例一時金に相当する退職手当を支給する[8]。

第19条から第20条までの規定は、高年齢求職者給付金に相当する退職手当及び特例一時金に相当する退職手当の支給手続等について定めている。

(1)(2) 高年齢求職者給付金に相当する退職手当及び特例一時金に相当する退職手当の支給手続については、第19条の2又は第20条に規定する他、第19条において、第3条（退職票の交付）、第5条（退職票の提出）前段、第6条第5項及び第6項（受給資格証の交付等）、第9条第2項（支給調整）、第11条第1項及び第3項（支給手続）、第15条（退職票等の提出）、第16条（退職票等の再交付）、第17条（受給資格証の再交付）の規定が準用されることとなっている。

(3)(4) 第19条の2は、法第10条第4項及び第5項の規定による高年齢求職者給付金に相当する退職手当の支給手続等について規定している。

① 高年齢求職者給付金に相当する退職手当で法第10条第4項の規定によるもの（一般の退職手当等の支給を受けている者）の支給手続

(ｱ) 退職後速やかに管轄公共職業安定所に出頭、求職の申込み（第5条準用）。

(ｲ) 待期日数（雇用保険法第33条に規定する期間の後の待期日数を含む。）

経過後速やかに管轄公共職業安定所に出頭して職業の紹介を求め、「高年齢受給資格者失業認定申告書」及び「高年齢受給資格証」を提出し、待期日数の間における失業の認定を受ける（第11条第１項準用）。
　㋻　管轄公共職業安定所の長が指定する日に管轄公共職業安定所に出頭して職業の紹介を求め、「高年齢受給資格者失業認定申告書」及び「高年齢受給資格証」を提出し失業の認定を受け、高年齢求職者給付金に相当する退職手当の支給を受ける。

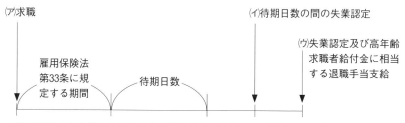

※高年齢求職者給付金に相当する退職手当の支給日は原則として認定日と同一の日

　②　高年齢求職者給付金に相当する退職手当で法第10条第５項の規定によるもの（一般の退職手当等の支給を受けていない者）の支給手続
　㋐　退職後速やかに管轄公共職業安定所に出頭、求職の申込み（第５条準用）。
　㋑　管轄公共職業安定所の長が指定する日に管轄公共職業安定所に出頭して職業の紹介を求め、「高年齢受給資格者失業認定申告書」及び「高年齢受給資格証」を提出した上失業の認定を受け、高年齢求職者給付金に相当する退職手当の支給を受ける。
(5)　第３項は雇用保険法の規定による基本手当の受給資格者が当該基本手当の支給期間内に高年齢受給資格者となった場合の高年齢求職者給付金に相当する退職手当の支給についての調整規定である。
　　高年齢求職者給付金に相当する退職手当は、当該基本手当の支給を受けることができる日数（法第10条第４項の規定による場合は、その日数に待期日数を加えた日数）に等しい失業の日数が経過した後に支給されることとなる。
(6)(7)　第20条は、法第10条第６項及び第７項の規定による特例一時金に相当する退職手当の支給手続等について規定している。
　①　特例一時金に相当する退職手当で法第10条第６項の規定によるもの（一般の退職手当等の支給を受けている者）の支給手続

(ｱ)　退職後速やかに管轄公共職業安定所に出頭、求職の申込み（第5条準用）。
　(ｲ)　待期日数（雇用保険法第33条に規定する期間の後の待期日数を含む。）経過後速やかに管轄公共職業安定所に出頭して職業の紹介を求め、「特例受給資格者失業認定申告書」及び「特例受給資格証」を提出し、待期日数の間における失業の認定を受ける（第11条第1項準用）。
　(ｳ)　管轄公共職業安定所の長が指定する日に管轄公共職業安定所に出頭して職業の紹介を求め、「特例受給資格者失業認定申告書」及び「特例受給資格証」を提出し失業の認定を受け、特例一時金に相当する退職手当の支給を受ける。

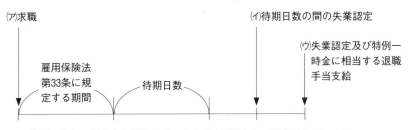

※特例一時金に相当する退職手当の支給日は原則として認定日と同一の日

②　特例一時金に相当する退職手当で法第10条第7項の規定によるもの（一般の退職手当等の支給を受けていない者）の支給手続
　(ｱ)　退職後速やかに管轄公共職業安定所に出頭、求職の申込み（第5条準用）。
　(ｲ)　管轄公共職業安定所の長が指定する日に管轄公共職業安定所に出頭して職業の紹介を求め、「特例受給資格者失業認定申告書」及び「特例受給資格証」を提出した上失業の認定を受け、特例一時金に相当する退職手当の支給を受ける。

(8)　第3項は雇用保険法の規定による基本手当の受給資格者が当該基本手当の受給期間内に特例受給資格者となった場合の特例一時金に相当する退職手当の支給についての調整規定である。
　特例一時金に相当する退職手当は、当該基本手当の支給を受けることができる日数（法第10条第6項の規定による場合は、その日数に待期日数を加えた日数）に等しい失業の日数が経過した後に支給されることとなる。

（注）　雇用保険法上の特例一時金の支給を受けることができる期限（受給期限）は、離職の日の翌日から6箇月を経過する日までとされているが、特例一時金に相当する退職手当については、退職手当法上も規則上も受給期限についての定めはない。しかし、特例一時金制度の趣旨（季節労働者に対して保障されるもの）に鑑みて、国の場合の受給期限を異にするという特段の理由もないことから、雇用保険法と同様6月とするのが適当である。

　また、法第10条第6項及び第7項は、特例一時金を「（雇用保険）法の規定による……支給の条件に従い」支給するとしている。この規定から直接「受給期限6月」とは必ずしも言えないが、規則第19条第2項において、同第15条（退職票等の提出）の「法第10条第1項に規定する期間内（在職票の交付を受けた者にあつては、当該在職票に係る退職の日の翌日から起算して1年の期間内）に」を「当該退職票又は在職票に係る退職の日の翌日から起算して6箇月を経過する日までに、特例一時金に相当する退職手当の支給を受けることなく」と読み替えるとしており、受給期限を6月とすることを念頭においていると考えられることを併せて考慮すれば、退職手当法上も特例一時金に相当する退職手当の受給期限は6月であるとするのが適当である。

○失業者の退職手当支給規則（抄）
　（就業促進手当等に相当する退職手当の支給手続）
第21条　受給資格者又は法第10条第11項に規定する者は、同条第10項第4号から第6号までの規定による退職手当の支給を受けようとするときは、同項第4号の規定による退職手当のうち雇用保険法第56条の3第1項第1号イに該当する者に係る就業促進手当（以下「就業手当」という。）に相当する退職手当にあつては別記様式第11の2による就業手当に相当する退職手当支給申請書に、同号ロに該当する者に係る就業促進手当（雇用保険法施行規則（昭和50年労働省令第3号）第83条の4に規定する就業促進定着手当（以下「就業促進定着手当」という。）を除く。以下「再就職手当」という。）に相当する退職手当にあつては別記様式第11の3による再就職手当に相当する退職手当支給申請書に、同号ロに該当する者に係る就業促進手当（就業促進定着手当に限る。）に相当する退職手当にあつては別記様式第11の4による就業促進定着手当に相当する退職手当支給申請書に、同項第2号に該当する者に係る就業促進手当（以下「常用就職支度手当」という。）に相当する退職手当にあつては別記様式第12による常用就職支度手当に相当する退職手当支給申請書に、法第10条第10項第5号の規定による退職手当にあつては別記様式第13による移転費に相当する退職手当支給申請書に、同項第6号の規定による退職手当のうち雇用保険法第59条第1項第1号に該当する行為をする者に係る求職活動支援費に相当する退職手当にあつては別記様式第14による求職活動支援費（広域求職活動費）に相当する退職手当支給申請書に、同項第2号に該当する行為をする者に係る求職活動支援費に相当する退職手当にあつては別記様式第14の2による求職活動支援費（短期訓練受講費）に相当する退職手当支給申請書に、同項第3号に該当する行為をする者に係る求職活動支援費に相当する退職手当にあつては別記様式第14の3による求職活動支援費（求職活動関係役務利用費）に相当する退職手当支給申請書にそれぞれ受給資格証、高年齢受給資格証又は特例受給資格証を添えて管轄公共職業安定所等の長に提出しなければならない。ただし、受給資格証、高年齢受給資格証又は特例受給資格証を提出

> することができないことについて正当な理由があるときは、これを添えないことができる。
> 2　管轄公共職業安定所等の長は、前項の規定による申請書の提出を受けたときは、受給資格証、高年齢受給資格証又は特例受給資格証に必要な事項を記載し、その者に返付しなければならない。

　本条は、法第10条第10項第4号（就業促進手当に相当する退職手当）、第5号（移転費に相当する退職手当）及び第6号（求職活動支援費に相当する退職手当）の規定による退職手当の給付を受ける手続を規定するものである。

第4章　退職手当の支給制限等

1　定　義

（定義）
第11条　この章において、次の各号に掲げる用語の意義は、当該各号に定めるところによる。
一　懲戒免職等処分　国家公務員法第82条の規定による懲戒免職の処分[1]その他の職員としての身分を当該職員の非違を理由として失わせる処分[2]をいう。
二　退職手当管理機関　退職（この法律その他の法律の規定[3]により、この法律の規定による退職手当を支給しないこととしている退職を除く。以下この章において同じ。）の日におけるイからホまでに掲げる職員の区分[4]に応じ、それぞれイからホまでに定める機関をいう。ただし、ホに定める機関が当該職員の退職後に廃止された場合における当該職員については、当該職員の占めていた職（当該職が廃止された場合にあつては、当該職に相当する職）を占める職員に対し懲戒免職等処分を行う権限を有する機関（当該機関がない場合にあつては、懲戒免職等処分及びこの章の規定に基づく処分の性質を考慮して政令で定める機関[5]）をいう。
イ　国会職員法第1条第1号に規定する各議院事務局の事務総長　両議院の議長が両議院の議院運営委員会の合同審査会に諮つて定める機関[6]
ロ　裁判官　最高裁判所[7]
ハ　検査官　会計検査院[8]
ニ　人事官　人事院[9]
ホ　イからニまでに掲げる者以外の職員　国家公務員法その他の法令の規定（国家公務員法第84条第2項（裁判所職員臨時措置法において準用する場合を含む。）を除く[10]。）により当該職員の退職の日において当該職員に対し懲戒免職等処分を行う権限[11]を有していた機関（当該機関がない場合にあつては、懲戒免職等処分及びこの章の

規定に基づく処分の性質を考慮して政令で定める機関(12))

【解説】

(1) 国家公務員法第82条の規定については、法第6条の4の解説(2)を参照されたい。

(2) 一般職の国家公務員に適用される国家公務員法第82条の規定による懲戒免職を例とし、特別職の国家公務員に対する懲戒免職処分や非違を理由とする罷免も含めて「懲戒免職等処分」とするものである。

なお、行政執行法人の職員については、争議行為を行った場合、行政執行法人の労働関係に関する法律（昭和23年法律第257号）第18条の規定によって解雇されることとなっているが、この場合の解雇も「懲戒免職等処分」と解される。

運用方針では、次のとおり定められている。

〇運用方針（抄）
第11条関係
　本条第1号に規定する「その他の職員としての身分を当該職員の非違を理由として失わせる処分」とは、国家公務員法の適用を受けない職員が、他の法令の規定によりこれらに規定する国家公務員法の規定に実質的に該当する場合をいう。

(3) 在職期間を通算するために退職手当を支給しない退職を定める規定は、法第20条のほか、中部国際空港の設置及び管理に関する法律等において規定されている。法第7条の2及び第20条の解説を参照されたい。

(4) 支給制限処分等は、懲戒免職等処分と同一の主体が判断することが合理的であることから、原則として懲戒免職等処分を行う権限を有する機関が行うこととしている。一方で、懲戒免職等処分を行う権限を有する機関が処分を行うことが適当ではない職員については、イからニまでに掲げている。

(5) 法第11条第2号ホに定める機関とは、①当該職員の退職の日において当該職員に対し懲戒免職等処分を行う権限を有していた機関、又は②施行令第16条で定める機関である。また、第2号本文のかっこ書きによって政令に委任されていると考えられる場合には、(ア)当該職員の退職の日においては当該職員に対し懲戒免職等処分を行う権限を有していた機関があったが、その機関が廃止され、かつ、当該職員が占めていた職に相当する職が特別職になって懲戒免職等処分を行う権限を有する機関がない場合や、(イ)施行令第16条で規定している特別な機関が廃止された場合が考えられる。(ア)の場合には、特別職の在り方は多種多様であり、あらかじめ知り得ないことから、その都度、

個別に具体的な退職手当管理機関を政令で規定することが効率的である。また、(イ)の場合にどのような経過措置を設けるかをあらかじめ想定しておくことは適当ではない。このため、現時点において政令で具体的な機関は規定されていない。

(6) 各議院の事務総長は国会法（昭和22年法律第79号）第27条第1項により、「各議院において国会議員以外の者からこれを選挙する。」とされており、懲戒免職等処分を行う権限を有していた機関が存在しない。立法府に属する各議院の事務総長の退職手当管理機関について、政令で定める機関とすることは適当でないと考えられるため、立法府で独自に定めるための根拠を設けている。具体的には、「国会職員退職手当審査会等に関する規程」（平成21年3月31日両議院議長決定（平成21年4月2日付け官報第5043号10頁掲載））第1条で、各議院の議長としている。

(7) 裁判官の罷免は憲法第64条により弾劾裁判所が行うが、弾劾裁判所の権限を法律で追加することにより、弾劾裁判所を支給制限処分等の主体とすることは適当ではない。そこで、司法行政権行使の主体である最高裁判所を主体としている。

(8) 検査官は、会計検査院法（昭和22年法律第73号）第6条により、職務上の義務に違反する事実があること等が他の検査官の合議により決定され、かつ両議院の議決があったときには、当然退官することとされているが、この仕組みでは「懲戒免職等処分を行う権限を有する機関」が明確でない。独立性の高い組織であることから、会計検査院を主体としている。

(9) 人事官については、国家公務員法第8条第1項及び第9条第1項により、国会の訴追により最高裁判所が弾劾の裁判を行うとしている。この仕組みでは人事官について「懲戒免職等処分を行う権限を有する機関」が明確でないことから、独自に定めることが適当と考えられる。人事官の任命については内閣が行っていることから、内閣を主体とすることも考えられるが、独立性の高い組織であることを考慮し、人事院を主体としている。

(10) 一般職の国家公務員について懲戒権を有するのは、一義的には職員の服務を統督する権限を有する任命権者であるが、任命権者が当然に行うべき懲戒処分を行わない場合には国家公務員法第84条第2項に基づき人事院も懲戒免職にする権限を行使することができるとされている。同様に、裁判所職員については任命権者以外に最高裁判所が懲戒免職にする権限を行使することができる。しかし、退職手当に関する処分についてまで独自の処分権限を設定する必要はないと考えられるため、除外している。

⑾　一般職の国家公務員、一般の裁判所職員、一般の国会職員及び自衛隊員では、懲戒権を有する者は任命権を有する者である（国家公務員法第84条第1項、自衛隊法第31条及び国会職員法第31条）が、任命権と懲戒権を分離して委任することがあり得るため、任命権者と懲戒権者とが異なることはあり得るとする下級審判決がある（大阪地裁昭50・12・25）。服務に責任を持つ立場にあるといいうるのは懲戒権を有する者であることから、退職手当管理機関は懲戒権を有する者とすることを原則としている。

　退職手当管理機関を非違の行われたときのそれぞれの懲戒権を有していた者とするのは、①その後の賞罰について知る立場にないこと、②1人の職員について複数の懲戒権者がいることになって、不安定かつ不経済であることから、適当ではないと考えられることによるものである。また、併任になっていた者については、懲戒権一般を有する者は複数存在することになると考えられるが、併任に係る官職の任命権者が懲戒権を行使することについては、本務である官職の基本的な地位に影響を及ぼさない範囲であることを要すると解されるため、懲戒免職等処分を行いうる者は本務である官職の懲戒権者だけであると考えられる。さらに、国家公務員が転任等により身分を継続したまま他の任命権者の下に移った場合には、新任命権者は、その職員の前任官庁における非行についても懲戒権を行使しうるとするのが行政実例である。逆に、旧任命権者が遡って懲戒権を行使することは許されないと考えられる。

　したがって、退職の日に懲戒免職等処分をする権限を有していた者であれば、それまでの人事記録を持ち、国家公務員としての在職中の全期間について懲戒権を有していたと考えられ、支給制限及び返納についての責任を負うべき者として最も適当と考えられる。

⑿　懲戒免職等処分を行う権限を有する機関がない場合であって、イからニまでに掲げるような政令によって規定することが不適切である機関である場合以外には、退職手当管理機関を政令で規定することとしている。具体的には、施行令第16条で以下のとおり規定している。

○施　行　令（抄）
（懲戒免職等処分を行う権限を有していた機関がない場合における退職手当管理機関）
第16条　法第11条第2号ホに規定する政令で定める機関は、次に掲げる職員の区分に応じ、当該各号に定める機関とする。
一　内閣総理大臣　内閣総理大臣
二　法第11条第2号ホに掲げる職員のうち、当該職員の退職の日において当該職員に対し同号ホに規定する懲戒免職等処分を行う権限を有していた機関がないものであつ

て、前号に掲げる者以外のもの　当該職員の退職の日において当該職員の占めていた職（当該職が廃止された場合にあつては、当該職に相当する職）の任命権を有する機関

　内閣法制局長官、人事院総裁秘書官等については、任命については明確に規定されているが、免職についての明確な規定が定められていない。任命権がある者には、特段の身分保障に関する規定がない限り当然に罷免権もあるという解釈もあり得るが、必ずしも明確ではないことから、任命権者を退職手当管理機関として明確化している。一方、内閣総理大臣については罷免についての規定は特に設けられておらず、懲戒免職等処分を受けることは考えられないが、禁錮以上の刑に処せられることはあり得る。したがって、禁錮以上の刑に処せられたときに支給制限処分、又は返納・納付命令処分を行う主体が必要であるが、任命権者である天皇を退職手当管理機関とすることは憲法上不適切と考えられることから、行政権の属する内閣の首長である内閣総理大臣を退職手当管理機関としている。

2　懲戒免職等処分を受けた場合等の退職手当の支給制限

　（懲戒免職等処分を受けた場合等の退職手当の支給制限）
第12条　退職[(1)]をした者が次の各号のいずれかに該当するときは、当該退職[(2)]に係る退職手当管理機関は、当該退職をした者（当該退職をした者が死亡したときは、当該退職に係る一般の退職手当等[(3)]の額の支払を受ける権利を承継した者[(4)]）に対し、当該退職をした者が占めていた職の職務及び責任、当該退職をした者が行つた非違の内容及び程度、当該非違が公務に対する国民の信頼に及ぼす影響その他の政令で定める事情[(5)]を勘案して、当該一般の退職手当等の全部又は一部を支給しないこととする処分[(6)]を行うことができる。
　一　懲戒免職等処分を受けて退職をした者
　二　国家公務員法第76条の規定による失職[(7)]又はこれに準ずる退職[(8)]をした者
　2　退職手当管理機関は、前項の規定による処分を行うときは、その理由を付記した書面[(9)]により、その旨を当該処分を受けるべき者に通知しなければならない。
　3　退職手当管理機関は、前項の規定による通知をする場合において、当

> 該処分を受けるべき者の所在が知れないときは、当該処分の内容を官報に掲載することをもつて通知に代えることができる[10]。この場合においては、その掲載した日から起算して２週間を経過した日に、通知が当該処分を受けるべき者に到達したものとみなす。

【解説】

(1) この法律その他の法律の規定により、この法律の規定による退職手当を支給しないこととしている退職を除く（法第11条第２号）。

(2) 退職手当を支給される退職を複数回している場合があり得るので、「当該」という限定をしているものである。

(3) 「一般の退職手当等」については、法第５条の２第２項に「一般の退職手当及び第９条の規定による退職手当をいう。」という定義がある。また、「一般の退職手当」については法第２条の３第２項に「次条（＝第２条の４）及び第６条の５の規定による退職手当」という定義がある。要するに、法第10条に規定する失業者の退職手当以外の退職手当を指すものである。

(4) 平成20年改正前の法第８条では、要件が満たされると当然に権利が消滅するという法律構成をとっていたため、退職手当の支払を受ける権利を承継するという問題は生じ得なかった。しかし、支給制限を、支払を受ける権利を有する者に対して退職手当を支払うという金銭債権を消滅させる処分に改めたため、退職が支給制限処分に先行することとなり、支給制限処分を受けるべき者であっても処分がなされるまでの間に権利が発生していると考えざるを得ない。そうすると、支給制限処分をする前に退職をした者が死亡してしまった場合には、死亡した者に対して処分をするわけにはいかず、権利を承継した者に対して支給制限処分をできることとしなければ、支払を受ける権利を消滅させることができない。そこで、権利を承継した者に対する支給制限処分を設けたものである。

なお、ここでいう「権利を承継した者」は、相続人と包括受遺者とに限らず、相続人の相続人等も含まれる。退職をした者が死亡していない場合は、たとえ売買等によって権利を承継した者がいたとしても、法第２条の３第１項により直接払いの原則が適用されるので、退職をした者本人に対して処分を行う。

(5) 一般の退職手当等の全部又は一部を支給しないこととする場合に勘案すべき事情については、政令に委任しているが、法律では行為者についての事情、行為についての事情及び行為後の事情の代表的なものをそれぞれ挙げて

いる。

○施　行　令（抄）
（一般の退職手当等の全部又は一部を支給しないこととする場合に勘案すべき事情）
第17条　法第12条第１項に規定する政令で定める事情は、当該退職をした者が占めていた職の職務及び責任、当該退職をした者の勤務の状況、当該退職をした者が行つた非違の内容及び程度、当該非違に至つた経緯、当該非違後における当該退職をした者の言動、当該非違が公務の遂行に及ぼす支障の程度並びに当該非違が公務に対する国民の信頼に及ぼす影響とする。

　これらの事情の実際の運用については、以下のとおり運用方針が示されている。

○運　用　方　針（抄）
第12条関係
一　非違の発生を抑止するという制度目的に留意し、一般の退職手当等の全部を支給しないこととすることを原則とするものとする。
二　一般の退職手当等の一部を支給しないこととする処分にとどめることを検討する場合は、施行令第17条に規定する「当該退職をした者が行った非違の内容及び程度」について、次のいずれかに該当する場合に限定する。その場合であっても、公務に対する国民の信頼に及ぼす影響に留意して、慎重な検討を行うものとする。
　イ　停職以下の処分にとどめる余地がある場合に、特に厳しい措置として懲戒免職等処分とされた場合
　ロ　懲戒免職等処分の理由となった非違が、正当な理由がない欠勤その他の行為により職場規律を乱したことのみである場合であって、特に参酌すべき情状のある場合
　ハ　懲戒免職等処分の理由となった非違が過失（重過失を除く。）による場合であって、特に参酌すべき情状のある場合
　ニ　過失（重過失を除く。）により禁錮以上の刑に処せられ、執行猶予を付された場合であって、特に参酌すべき情状のある場合
三　一般の退職手当等の一部を支給しないこととする処分にとどめることとすることを検討する場合には、例えば、当該退職をした者が指定職以上の職員であるとき又は当該退職をした者が占めていた職の職務に関連した非違であるときには処分を加重することを検討すること等により、施行令第17条に規定する「当該退職をした者が占めていた職の職務及び責任」を勘案することとする。
四　一般の退職手当等の一部を支給しないこととする処分にとどめることとすることを検討する場合には、例えば、過去にも類似の非違を行ったことを理由として懲戒処分を受けたことがある場合には処分を加重することを検討すること等により、施行令第17条に規定する「当該退職をした者の勤務の状況」を勘案することとする。
五　一般の退職手当等の一部を支給しないこととする処分にとどめることとすることを検討する場合には、例えば、当該非違が行われることとなった背景や動機について特に参酌すべき情状がある場合にはそれらに応じて処分を減軽又は加重することを検討すること等により、施行令第17条に規定する「当該非違に至った経緯」を勘案することとする。

六　一般の退職手当等の一部を支給しないこととする処分にとどめることとすることを検討する場合には、例えば、当該非違による被害や悪影響を最小限にするための行動をとった場合には処分を減軽することを検討し、当該非違を隠蔽する行動をとった場合には処分を加重することを検討すること等により、施行令第17条に規定する「当該非違後における当該退職をした者の言動」を勘案することとする。
　　七　一般の退職手当等の一部を支給しないこととする処分にとどめることとすることを検討する場合には、例えば、当該非違による被害や悪影響が結果として重大であった場合には処分を加重することを検討すること等により、施行令第17条に規定する「当該非違が公務の遂行に及ぼす支障の程度」を勘案することとする。
　　八　本条第1項第2号に規定する「これに準ずる退職」とは、例えば次に掲げる規定による退職をいう。
　　　イ　国会職員法第10条
　　　ロ　公職選挙法（昭和25年法律第100号）第90条
　　　ハ　自衛隊法第38条第2項

(6)　当該一般の退職手当等の全部又は一部を支給しないこととする処分を行うことが出来る場合、その支給制限処分前の額については、法第3条の規定による。すなわち、自己都合退職の場合の額となる。
(7)　国家公務員法第76条の規定による失職とは、いわゆる欠格による失職のことである。

〇国家公務員法（抄）
　　（欠格条項）
　第38条　次の各号のいずれかに該当する者は、人事院規則で定める場合を除くほか、官職に就く能力を有しない。
　　一　禁錮以上の刑に処せられ、その執行を終わるまで又はその執行を受けることがなくなるまでの者
　　二　懲戒免職の処分を受け、当該処分の日から2年を経過しない者
　　三　人事院の人事官又は事務総長の職にあつて、第109条から第112条までに規定する罪を犯し刑に処せられた者
　　四　日本国憲法施行の日以後において、日本国憲法又はその下に成立した政府を暴力で破壊することを主張する政党その他の団体を結成し、又はこれに加入した者
　　（欠格による失職）
　第76条　職員が第38条各号（第2号を除く。）のいずれかに該当するに至つたときは、人事院規則で定める場合を除くほか、当然失職する。

　国家公務員法第38条第1号に該当し、禁錮以上の刑が確定して失職した場合には、本条の規定によって支給制限処分の対象になるが、退職した後に刑が確定した場合における退職手当の取扱いについては、法第13条から第15条まで及び第17条に別途規定が設けられている。
　特別職の職員は、禁錮以上の刑に処せられた場合に罷免される場合がある

が、その場合には本条第1項第2号の適用は受けず、第1号の適用を受けることになる。
(8) 「これに準ずる退職」とは、国家公務員法の適用を受けない特別職の国家公務員についての類似のケースに支給制限処分が行えるようにすることを考えているものである。

なお、法第8条の2第8項第1号において本項を引用し、応募による退職が予定されている職員である旨の認定の効力を失うときを定めている。

○自衛隊法（昭和29年法律第165号）（抄）
（欠格条項）
第38条 次の各号のいずれかに該当する者は、隊員となることができない。
一 禁錮以上の刑に処せられ、その執行を終わるまで又はその執行を受けることがなくなるまでの者
二 法令の規定による懲戒免職の処分を受け、当該処分の日から2年を経過しない者
三 日本国憲法又はその下に成立した政府を暴力で破壊することを主張する政党その他の団体を結成し、又はこれに加入した者
2 隊員は、前項第1号又は第3号に該当するに至つたときは、防衛省令で定める場合を除き、当然失職する。

○国会職員法（昭和22年法律第85号）（抄）
第2条 国会職員は次の各号のいずれかに該当しない者でなければならない。
一 懲役又は禁錮の刑に処せられて、その刑の執行を終わらない者又はその刑の執行を受けることのなくなるまでの者
二 懲戒処分により官公職を免ぜられ、その身分を失つた日から2年を経過しない者
三 前2号のいずれかに該当する者のほか、国家公務員法（昭和22年法律第120号）の規定により官職に就く能力を有しない者
第10条 国会職員が第2条各号（第2号を除く。）のいずれかに該当するに至つたときは、当然失職する。

(9) 処分の書式については、国家公務員退職手当法の規定による退職手当の支給制限等に係る書面の様式を定める内閣官房令（平成21年総務省令第27号）で定めている。

○国家公務員退職手当法の規定による退職手当の支給制限等に係る書面の様式を定める内閣官房令（抄）
（退職手当支給制限処分書の様式）
第1条 国家公務員退職手当法（昭和28年法律第182号。以下「法」という。）第12条第1項の規定による処分に係る同条第2項の書面の様式及び法第14条第1項（同項第1号又は第2号に該当する場合に限る。）の規定による処分に係る同条第5項において準用する法第12条第2項の書面の様式は、別記様式第1のとおりとする。

2　略

⑽　平成20年の法改正前は、懲戒免職処分がなされれば自動的に国は退職手当の支給義務を免れていた。しかし、平成20年の法改正により退職手当の支給制限が処分として構成されたために、国は支給制限処分をしない限り退職手当を支払わなければならないこととなり、金銭債務を負うことになってしまう。したがって、国が履行遅滞となることを避け、早期に法律関係を安定させるために、所在不明の者に対しても有効に支給制限処分を行うことができるようにする必要があるために設けられた規定である。

3　退職手当の支払の差止め

（退職手当の支払の差止め）
第13条　退職をした者が次の各号のいずれかに該当するときは、当該退職に係る退職手当管理機関[1]は、当該退職をした者に対し、当該退職に係る一般の退職手当等の額の支払を差し止める処分[2]を行うものとする[3]。
一　職員が刑事事件に関し起訴（当該起訴に係る犯罪について禁錮以上の刑が定められているものに限り、刑事訴訟法（昭和23年法律第131号）第6編に規定する略式手続によるものを除く。以下同じ。）[4]をされた場合において、その判決の確定前に退職をしたとき[5]。
二　退職をした者に対しまだ当該一般の退職手当等の額が支払われていない場合において、当該退職をした者が基礎在職期間[6]中の行為に係る刑事事件に関し起訴をされたとき[7]。
2　退職をした者に対しまだ当該退職に係る一般の退職手当等の額が支払われていない場合において、次の各号のいずれかに該当するときは、当該退職に係る退職手当管理機関は、当該退職をした者に対し、当該一般の退職手当等の額の支払を差し止める処分を行うことができる[8]。
一　当該退職をした者の基礎在職期間中の行為に係る刑事事件に関して、その者が逮捕されたとき又は当該退職手当管理機関がその者から聴取した事項若しくは調査により判明した事実に基づきその者に犯罪があると思料するに至つたとき[9]であつて、その者に対し一般の退職手当等の額を支払うことが公務に対する国民の信頼を確保する上で支障を生ずると認めるとき[10]。

二　当該退職手当管理機関が、当該退職をした者について、当該一般の退職手当等の額の算定の基礎となる職員としての引き続いた在職期間[11]中に懲戒免職等処分を受けるべき行為（在職期間中の職員の非違に当たる行為であつて、その非違の内容及び程度に照らして懲戒免職等処分に値することが明らかなものをいう。以下同じ。）[12]をしたことを疑うに足りる相当な理由があると思料するに至つたとき[13]。

3　死亡による退職をした者の遺族（退職をした者（死亡による退職の場合には、その遺族）が当該退職に係る一般の退職手当等の額の支払を受ける前に死亡したことにより当該一般の退職手当等の額の支払を受ける権利を承継した者を含む。以下この項において同じ。）に対しまだ当該一般の退職手当等の額が支払われていない場合において、前項第2号に該当するときは、当該退職に係る退職手当管理機関は、当該遺族に対し、当該一般の退職手当等の額の支払を差し止める処分を行うことができる[14]。

4　前3項の規定による一般の退職手当等の額の支払を差し止める処分（以下「支払差止処分」という。）を受けた者は、行政不服審査法（平成26年法律第68号）第18条第1項本文に規定する期間が経過した後においては、当該支払差止処分後の事情の変化を理由に、当該支払差止処分を行つた退職手当管理機関に対し、その取消しを申し立てることができる[15]。

5　第1項又は第2項の規定による支払差止処分を行つた退職手当管理機関は、次の各号のいずれかに該当するに至つた場合には、速やかに当該支払差止処分を取り消さなければならない[16]。ただし、第3号に該当する場合において、当該支払差止処分を受けた者がその者の基礎在職期間中の行為に係る刑事事件に関し現に逮捕されているときその他これを取り消すことが支払差止処分の目的に明らかに反すると認めるときは、この限りでない[17]。

　一　当該支払差止処分を受けた者について、当該支払差止処分の理由となつた起訴又は行為に係る刑事事件につき無罪の判決が確定した場合[18]

　二　当該支払差止処分を受けた者について、当該支払差止処分の理由となつた起訴又は行為に係る刑事事件につき、判決が確定した場合（禁錮以上の刑に処せられた場合及び無罪の判決が確定した場合を除く。）又は公訴を提起しない処分があつた場合であつて、次条第1項の規定による処分を受けることなく、当該判決が確定した日又は当該公訴を

提起しない処分があつた日から6月を経過した場合[19]
　三　当該支払差止処分を受けた者について、その者の基礎在職期間中の行為に係る刑事事件に関し起訴をされることなく、かつ、次条第1項の規定による処分を受けることなく、当該支払差止処分を受けた日から1年を経過した場合[20]
6　第3項の規定による支払差止処分を行つた退職手当管理機関は、当該支払差止処分を受けた者が次条第2項の規定による処分を受けることなく当該支払差止処分を受けた日から1年を経過した場合には、速やかに当該支払差止処分を取り消さなければならない[21]。
7　前2項の規定は、当該支払差止処分を行つた退職手当管理機関が、当該支払差止処分後に判明した事実又は生じた事情に基づき、当該一般の退職手当等の額の支払を差し止める必要がなくなつたとして当該支払差止処分を取り消すことを妨げるものではない[22]。
8　第1項又は第2項の規定による支払差止処分を受けた者に対する第10条の規定の適用については、当該支払差止処分が取り消されるまでの間、その者は、一般の退職手当等の支給を受けない者とみなす[23]。
9　第1項又は第2項の規定による支払差止処分を受けた者が当該支払差止処分が取り消されたことにより当該一般の退職手当等の額の支払を受ける場合（これらの規定による支払差止処分を受けた者が死亡した場合において、当該一般の退職手当等の額の支払を受ける権利を承継した者が第3項の規定による支払差止処分を受けることなく当該一般の退職手当等の額の支払を受けるに至つたときを含む[24]。）において、当該退職をした者が既に第10条の規定による退職手当の額の支払を受けているときは、当該一般の退職手当等の額から既に支払を受けた同条の規定による退職手当の額を控除するものとする。この場合において、当該一般の退職手当等の額が既に支払を受けた同条の規定による退職手当の額以下であるときは、当該一般の退職手当等は、支払わない[25]。
10　前条第2項及び第3項の規定は、支払差止処分について準用する[26]。

【解説】
(1)　支払差止処分は支給制限処分を行うために行う処分であることから、支給制限処分と同じく退職手当管理機関が行うものとしている。
(2)　支払差止処分は、一般の退職手当等を支給される権利を持つ者に対して、

退職した日から起算して1月以内に支払わなければならないとされている（法第2条の3第2項参照）一般の退職手当等の額の支払を差し止める行政処分である。支払差止処分は、一般の退職手当等の額の支払の履行期を、支払差止処分が取り消されるまで延期する効果を持ち、取り消された場合には速やかに支払わなければならない。なお、支払差止処分が取り消された場合であっても、一般の退職手当等の支払に当たり、遅延利息を付する義務は負わないものと解される。

仮に一般の退職手当等の額の支払を受けた者が返納しなければならなくなることが予想される場合においても、その支払を行うこととすると、
① 職員の退職後に不祥事の嫌疑が公になっているときに、権利を失わせる要件が整う前に支払の履行期が来たからといって支払をすることは、国民の理解を得がたい
② 退職手当が費消されてしまい、回収が困難となり、国庫に損害を与える結果となりかねない
③ 支払を受けた者が死亡してしまった場合には、相続人に納付命令処分を行う要件が厳しいため、国庫に損害を与える結果となりかねない

などの問題点が考えられる。このため、一般の退職手当等の額の支払を受けた者が返納しなければならなくなることが予想される場合には、支払の履行期が到来する前に、一時的に支払を受けられなくすることが必要である。

一般の退職手当等の全部を支給しないこととする支給制限処分が行われたときには、支払差止処分の対象であった一般の退職手当等を支給される権利が消滅することから、支払差止処分についても、その取り消しを待つことなく自動的に消滅する。一部を支給しないこととする支給制限処分が行われたときには、法第14条第6項により、支払差止処分は取り消されたものとみなされる。

なお、本条に基づく支払差止処分の運用に当たっては、公務に対する国民の信頼確保の要請と退職者の権利の尊重に十分留意しつつ、厳正かつ公正を期すことが求められる。

〇運用方針（抄）
第13条関係
一　本条に規定する支払差止処分を行うに当たっては、公務に対する国民の信頼確保の要請と退職者の権利の尊重に留意しつつ、厳正かつ公正に対処するものとする。

(3) 平成20年の法改正前は、起訴中に退職した場合又は退職後退職手当の支払前に起訴された場合には退職手当を支給せず、その後禁錮以上の刑に処せら

れないときは支給することとしていた（旧法第12条第1項及び第3項）。改正後においても、起訴中に退職した場合又は退職後退職手当の支払前に起訴された場合には、支払差止処分をすることを当然に予定しているものである。

(4) 支払差止処分は、支給制限処分が行われる可能性を前提として行われるものであり、罰金刑以下の刑を法定刑の上限とする犯罪に係るものであるときには失職を理由とする支給制限処分の対象とならないことから、本条第1項に基づく支払差止処分の対象としない。ただし、刑事事件としては罰金刑以下の刑にしかならない犯罪であっても、懲戒免職等処分を受けるべき行為とされる場合があり得る。その場合には、本条第2項第2号に該当するとして支払差止処分の対象とされる。

(5) 職員が刑事事件に関し、起訴されて禁錮以上の刑に処せられて失職した場合には、法第12条第1項第2号に該当し、支給制限処分の対象となる。しかし、この起訴された職員が判決の確定前に退職した場合には、その退職当時においては有罪であるか無罪であるかが不明である。そこで、この場合には、退職手当の支払を差し止め、禁錮以上の刑に処せられたとき（執行猶予の付された禁錮以上の刑が確定したときも含まれると解される。）には、法第14条第1項の規定による支給制限処分を行うという趣旨である。これにより、起訴されていち早く退職し、退職手当の支払を受けようとすることを防止するための規定である。

職員が刑事事件に関し起訴をされた場合において、禁錮以上の刑に処せられれば失職となる犯罪を行った時点は、公務員として在職していたかどうかによらないので、支払差止処分の要件としても犯罪を行った時点を限定していない。

(6) 「基礎在職期間」については法第5条の2に定義規定があり、退職手当の支給の基礎となるものとして規定する引き続いた期間（出向期間等も含めて通算した在職期間全体そのもの）を指す概念である。在職中に起訴された場合と異なり、禁錮以上の刑に処せられれば失職となる犯罪を行った時点を限定している。

(7) 職員が退職した場合において、当該退職に係る一般の退職手当等の額の支払手続中に基礎在職期間中の行為に係る刑事事件に関し起訴されたときは、退職手当の支払を差し止め、禁錮以上の刑に処せられたときには、法第14条第1項の規定による支給制限処分をするという趣旨である。

(8) 起訴には至っていないものの、今後起訴されて禁錮以上の刑に処せられる見込みである場合と、懲戒免職等処分を受けるべき行為をしたと認められる

見込みである場合にも、支払差止処分をすることができる。ただし、本条第1項と異なり、要件に該当するかどうかについて裁量の余地がある。

(9) どのようなときが「犯罪があると思料するに至つた」といえるかどうかについては、具体的な状況に応じて判断するしかなく、①本人の供述、②関係者の供述、③職場内外で収集し得た物証、④警察等から提供を受けることができた情報などを総合的に勘案し、事実関係について相当程度の確証が得られたことが必要であり、漠然とした風聞に基づき何らかの不当な行為があったかもしれないという程度の心証では足りないものと解すべきである。

また、禁錮以上の刑に処せられれば失職となる犯罪を行った時点について、基礎在職期間中に限定している。

(10) 「その者に対し一般の退職手当等の額を支払うことが公務に対する国民の信頼を確保する上で支障を生ずると認めるとき」とは、当該退職者の逮捕の理由となった犯罪又はその者が犯したと思料される犯罪に係る法定刑の上限が禁錮以上の刑に当たるものであるときをいう。起訴された場合であれば、刑事訴訟法第256条第2項及び第4項により、適用すべき罰条とともに罪名が示されるので、禁錮以上の刑が定められている罪であるかどうかが明らかであるが、逮捕については現行犯逮捕の場合もあり、どのような罪で逮捕されたのか必ずしも明らかでない。また、ある事実が犯罪となることについては相当程度の確証があるが、それが法定刑の上限が禁錮以上の刑に当たる犯罪であるか（例えば重過失致死傷罪）、罰金以下のものでしかないか（例えば過失致死罪）については判断しかねるというような場合もあり得る。こうした場合には禁錮以上の刑に当たる犯罪である可能性が十分にある場合には、支払差止処分を行い得ると解される。

〇運用方針（抄）
第13条関係
　二　本条第2項第1号に規定する「その者に対し一般の退職手当等の額を支払うことが公務に対する国民の信頼を確保する上で支障を生ずると認めるとき」とは、当該退職者の逮捕の理由となった犯罪又はその者が犯したと思料される犯罪（以下「逮捕の理由となった犯罪等」という。）に係る法定刑の上限が禁錮以上の刑に当たるものであるときをいう。

(11) 現行の懲戒制度及び出向制度では、退職手当の支給の基礎となるものとして規定する引き続いた在職期間であっても、出向先での行為について懲戒処分をすることはできない。したがって、退職後においてのみ、出向先での行為について懲戒免職等処分を受けるべき行為をしたと認められるとすること

は不合理である。このため、懲戒免職等処分を受けるべき行為をしたと認められる時期を、当該一般の退職手当等の額の算定の基礎となる職員としての引き続いた在職期間に限定し、出向期間を排除している。なお、ここでいう「職員としての引き続いた在職期間」は、出向前の職員としての引き続いた在職期間も含むと解しており、出向前の職員であったときの行為について懲戒処分にすることができるとする規定（国家公務員法第82条第2項（裁判所職員臨時措置法において準用する場合を含む。）、自衛隊法第46条第2項又は国会職員法第28条第2項）と整合性を保っている。

⑿ 「懲戒免職等処分を受けるべき行為」については、「在職期間中の職員の非違に当たる行為であつて、その非違の内容及び程度に照らして懲戒免職等処分に値することが明らかなものをいう。」と定義づけている。これは、弾劾裁判による裁判官の罷免についても「懲戒免職等処分」と解され、したがって、最高裁判所が弾劾裁判所から独立して裁判官の罷免を受けるべき行為であるかどうかを判断することになることなどから、処分の対象となる行為となる場合を、制度の趣旨や運用を前提として客観的・合理的な事実判断として懲戒免職等処分に値する場合に限定することが必要だと考えられたために設けられた規定である。

⒀ 法第14条第1項第3号により、懲戒免職等処分を受けるべき行為をしたと認めたときにも支給制限処分を行うことができることから設けられた規定である。

⒁ 法第14条第2項により遺族等に支給制限処分を行うことができることから、設けられた規定である。本人が死亡しているため、禁錮以上の刑に処せられたことを理由として遺族等に対する支給制限処分が行われることはありえない。このため、支払差止処分も、懲戒免職等処分を受けるべき行為をしたことを疑うに足りる相当な理由があると思料することを理由とするものに限られる。

なお、支払差止処分を受けた者が死亡した場合には、処分の効果が承継されるとは解されず、この規定によって改めて処分をする必要がある。

⒂ 支払差止処分は行政処分であるから、支払差止処分を受けた者が、その理由となった事実認定や手続に不服がある場合には、行政不服審査法（平成26年法律第68号）に基づき審査請求を行うことができる。しかし、行政不服審査法では処分後の事情の変化を理由に処分の取消しを求めることはできないため、本項は、特別の不服申立て制度を設け、行政不服審査法上の審査請求期間が経過した後においては、当該支払差止処分後の事情の変化を理由に、当

該支払差止処分を行った退職手当管理機関に対し、その取消し（処分の撤回）を申し立てることができることとしている。この場合、取消しを申し立てられた退職手当管理機関は、事情の変化（第5項又は第6項に該当するような取消し事由の発生）の有無を速やかに確認し、適切に対応すべきこととなる。

　退職手当管理機関が、当該申立てに理由がないと認める場合には、当該申立てを棄却することになるが、取消しを申し立てた者は、なお不服があれば、今度はこの棄却処分に対し、行政不服審査法に基づく審査請求を行い得る。

○運用方針（抄）
第13条関係
　三　本条第4項の規定に基づき、支払差止処分後の事情の変化を理由に、当該支払差止処分を受けた者から当該支払差止処分の取消しの申立てがあった場合には、事情の変化の有無を速やかに確認しなければならない。
　四　前号の場合において、取消しの申立てに理由がないと認める場合には、その旨及び当該認定に不服がある場合には行政不服審査法（平成26年法律第68号）に基づき審査請求ができる旨を速やかに申立者に通知するものとする。

(16)　支払差止処分は、任意に取り消すことができる（⑳参照）が、権利保護の観点から必要的取消事由を定めている。
　支払差止処分を取り消さなければならない場合とは、もはや支給制限処分を行う可能性がほとんどなくなったか、支給制限処分を行うには時期を逸したと解されるに至った場合である。そのような場合に支払差止処分を取り消さずに放置することは、退職者の権利保護の観点から許されず、速やかに支払差止処分を取り消して一般の退職手当等の額を支払うべきと考えられる。仮に必要的取消事由に該当する場合であるにもかかわらず支払差止処分を取り消さない場合には、退職者は本条第4項に基づく申立てをすることができ、また、取り消さないことについて故意・過失、違法性等の要件が満たされれば、国家賠償法に基づき損害賠償を求めることができると考えられる。
(17)　「その他これを取り消すことが支払差止処分の目的に明らかに反すると認めるとき」とは、「逮捕」と同程度に起訴の可能性が高いと認められるときや、法第14条第1項第3号の規定による処分を行おうとする手続を始めているときであり、もう少し待てばもしかしたら起訴されるかもしれないというような漠然とした理由で支払差止を続けてはならない。

○ 運　用　方　針（抄）
第13条関係
　五　本条第5項ただし書に規定する「その他これを取り消すことが支払差止処分の目的に明らかに反すると認めるとき」とは、支払差止処分を受けた者が現に勾留されているときなど、その者が起訴される可能性が極めて高いと認められるときをいう。

⒅　無罪の判決が確定すれば、当然、その刑事事件について禁錮以上の刑に処せられることはありえない。
　　一方、刑罰と懲戒とはその基づく権力、本質及び目的を異にする性格のものであり、刑事事件について無罪の判決となった場合でも懲戒処分をすることはあり得ると解される。しかし、退職後に刑事事件を理由として支払差止処分をした場合であって、その刑事事件については無罪の判決が確定したにもかかわらず、懲戒免職等処分を受けるべき行為をしたとして支給制限処分を行う可能性は極めて低く、支払差止処分を取り消さないことは退職者の権利を著しく損ねるものと考えられる。

⒆　禁錮以上の刑に処せられた場合を除き、判決が確定した場合には、もはや禁錮以上の刑に処せられることはありえない。具体的には以下のような場合が考えられる。
　①　罰金以下の刑に処せられた場合
　②　刑の免除の判決をした場合（刑事訴訟法第334条）
　③　免訴の判決をした場合（刑事訴訟法第337条）
　④　公訴棄却の判決又は決定をした場合（刑事訴訟法第338条・第339条）
　　なお、無罪の判決が確定した場合に、もはや禁錮以上の刑に処せられないことは当然である。
　　また、公訴を提起しない処分があった場合には、禁錮以上の刑に処せられる可能性が著しく低くなったと考えられる。
　　このような判決の確定又は処分がなされた後であっても、場合によっては、懲戒免職等処分を受けるべき行為をしたとして支給制限処分を行うことはあり得ると考えられる。このとき、判決の確定又は処分がなされて速やかに支給制限処分の手続を開始することを想定しつつも、意見聴取の手続や退職手当審査会への諮問手続が必要であるため、6月に限り支給制限処分を行えるようにしている。

⒇　刑事事件として何らかの結論が出ることもなく、懲戒免職等処分を受けるべき行為をしたと認められることもない場合に、支払を差し止めている状態を漫然と続けることは、退職者の権利の尊重の観点から適切でない。1年以

内に結論が出ない場合には、とりあえず支払差止処分を取り消して一般の退職手当等の額を支払い、仮にその後に刑事事件に関し禁錮以上の刑に処せられたり、懲戒免職等処分を受けるべき行為をしたと認められたりした場合には、その時点で返納を命ずることが適当と考えられる。

ただし、支給制限処分のための手続を開始している場合のように、支払差止処分を取り消すことが処分の目的に明らかに反すると認めるときは、この限りでないと考えられる(⑰参照)。

⑴ 遺族等に対して支払差止処分をしたにもかかわらず、1年以内に支給制限処分をしない場合には、支払差止処分を取り消して一般の退職手当等の額を支払わなければならないこととしている。このとき、法第16条に基づく返納についても退職の日から1年以内に行わなければならないので、返納を命ずることもできない。非違を犯した本人以外に対する処分を行うことができるのは、それだけ明らかに処分ができる場合に限定すべきという趣旨である。

⑵ 支払差止処分の取消しを行うに当たっては、公務に対する国民の信頼確保の要請及び退職者の権利の尊重という立法趣旨を十分に踏まえる必要がある。

○運用方針 (抄)
第13条関係
　　六　本条第7項に規定する「一般の退職手当等の額の支払を差し止める必要がなくなった」と認める場合とは、例えば次に掲げる場合をいう。
　　　イ　退職をした者の逮捕の理由となった犯罪等について、犯罪後の法令により刑が廃止された場合又は大赦があった場合
　　　ロ　退職をした者の逮捕の理由となった犯罪等に係る刑事事件に関し公訴を提起しない処分がなされた場合
　　　ハ　退職をした者が、その者の逮捕の理由となった犯罪等について、法定刑の上限として罰金以下の刑が定められている犯罪に係る起訴をされた場合又は略式手続による起訴をされた場合

⑶ 支払差止処分を受けた者は、一般の退職手当等の支払が差し止められているに過ぎず、退職手当請求権自体を失ったわけではないため、法第10条第2項、第5項及び第7項に規定する「一般の退職手当等の支給を受けない」者に該当するかどうかについて疑義が生じる。そこで、このみなし規定を設け、これらの規定の要件に該当する場合には失業者の退職手当が支給されることを明らかにした。

⑷ 支払差止処分を受けていたことを理由に本人に失業者の退職手当を支給していて、本人が死亡した場合においても、同じ取扱いとすることを定めたも

㉕　支払差止処分を受けた者が本条第8項の規定に基づいて失業者の退職手当を支給されている場合に、その支払差止処分が取り消されたときには、既に支給された失業者の退職手当の額と支払われるべき一般の退職手当等の額とを調整すべきことを定めている。

㉖　処分の書式については、国家公務員退職手当法の規定による退職手当の支給制限等に係る書面の様式を定める内閣官房令（平成21年総務省令第27号）で定めている。

　　また、履行遅滞となることを避ける必要があることから、公示送達についても、法第12条第2項及び第3項の規定を準用することを定めている。

○国家公務員退職手当法の規定による退職手当の支給制限等に係る書面の様式を定める内閣官房令（抄）

　　（退職手当支払差止処分書の様式）

第2条　法第13条第1項の規定による処分に係る同条第10項において準用する法第12条第2項の書面の様式は、別記様式第3のとおりとする。

2　法第13条第2項（同項第1号に該当する場合に限る。）の規定による処分に係る同条第10項において準用する法第12条第2項の書面の様式は、別記様式第4のとおりとする。

3　法第13条第2項（同項第2号に該当する場合に限る。）の規定による処分に係る同条第10項において準用する法第12条第2項の書面の様式は、別記様式第5のとおりとする。

4　法第13条第3項の規定による処分に係る同条第10項において準用する法第12条第2項の書面の様式は、別記様式第6のとおりとする。

4　退職後禁錮以上の刑に処せられた場合等の退職手当の支給制限

　　（退職後禁錮以上の刑に処せられた場合等の退職手当の支給制限）

第14条　退職をした者に対しまだ当該退職に係る一般の退職手当等の額が支払われていない場合[1]において、次の各号のいずれかに該当するときは、当該退職に係る退職手当管理機関[2]は、当該退職をした者（第1号又は第2号に該当する場合において、当該退職をした者が死亡したときは、当該一般の退職手当等の額の支払を受ける権利を承継した者[3]）に対し、第12条第1項に規定する政令で定める事情[4]及び同項各号に規定する退職をした場合の一般の退職手当等の額との権衡[5]を勘案して、当該一般の退職手当等の全部又は一部を支給しないこととする処分を行う

ことができる(6)。
一　当該退職をした者が刑事事件（当該退職後に起訴をされた場合にあつては、基礎在職期間中の行為に係る刑事事件に限る。）に関し当該退職後に禁錮以上の刑に処せられたとき(7)。
二　当該退職をした者が当該一般の退職手当等の額の算定の基礎となる職員としての引き続いた在職期間中の行為に関し国家公務員法第82条第2項（裁判所職員臨時措置法において準用する場合を含む。）、自衛隊法第46条第2項又は国会職員法第28条第2項の規定による懲戒免職等処分（以下「定年前再任用短時間勤務職員等に対する免職処分」という。）を受けたとき(8)。
三　当該退職手当管理機関が、当該退職をした者（定年前再任用短時間勤務職員等に対する免職処分の対象となる者を除く(9)。）について、当該退職後に(10)当該一般の退職手当等の額の算定の基礎となる職員としての引き続いた在職期間中に(11)懲戒免職等処分を受けるべき行為(12)をしたと認めたとき(13)。
2　死亡による退職をした者の遺族(14)（退職をした者（死亡による退職の場合には、その遺族）が当該退職に係る一般の退職手当等の額の支払を受ける前に死亡したことにより当該一般の退職手当等の額の支払を受ける権利を承継した者を含む(15)。以下この項において同じ。）に対しまだ当該一般の退職手当等の額が支払われていない場合において、前項第3号に該当するときは、当該退職に係る退職手当管理機関は、当該遺族に対し、第12条第1項に規定する政令で定める事情(16)を勘案して、当該一般の退職手当等の全部又は一部を支給しないこととする処分を行うことができる(17)。
3　退職手当管理機関は、第1項第3号又は前項の規定による処分を行おうとするときは、当該処分を受けるべき者の意見を聴取しなければならない(18)。
4　行政手続法（平成5年法律第88号）第3章第2節（第28条を除く。）の規定は、前項の規定による意見の聴取について準用する(19)。
5　第12条第2項及び第3項の規定は、第1項及び第2項の規定による処分について準用する(20)。
6　支払差止処分に係る一般の退職手当等に関し第1項又は第2項の規定により当該一般の退職手当等の一部を支給しないこととする処分が行われたときは、当該支払差止処分は、取り消されたものとみなす(21)。

【解説】

(1) 懲戒免職又は失職による退職であれば法第12条、それ以外の退職で既に一般の退職手当等の額を支払ってしまっているのであれば法第15条から第17条までの規定の適用が検討されることととなる。

(2) 退職手当管理機関は、退職の日における法第11条第2号に掲げる区分に応じて定められる。

(3) 法第12条の解説(4)参照。

　禁錮以上の刑に処せられた場合や定年前再任用短時間勤務職員等に対する免職処分を受けていた場合であって、支給制限処分を受ける前に死亡してしまったときには、退職した元職員本人に対する処分と同じ手続で権利を承継した者に処分をしようとするものである。

　懲戒免職等処分を受けるべき行為をしていたのではないかという疑いがかかって退職手当の支払を差し止めていた退職者が死亡してしまった場合には、本条第2項の適用が検討されることとなる。解説(14)参照。

(4) 法第12条の解説(5)参照。

(5) 処分前の一般の退職手当の額について、法第12条第1項が適用される場合には自己都合退職の場合の額となる（法第12条の解説(6)参照）が、法第14条第1項が適用される場合には、退職の時点でその退職事由に応じた額となっている。そのため、仮に一部支給制限処分を行おうとした場合、法第12条第1項を適用した場合の処分前の額との差額を勘案する必要がある。

　なお、本人が死亡する前に禁錮以上の刑の確定や定年前再任用短時間勤務職員等に対する免職処分がなされていた場合は、その時点で受給することを期待できる額は設定されていると考えられることから、処分前の一般の退職手当等の額は、死亡による場合の額とするのではなく、自己都合退職の場合の額となる。

(6) 在職期間中の行為について禁錮以上の刑に処せられたときは、多くの場合、懲戒免職等処分を受けるべき行為をしたものと考えられ、本条第1項第1号と第3号の両方の要件を満たすことになる。同一の行為について重ねて処分をすることは不合理であり、第1号のみを根拠として処分を行うことが適当である。しかし、刑事裁判が確定するまでにはかなり時間がかかることから、刑事裁判確定前に第3号を根拠として処分を行うことも可能である。

　いったん一部支給制限処分を行った場合、同じ行為について重ねて処分を行うことはできないと考えられる。処分後に新たな非違が明らかになった場合については、前に行った処分を取り消して新たな処分を行うのではなく、

既に行った処分を前提に新たな処分を行うことが想定される。
　法第14条の支給制限処分は、退職前に非違が明らかになっていれば当然に法第12条の支給制限処分を受けていたであろう場合に行う処分であることから、法第12条の支給制限処分と同様の処分とすることを原則としている。

○運用方針（抄）
第14条関係
　本条第1項の規定により一般の退職手当等の全部又は一部を支給しないこととする処分を行うにあたっては、当該処分を受ける者が第12条第1項各号に該当していた場合に同項の規定により受けたであろう処分と同様の処分とすることを原則とするものとする。

(7)　職員が在職中に禁錮以上の刑に処せられた場合には、一般職の職員であれば国家公務員法第38条第1号の欠格条項に該当して同法第76条の規定により失職する。自衛隊員、一般の裁判所職員及び一般の国会職員の場合も、それぞれの根拠規定に基づき同様に失職となる。これらの場合には法第12条第1項第2号の適用を受け、一般の退職手当等の全部又は一部を支給しないこととする処分を受けることとなる。本規定により、このこととの均衡がとられている。

　「退職後に禁錮以上の刑に処せられたとき」とされているので、在職中に禁錮以上の刑に処せられていた場合には、本条の適用はない。在職中に禁錮以上の刑に処せられれば失職して法第12条第1項第2号の適用を受けるが、同号の適用がなく、また、法第12条第1項第1号の適用も受けなかった場合には、本条第1項第3号の適用の余地があるかどうかが検討されることになる。解説(10)参照。

　「刑に処せられた」とは、刑を言い渡した判決が確定することをいい、執行猶予の言渡しが付されているといないとを問わない。ただし、少年のとき犯した罪について刑に処せられ、刑の執行猶予の言渡しを受けた場合には、その猶予期間中、人の資格に関する法令の適用については、刑の執行を受け終わったものとみなして将来に向かって刑の言渡しを受けなかったものとみなすこととされており（少年法（昭和23年法律第168号）第60条）、国家公務員として失職をしない。このこととの均衡上、退職手当法の解釈においても、少年のとき犯した罪について刑に処せられ、刑の執行猶予の言渡しを受けた場合には、「刑に処せられた」とみなさず、執行猶予が取り消されたときに「刑に処せられた」ものとみなす。

○**少 年 法**（昭和23年法律第168号）（抄）
（人の資格に関する法令の適用）
第60条 少年のとき犯した罪により刑に処せられてその執行を受け終り、又は執行の免除を受けた者は、人の資格に関する法令の適用については、将来に向つて刑の言渡を受けなかつたものとみなす。
2 少年のとき犯した罪について刑に処せられた者で刑の執行猶予の言渡を受けた者は、その猶予期間中、刑の執行を受け終つたものとみなして、前項の規定を適用する。
3 前項の場合において、刑の執行猶予の言渡を取り消されたときは、人の資格に関する法令の適用については、その取り消されたとき、刑の言渡があつたものとみなす。

　平成20年の法改正前の規定では、在職中に起訴をされて判決確定前に退職した場合（旧法第12条第1項）、基礎在職期間中の行為に係る刑事事件に関し退職後に起訴をされた場合（旧法第12条第3項）には一般の退職手当等を支給しないこととしていた。旧法第12条第1項は、公務員として在職したときの行為に限らず禁錮以上の刑に処せられたことを理由として失職となることとの均衡から、在職中に起訴されていた場合には起訴の理由となった行為が基礎在職期間中のものでなくても不支給としたものと考えられる。一方、旧法第12条第3項は、同時に設けられた返納制度（旧法第12条の3）に合わせ、公務に対する国民の信頼確保の観点から退職手当の算定の基礎となる期間の行為の適正性を担保するという制度の目的のため、基礎在職期間中の行為に限って不支給としたものと考えられる。平成20年の法改正において、これらを統一することも考えられたが、①従来不支給となっていた場合をすべて支給としてしまうことは問題と考えられること、②基礎在職期間中の行為でないものを新たに支給制限にしなければならないほどの政策的要請もないことから、従来からの取扱いを踏襲することとされた。

(8) 一般職の国家公務員、一般の裁判所職員、一般の国会職員及び自衛隊員については、定年前再任用短時間勤務職員等となった者がかつて職員として在職していた期間中の行為について懲戒免職処分をするための規定がある。定年前再任用短時間勤務職員等は、法第2条第1項により退職手当法上の「職員」ではないとされているが、定年前再任用短時間勤務職員等となっても退職手当法上は「退職をした者」である。

(9) 懲戒処分を行い得る者がいるにもかかわらず、別途退職手当法に基づく処分を行い得るようにすることは適当ではないと考えられたため、このような除外規定が置かれた。

(10) 懲戒免職等処分を受けるべき行為をしたと在職中に認めたときは、懲戒免職等処分を行うべきであったのであり、当該行為についての認識があったに

もかかわらず懲戒免職等処分を行わなかった場合についてまで、本条による処分ができるとは解されない。まして、停職等の処分を既にしている場合、その原因となった同一の行為について、懲戒免職等処分を受けるべき行為であったとして再度処分を行うことは許されない。

なお、特別職の職員の中には禁錮以上の刑に処せられた場合でも当然に身分を失わないものがあるが、そのような特別職の職員が在職中に禁錮以上の刑に処せられたことを人事当局が知らないうちに退職されてしまったような場合には、この号を根拠に処分を行うことはあり得ると考えられる。

(11) 退職後に禁錮以上の刑に処せられた場合に支給制限の対象になるのは基礎在職期間中の行為であるのに対し、懲戒免職等処分を受けるべき行為とされるのは、当該一般の退職手当等の額の算定の基礎となる職員としての引き続いた在職期間中の行為に限られる。具体的に除外されるのは、退職手当法上勤続期間を通算することとされているが本来の職員としての身分を失っている期間の行為、すなわち地方公務員、公庫等職員、独立行政法人役員等に出向している期間の行為である。

国をいったん退職し、地方公務員や公庫等職員として勤務しているときに、国家公務員としての服務規範を守るべきであるとすることはできず、また、地方公務員や公庫等職員としての服務について退職手当管理機関は判断する立場に無い。さらに、禁錮以上の刑に処せられる場合には出向中の行為であっても第1号で対処することができ、それ以上に出向中の行為について責任を問うための客観的な仕組みを設ける必要性は低いと考えられる。

なお、一般職の国家公務員が特別職の国家公務員に出向した場合に、特別職の国家公務員であった期間の行為については、国家公務員法に基づく懲戒の対象になっていない。このような場合には、退職手当管理機関は懲戒免職等処分を受けるべき行為をしたかどうかを判断することができず、結果として、この処分を行うことができないことになる。

(12) 「懲戒免職等処分を受けるべき行為」については、法第13条の解説(12)参照。

(13) 「懲戒免職等処分を受けるべき行為をしたと認め」る特段の行為があるわけではなく、一般の退職手当等の全部又は一部を支給しないこととする処分をしたときには、そのように退職手当管理機関が認めたと考えられるということである。懲戒免職等処分を受けるべき行為をしたと認めたことについて争うためには、全部又は一部を支給しないこととする処分を争う必要がある。

裁判官が「懲戒免職等処分を受けるべき行為」をしたと最高裁判所が認め

る場合のように、退職手当管理機関が懲戒免職等処分を行う権限を有さない機関である場合であっても、「懲戒免職等処分を受けるべき行為」か否かは客観的・合理的な事実判断であることから、本来の懲戒免職等処分を行う権限を有する機関の判断を経るまでもなく、退職手当制度の適正・信頼の確保という観点から、客観的な判断をすることは可能と考えられる。

　在職期間中に禁錮以上の刑に処せられるような刑事事件を起こした場合には、懲戒免職等処分を受けるべき行為をしたと認められる場合が多いと考えられるので、禁錮以上の刑に処せられる前にこの号を根拠に処分を行うことは可能である。ただし、重ねて処分を行うことについては解説(6)参照。

(14)　遺族については法第2条の2参照。

(15)　懲戒免職等処分を受けるべき行為をしたと認めることを理由とする処分の場合には、権利を承継した者に対しても、遺族に対する処分手続を適用することが適当と考えられる。

(16)　法第12条の解説(5)参照。

(17)　非違を行った本人が死亡した後に要件が満たされる処分であることから、本人が犯した非違について善意である可能性が考えられ、その場合には、本人が死亡した時点で支払を受けることができると期待する額は法第3条第2項の「第12条第1項各号に掲げる者を含む。」という規定の適用を受けた額ではないと考えられる。このような期待を一律に保護しないこととすることは適当ではないことから、法第12条第1項や法第14条第1項の規定による支給制限の場合とは異なり、法第3条第2項の適用はされていない。

(18)　国家公務員法を始めとして、懲戒処分についての事前手続を法律で定めていない場合が多いことから、支給制限処分という不利益処分を行うに当たり適正な手続を設けることについて、すべての支給制限処分についてまで意見陳述のための手続をとることはバランスを欠くと考えられる。しかし、少なくとも懲戒免職等処分を受けるべき行為があったことを認めたことによる処分については、処分を受ける者の意見を聴かずに当該行為の事実認定をすることは不適当であることから、意見を聴取する手続が設けられた。

(19)　行政処分を行う場合の事前手続を定めた行政手続法は、行政庁が不利益処分を行う場合には、事前に当該処分をしようとする者に対し意見陳述のための手続を行うことを義務付けている。これは、被処分者の権利保護を図る観点から、公正・透明な処分手続を法的に保障しつつ、処分の原因となる事実について、当該処分の名あて人に対して自らの防御権を行使する機会を付与することが必要なためである。

支給制限処分は、行政手続法第13条第2項第4号（納付すべき金銭の額を確定し、一定の額の金銭の納付を命じ、又は金銭の給付決定の取消しその他の金銭の給付を制限する不利益処分をしようとするとき。）に該当することから、行政手続法上の意見陳述のための手続を執らなければならないということはない。しかし、同号の立法趣旨は、「①金銭債権は代替性のあるものであり、事後の争訟において処分が否定されても、その段階で清算されれば（利子の問題を除き）相手方に不利益は生じない。②金銭に係る処分の中には、多数の者に対して大量に行われる性質のものがかなりみられ、これらについて一々事前手続を必要とすると、事務量の増加が著しいものとなる。③請求に係る金銭の支給を制限する処分については、聴聞・弁明手続を行っているということは当該給付の免責事由とならないので、聴聞・弁明手続の間に給付期日が到来した場合には、年金のように支分債権と基本債権が分かれているものであって、基本債権を制限する処分については、当該給付期日に係る支分債権は給付し、処分が行われた段階で改めて返還命令なり返還請求なりを行うことになる。」（総務省行政管理局編『逐条解説行政手続法』）とされているが、①退職手当の額は高額となることがあり、また、懲戒免職相当の行為をしたかどうかという名誉にかかわる事実認定が一度なされてしまうと、相手方に不利益があると言わざるを得ないこと、②多数の者に対して大量に行われる性質のものではないこと、③支払差止処分により退職手当の支払の履行期を延期することができることから、同法第13条第2項第4号を理由として意見陳述のための手続を執らないことは適当でないと考えられる。このため、行政手続法の規定が準用されることとなった。

　国家公務員退職手当法に係る処分は各府省等において行われるものであるが、退職手当制度の統一的な運用を確保する観点から、意見の聴取に関する統一的な手続規則として、国家公務員退職手当法の規定に基づく意見の聴取の手続に関する規則（平成21年総務省令第29号）を定めた。これは、行政手続法について総務庁行政管理局長が各省庁に示した指針（平成6年4月25日各省庁官房長等あて総務庁行政管理局長総管第102号「聴聞の運用のための具体的措置について」）を踏まえた実施省令であり、総務省聴聞手続規則（平成12年総理府・郵政省・自治省令第3号）のように各府省が行政手続法を実施するために設けている府令・省令に相当するものである。

⑳　法第12条の解説(9)及び(10)参照。

㉑　支払差止処分は、支給制限処分により一般の退職手当等の支給を受ける権利の取扱いを決定するまでの間、当該一般の退職手当等の支払という事実行

為を行わないようにするためのものである。また、支払差止処分は、一般の退職手当等の全額について行われている。このため、一部支給制限処分が行われたにもかかわらず、支払差止処分が維持されていると、一部支給制限処分に基づき権利を消滅させられなかった額の支払を行おうとしても、支払差止処分の効果により妨げられてしまうこととなる。したがって、一部支給制限処分が行われた場合には、先に行われていた支払差止処分は取り消されたものとみなすことにより、支払を可能とすることとした。

5　退職をした者の退職手当の返納

（退職をした者の退職手当の返納）
第15条　退職をした者に対し当該退職に係る一般の退職手当等の額が支払われた[1]後において、次の各号のいずれかに該当するときは、当該退職に係る退職手当管理機関[2]は、当該退職をした者に対し[3]、第12条第1項に規定する政令で定める事情[4]のほか、当該退職をした者の生計の状況[5]を勘案して、当該一般の退職手当等の額（当該退職をした者が当該一般の退職手当等の支給を受けていなければ第10条第2項、第5項又は第7項の規定による退職手当の支給を受けることができた者（次条及び第17条において「失業手当受給可能者」という。）であつた場合には、これらの規定により算出される金額（次条及び第17条において「失業者退職手当額」という。）を除く[6]。）の全部又は一部の返納を命ずる処分を行うことができる[7]。
　一　当該退職をした者が基礎在職期間中の行為に係る刑事事件に関し禁錮以上の刑に処せられたとき[8]。
　二　当該退職をした者が当該一般の退職手当等の額の算定の基礎となる職員としての引き続いた在職期間中の行為に関し定年前再任用短時間勤務職員等に対する免職処分を受けたとき[9]。
　三　当該退職手当管理機関が、当該退職をした者（定年前再任用短時間勤務職員等に対する免職処分の対象となる職員を除く。）について、当該一般の退職手当等の額の算定の基礎となる職員としての引き続いた在職期間中に懲戒免職等処分を受けるべき行為をしたと認めたとき[10]。
　2　前項の規定にかかわらず、当該退職をした者が第10条第1項、第4項

又は第6項の規定による退職手当の額の支払を受けている場合（受けることができる場合を含む。）における当該退職に係る一般の退職手当等については、当該退職に係る退職手当管理機関は、前項の規定による処分を行うことができない[11]。

3　第1項第3号に該当するときにおける同項の規定による処分は、当該退職の日から5年以内に限り、行うことができる[12]。

4　退職手当管理機関は、第1項の規定による処分を行おうとするときは、当該処分を受けるべき者の意見を聴取しなければならない[13]。

5　行政手続法第3章第2節（第28条を除く。）の規定は、前項の規定による意見の聴取について準用する[14]。

6　第12条第2項の規定は、第1項の規定による処分について準用する[15]。

【解説】

(1)　法第12条第1項又は第14条第1項の規定により一部を支給しないこととする処分が行われ、残った額について支払った場合を含む。

(2)　退職手当管理機関は、退職の日における法第11条第2号に掲げる区分に応じて定められる。

(3)　退職をした者が死亡している場合には法第16条又は第17条の規定の適用が検討されることとなる。

(4)　法第12条の解説(5)参照。

(5)　返納させるべき額の決定に際しては、処分を受けた者のその後の生活にどのような経済的な影響を及ぼすかについても勘案事項とした。これは、①退職手当として支払を受けた金銭は、もはや国家公務員退職手当法に基づく権利ではなく、退職した者の固有の財産と一体化した個人の財産となっていると考えられ、返納を命ずることは法的安定性に与える影響が大きいこと、②これから一般の退職手当等の額を支払おうというときに一方的に金銭債権を消滅させる支給制限処分の場合とは異なり、既に退職をした者に対して行う処分であるため、実行することができない行為を強いる処分を行っても意味がないこと、③法的な根拠を不当利得の返還請求ではなく行政処分によるものとしているため、実際に支払われた額の全額を返納させるという規定しか無い場合には全額の返納を命令する以外の選択肢がなくなってしまい、行政効率を損なうこと等による。

○ **運用方針**（抄）
第15条関係
　二　本条第1項の規定による処分により返納を命ずる一般の退職手当等の額は、第12条関係第2号から第7号までに規定する基準のほか、同項に規定する「当該退職をした者の生計の状況」を勘案して定める額とする。
　三　本条第1項に規定する「当該退職をした者の生計の状況」を勘案するに当たっては、退職手当の生活保障としての性格にかんがみ、当該退職をした者又はその者と生計を共にする者が現在及び将来どのような支出を要するか、どのような財産を有しているか、現在及び将来どのような収入があるか等についての申立てを受け、返納すべき額の全額を返納させることが困難であると認められる場合には、返納額を減免することができることとする。

(6)　失業者の退職手当の社会保障的性格に鑑み、退職手当を返納することとなる者が、退職後「失業」の状態にあり、一般の退職手当等の支給を受けていないものとすれば、法第10条第2項、第5項又は第7項の規定による失業者の退職手当の支給を受けることができた者であった場合には、失業者の退職手当相当額については、退職手当管理機関の裁量によることなく返納額から控除することが適当であるために設けられた規定である。この場合、その者が退職後「失業」の状態にあったか否かについては、本人からの聴取等に基づいて認定することとなる。

　なお、法第13条に基づく支払差止処分が取り消されたことにより、同条に基づき既に支給された失業者の退職手当の額を控除した一般の退職手当等の額の支払を受けた後、別の理由で法第15条に基づく当該一般の退職手当等の額を返納する場合の失業者の退職手当の額は、支払差止処分を受けていた時に支給された失業者の退職手当の額を控除した額となる。

(7)　在職期間中の行為について禁錮以上の刑に処せられたときは、多くの場合、懲戒免職等処分を受けるべき行為をしたものと考えられ、本条第1項第1号と第3号の両方の要件を満たすことになる。同一の行為について重ねて処分をすることは不合理であり、第1号のみを根拠として処分を行うことが適当である。しかし、刑事裁判が確定するまでにはかなり時間がかかることから、刑事裁判確定前に第3号を根拠として処分を行うことも可能である。

　いったん一部返納命令処分を行った場合、同じ行為について重ねて処分を行うことはできないと考えられる。同様に、一部支給制限処分とされて支払われた一般の退職手当等の額について、その一部支給制限処分の原因となった非違を理由として返納命令処分を行うことはできないと考えられる。支給制限処分又は返納命令処分後に新たな非違が明らかになった場合について

は、前に行った処分を取り消して新たな処分を行うのではなく、既に行った処分を前提に新たな処分を行うことが想定される。ただし、返納命令処分は慎重に行うべきものであり、重ねて行うことについては更に慎重に行うべきものと考えられる。

　返納を命ずる処分の効果は、処分を受けた者に対して退職手当を支払った主体が金銭債権を持つということである。返納の手続については、国にあっては、国の債権の管理等に関する法律の定めるところによる。

　なお、退職手当から所得税及び住民税が源泉徴収されているので、源泉徴収をした各省各庁の債権管理機関が還付請求を行うことになる。このとき、処分を受けた者に送られる納入告知書で納付すべき金額とされる額は、実際に返納を命ぜられた額よりも少なくなる。すなわち、本来支給すべきであった退職手当の額（既に支払った退職手当の額から、返納を命ぜられた額を減じた額）について源泉徴収されるべき額を、既に源泉徴収された額から減じた分（還付請求の額）だけ、納付すべき金額が少なくなることとなる。

〇運用方針（抄）
第15条関係
　一　本条第１項の規定による一般の退職手当等の返納の手続については、国にあっては、国の債権の管理等に関する法律（昭和31年法律第114号）の定めるところによる。
　四　当該一般の退職手当等の支払に際して源泉徴収した所得税及び住民税の額については、当該源泉徴収をした各省各庁の長等の債権の管理を行う歳入徴収官等が還付請求を行う。したがって、当該税の額については、返納を命ずる額からは減じないが、当該退職をした者に対する納入告知の額からは減ずることとする。

(8)　法第14条の解説(7)参照。

(9)　法第14条の解説(8)参照。

(10)　法第14条の解説(9)～(13)参照。

(11)　失業者の退職手当の支払を受けている場合（受けることができる場合を含む。）は、その者に支払われた一般の退職手当等の額が雇用保険の失業等給付相当額を下回っていることが明らかである。この場合には、失業者の退職手当の社会保障的性格に鑑み、その者から返納させるべき一般の退職手当等の額は存在しないと考えられる。したがって、その者に支払われた一般の退職手当等の額については、返納命令処分の対象とはしないこととされている。

例：(a) 退職手当支給額　　　　　　　2,500万円
　　(b) 所得税額　　　　　　　　　　58万円
　　(c) 道府県民税額　　　　　　　　20万円
　　(d) 市町村民税額　　　　　　　　30万円
　　(e) 退職手当手取額　　　　　　　2,392万円　(e = a − (b + c + d))
　　(f) 返納命令額　　　　　　　　　800万円
　　(g) 減額後の支給額　　　　　　　1,700万円　(g = a − f)
　　(h) 減額後の所得税額　　　　　　5万円
　　(i) 減額後の道府県民税額　　　　4万円
　　(j) 減額後の市町村民税額　　　　6万円
　　(k) 減額後の手取額　　　　　　　1,685万円　(k = g − (h + i + j))
　　(l) 納入告知額　　　　　　　　　707万円　(l = f − (m + n + o))
　　(m) 所得税還付額　　　　　　　　53万円　(m = b − h)
　　(n) 道府県民税還付額　　　　　　16万円　(n = c − i)
　　(o) 市町村民税還付額　　　　　　24万円　(o = d − j)

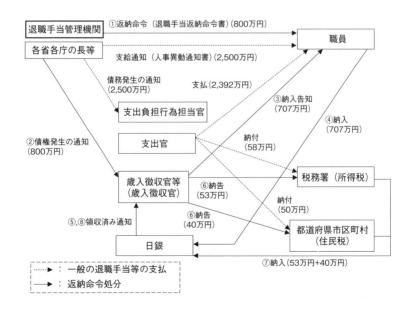

⑿　退職手当制度独自の判断として返納を命じる制度を導入するに当たっては、①支払済みの一般の退職手当等に係る法律関係を確定させることにより法的安定性を確保する必要があること、②長期間が経過してから事実認定を行うことは証拠の散逸も考えられ実務上困難であること、③禁錮以上の刑に係る非違について公訴時効制度があることとの均衡をとる必要があること、④現実問題として、長期間が経過した場合には返納が困難である場合が増加することから、返納命令処分を行い得る期間を限定する必要がある。具体的な期間については、公訴時効（5年未満の懲役若しくは禁錮で3年）や会計法上の不当利得返還請求権の時効（5年）など、目的が比較的類似している制度における期間を参考とし、当該退職をした者の退職の日から5年以内に限り行うことができることとされている。

　なお、本条第1項第1号又は第2号に該当する場合は、退職後何年経っていたとしても、処分を行うことができる。

⒀　返納命令処分については、「生計の状況」を考慮要素としており、処分を受ける者の意見を聴取する手続をとることが必要である。また、本条第1項第3号を適用する場合においては、「懲戒免職等処分を受けるべき行為」であったかどうかの事実認定をするためにも必要である。

⒁　法第14条の解説⒆参照。

⒂　処分の書式は、国家公務員退職手当法の規定による退職手当の支給制限等に係る書面の様式を定める内閣官房令で定めている。

○国家公務員退職手当法の規定による退職手当の支給制限等に係る書面の様式を定める内閣官房令（抄）

（退職手当返納命令書の様式）

第3条　法第15条第1項（同項第1号又は第2号に該当する場合に限る。）の規定による処分に係る同条第6項において準用する法第12条第2項の書面の様式は、別記様式第7のとおりとする。

2　法第15条第1項（同項第3号に該当する場合に限る。）の規定による処分に係る同条第6項又は法第16条第1項の規定による処分に係る同条第2項において準用する法第12条第2項の書面の様式は、別記様式第8のとおりとする。

6　遺族の退職手当の返納

（遺族の退職手当の返納）

第16条　死亡による退職をした者の遺族（退職をした者（死亡による退職の場合には、その遺族）が当該退職に係る一般の退職手当等の額の支払

を受ける前に死亡したことにより当該一般の退職手当等の額の支払を受ける権利を承継した者を含む。以下この項において同じ。）に対し[1]当該一般の退職手当等の額が支払われた後において、前条第1項第3号に該当するとき[2]は、当該退職に係る退職手当管理機関は、当該遺族に対し、当該退職の日から1年以内に限り[3]、第12条第1項に規定する政令で定める事情[4]のほか、当該遺族の生計の状況[5]を勘案して、当該一般の退職手当等の額（当該退職をした者が失業手当受給可能者であつた場合にあつては、失業者退職手当額を除く[6]。）の全部又は一部の返納を命ずる処分を行うことができる[7]。

2　第12条第2項並びに前条第2項及び第4項の規定は、前項の規定による処分について準用する[8]。

3　行政手続法第3章第2節（第28条を除く。）の規定は、前項において準用する前条第4項の規定による意見の聴取について準用する[9]。

【解説】

(1) 本条において返納命令処分の対象となる者は、退職をした者本人以外の者であって退職手当の支払を受けた者である。これらの者は、支払を受けた者本人であるので、一般の退職手当等の支払後にその返納を命ずる処分を行ったとしても、その者が所有する財産において当該一般の退職手当等の額を特定することが可能な者と解される。具体的には、

① 死亡による退職をした者の遺族

② 退職をした者が一般の退職手当等の額の支払を受ける前に死亡したことにより当該退職をした者から当該一般の退職手当等の額の支払を受ける権利を承継した者

③ 死亡による退職をした者の遺族が一般の退職手当等の額の支払を受ける前に死亡したことにより当該遺族から当該一般の退職手当等の額の支払を受ける権利を承継した者

である。

(2) 支払前に退職をした者本人が死亡していることから本人以外に支払っているので、支払われた後に法第15条第1項第1号又は第2号に該当する場合はあり得ない。

(3) ①退職をした本人に対する処分の場合よりも法的安定性を重視すべきであり、支払差止処分の義務的取消までの期間についても1年とされているこ

と、②本人に対する処分以上に事実認定が困難であることが想定されること等から、本人に対する処分が5年以内としているのに対し、本条に基づく処分は1年以内とされている。
(4)　法第12条の解説(5)参照。
(5)　法第15条の解説(5)参照。

〇運用方針（抄）
第16条関係
　　二　本条第1項の規定による処分により返納を命ずる一般の退職手当等の額は、第12条関係第2号から第7号までに規定する基準のほか、同項に規定する「当該遺族の生計の状況」を勘案して定める額とする。
　　三　本条第1項に規定する「当該遺族の生計の状況」を勘案するに当たっては、退職手当の生活保障としての性格にかんがみ、当該遺族又はその者と生計を共にする者が、現在及び将来どのような支出を要するか、どのような財産を有しているか、現在及び将来どのような収入があるか等についての申立てを受け、返納すべき額の全額を返納させることが困難であると認められる場合には、返納額を減免することができることとする。

(6)　法第15条の解説(6)参照。なお、死亡退職の場合には退職後に雇用保険の失業等給付を受ける要件を満たし得ないが、退職後、支払前に死亡した場合には失業等給付を受ける要件を満たし得る。
(7)　いったん一部返納命令処分を行った場合、同じ行為について重ねて処分を行うことはできないと考えられる。同様に、一部支給制限処分とされて支払われた一般の退職手当等の額について、その一部支給制限処分の原因となった非違を理由として返納命令処分を行うことはできないと考えられる。支給制限処分又は返納命令処分後に新たな非違が明らかになった場合については、前に行った処分を取り消して新たな処分を行うのではなく、既に行った処分を前提に新たな処分を行うことが想定される。ただし、返納命令処分は慎重に行うべきものであり、重ねて行うことについては更に慎重に行うべきものと考えられる。

　　返納を命ずる処分の効果は、処分を受けた者に対して退職手当を支払った主体が金銭債権を持つということである。返納の手続については、国にあっては、国の債権の管理等に関する法律の定めるところによる。

　　なお、遺族に退職手当が支給される場合には、退職手当はみなし相続財産として相続税の課税対象となっており、源泉徴収はされない。そこで、遺族が既に相続税を納付していた場合には、本来支給すべきであった退職手当の額（既に支払った退職手当の額から、返納を命ぜられた額を減じた額）につ

いて徴収されるべき相続税の額を、既に納付した相続税の額から減じた額について、遺族は過誤納金として還付請求することができる。また、返納命令処分が行われた時点で遺族がまだ相続税を納付していない場合には、遺族は返納しなかった退職手当の額だけをみなし相続財産として納付すべき相続税の額を計算することとなる。

したがって、この場合には、納入告知書で納付すべき金額とされる額は、返納を命ぜられた額と同額となる。

〇運用方針（抄）
第16条関係
　一　本条第１項の規定による一般の退職手当等の返納の手続については、国にあっては、国の債権の管理等に関する法律の定めるところによる。
　四　当該遺族が当該一般の退職手当等について納付した又は納付すべき相続税の額については、当該遺族が還付請求を行うことができる。したがって、当該税の額については、返納を命ずる額からは減じない。

(8)　返納命令処分については、「生計の状況」を考慮要素としており、処分を受ける者の意見を聴取する手続をとることが必要である。また、「懲戒免職等処分を受けるべき行為」であったかどうかの事実認定をするためにも必要である。

処分の書式については、国家公務員退職手当法の規定による退職手当の支給制限等に係る書面の様式を定める内閣官房令で定めている。

〇**国家公務員退職手当法の規定による退職手当の支給制限等に係る書面の様式を定める内閣官房令**（抄）
　（退職手当返納命令書の様式）
第３条　略
　２　法第15条第１項（同項第３号に該当する場合に限る。）の規定による処分に係る同条第６項又は法第16条第１項の規定による処分に係る同条第２項において準用する法第12条第２項の書面の様式は、別記様式第８のとおりとする。

(9)　法第14条の解説(19)参照。

例：(a) 退職手当支給額　　　　　　2,500万円
　　(b) 相続税額　　　　　　　　　　100万円
　　(c) 退職手当手取額　　　　　　2,400万円　（c = a − b）
　　(d) 返納命令額　　　　　　　　　800万円
　　(e) 減額後の支給額　　　　　　1,700万円　（e = a − d）
　　(f) 減額後の相続税額　　　　　　20万円
　　(g) 減額後の手取額　　　　　　1,680万円　（g = e − f）
　　(h) 納入告知額　　　　　　　　　800万円　（h = d）
　　(i) 相続税還付額　　　　　　　　80万円　（i = b − f）

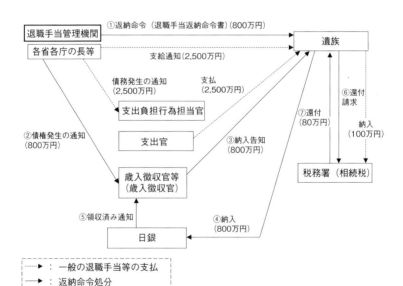

7 退職手当受給者の相続人からの退職手当相当額の納付

（退職手当受給者の相続人からの退職手当相当額の納付）
第17条 退職をした者（死亡による退職の場合には、その遺族）に対し当該退職に係る一般の退職手当等の額が支払われた後において、当該一般の退職手当等の額の支払を受けた者（以下この条において「退職手当の受給者」という。）が当該退職の日から6月以内に[1]第15条第1項又は前条第1項の規定による処分を受けることなく死亡した場合[2]（次項から第5項までに規定する場合を除く[3]。）において、当該退職に係る退職手当管理機関が、当該退職手当の受給者の相続人[4]（包括受遺者[5]を含む。以下この項から第6項までにおいて同じ。）に対し、当該退職の日から6月以内に[6]、当該退職をした者が当該一般の退職手当等の額の算定の基礎となる職員としての引き続いた在職期間中に[7]懲戒免職等処分を受けるべき行為をしたことを疑うに足りる相当な理由がある[8]旨の通知[9]をしたときは、当該退職手当管理機関は、当該通知が当該相続人に到達した日から6月以内に限り[10]、当該相続人に対し、当該退職をした者が当該一般の退職手当等の額の算定の基礎となる職員としての引き続いた在職期間中に懲戒免職等処分を受けるべき行為をしたと認められることを理由として、当該一般の退職手当等の額（当該退職をした者が失業手当受給可能者であつた場合には、失業者退職手当額を除く[11]。）の全部又は一部に相当する額の納付を命ずる処分を行うことができる[12]。

2　退職手当の受給者が、当該退職の日から6月以内に第15条第5項又は前条第3項において準用する行政手続法第15条第1項の規定による通知を受けた場合[13]において、第15条第1項又は前条第1項の規定による処分を受けることなく死亡したとき（次項から第5項までに規定する場合を除く[14]。）は、当該退職に係る退職手当管理機関は、当該退職手当の受給者の死亡の日から6月以内に限り、当該退職手当の受給者の相続人に対し、当該退職をした者が当該退職に係る一般の退職手当等の額の算定の基礎となる職員としての引き続いた在職期間中に懲戒免職等処分を受けるべき行為をしたと認められることを理由として[15]、当該一般の退職手当等の額（当該退職をした者が失業手当受給可能者であつた場合には、失業者退職手当額を除く。）の全部又は一部に相当する額の納付を命ずる処分を行うことができる[16]。

3 退職手当の受給者（遺族を除く。以下この項から第5項までにおいて同じ[17]。）が、当該退職の日から6月以内に基礎在職期間中の行為に係る刑事事件に関し起訴をされた場合（第13条第1項第1号に該当する場合を含む。次項において同じ。）において、当該刑事事件につき判決が確定することなく、かつ、第15条第1項の規定による処分を受けることなく死亡したときは、当該退職に係る退職手当管理機関は、当該退職手当の受給者の死亡の日から6月以内に限り、当該退職手当の受給者の相続人に対し、当該退職をした者が当該退職に係る一般の退職手当等の額の算定の基礎となる職員としての引き続いた在職期間中に懲戒免職等処分を受けるべき行為をしたと認められることを理由として、当該一般の退職手当等の額（当該退職をした者が失業手当受給可能者であつた場合には、失業者退職手当額を除く。）の全部又は一部に相当する額の納付を命ずる処分を行うことができる[18]。

4 退職手当の受給者が、当該退職の日から6月以内に基礎在職期間中の行為に係る刑事事件に関し起訴をされた場合において、当該刑事事件に関し禁錮以上の刑に処せられた後において第15条第1項の規定による処分を受けることなく死亡したときは、当該退職に係る退職手当管理機関は、当該退職手当の受給者の死亡の日から6月以内に限り、当該退職手当の受給者の相続人に対し、当該退職をした者が当該刑事事件に関し禁錮以上の刑に処せられたことを理由として、当該一般の退職手当等の額（当該退職をした者が失業手当受給可能者であつた場合には、失業者退職手当額を除く。）の全部又は一部に相当する額の納付を命ずる処分を行うことができる[19]。

5 退職手当の受給者が、当該退職の日から6月以内に当該退職に係る一般の退職手当等の額の算定の基礎となる職員としての引き続いた在職期間中の行為に関し定年前再任用短時間勤務職員等に対する免職処分を受けた場合において、第15条第1項の規定による処分を受けることなく死亡したときは、当該退職に係る退職手当管理機関は、当該退職手当の受給者の死亡の日から6月以内に限り、当該退職手当の受給者の相続人に対し、当該退職をした者が当該行為に関し定年前再任用短時間勤務職員等に対する免職処分を受けたことを理由として、当該一般の退職手当等の額（当該退職をした者が失業手当受給可能者であつた場合には、失業者退職手当額を除く。）の全部又は一部に相当する額の納付を命ずる処分を行うことができる[20]。

6　前各項の規定による処分に基づき納付する金額は、第12条第1項に規定する政令で定める事情のほか、当該退職手当の受給者の相続財産の額、当該退職手当の受給者の相続人の生計の状況その他の政令で定める事情を勘案して、定めるものとする[21]。この場合において、当該相続人が2人以上あるときは、各相続人が納付する金額の合計額は、当該一般の退職手当等の額を超えることとなつてはならない[22]。

7　第12条第2項並びに第15条第2項及び第4項の規定は、第1項から第5項までの規定による処分について準用する[23]。

8　行政手続法第3章第2節（第28条を除く。）の規定は、前項において準用する第15条第4項の規定による意見の聴取について準用する[24]。

【解説】

(1)　一般の退職手当等の額の支払を受けるべき者が支払前に死亡してしまった場合には、その権利を承継した者に支払うこととされており、法第16条は、退職をした者の非違が支払後に明らかになった場合には、その権利を承継した者から一般の退職手当等の返納をさせることを定めている。ところが、退職をした者が一般の退職手当等の支払を受けた直後に死亡してしまい、その後退職をした者の非違が明らかになった場合には、支払った相手が死亡してしまっているので、その者から返納をさせることができない。そこで、法第16条との均衡をとるべく、支払を受けた者の相続人に相当額の納付を命ずる処分が設けられた。

法第16条では、退職の日から1年以内に限り返納命令処分を行うことができるとされている。本条は、この規定との均衡をとる必要があることから、相続人に対する納付命令を行うことができることとする期間についても、長くても1年以内とする必要がある。その際、1年が経過する直前に非違が発覚し、相続人に対して適正な処分手続を踏んだ場合に時間がかかることから処分が行えないという事態となっては均衡を欠く。そこで、適正な処分手続を行うための期間として6月を確保するため、手続を開始するまでの期間が6月とされている。

一方、退職手当の額の支払を受けてから時間が経過すればするほど、退職手当の受給者の財産の中で、処分の対象となりうる特定できる財産としての退職手当の性格は薄れていくと考えられる。法第15条第1項及び第16条第1項の処分の場合には、処分を受ける者が退職手当の受給者である以上、特定

できる財産であるかどうかは問題ではない。しかし、相続人に対する処分については、特定できる財産としての性格が薄れていない期間内に処分を受けることがあり得るということについて本人又は相続人が知りうる状態になっていた場合に限り、処分することができることとするのが適当であり、本条第1項で手続を開始するまでの期間を6月としたことを踏まえて、この期間を本条第1項から第5項まで共通で6月とされている。
(2)　返納命令処分は慎重に行うべきものであり、その処分を受けた者が死亡した後に同じ行為について重ねて処分を行うことまでは必要でないと考えられ、返納命令処分を受けた者の相続人に対しては、納付命令処分を行うことはしないこととされた。一方、一部支給制限処分とされて支払われた一般の退職手当等の額について、その一部支給制限処分とした非違以外の非違を理由とするのであれば、納付命令処分を行うことは可能と解される。
(3)　本条第2項から第5項までの規定は、退職手当の受給者の死亡前に、返納命令処分を行うための要件である非違についての何らかの手続がなされていた場合の処分を定めているのに対し、本条第1項の規定は、受給者の死亡前には何の手続もなされていなかった場合の処分について定めており、本条第2項から第5項までの規定にはない通知手続を必要としている。このため、本条第2項から第5項までに規定する場合を除いているものである。
(4)　民法の規定により、相続人となる者をいう。

○民　法（抄）
　（子及びその代襲者等の相続権）
第887条　被相続人の子は、相続人となる。
2　被相続人の子が、相続の開始以前に死亡したとき、又は第891条の規定に該当し、若しくは廃除によって、その相続権を失ったときは、その者の子がこれを代襲して相続人となる。ただし、被相続人の直系卑属でない者は、この限りでない。
3　前項の規定は、代襲者が、相続の開始以前に死亡し、又は第891条の規定に該当し、若しくは廃除によって、その代襲相続権を失った場合について準用する。
　（直系尊属及び兄弟姉妹の相続権）
第889条　次に掲げる者は、第887条の規定により相続人となるべき者がない場合には、次に掲げる順序の順位に従って相続人となる。
　一　被相続人の直系尊属。ただし、親等の異なる者の間では、その近い者を先にする。
　二　被相続人の兄弟姉妹
2　第887条第2項の規定は、前項第2号の場合について準用する。
　（配偶者の相続権）
第890条　被相続人の配偶者は、常に相続人となる。この場合において、第887条又は前条の規定により相続人となるべき者があるときは、その者と同順位とする。

(5)　民法の規定により、包括受遺者となる者をいう。

　○民　法（抄）
　　（包括遺贈及び特定遺贈）
　第964条　遺言者は、包括又は特定の名義で、その財産の全部又は一部を処分することができる。
　　（包括受遺者の権利義務）
　第990条　包括受遺者は、相続人と同一の権利義務を有する。

(6)　解説(1)参照。
(7)　法第14条の解説(11)参照。
(8)　法第13条第2項第2号の規定に対応しており、第8項で準用する行政手続法第15条第1項に基づく通知を行うほどの事実の収集が済んでいる必要はないと解される。
(9)　納付命令処分を受ける可能性があることを知らせることによって、相続された財産を費消してしまうことを防ぐための規定である。

　　通知の書式については、国家公務員退職手当法の規定による退職手当の支給制限等に係る書面の様式を定める内閣官房令で定めている。

　○国家公務員退職手当法の規定による退職手当の支給制限等に係る書面の様式を定める内閣官房令（抄）
　　（法第17条第1項に規定する懲戒免職等処分を受けるべき行為をしたことを疑うに足りる相当な理由がある旨の通知書の様式）
　第4条　法第17条第1項の規定による通知に係る書面の様式は、別記様式第9のとおりとする。

(10)　解説(1)参照。
(11)　法第15条の解説(6)参照。
(12)　相続人に対する納付命令処分は、処分を受ける者の予見可能性の低さや執行の困難さの問題があり、個別の事案ごとに諸事情を考慮した運用を行うことが適当である。

　　納付を命ずる処分の効果は、処分を受けた者に対して退職手当を支払った主体が金銭債権を持つということである。納付の手続については、国にあっては、国の債権の管理等に関する法律の定めるところによる。

　　なお、相続人に納付が命じられた場合でも、所得税及び住民税並びに相続税の納付義務は影響を受けないという扱いとなる。解説(21)参照。

○運用方針（抄）
第17条関係
　一　本条第１項から第５項までの規定による処分を行うにあたっては、当該処分を受けるべき者は非違を行った者ではないことを踏まえ、個別の事案ごとに諸事情を考慮した運用をするものとする。
　二　本条第１項から第５項までの規定による一般の退職手当等に相当する額の納付の手続については、国にあっては、国の債権の管理等に関する法律の定めるところによる。

⒀　法第15条第１項又は第16条第１項に基づく返納命令処分を行うための手続である、意見の聴取を行うための通知を受けた場合について定めた規定である。返納命令処分のための手続は慎重に行うべきものであることから、その手続には数か月を要することが想定されるが、その間に本条第１項で規定する通知を行い得る６月の期間を経過して死亡した場合に、納付命令処分ができないのは不合理と考えられることから、設けられた規定である。この通知が到達すると返納命令処分の手続が開始されるために、相続人としても処分を受け得る可能性があることについて知り得るはずであることから、改めて本条第１項の通知をする必要はないとされた。

　なお、行政手続法第15条第３項は公示送達を行った場合には通知がその者に到達したものとみなしているが、退職手当の受給者が通知を受ける前に死亡した場合、相続人にまで処分を受ける可能性があることを知り得るはずと擬制することは適当ではないと考えられることから、この場合には、本条第２項によらず本条第１項によって処分をすることになる。

⒁　本条第４項は禁錮以上の刑に処せられた場合、第５項は定年前再任用短時間勤務職員等に対する免職処分を受けた場合についての規定であり、処分を受けるべき者が死亡してしまっているため法第15条による処分を行えないが、それぞれ法第15条第１項第１号、第２号の処分要件は満たしている。このため、あらためて「懲戒免職等処分を受けるべき行為をしたと認め」る必要がない。また、いまだ禁錮以上の刑に処せられることが確定してはいないが起訴はされている場合については、本条第３項が適用される。したがって、本項が適用されるのは、法第15条第１項第３号又は第16条第１項に基づく処分をしようとしていた場合ということになる。

⒂　本条第２項により処分を行う理由は、既に手続を開始していた法第15条第１項第３号又は第16条第１項の処分と同じものである必要があると考えられる。

⒃　解説⑿参照。

⒄　退職をしてから起訴をされた場合と定年前再任用短時間勤務職員等に対する免職処分を受ける場合は、死亡退職した場合ではないので、遺族が受給者となることはありえない。問題は、起訴をされている者が死亡退職をした場合である。

　在職中に起訴をされていた者が死亡退職したときは、支払を差し止めた上で支給制限処分を行うことが本来想定されている手続であり、仮に起訴をされていたことを人事当局が承知しておらず退職手当を支払ってしまった場合には、速やかに法第16条第1項に基づき返納命令処分を行うことが求められる。一方、本条第3項及び第4項が、第1項及び第2項と異なり、場合によっては退職の日から長い期間を経た後でも処分を行い得る規定となっているのは、禁錮以上の刑に処せられることを待って処分をすることが望ましい場合があり、刑事裁判を待っている間に6月の期間を経過しその後に死亡した場合に納付命令処分ができなくなるという制度は不合理であると考えられるためである。このため、本条第3項から第5項までについては、遺族が除外されている。

⒅　退職手当の支払を受けた元職員が在職中の行為について起訴をされた場合であっても、法第15条第1項第3号を適用して、判決が確定する前に返納命令処分をすることは可能と考えられる。しかし、刑事裁判において非違の存在を退職者が否定しているような場合は、実務上、刑事裁判の結果を待ってから法第15条第1項第1号を適用することが多くあると考えられる。このような場合に、本人が死亡したからといって一切退職手当相当額の納付を求めることができないとすることは適当でないことから、退職の日から6月以内に起訴されていれば、退職の日から6月より長い期間を経て退職手当の受給者が死亡した場合でも、その死亡の日から6月以内であれば納付命令処分を行うことができることとするのがこの項の趣旨である。ただし、特定できる財産としての性格が薄れていない期間内に処分を受けることがあり得ることについて本人が知り得る状態になっていた場合には、処分を行うことができることとする必要があるとして、退職から6月以内に起訴されている場合にのみ処分を行うことができるとしている。

　本条第4項との違いは、禁錮以上の刑が確定しているわけではないために、懲戒免職等処分を受けるべき行為をしたかどうかの事実認定をしなければならない点である。

⒆　退職をした者が基礎在職期間中の行為について禁錮以上の刑に処せられた場合には、法第15条第1項第1号を適用し、返納を命ずる処分を行うのが本

来の手続である。しかし、禁錮以上の刑に処せられてから返納命令処分を行うまでの間に本人が死亡してしまった場合にまで、法第15条第1項に基づく処分をそのまま相続人に対して行うことは適当でないため、この項により処分を行うことが可能とされている。ただし、特定できる財産としての性格が薄れていない期間内に処分を受けることがあり得ることについて本人が知り得る状態になっていた場合には、処分を行うことができることとする必要があるとして、退職から6月以内に起訴されている場合にのみ処分を行うことができるとしている。

　本条第3項との違いは、既に禁錮以上の刑が確定していることから、それを理由として処分を行えばよく、非違自体についての事実認定を独自に行う必要がないということである。

⑳　定年前再任用短時間勤務職員等となった者が、かつて職員として在職していた期間中の行為を理由として懲戒免職処分をされた場合は、法第15条第1項第2号を適用し、返納を命ずる処分を行うのが本来の手続である。しかし、懲戒免職処分を受けてから返納命令処分を行うまでの間に本人が死亡してしまった場合にまで、法第15条第1項に基づく処分をそのまま相続人に対して行うことは適当ではないため、この項により処分を行うことが可能とされている。ただし、特定できる財産としての性格が薄れていない期間内に処分を受けることがあり得ることについて本人が知りうる状態になっていた場合には、処分を行うことができることとする必要があるとして、退職から6月以内に懲戒免職等処分をされている場合にのみ処分を行うことができるとしている。

㉑　退職手当の受給者の相続人への納付命令処分制度を創設する趣旨は、法第16条において遺族を納付命令処分の対象とすることとの整合性を図ることである。したがって、納付命令処分を行うに際しての考慮要素は、法第12条第1項に規定する政令で定める事情及び、生計の状況という、法第16条に基づく返納命令処分に際しての勘案事項が基本となる。これに加えて、相続人による納付に関する固有の問題を考慮するために、本条では「当該退職手当の受給者の相続財産の額」を規定している。これにより、受給者の相続財産が相続の段階で費消されている場合について考慮要素とすることができる。一方、相続人の側の事情については、本条では「当該退職手当の受給者の相続人の生計の状況」を考慮することを例示するにとどめ、細部は政令に委任している。

　そして、施行令に基づき、相続人が「相続又は遺贈により取得をした財

産」を考慮することにより、相続の放棄を行う場合があることや複数の相続人がいる場合には遺産分割が行われることに対応することとなる。しかし、納付命令処分を行い得る期間は短期間に限定されており、遺産分割前に命令を行う場合もあり得るが、その場合には相続により取得をした財産が確定していない。このため、施行令には「取得をする見込みである」場合についても規定されている。また、納付命令処分を受けた場合は、返納命令処分を受けた場合とは異なり、退職手当に係る租税の額について還付請求できないという問題に対応するため、「当該一般の退職手当等に係る租税の額」を考慮することとされている。納付した又は納付すべき相続税の額については、意見の聴取手続において処分を受けるべき者の申立てを受けて判断することとなる。

○施 行 令（抄）
（一般の退職手当等の額の全部又は一部に相当する額の納付を命ずる場合に勘案すべき事情）
第18条 法第17条第6項に規定する政令で定める事情は、当該退職手当の受給者の相続財産の額、当該退職手当の受給者の相続財産の額のうち同条第1項から第5項までの規定による処分を受けるべき者が相続又は遺贈により取得をした又は取得をする見込みである財産の額、当該退職手当の受給者の相続人の生計の状況及び当該一般の退職手当等に係る租税の額とする。

○運 用 方 針（抄）
第17条関係
三 本条第1項から第5項までの規定による処分により納付を命ずる一般の退職手当等の額は、第12条関係第2号から第7号までに規定する基準のほか、次の第4号から第8号までを勘案して定める額とする。
四 本条において、当該一般の退職手当等の額には、源泉徴収された所得税額及び住民税額又はみなし相続財産とされて納入した若しくは納入すべき相続税額を含まないものとする。
五 施行令第18条に規定する「当該退職手当の受給者の相続財産の額」を勘案するに当たっては、当該相続財産の額が当該一般の退職手当等の額よりも小さいときは、当該相続人の納付額の合計額を当該相続財産の額の範囲内で定めることとする。
六 相続人が複数あるときは、原則として、相続人が実際に相続（包括遺贈を含む。）によって得た財産の価額に応じて按分して計算した額を勘案して各相続人の納付額を定める。ただし、納付命令の時点で遺産分割がなされていない場合には、当該相続人が相続放棄をした場合を除き、民法の規定による相続分により按分して計算した額を勘案して各相続人の納付額を定めることとする。
七 本条第1項から第5項までの規定による処分を受けるべき者が納付すべき額は、当該者が相続財産を取得したことにより納付した又は納付すべき相続税の額についての申立てを受け、当該税の額から、当該相続財産の額から当該一般の退職手当等の額を減じた額の相続であれば納付したであろう相続税の額を減じた額を控除して定めるこ

八 施行令第18条に規定する「当該退職手当の受給者の相続人の生計の状況」を勘案するに当たっては、退職手当の生活保障としての性格にかんがみ、処分を受けるべき者又はその者と生計を共にする者が現在及び将来どのような支出を要するか、どのような財産を有しているか、現在及び将来どのような収入があるか等についての申立てを受け、納付すべき額の全額を納付させることが困難であると認められる場合には、納付額を減免することができることとする。

⑵ 納付命令処分は、相続人が複数存在する場合には、それぞれの相続人に対して行うものであり、その額は相続又は遺贈により取得をした又は取得をする見込みである財産の額を考慮して行うこととなる。各相続人が納付する金額の合計額は、当該一般の退職手当等の額を超える理由はないのであるが、念のために権利保護のための規定を明文化したものである。

⑵ 納付命令処分については、「相続又は遺贈により取得をした又は取得をする見込みである財産の額」や「生計の状況」等を考慮要素としており、処分を受ける者の意見を聴取する手続をとることが必要である。また、「懲戒免職等処分を受けるべき行為」であったかどうかの事実認定をするためにも必要である。

処分の書式については、国家公務員退職手当法の規定による退職手当の支給制限等に係る書面の様式を定める内閣官房令で定めている。

○国家公務員退職手当法の規定による退職手当の支給制限等に係る書面の様式を定める内閣官房令（抄）
（退職手当相当額納付命令書の様式）
第5条 法第17条第1項、第2項又は第3項の規定による処分に係る同条第7項において準用する法第12条第2項の書面の様式は、別記様式第10のとおりとする。
2 法第17条第4項又は第5項の規定による処分に係る同条第7項において準用する法第12条第2項の書面の様式は、別記様式第11のとおりとする。

⑵ 法第14条の解説⑲参照。

例：(a) 退職手当相当額　　　　　　　2,500万円
　　(b) 所得税額　　　　　　　　　　58万円
　　(c) 道府県民税額　　　　　　　　20万円
　　(d) 市町村民税額　　　　　　　　30万円
　　(e) 退職手当手取額　　　　　　2,392万円　（e＝a－(b＋c＋d)）
　　(f) 相続税額　　　　　　　　　　89万円
　　(g) 相続人手取額　　　　　　　2,303万円　（g＝e－f）
　　(h) 納付させるべき額　　　　　　800万円
　　(i) 減額後の支給額相当額　　　1,700万円　（i＝a－h）
　　(j) 減額後の所得税額　　　　　　5万円
　　(k) 減額後の道府県民税額　　　　4万円
　　(l) 減額後の市町村民税額　　　　6万円
　　(m) 減額後の手取額　　　　　　1,685万円　（m＝i－(j＋k＋l)）
　　(n) 減額後の相続税額　　　　　　18万円
　　(o) 減額後の相続人手取額　　　1,667万円　（o＝m－n）
　　(p) 納付命令額　　　　　　　　　636万円　（p＝g－o）
　　(q) 納入告知額　　　　　　　　　636万円　（q＝p）
　　(r) 所得税考慮額　　　　　　　　53万円　（r＝b－j）
　　(s) 道府県民税考慮額　　　　　　16万円　（s＝c－k）
　　(t) 市町村民税考慮額　　　　　　24万円　（t＝d－l）
　　(u) 相続税考慮額　　　　　　　　71万円　（u＝f－n）

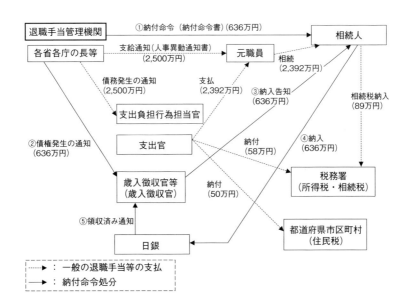

8 退職手当審査会

>（退職手当審査会）
>**第18条** 内閣府に、退職手当審査会[1]を置く。
>2 退職手当審査会は、この法律の規定によりその権限に属させられた事項を処理する。
>3 前項に定めるもののほか、退職手当審査会の組織及び委員その他の職員その他退職手当審査会に関し必要な事項については、政令[2]で定める。

【解説】

(1) 退職手当審査会は、本条の規定によりその権限に属させられた事項を処理する、いわゆる法施行型審議会である。
　当該審査会は国家公務員法等の一部を改正する法律（平成26年法律第22号）において国家公務員退職手当法を改正し、内閣府に設置された。なお、当該審査会は総務省設置法により設置されていた退職手当・恩給審査会が退職手当審査会と恩給審査会に分離したものである。

(2) 組織等については退職手当審査会令（平成26年政令第194号）により定められている。

　○退職手当審査会令（平成26年政令194号）
　　（組織）
　第1条 退職手当審査会（以下「審査会」という。）は、委員10人以内で組織する。
　2 審査会に、特別の事項を調査審議させるため必要があるときは、臨時委員を置くことができる。
　　（委員等の任命）
　第2条 委員及び臨時委員は、学識経験のある者のうちから、内閣総理大臣が任命する。
　　（委員の任期等）
　第3条 委員の任期は、2年とする。ただし、補欠の委員の任期は、前任者の残任期間とする。
　2 委員は、再任されることができる。
　3 臨時委員は、その者の任命に係る当該特別の事項に関する調査審議が終了したときは、解任されるものとする。
　4 委員及び臨時委員は、非常勤とする。
　　（会長）
　第4条 審査会に会長を置き、委員の互選により選任する。
　2 会長は、会務を総理し、審査会を代表する。
　3 会長に事故があるときは、あらかじめその指名する委員が、その職務を代理する。

（議事）
第5条 審査会は、委員及び議事に関係のある臨時委員の過半数が出席しなければ、会議を開き、議決することができない。
2 審査会の議事は、委員及び議事に関係のある臨時委員で会議に出席したものの過半数で決し、可否同数のときは、会長の決するところによる。
（庶務）
第6条 審査会の庶務は、内閣府大臣官房企画調整課において、内閣官房組織令（昭和32年政令第219号）第8条第1項の規定により内閣官房に置かれる内閣参事官のうち同令第9条第3項の規定により命を受けて審査会の庶務への協力に関する事務をつかさどるもの（同令第5条の2第1項の規定により内閣官房内閣人事局に置かれる人事政策統括官が同条第2項の規定により命を受けて審査会の庶務への協力に関する事務をつかさどる場合にあっては、当該人事政策統括官）の協力を得て処理する。
（審査会の運営）
第7条 この政令に定めるもののほか、議事の手続その他審査会の運営に関し必要な事項は、会長が審査会に諮って定める。

（参考）
○内閣府設置法（平成11年法律第89条）（抄）
（所掌事務）
第4条 略
3 前2項に定めるもののほか、内閣府は、前条第2項の任務を達成するため、次に掲げる事務をつかさどる。
　五十四の三　国家公務員退職手当法（昭和28年法律第182号）第18条第2項に規定する事務
（設置）
第37条　略
3 第1項に定めるもののほか、別に法律の定めるところにより内閣府に置かれる審議会等で本府に置かれるものは、次の表の上欄に掲げるものとし、それぞれ同表の下欄に掲げる法律（これらに基づく命令を含む。）の定めるところによる。

（略）	（略）
退職手当審査会	国家公務員退職手当法
（略）	（略）

9　退職手当審査会等への諮問

（退職手当審査会等への諮問）
第19条　退職手当管理機関（第5項から第7項までに規定する退職手当管理機関を除く[1]。）は、第14条第1項第3号若しくは第2項、第15条第1項、第16条第1項又は第17条第1項から第5項までの規定による処分[2]（以下この条において「退職手当の支給制限等の処分」という。）を行おうとするときは、退職手当審査会に諮問しなければならない。[3]
2　退職手当審査会は、第14条第2項、第16条第1項又は第17条第1項から第5項までの規定による処分を受けるべき者から申立てがあつた場合には、当該処分を受けるべき者に口頭で意見を述べる機会を与えなければならない[4]。
3　退職手当審査会は、必要があると認める場合には、退職手当の支給制限等の処分に係る事件に関し、当該処分を受けるべき者又は退職手当管理機関にその主張を記載した書面又は資料の提出を求めること、適当と認める者にその知つている事実の陳述又は鑑定を求めることその他必要な調査をすることができる[5]。
4　退職手当審査会は、必要があると認める場合には、退職手当の支給制限等の処分に係る事件に関し、関係機関に対し、資料の提出、意見の開陳その他必要な協力を求めることができる[6]。
5　前各項の規定は、国会職員法第1条に規定する国会職員に係る退職手当管理機関が退職手当の支給制限等の処分を行おうとするときについて準用する。この場合において、これらの規定中「退職手当審査会」とあるのは、「両議院の議長が両議院の議院運営委員会の合同審査会に諮つて定める機関」と読み替えるものとする[7]。
6　第1項から第4項までの規定は、裁判官又は裁判所の職員に係る退職手当管理機関が退職手当の支給制限等の処分を行おうとするときについて準用する。この場合において、これらの規定中「退職手当審査会」とあるのは、「最高裁判所規則で定める機関」と読み替えるものとする[8]。
7　第1項から第4項までの規定は、会計検査院の検査官又は職員に係る退職手当管理機関が退職手当の支給制限等の処分を行おうとするときについて準用する。この場合において、これらの規定中「退職手当審査会」とあるのは、「会計検査院規則で定める機関」と読み替えるものと

する⁽⁹⁾。

【解説】
(1) 「退職手当の支給制限等の処分」を行う場合には、処分を受けるべき者の権利保護を図る観点から、第三者機関である退職手当審査会（以下「審査会」という。）に諮問することを義務付けたが、国会職員、裁判官及び裁判所の職員並びに会計検査院の検査官及び職員に対する処分に係る諮問については、その独立性等の観点から、独自に定められた諮問機関に諮問することが適当とされた。
(2) 諮問の対象となる処分は、懲戒免職等処分を受けるべき行為があったと認められたことを理由とする支給制限処分及び全ての返納・納付命令処分である。
　禁錮以上の刑が確定したこと又は懲戒免職等処分を受けたことを理由とする支給制限処分については、当該処分の理由が既に司法手続等により明らかとなっていることなどから、審査会での判断は必要ないと考えられるため、諮問の対象となる処分から除外されている。
(3) 諮問事項は処分案であり、退職手当管理機関はまず処分を行うための調査等を行い、処分案を作成した上で諮問をすることになる。

　〇運用方針（抄）
　第19条関係
　　一　本条各項の規定による退職手当審査会等への諮問事項は、本条第1項に該当する処分の処分案とする。
　　二　退職手当管理機関は、退職手当審査会等に対し、前号の処分案とともに、当該事案の内容及び処分案の理由を併せて提示するものとする。

(4) 遺族に対する支給制限及び返納命令処分並びに相続人に対する納付命令処分を行う場合であって、当該処分を受けるべき者から申立てがあったときには、当該者に口頭で意見を述べる機会を与えることとされている。これらの場合は、処分を受けるべき者が非違を行った者ではないため、特に手続を手厚くする必要があると考えられるが、既に退職手当管理機関により処分案の作成に際して意見の聴取が行われていることを踏まえ、当該処分を受けるべき者に必要以上の手続的負担を強いることを避けることも必要であることから、申立てがあったときに限って意見を述べる機会を与えることとしたものである。
(5) 処分の理由とされる行為に関して事実認定を行うための具体的な調査は、

在職中の非違についての情報を有する退職手当管理機関がまず行う。その結果を受けて、懲戒免職等処分を受けるべき行為であったと退職手当管理機関が認めたこと等の妥当性について審査会が諮問を受けて判断することになるが、そのとき、必要に応じて調査を行うための権限が審査会に付与されている。

⑹　特に刑事事件となった案件について調査をする必要が生じたときに、関係機関に対して行政共助に基づく情報提供等をするよう依頼するための根拠となる規定である。

⑺　国会職員については、国会職員退職手当審査会等に関する規程（平成21年３月31日両議院議長決定）第２条で設置された国会職員退職手当審査会に諮問することとなる。

⑻　裁判所職員及び裁判官については、裁判所職員退職手当審査会規則（平成21年最高裁判所規則第３号）第１条で設置された裁判所職員退職手当審査会に諮問することとなる。

⑼　会計検査院の検査官及び職員については、会計検査院退職手当審査会規則（平成21年会計検査院規則第３号）第１条で設置された会計検査院退職手当審査会に諮問することとなる。

第5章 雑　則

1　職員が退職した後に引き続き職員となった場合等における退職手当の不支給

> （職員が退職した後に引き続き職員となつた場合等における退職手当の不支給）
> **第20条**　職員が退職した場合（第12条第1項各号のいずれかに該当する場合を除く。）において、その者が退職の日又はその翌日に再び職員となつたときは、この法律の規定による退職手当は、支給しない[1]。
> 2　職員が、機構の改革、施設の移譲その他の事由によつて、引き続いて地方公務員となり、地方公共団体又は地方独立行政法人法（平成15年法律第118号）第2条第2項に規定する特定地方独立行政法人（以下この項において「特定地方独立行政法人」という。）に就職した場合において、その者の職員としての勤続期間が、当該地方公共団体の退職手当に関する規定又は当該特定地方独立行政法人の退職手当の支給の基準（同法第48条第2項又は第51条第2項に規定する基準をいう。）によりその者の当該地方公共団体又は特定地方独立行政法人における地方公務員としての勤続期間に通算されることに定められているときは、この法律による退職手当は、支給しない[2]。
> 3　職員が第7条の2第1項の規定に該当する退職をし、かつ、引き続いて公庫等職員となつた場合又は同条第2項の規定に該当する職員が退職し、かつ、引き続いて公庫等職員となつた場合においては、政令で定める場合を除き、この法律の規定による退職手当は、支給しない[3]。
> 4　職員が第8条第1項の規定に該当する退職をし、かつ、引き続いて独立行政法人等役員となつた場合又は同条第2項の規定に該当する職員が退職し、かつ、引き続いて独立行政法人等役員となつた場合においては、政令で定める場合を除き、この法律の規定による退職手当は、支給しない[4]。

【解説】

(1)　第1項の規定は、退職の日又はその翌日付けで再び職員となった場合には、引き続いて在職しているものとみなされて前後の勤続期間を通算する

（法第7条第3項）ので、退職手当を支給しないこととするものである。

　「再び職員とな」るという場合には、一般職と特別職それぞれの内部における再就職ばかりでなく、法第2条第1項に規定する職員相互の間における再就職も含まれる。

　なお、定員内職員、常勤職員給与支弁職員、又は引き続いて6月を超えて勤務した期間業務職員等の非常勤職員が、退職の日又はその翌日付けで、定員内職員又は常勤職員給与支弁職員に就職した場合には、本項の規定の適用により、退職手当を支給せず、法第7条第3項の規定により前後の在職期間を通算することとなる。

　しかし、職員を退職し、退職の日又はその翌日付けで、純然たる非常勤職員（常勤職員給与支弁職員以外の者、施行令第1条第2項の規定に基づき常勤職員とみなされる非常勤職員であって、雇用関係が事実上継続している場合に非常勤職員となった者を除く。）に再就職した場合は、再就職後一定の条件を満たせば、職員とみなされて退職手当の受給資格が得られる（法第2条第2項並びに施行令第1条第1項第2号及び昭和34年政令第208号附則第5項）ことは前述したとおりであるとしても、再就職の当初には、職員とはみなされていないので、直ちに本項の「再び職員となつた」ことには該当しないものと解され、退職手当を支給すべきこととなる。

(2)　本条第2項の規定は、職員としての在職期間の全部が地方公務員としての在職期間に通算されることとなっている地方公共団体又は特定地方独立行政法人（以下「地方公共団体等」という。）に就職した場合に限り、国は退職手当を支給しないこととするものである。

　一方、職員としての在職期間を通算しないか、通算しても制限付きである地方公共団体等に就職した場合には、国は退職手当を支給しなくてはならない。このように、地方公共団体等に引き続いて就職する際国の退職手当の支給を受け、その後再び引き続き国家公務員となった場合には、先の国家公務員としての在職期間の通算は認められない（本項及び施行令第7条第2項）。なお、現在では、ほとんどの地方公共団体等が国の職員としての在職期間を当該地方公共団体等の職員としての在職期間に通算することとしている。

　地方公務員から引き続いて職員となった場合には、その地方公務員としての在職期間を職員としての在職期間に通算する（法第7条第5項）。本項に規定する「その他の事由」については、法第7条第5項に規定する「その他の事由」と同様、特段の制限が付されていない。したがって、地方公務員となる事由は問わない。

また、職員が、昭和56年11月20日前に、任命権者の要請に応じ、国との間に通算規定のない地方公共団体へ退職出向したことがある場合には、法附則第2項から第3項までにおいて退職手当の特例的取扱いが定められている。その詳細については、後述の解説を参照されたい。
(3)　本条第3項の規定は、職員としての在職期間を公庫等職員としての在職期間に通算することとなっている公庫等へ出向する場合及び公庫等から出向している職員が公庫等職員として復帰する場合には、国は退職手当を支給しないこととするものである。

　退職手当の支給に係る在職期間の計算に関し、職員としての在職期間と公庫等職員としての在職期間とを相互に通算することとする以上、職員が公庫等へ出向する場合及び（公庫等から出向している）職員が公庫等へ復帰する場合には、その際、すなわち職員の退職に際して退職手当を支給しないこととする必要があり、法第20条第3項は、このために設けられた規定であり、先に述べたように法第7条の2第1項及び第2項の規定とは不可分の関係にある規定である。

　なお、本項の規定に基づく政令は、現時点では定められていない。
(4)　本条第4項の規定は、職員としての在職期間を独立行政法人等役員としての在職期間に通算することとなっている独立行政法人等へ出向する場合及び独立行政法人等から出向している職員が独立行政法人等役員として復帰する場合には、国は退職手当を支給しないこととするものである。

　なお、本項の規定に基づく政令は、現時点では定められていない。

2　実施規定

> （実施規定）
> **第21条**　この法律の実施のための手続その他その執行について必要な事項は、政令で定める。

【解説】

　退職手当法に基づいて制定されている政令は施行令であるが、この施行令中本条の授権に基づく条文としては、同令第1条の3（俸給月額）、第6条の6（現実に職務をとることを要しない期間）、第8条（勤続期間の計算の特例）等がある。

第6章　附　則

1　法の施行日及び適用日

> 1　この法律は、公布の日から施行し、昭和28年8月1日以後の退職による退職手当について適用する。

【解説】
　退職手当法の公布日は、昭和28年8月6日である。この法律の前身である国家公務員等に対する退職手当の臨時措置に関する法律(昭和25年法律第142号)、すなわち、旧法は、昭和28年7月31日限りで失効していたため、同年8月1日から8月6日までの間、退職手当に関する法律が欠落していた期間があった。この間に退職した場合にも適用するため、新法の適用日を8月1日まで遡及させていたものである。なお、この間の経過については、第1編第2章（退職手当の沿革）を参照されたい。

2　指定機関等から復帰した職員に対する退職手当の特例

> 2　職員のうち、国家公務員等退職手当法等の一部を改正する法律(昭和56年法律第91号)第1条の規定の施行の日(次項において「昭和56年改正法第1条施行日」という。)前に任命権者又はその委任を受けた者の要請に応じ、引き続いて旧プラント類輸出促進臨時措置法(昭和34年法律第58号)第16条第2項に規定する指定機関(当該指定機関であつた期間の前後の内閣総理大臣が定める期間における当該指定機関とされた法人を含む。)に使用される者(役員及び常時勤務に服することを要しない者を除く。以下この項において「指定機関職員」という。)となるため退職をし、かつ、引き続き指定機関職員として在職した後引き続いて再び職員となつた者(引き続き指定機関職員として在職した後引き続いて公庫等職員として在職し、その後引き続いて再び職員となつた者を含む。)の第7条第1項の規定による在職期間の計算については、指定機関職員となる前の職員としての在職期間の始期から後の職員としての在

職期間の終期までの期間は、職員としての引き続いた在職期間とみなす。
3　職員のうち、昭和56年改正法第1条施行日前に任命権者又はその委任を受けた者の要請に応じ、引き続いて地方公共団体（昭和56年改正法第1条施行日前における地方公共団体の退職手当に関する規定に、職員としての勤続期間を当該地方公共団体における地方公務員としての勤続期間に通算する旨の規定（以下この項において「通算規定」という。）がない地方公共団体に限る。）の地方公務員となるため退職をし、かつ、引き続き当該地方公共団体の地方公務員として在職した後引き続いて再び職員となつた者の第7条第1項の規定による在職期間の計算については、昭和56年改正法第1条施行日における当該地方公共団体の退職手当に関する規定に通算規定がある場合に限り、第7条第5項の規定にかかわらず、当該地方公共団体の地方公務員となる前の職員としての在職期間の始期から後の職員としての在職期間の終期までの期間は、職員としての引き続いた在職期間とみなす。
4　前2項に規定する者が退職した場合におけるその者に対する第2条の4及び第6条の5の規定による退職手当の額は、国家公務員等退職手当法の一部を改正する法律（昭和48年法律第30号。次項から附則第8項までにおいて「昭和48年改正法」という。）附則第12項の規定の例により計算した額とする。
5　附則第3項に規定する者のうち、昭和47年12月1日に地方公務員であつた者は、昭和48年改正法附則第5項に規定する適用日に在職する職員とみなす。

【解説】
(1)　法附則第2項から第5項までの規定は、第95回国会（臨時会）において成立した国家公務員等退職手当法等の一部を改正する法律（昭和56年法律第91号）により追加されたものである。
(2)　法附則第2項は、職員が任命権者等の要請に応じ指定機関に出向し、その後再び国の職員として復帰した場合に係る在職期間の通算について定めたものである。旧プラント類輸出促進臨時措置法第16条第2項に規定する指定機関は、通商産業大臣から業務委託を指定された社団法人日本プラント協会である。なお、同法は、昭和46年3月31日限りで失効している。
　　昭和47年12月1日前においては、職員が公庫等に出向する場合には、その

都度職員に退職手当を支給していたが、昭和48年の法改正によりこの取扱いが改められ、職員が任命権者等の要請に応じ、退職手当の通算規定のある公庫等（公庫その他特別の法律により設立された法人で施行令第9条の2に掲げられているもの）の職員となった場合には、退職手当を支給せず、その者が引き続いて再び職員となり退職した場合には、国家公務員としての在職期間と公庫等職員としての在職期間とを通算することとした。なお、適用日（昭和47年12月1日）前にこれらの公庫等に出向経歴を有する者に対しては、経過措置として、在職期間はすべて通算し、退職手当の額の計算については、いわゆる額控除方式（全期間を通算して計算した退職手当の額から既に国又は公庫等から支給された退職手当額とその支給のあった日の翌日から最終退職の日の前日までの期間につき、年5.5％等の利率で複利計算の方法により計算して得た金額の合計額を控除して得た額を退職手当として支給する。）によることとされた。

　しかし、日本プラント協会は、民間法人であることから公庫等と同様の措置は講ぜられていなかった。昭和56年の法改正の際、日本プラント協会は、法律に基づき通商産業大臣から業務委託を指定された機関であり、かつ、職員は任命権者の要請により出向していたものであるので、公庫等へ出向した職員と同様に取り扱うこととされたものである。したがって、昭和47年12月1日に遡及して適用されることになったものである。

⑶　法附則第3項は、職員が任命権者又はその委任を受けた者の要請に応じ通算規定のない地方公共団体に出向し、その後再び国の職員として復帰した場合に係る在職期間の通算について定めたものである。

　退職手当法においては、地方公務員としての在職期間は国家公務員としての在職期間に通算することとしているが、通算規定がないため退職手当が支給されている場合には、その計算の基礎となった在職期間は通算することができないこととされている。昭和56年、前述のとおり日本プラント協会の特例措置がとられたことに関連して、昭和56年改正法施行日（昭和56年11月20日）前までに通算規定のない地方公共団体に出向し、かつ同日において当該地方公共団体において通算規定が設けられている場合に限り、当該出向職員の地方公務員としての在職期間を通算することとなったものである。

⑷　法附則第4項は、法附則第2項又は第3項の規定に該当する者の退職手当の額の計算については、いわゆる額控除方式によることを定めたものである。

⑸　法附則第5項は、昭和48年改正法附則第5項から第8項までの退職手当の

額の調整規定が、昭和47年12月1日に法附則第3項に該当する地方公務員であって同日より後に引き続いて国の職員となった者についても、適用されることとしたものである。

3 長期勤続者の退職手当の調整

> 6 当分の間、35年以下の期間勤続して退職した者（昭和48年改正法附則第5項の規定に該当する者を除く。）に対する退職手当の基本額は、第3条から第5条の3まで及び附則第12項から第16項までの規定により計算した額にそれぞれ100分の83.7を乗じて得た額とする。この場合において、第6条の5第1項中「前条」とあるのは、「前条並びに附則第6項」とする。
> 7 当分の間、36年以上42年以下の期間勤続して退職した者（昭和48年改正法附則第6項の規定に該当する者を除く。）で第3条第1項の規定に該当する退職をしたものに対する退職手当の基本額は、同項又は第5条の2及び附則第15項の規定により計算した額に前項に定める割合を乗じて得た額とする。
> 8 当分の間、35年を超える期間勤続して退職した者（昭和48年改正法附則第7項の規定に該当する者を除く。）で第5条又は附則第13項の規定に該当する退職をしたものに対する退職手当の基本額は、その者の勤続期間を35年として附則第6項の規定の例により計算して得られる額とする。

【解説】
(1) 法附則第6項から第8項までの規定は、第120回国会（常会）において成立した国家公務員退職手当法の一部を改正する法律（平成3年法律第51号）により追加されたものである。

　長期勤続後に勧奨等により退職した者の退職手当の支給額を調整していた昭和48年法律第30号（以下「昭和48年改正法」という。）附則第5項から第7項までの規定については、これらの規定の適用対象者が適用日（昭和47年12月1日）に職員として在職する者に限られていた。

　一方、国家公務員の退職手当の給付水準については、おおむね5年ごとに退職金給付水準の官民比較に基づき見直しを行っているが、平成元年の調査

に基づき官民の比較を行った結果、官民の退職金給付水準はおおむね均衡がとれていると認められたため、国家公務員の退職手当の給付水準は据え置くことが適当とされた。このため、昭和48年改正法附則第5項から第7項までの規定の効力を実質的に維持することとし、平成4年11月1日以降に勤続20年以上となる昭和47年12月2日以降に職員となった者に対しても、当分の間、同様の措置を講ずるため、この附則第6項から第8項までの規定が追加されたものである。

その後、平成13年に行った平成11年度における官民の退職者の退職手当、退職金の給付水準の比較結果により判明した官民較差を調整するため、平成15年の法改正により、第6項に規定するいわゆる調整率は100分の110（昭和48年当時は100分の120であったが、昭和56年の法改正により100分の110となった。）から、100分の104に引き下げられた。さらにその後、平成23年に行った平成22年度における官民の退職給付水準の調査結果により判明した官民較差を調整するため、平成24年の法改正により調整率が100分の104から100分の87に段階的に引き下げられた。その後、平成28年に行った平成27年度における官民の退職給付水準の調査結果により判明した官民格差を調整するため、平成29年の法改正により調整率が100分の87から100分の83.7に引き下げられた（第2編第7章参照）。

この際、従来の調整率は100分の100を超えていたことから、国家公務員の退職手当が長期勤続報償であることに鑑み、勤続20年以上（自己都合を除く）の退職者を対象としていたが、同改正においては調整率が100分の100を下回ることになるため、制度全体のバランスの観点から、勤続年数や退職理由にかかわらず、全退職者を対象とすることとされた。

以下に、平成24年法改正以後の原始附則第6項から第8項までについて解説する。同改正前の同項の解説については、第5次改訂版を参照されたい。

(2) 法附則第6項は、昭和48年改正法附則第5項に相当する規定であり、退職理由にかかわらず勤続期間が35年以下である退職者（厳密には、昭和47年12月1日に在職していなかった者で同日以降に退職した者）の退職手当の基本額を、当分の間、本則で計算した額の100分の83.7とするものである。

(3) 法附則第7項は、昭和48年改正法附則第6項に相当する規定であり、法第3条第1項の規定に該当する退職をした者で勤続期間が36年以上42年以下であるものの退職手当の基本額を、法第3条第1項又は第5条の2及び附則第15項の規定により計算した額に100分の83.7を乗ずることとするものである。

(4) 法附則第8項は、昭和48年改正法附則第7項に相当する規定であり、法第

5条又は附則第13項の規定に該当する退職をした者で勤続期間が35年を超えるものをその勤続期間を35年として法附則第6項の規定により計算することとするものである。

本項の規定、昭和48年改正法附則第7項及び平成15年法律第62号附則第4項の規定により、退職手当の基本額の支給割合は、47.709が事実上の上限となっている。

なお、支給額の調整についての基本的な考え方については、昭和48年改正法附則第5項から第8項までの解説を参照されたい。

4　俸給月額の減額改定に伴い差額が俸給として支給される場合の退職手当法上の取扱い

> 9　退職した者の基礎在職期間中に俸給月額の減額改定（平成18年3月31日以前に行われた俸給月額の減額改定で内閣総理大臣が定めるものを除く。）によりその者の俸給月額が減額されたことがある場合において、その者の減額後の俸給月額が減額前の俸給月額に達しない場合にその差額に相当する額を支給することとする法令又はこれに準ずる給与の支給の基準の適用を受けたことがあるときは、この法律の規定による俸給月額には、当該差額を含まないものとする。ただし、第6条の5第2項に規定する一般職の職員に係る基本給月額に含まれる俸給の月額及び同項に規定するその他の職員に係る基本給月額に含まれる俸給月額に相当するものとして政令で定めるものについては、この限りでない。

【解説】

　法附則第9項の規定は、第163回国会（特別会）において成立した国家公務員退職手当法の一部を改正する法律（平成17年法律第115号）により追加されたものである。

　退職手当の計算の基礎となる俸給月額は、従来から、諸手当を含まない、いわゆる「本俸」部分を指すものとして取り扱ってきているところ、同法と同時に成立した一般職の職員の給与に関する法律等の一部を改正する法律（平成17年法律第113号）では、俸給の減額改定が行われたが、経過措置（俸給の従前額保障）として、減額改定前の俸給と改定後の俸給との差額に相当する額を俸給として支給する措置が講じられた。

上記退職手当法の改正による退職手当制度の構造面の見直しは、このような差額は含まない俸給月額を前提に制度設計されたものであること（差額支給を前提として制度設計すると、差額支給される者とされない者で退職手当額に不公平が生じること、差額支給が終了した時点で退職手当が大幅に引き下げられることになること等が理由）、また、立法府、司法府及び特定独立行政法人（行政執行法人）と適用範囲の広い国家公務員退職手当法においては、俸給の支給根拠となる制度も数多く存在し、このように差額に相当する額が俸給として支給される場合も常に起こり得ることから、退職手当法の規定による俸給月額にはこのような差額を含まないことを、恒久的な定めとして原始附則において明文化することとしたものである。

ただし、法第6条の5第2項に規定する整理退職等により退職した者でその勤続期間が短期である者についての特例（最低保障額）については、その趣旨から各種手当等も含んだ「基本給月額」を基礎として計算することになっていることに鑑み、本項の規定の対象からは除くこととした。

なお、平成18年3月31日以前に行われた俸給月額の減額改定で内閣総理大臣が定めるものを除くこととしている趣旨は、既に、国営企業等の一部において、給与の減額改定及びその差額保障を先行的に実施しているものもあり、一律に本規定を適用させることは必ずしも適切でないことから、この特例を設け柔軟な対応ができるようにしたものである。

次にただし書部分についての施行令の該当規定を掲げておく。

〇施　行　令（抄）
（一般職の職員の基本給月額に準ずる額）
第6条の7　法第6条の5第2項に規定する一般職の職員の基本給月額に準ずる額は、次の各号に掲げる職員の区分に応じ、当該各号に定める額とする。
一　自衛官　俸給、扶養手当及び営外手当の月額、これらに対する地域手当及び広域異動手当の月額並びに航空手当、乗組手当、落下傘隊員手当、特別警備隊員手当及び特殊作戦隊員手当の月額の合計額
二　前号に掲げる職員以外の職員で一般職の職員以外のもの　俸給及び扶養手当の月額並びにこれらに対する地域手当及び広域異動手当の月額又はこれらの給与に相当する給与の月額の合計額
　　附　則
2　法附則第9項ただし書に規定する政令で定める額は、第6条の7各号に規定する俸給の月額とする。

5 個別延長給付に係る時限措置

> 10 令和7年3月31日以前に退職した職員に対する第10条第9項の規定の適用については、同項中「第28条まで」とあるのは「第28条まで及び附則第5条」と、同項第2号中「ロ 雇用保険法第22条第2項に規定する厚生労働省令で定める理由により就職が困難な者であつて、同法第24条の2第1項第2号に掲げる者に相当する者として内閣官房令で定める者に該当し、かつ、公共職業安定所長が同項に規定する指導基準に照らして再就職を促進するために必要な職業安定法第4条第4項に規定する職業指導を行うことが適当であると認めたもの」とあるのは「
> ロ 雇用保険法第22条第2項に規定する厚生労働省令で定める理由により就職が困難な者であつて、同法第24条の2第1項第2号に掲げる者に相当する者として内閣官房令で定める者に該当し、かつ、公共職業安定所長が同項に規定する指導基準に照らして再就職を促進するために必要な職業安定法第4条第4項に規定する職業指導を行うことが適当であると認めたもの
> ハ 特定退職者であつて、雇用保険法附則第5条第1項に規定する地域内に居住し、かつ、公共職業安定所長が同法第24条の2第1項に規定する指導基準に照らして再就職を促進するために必要な職業安定法第4条第4項に規定する職業指導を行うことが適当であると認めたもの（イに掲げる者を除く。）
> 」とする。

【解説】

法附則第10項の規定は、第193回国会（常会）において成立した雇用保険法等の一部を改正する法律（平成29年法律第14号）により追加されたものである。

雇用保険法附則第5条に規定する「給付日数の延長に関する暫定措置」（以下「地域延長給付」という。）に対応して規定されたもので、法第10条第9項の読替えを規定し、令和7年3月31日以前に退職した特定退職者であって、一定の要件を満たした場合には、基本手当に相当する退職手当の給付日数を延長できることとする地域延長給付を定めている。

なお、退職手当法上、雇用保険法第13条第3項に規定する特定理由離職者に相当する者は位置づけていないため、特定理由離職者に係る規定はない。

平成29年当時は平成34年3月31日以前だったが、令和4年の法改正により令和7年3月31日まで延長されている（第2編第7章**62**参照）。

○雇用保険法（抄）
　　附　則
　（給付日数の延長に関する暫定措置）
第5条　受給資格に係る離職の日が令和7年3月31日以前である受給資格者（第22条第2項に規定する就職が困難な受給資格者以外の受給資格者のうち第13条第3項に規定する特定理由離職者（厚生労働省令で定める者に限る。）である者及び第23条第2項に規定する特定受給資格者に限る。）であつて、厚生労働省令で定める基準に照らして雇用機会が不足していると認められる地域として厚生労働大臣が指定する地域内に居住し、かつ、公共職業安定所長が第24条の2第1項に規定する指導基準に照らして再就職を促進するために必要な職業指導を行うことが適当であると認めたもの（個別延長給付を受けることができる者を除く。）については、第3項の規定による期間内の失業している日（失業していることについての認定を受けた日に限る。）について、所定給付日数（当該受給資格者が第20条第1項及び第2項の規定による期間内に基本手当の支給を受けた日数が所定給付日数に満たない場合には、その支給を受けた日数。次項において同じ。）を超えて、基本手当を支給することができる。
2　前項の場合において、所定給付日数を超えて基本手当を支給する日数は、60日（所定給付日数が第23条第1項第2号イ又は第3号イに該当する受給資格者にあつては、30日）を限度とするものとする。

6　特別職幹部職員等の調整額

> 11　当分の間、第6条の4第4項第5号に掲げる者に対する同項（同号に係る部分に限る。）及び附則第6項の規定の適用については、同号中「100分の8」とあるのは「100分の8.3」と、同項中「附則第6項」とあるのは「附則第6項及び第11項」とする。

【解説】

　法附則第11項の規定は、第195回国会（特別会）において成立した国家公務員退職手当法等の一部を改正する法律（平成29年法律第79号）により追加されたものである。

　退職手当の調整額は、職員の公務への貢献度をより的確に反映させるために、平成17年の退職手当法の改正により創設されたものであるが、退職日の俸給月額が一般職の職員の給与に関する法律の指定職俸給表8号俸の額に相当する額を超える者等の調整額については、平成26年法律第107号により、一般職員との均衡を図るため、退職手当の基本額に乗ずる率を100分の6から100分の

8に改定した。

　平成29年の退職手当の支給水準の調整は、官民較差の解消のため調整率を100分の83.7に改定して退職手当の基本額の引下げが行われた。調整額の引下げは行われなかったが、特別職幹部職員等は基本額の100分の8を調整額としていることから、基本額の引下げに伴い調整額の引下げが生じる。その結果、特別職幹部職員等の退職手当額が、勤続年数・退職理由を同じくする事務次官クラスの職員の退職手当額を下回り、職責の差に応じた均衡が崩れる（逆転が生じる）こととなるため、「100分の8」を改正し、「100分の8.3」とした。

7　定年引上げに伴う当分の間の措置

12　当分の間、第4条第1項の規定は、11年以上25年未満の期間勤続した者であつて、60歳（次の各号に掲げる者にあつては、当該各号に定める年齢）に達した日以後その者の非違によることなく退職した者（定年の定めのない職を退職した者及び同項又は同条第2項の規定に該当する者を除く。）に対する退職手当の基本額について準用する。この場合における第3条の規定の適用については、同条第1項中「又は第5条」とあるのは、「、第5条又は附則第12項」とする[1]。
　一　次に掲げる者　63歳
　　イ　国家公務員法等の一部を改正する法律（令和3年法律第61号。ニにおいて「令和3年国家公務員法等改正法」という。）第1条の規定による改正前の国家公務員法（次号イ及び附則第14項第1号において「令和5年旧国家公務員法」という。）第81条の2第2項第2号（裁判所職員臨時措置法において準用する場合を含む。）に掲げる職員に相当する職員として内閣官房令で定める職員
　　ロ　検事総長以外の検察官
　　ハ　国会職員法及び国家公務員退職手当法の一部を改正する法律（令和3年法律第62号。附則第15項において「令和3年国会職員法等改正法」という。）第1条の規定による改正前の国会職員法（次号ロ及び附則第14項第7号において「令和5年旧国会職員法」という。）第15条の2第2項第2号に掲げる国会職員（国会職員法第1条に規定する国会職員をいう。以下この項及び附則第14項において同じ。）に相当する国会職員として内閣官房令で定める国会職員

ニ　令和3年国家公務員法等改正法第8条の規定による改正前の自衛隊法（次号ハ及び附則第14項第9号において「令和5年旧自衛隊法」という。）第44条の2第2項第2号に掲げる隊員（自衛隊法第2条第5項に規定する隊員をいう。以下この項及び附則第14項において同じ。）に相当する隊員として内閣官房令で定める隊員
二　次に掲げる者　60歳を超え64歳を超えない範囲内で内閣官房令で定める年齢
　　イ　令和5年旧国家公務員法第81条の2第2項第3号（裁判所職員臨時措置法において準用する場合を含む。）に掲げる職員に相当する職員のうち、内閣官房令で定める職員
　　ロ　令和5年旧国会職員法第15条の2第2項第3号に掲げる国会職員に相当する国会職員のうち、内閣官房令で定める国会職員
　　ハ　令和5年旧自衛隊法第44条の2第2項第3号に掲げる隊員に相当する隊員のうち、内閣官房令で定める隊員
13　当分の間、第5条第1項の規定は、25年以上の期間勤続した者であつて、60歳（前項各号に掲げる者にあつては、当該各号に定める年齢）に達した日以後その者の非違によることなく退職した者（定年の定めのない職を退職した者及び同条第1項又は第2項の規定に該当する者を除く。）に対する退職手当の基本額について準用する。この場合における第3条の規定の適用については、同条第1項中「又は第5条」とあるのは、「、第5条又は附則第13項」とする[2]。
14　前2項の規定は、次に掲げる者が退職した場合に支給する退職手当の基本額については適用しない[3]。
　一　令和5年旧国家公務員法第81条の2第2項第1号（裁判所職員臨時措置法において準用する場合を含む。）に掲げる職員に相当する職員として内閣官房令で定める職員及び同項第3号（裁判所職員臨時措置法において準用する場合を含む。）に掲げる職員に相当する職員のうち内閣官房令で定める職員
　二　国家公務員法第81条の6第2項ただし書（裁判所職員臨時措置法において準用する場合を含む。）に規定する職員
　三　公正取引委員会の委員長及び委員
　四　裁判官
　五　検事総長
　六　検査官

七　令和5年旧国会職員法第15条の2第2項第1号に掲げる国会職員に相当する国会職員として内閣官房令で定める国会職員及び同項第3号に掲げる国会職員に相当する国会職員のうち内閣官房令で定める国会職員
　　八　国会職員法第15条の6第2項ただし書に規定する国会職員
　　九　令和5年旧自衛隊法第44条の2第2項第1号に掲げる隊員に相当する隊員として内閣官房令で定める隊員及び同項第3号に掲げる隊員に相当する隊員のうち内閣官房令で定める隊員
　　十　自衛隊法第44条の6第2項ただし書に規定する隊員
　　十一　自衛隊法第45条第1項に規定する自衛官
　　十二　給与その他の処遇の状況が前各号に掲げる職員に類する職員として内閣官房令で定める職員
15　一般職の職員の給与に関する法律附則第8項（裁判所職員臨時措置法において準用する場合を含む。）、検察官の俸給等に関する法律（昭和23年法律第76号）附則第5条第1項若しくは防衛省の職員の給与等に関する法律（昭和27年法律第266号）附則第5項の規定、令和3年国会職員法等改正法による定年の引上げに伴う給与に関する特例措置又はこれらに準ずる給与の支給の基準による職員の俸給月額の改定は、俸給月額の減額改定に該当しないものとする(4)。

16　当分の間、第4条第1項第3号並びに第5条第1項第3号、第5号及び第6号に掲げる者に対する第5条の3及び第6条の3の規定の適用については、第5条の3並びに第6条の3の表第6条の項、第6条の2第1号の項及び第6条の2第2号の項中「定年」とあるのは、「定年（附則第12項各号及び第14項各号に掲げる者以外の者（国家公務員法等の一部を改正する法律（令和3年法律第61号）第1条の規定による改正前の国家公務員法第81条の2第2項本文（裁判所職員臨時措置法において準用する場合を含む。）の適用を受けていた者であつて附則第14項第2号に掲げる職員に該当する職員、国会職員法及び国家公務員退職手当法の一部を改正する法律（令和3年法律第62号）第1条の規定による改正前の国会職員法第15条の2第2項本文の適用を受けていた者であつて附則第14項第8号に掲げる国会職員に該当する国会職員及び国家公務員法等の一部を改正する法律第8条の規定による改正前の自衛隊法第44条の2第2項本文の適用を受けていた者であつて附則第14項第10号に掲げる隊員に該当する隊員を含む。）にあつては60歳とし、附則第12項各号に掲

げる者にあつては当該各号に定める年齢とし、附則第14項第1号に掲げる職員、同項第7号に掲げる国会職員及び同項第9号に掲げる隊員にあつては65歳とし、同項第12号に掲げる職員にあつては内閣官房令で定める年齢とする。)」とする[5]。

【解説】

法附則第12項から第16項までの規定は、第204回国会（常会）において成立した国家公務員法等の一部を改正する法律（令和3年法律第61号）及び国会職員法及び国家公務員退職手当法の一部を改正する法律（令和3年法律第62号）により追加されたものである。

(1) 国家公務員の定年は、令和5年4月1日以降段階的に65歳まで引き上げられることとされたが、60歳超の職員の給与水準が当分の間の措置として60歳に達した日後における最初の4月1日以後、原則7割とされることや、管理監督職勤務上限年齢制による降任及び転任の制度が導入される等、任用・給与の体系が変わる中で、60歳以後の退職を自主的に選択する職員に配慮する必要があること、また、本措置により自主的に退職する者を一定程度確保することによって組織の新陳代謝を通じた公務の能率的な運営のために必要な人材の安定的な確保を図る必要があることを考慮し、現行の定年年齢を超えて非違によらず退職した場合が現行の定年年齢で定年退職する場合に比べて不利益とならないよう、法附則第12項において、勤続年数11年以上25年未満の職員についての当分の間の措置として、現行の定年年齢に達した日以後、非違によることなく退職した職員の退職手当の基本額の支給率については、勤続期間を同じくする定年退職の場合と同率とすることとした。

　上記の措置は、職員が引上げ前の定年年齢に達した日を起算点とする措置であるため、引上げ前の定年年齢が60歳ではなく、旧国家公務員法第81条の2第2項各号に掲げる職員の定年（以下「特例定年」という。）が適用されていた職員等については、規定の適用を特例定年年齢以後とすることとし、附則第12項各号において、改正前の国家公務員法等の特例定年の根拠規定ごとに、特例定年が規定されていた職員に相当する職員及び当該職員の特例定年の年齢を定めている。

(2) 法附則第13項の規定の趣旨は、法附則第12項と同一であり、同項は勤続年数11年以上25年未満の職員について定めているのに対し、本項は勤続年数25年以上の職員について定めている。

(3) 法附則第14項は、法附則第12項及び第13項の規定を適用しない職員を規定

している。定年引上げのない職種又は60歳超の給与水準が従前と変わらない職種については、当該措置を講じる必要がないためである。令和5年4月1日以降に65歳超の特例定年が設けられる職員についても、定年退職日まで俸給月額が7割とならないことから、法附則第12項及び第13項の適用除外としている。

(4) 法附則第15項の規定は、定年の引上げに伴い、60歳超職員の給与水準については、一般職給与法附則第8項等において当分の間、60歳に達した日後における最初の4月1日以後、原則7割とすることとしている。退職手当の算定に当たり、60歳超職員の俸給月額の減額が、法第5条の2に規定する俸給月額の減額改定に該当しないものとしてピーク時特例が適用されるものである。なお、この場合における退職日俸給月額には、管理監督職勤務上限年齢調整額（一般職給与法附則第10項、第12項又は第13項の規定による俸給等）が含まれる。運用方針において、この点は明らかにされている。

○運用方針（抄）
附則第15項関係
　本項の規定の適用による退職日俸給月額には、次に掲げる額を含むものとする。
　イ　一般職給与法附則第10項（裁判所職員臨時措置法において準用する場合を含む。）に規定する基礎俸給月額と特定日俸給月額との差額に相当する額並びに同法附則第12項及び第13項（裁判所職員臨時措置法において準用する場合を含む。）に規定する人事院規則で定めるところにより算出した額
　ロ　検察官の俸給等に関する法律（昭和23年法律第76号）附則第5条第2項に規定する任命日の前日にその者が受けていた俸給月額に100分の70を乗じて得た額と任命日に同条第1項の規定によりその者の受ける俸給月額との差額に相当する額及び同条第3項の準則で定めるところにより算出した額
　ハ　防衛省の職員の給与等に関する法律（昭和27年法律第266号）附則第7項に規定する基礎俸給月額と特定日俸給月額との差額に相当する額並びに同法附則第9項及び第10項に規定する政令で定めるところにより算出した額
　ニ　イからハに準ずる給与の支給の基準によるイからハに規定する額に相当する額

(5) 法附則第16項の規定は、定年前早期退職特例措置に関する当分の間の措置を設けるものである。具体的には、定年引上げに伴い、応募認定等退職者（法第4条第1項第3号（勤続期間25年未満）並びに第5条第1項第3号（組織の改廃等に伴うもの）及び第6号（勤続期間25年以上））並びに内閣等関与人事退職者等及び公共サービス改革法の特定退職者（第5条第1項第5号）については、当分の間、定年前早期退職特例措置について現行と同じ対象年齢とすることとし、引上げ前の定年から15年を減じた年齢から、引上げ前の定年までの15年間（改正前と同様）に限る措置を講じている（法附則第

16項及び施行令附則第5条の3附則第4項参照)。

　割増率等についても改正前と基本的に同様であるが、①引上げ前の定年に達する日前までの退職者が適用対象となる、②一般職給与法の指定職俸給表1号俸相当額未満である者であって、引上げ前の定年と退職の日におけるその者の年齢との差に相当する年数が1年である者の場合の割増率が3％となる点が異なる。これは、定年が引き上がる者についてみれば、定年引上げ後は、引上げ前の定年年齢時点では、定年の1年前ではなく「定年目前」ではなくなるためである。したがって、定年が引き上がらない者、段階的引上げに伴い定年が引き上がらない期間がある者又は改正法施行後に特例定年が設けられる者については、引上げ前の定年に達する日前6月以内の退職者は割増率の適用対象とはならない(施行令附則第5条の3附則第3項参照)。

○施　行　令（抄）
　　　附　則
3　当分の間、法第4条第1項第3号並びに第5条第1項第3号、第5号及び第6号に掲げる者（次の表の上欄に掲げる者であつて、退職の日において定められているその者に係る定年がそれぞれ同表の下欄に掲げる年齢を超える者に限る。）（内閣官房令で定める者を除く。）に対する第5条の3及び第5条の4の規定の適用については、第5条の3第2項中「6月」とあるのは「零月」と、同条第4項第3号及び第5項第3号中「100分の3（退職の日において定められているその者に係る定年と退職の日におけるその者の年齢との差に相当する年数が1年である職員にあつては、100分の2）」とあるのは「100分の3」とする。

法附則第12項各号及び第14項各号に掲げる者以外の者（国家公務員法等の一部を改正する法律（令和3年法律第61号。以下この表において「令和3年国家公務員法等改正法」という。）第1条の規定による改正前の国家公務員法第81条の2第2項本文（裁判所職員臨時措置法において準用する場合を含む。）の適用を受けていた者であつて法附則第14項第2号に掲げる職員に該当する職員、国会職員法及び国家公務員退職手当法の一部を改正する法律（令和3年法律第62号）第1条の規定による改正前の国会職員法（昭和22年法律第85号）第15条の2第2項本文の適用を受けていた者であつて法附則第14項第8号に掲げる国会職員に該当する国会職員及び令和3年国家公務員法等改正法第8条の規定による改正前の自衛隊法（昭和29年法律第165号）第44条の2第2項本文の適用を受けていた者であつて法附則第14項第10号に掲げる隊員に該当する隊員を含む。）	60歳
法附則第12項各号に掲げる者	法附則第12項各号に定める年齢
法附則第14項第1号に掲げる職員、同項第7号に掲げる国会職員及び同項第9号に掲げる隊員	65歳

法附則第14項第12号に掲げる職員	内閣官房令で定める年齢

4　当分の間、法第4条第1項第3号及び第5条第1項（第1号を除く。）に規定する者に対する第5条の3の規定の適用については、同条第3項中「20年」とあるのは「15年」とするほか、前項の表の上欄に掲げる者の区分に応じ、同条第3項中「退職の日において定められているその者に係る定年」とあるのはそれぞれ同表の下欄に掲げる字句とする。

○参　考

応募認定等退職者等に係る当分の間の措置の内容等を、一般職給与法の指定職俸給表1号俸相当額未満で、引上げ前の定年が60歳の場合をその例にとって図示すれば、以下のとおりである。

退職時俸給月額の割増率（引上げ前の定年が60歳の場合）

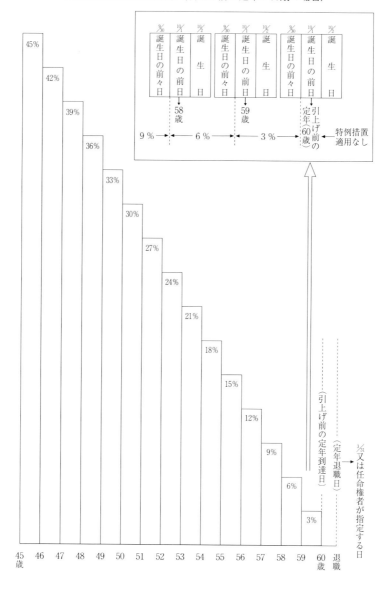

一方で、退職手当法第5条第1項第2号（定員の減少又は組織の改廃のため過員又は廃職を生ずることにより退職した者）及び同項第4号（公務上の傷病又は死亡により退職した者）に該当する者については、いずれも職員の意思によらない事由により退職せざるを得ない場合であり、特別な配慮が必要であることから、当分の間、引上げの定年以降についても一律2％の割増しを行うこととしている（施行令附則第5項及び第6項）。

〇施　行　令（抄）
　　　附　則
5　当分の間、法第5条第1項第2号及び第4号に掲げる者であつて附則第3項の表の上欄に掲げる者が、それぞれ同表の下欄に掲げる年齢に達する日前に退職したときにおける第5条の3及び第5条の4の規定の適用については、次の表の上欄に掲げる規定中同表の中欄に掲げる字句は、それぞれ同表の下欄に掲げる字句とする。

第5条の3第4項第1号	100分の1	附則第3項の表の上欄に掲げる者の区分ごとにそれぞれ同表の下欄に掲げる年齢と退職の日におけるその者の年齢との差に相当する年数（以下この条において「改正前定年前年数」という。）に100分の1を乗じて得た割合を退職の日において定められているその者に係る定年と退職の日におけるその者の年齢との差に相当する年数（以下この条において「改正後定年前年数」という。）で除して得た割合
第5条の3第4項第2号及び第5項第2号	100分の2	改正前定年前年数に100分の2を乗じて得た割合を改正後定年前年数で除して得た割合
第5条の3第4項第3号及び第5項第3号	100分の3（退職の日において定められているその者に係る定年と退職の日におけるその者の年齢との差に相当する年数が1年である職員にあつては、100分の2）	改正前定年前年数に100分の3を乗じて得た割合を改正後定年前年数で除して得た割合
第5条の3第5項第1号	100分の1	改正前定年前年数に100分の1を乗じて得た割合を改正後定年前年数で除して得た割合

6　当分の間、法第5条第1項第2号及び第4号に掲げる者であつて附則第3項の表の上欄に掲げる者が、それぞれ同表の下欄に掲げる年齢に達した日以後に退職したときにお

ける第5条の3及び第5条の4の規定の適用については、次の表の上欄に掲げる規定中同表の中欄に掲げる字句は、それぞれ同表の下欄に掲げる字句とする。

第5条の3第4項第1号	100分の1	100分の1を退職の日において定められているその者に係る定年と退職の日におけるその者の年齢との差に相当する年数(以下この条において「改正後定年前年数」という。)で除して得た割合
第5条の3第4項第2号及び第5項第2号	100分の2	100分の2を改正後定年前年数で除して得た割合
第5条の3第4項第3号及び第5項第3号	100分の3(退職の日において定められているその者に係る定年と退職の日におけるその者の年齢との差に相当する年数が1年である職員にあつては、100分の2)	100分の2を改正後定年前年数で除して得た割合
第5条の3第5項第1号	100分の1	100分の1を改正後定年前年数で除して得た割合

7 定年引上げに伴う当分の間の措置　367

○参　考

公務傷病・死亡による退職の場合に係る当分の間の措置の内容等を、一般職給与法の指定職俸給表1号俸相当額未満で、引上げ前の定年が60歳の場合をその例にとって図示すれば、以下のとおりである。

退職時俸給月額の割増率（引上げ前の定年が60歳の場合）

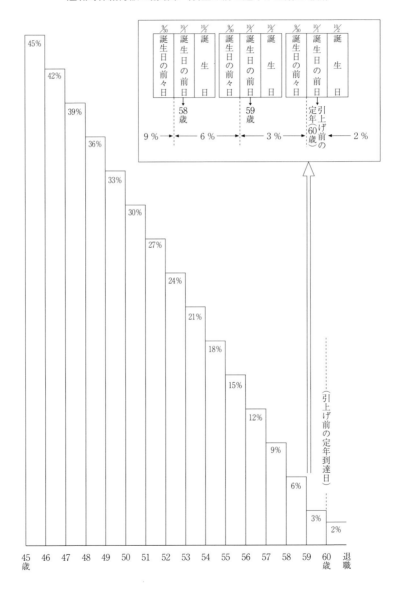

第7章　改正法律の附則等

1　昭和30年代の改正法律の附則

昭和30年代の改正法律の附則に関する解説については、『公務員の退職手当法詳解』（第4次改訂版）を参照されたい。

2　昭和40年法律第68号附則及び法律第69号附則（抄）

　　　附　則（昭和40年法律第68号）
（施行期日）
第1条　この法律は、公布の日から起算して90日をこえない範囲内で政令で定める日から施行する。ただし、〔略〕附則第5条から附則第8条までの規定は、政令で定める日〔昭和41年12月14日〕から施行する。
（国家公務員等退職手当法の一部改正）
第8条　国家公務員等退職手当法（昭和28年法律第182号）の一部を次のように改正する。
　　第7条第4項中「その月数の2分の1に相当する月数」の下に「（公共企業体等労働関係法（昭和23年法律第257号）第7条第1項ただし書に規定する事由により現実に職務をとることを要しなかつた期間については、その月数）」を加える。
　　　附　則（昭和40年法律第69号）
（施行期日）
第1条　この法律は、公布の日から起算して90日をこえない範囲内で政令で定める日から施行する。ただし、〔略〕附則第6条〔略〕の規定は、政令で定める日〔国家公務員退職手当法第7条第4項の改正は昭和41年12月14日、第8条第1項第3号の改正は昭和41年6月14日〕から施行する。
（国家公務員等退職手当法の一部改正）
第6条　国家公務員等退職手当法（昭和28年法律第182号）の一部を次のように改正する。
　　第7条第4項中「公共企業体等労働関係法」を「同法第108条の6第1項ただし書若しくは公共企業体等労働関係法」に改め、「規定する事

由」の下に「又はこれらに準ずる事由」を加える。
　　第8条第1項第3号中「第98条第6項」を「第98条第3項」に改める。

【解説】
　昭和40年法律第68号は、「公共企業体等労働関係法の一部を改正する法律」であり、昭和40年法律第69号は、「国家公務員法の一部を改正する法律」である。
　これらの一部改正法は、昭和40年のILO第87号条約（結社の自由及び団結権の保護に関する条約）の批准に際して、公共企業体等及び国におけるいわゆる在籍専従制度等に関する規定が整備されたことに伴い、専従職員として在職した期間については、退職手当制度上、職員としての在職期間の計算から除算することを内容としたものである。なお、この在籍専従制度の発足については、種々論議があり、改正法の施行の日（昭和41年12月14日）から2年間は、なお従前の例によることとされた結果、昭和43年12月14日からその実施が行われたものである。

3　昭和42年法律第37号附則（抄）

　　　　附　　則
　（施行期日）
　1　この法律は、政令で定める日〔昭和42年7月1日〕から施行する。

【解説】
　昭和42年法律第37号は、「沖縄居住者等に対する失業保険に関する特別措置法」である。
　この法律により、失業保険法又は船員保険法の規定による失業保険金の給付に関して、沖縄居住者等に対する特例が定められたことに伴い、昭和49年法律第117号による改正前の法第10条（失業者の退職手当）の規定についても所要の特例措置が定められたものである。

4　昭和42年法律第141号附則（抄）

　　　　附　　則

（施行期日等）
1　この法律は、公布の日〔昭和42年12月22日〕から施行する。
19　国家公務員等退職手当法の一部を次のように改正する。
　　第5条第3項中「扶養手当の月額」の下に「並びにこれらに対する調整手当の月額」を加える。

【解説】
　昭和42年法律第141号は、「一般職の職員の給与に関する法律等の一部を改正する法律」である。
　この法律により調整手当が新設されたことに伴い、退職手当法第5条第3項（現行の第6条の5第2項）に規定する基本給月額の算定基礎として、調整手当を追加することとされたものである。

5　昭和44年法律第83号附則（抄）

　　　附　則〔略〕
　（退職手当関係は、昭和45年1月1日施行）

【解説】
　昭和44年法律第83号は、「失業保険法及び労働者災害補償保険法の一部を改正する法律」である。
　この法律により、従来、失業保険において保険給付として支給されていた就職支度金及び移転費が福祉施設として支給されること、失業保険金の不正受給者に対する不正受給金額の納付に関する規定の整備等が行われたことに伴い、昭和49年法律第117号による改正前の法第10条の規定に所要の改正が行われたものである。

6　昭和45年法律第125号附則（抄）

　　（国家公務員等退職手当法の一部改正）
第3条　国家公務員等退職手当法（昭和28年法律第182号）の一部を次のように改正する。
　　第7条第4項中「休職」の下に「（公務上の傷病による休職を除く。）」

を加え、「因り」を「より」に改める。
　　　　附　則
1　この法律は、公布の日〔昭和45年12月17日〕から施行する。
2　略
3　この法律の施行の日前の退職による退職手当に係る勤続期間の計算については、なお従前の例による。

【解説】
　昭和45年法律第125号は、「国家公務員災害補償法等の一部を改正する法律」である。
　公務上の傷病により休職にされた職員の退職手当については、従来、一般の休職や停職の場合と同様に、当該休職期間の２分の１の期間を退職手当に係る勤続期間の計算上除算する取扱いとされていたが、昭和45年12月17日以降退職した職員の退職手当に係る在職期間の計算については、当該休職期間を除算しないこととされたものである。

7　昭和46年法律第130号（抄）

　　　第１章　総理府関係
　（沖縄居住者等に対する失業保険に関する特別措置法の廃止に伴う国家公務員等退職手当法の一部改正）
第１条　国家公務員等退職手当法（昭和28年法律第182号）の一部を次のように改正する。
　　第10条第８項中「、船員保険法（昭和14年法律第73号）又は沖縄居住者等に対する失業保険に関する特別措置法（昭和42年法律第37号）」を「又は船員保険法（昭和14年法律第73号）」に改める。
　（元南西諸島官公署職員等の身分、恩給等の特別措置に関する法律の一部改正）
第８条　元南西諸島官公署職員等の身分、恩給等の特別措置に関する法律（昭和28年法律第156号）の一部を次のように改正する。
　　〔以下略〕
第９条　前条の規定による改正前の元南西諸島官公署職員等の身分、恩給等の特別措置に関する法律（以下この条において「改正前の法」とい

う。）附則第5項の年金、恩給又は退職手当等で、昭和47年3月31日以前に支払を受けるべきであつたものについては、なお改正前の法附則第5項及び第6項の規定の例による。
2　この法律の施行前に給与事由の生じた改正前の法の規定による退職手当及び死亡賜金については、改正前の法附則第5項及び第6項に規定する事項を除き、なお従前の例による。
3　この法律の施行後に給与事由の生ずる国家公務員退職手当法の規定による退職手当で琉球諸島民政府職員であつた者に係るものに関し、その勤続期間を計算するについては、なお改正前の法第8条第3項の規定の例による。

　　附　則
（施行期日）
1　この法律は、琉球諸島及び大東諸島に関する日本国とアメリカ合衆国との間の協定の効力発生の日〔昭和47年5月15日〕から施行する。〔以下略〕

【解説】
　昭和46年法律第130号は、「沖縄の復帰に伴う関係法令の改廃に関する法律」である。
　この法律は、昭和47年5月15日の沖縄の本土復帰に伴い、沖縄に係る従来の特別措置について、所要の規定の整備を行ったものである。
　退職手当関係では、次の2点が改正された。
　第1は、沖縄居住者等に対する失業保険に関する特別措置法（昭和42年法律第37号）が廃止されたことに伴い、昭和49年法律第117号による改正前の法第10条の規定に所要の改正が行われた。
　第2は、昭和21年1月29日の沖縄地域のいわゆる行政権分離に伴い、元南西諸島官公署職員から琉球諸島民政府職員となった者については、「元南西諸島官公署職員等の身分、恩給等の特別措置に関する法律（昭和28年法律第156号）の規定により、琉球諸島民政府職員としての在職期間を職員としての在職期間とみなし、一定の要件の下に退職手当法に基づく退職手当を支給していたが、琉球政府職員の身分の承継に伴い、関係規定を廃止するとともに、所要の経過規定を定めたものである。

8　昭和48年法律第30号附則

　　　附　則
　（施行期日）
1　この法律は、公布の日〔昭和48年5月17日〕から施行する[(1)]。
　（適用日等）
2　改正後の国家公務員等退職手当法（以下「新法」という。）の規定（第7条の2の規定を除く。）は、昭和47年12月1日（以下「適用日」という。）以後の退職による退職手当について適用し、適用日前の退職による退職手当については、なお従前の例による[(2)]。
　（国家公務員等退職手当暫定措置法の一部を改正する法律の一部改正）
3　国家公務員等退職手当暫定措置法の一部を改正する法律（昭和34年法律第164号。以下「法律第164号」という。）の一部を次のように改正する。
　　附則第3項中「掲げる退職」の下に「（公務上の死亡以外の死亡による退職で政令で定めるものを除く。）[(3)]」を加え、同項第1号中「第4条第3項」を「第4条第4項」に改める。
4　改正後の法律第164号附則第3項の規定は、適用日以後の退職による退職手当について適用し、適用日前の退職による退職手当については、なお従前の例による。
　（長期勤続者等に対する退職手当に係る特例）
5　適用日に在職する職員[(4)]（適用日に改正前の国家公務員等退職手当法（以下「旧法」という。）第7条の2第1項に規定する公庫等職員（他の法律の規定により、国家公務員等退職手当法第7条の2の規定の適用について、同条第1項に規定する公庫等職員とみなされる者を含む。以下「指定法人職員」という。）として在職する者のうち、適用日前に職員から引き続いて指定法人職員となつた者又は適用日に地方公務員として在職する者で、指定法人職員又は地方公務員として在職した後引き続いて職員となつたものを含む。次項及び附則第7項において同じ。）のうち、適用日以後に国家公務員退職手当法（昭和28年法律第182号。以下この項から附則第12項までにおいて「退職手当法」という。）第3条から第5条まで又は附則第12項若しくは第13項の規定に該当する退職[(5)]をし、かつ、その勤続期間が35年以下である者に対する退職手当の基本額[(6)]は、

当分の間[7]、退職手当法第3条から第5条の3まで及び附則第12項から第16項までの規定により計算した額にそれぞれ100分の83.7を乗じて得た額[8]とする。
6 　適用日に在職する職員のうち、適用日以後に退職手当法第3条第1項の規定に該当する退職をし、かつ、その勤続期間が36年以上42年以下である者に対する退職手当の基本額は、当分の間、同項又は退職手当法第5条の2及び附則第15項の規定により計算した額に前項に定める割合を乗じて得た額とする[9]。
7 　適用日に在職する職員のうち、適用日以後に退職手当法第5条又は附則第13項の規定に該当する退職をし、かつ、その勤続期間が35年を超える者に対する退職手当の基本額は、当分の間、その者の勤続期間を35年として附則第5項の規定の例により計算して得られる額とする[10]。
8 　法律第164号附則第3項又は附則第4項の規定の適用を受ける職員で附則第5項から前項までの規定に該当するものに対する退職手当の額は、退職手当法第2条の4から第6条の5まで、法律第164号附則第3項、附則第4項又は附則第6項及びこの法律附則第5項から前項まで又は附則第15項の規定にかかわらず、その者につき法律第164号による改正前の国家公務員等退職手当暫定措置法（昭和28年法律第182号）の規定により計算した退職手当の額と退職手当法及び附則第5項から前項まで又は附則第15項の規定により計算した退職手当の額とのいずれか多い額とする[11]。

（特定指定法人から復帰した職員等に関する経過措置）
9 　この法律の施行の日前に旧法第7条の2第1項の規定に該当する退職をし、かつ、引き続き同項に規定する公庫その他の法人でこの法律の施行の日において新法第7条の2第1項に規定する公庫等に該当するもの（以下「特定指定法人」という。）において使用される者として在職した後引き続いて再び職員となつた者の退職手当法第7条第1項の規定による在職期間の計算については、先の職員としての在職期間の始期から後の職員としての在職期間の終期までの期間は、職員としての引き続いた在職期間とみなす[12]。
10 　前項に規定する者がこの法律の施行の日以後に退職手当の支給を受けることとなる場合において、その者が適用日以後の退職につき旧法の規定による退職手当の支給を受けている者であるときは、附則第2項の規

定にかかわらず、前項の規定は、当該旧法の規定により支給を受けた退職手当については、適用しない[13]。

11 この法律の施行の日前に、特定指定法人に使用される者が、特定指定法人の要請に応じ、引き続いて職員となるため退職し、かつ、引き続いて職員となつた場合におけるその者の退職手当法第7条第1項に規定する職員としての引き続いた在職期間には、その者の特定指定法人に使用される者としての引き続いた在職期間を含むものとする[14]。

12 附則第9項に規定する者又は前項の規定に該当する者が適用日以後に退職した場合におけるその者に対する退職手当法第2条の4及び第6条の5の規定による退職手当の額は、退職手当法第2条の4から第6条の5まで、法律第164号附則第3項、附則第4項又は附則第6項及びこの法律附則第5項から附則第8項までの規定にかかわらず、政令で定めるところにより、第1号に掲げる額から第2号に掲げる額を控除して得た額（その控除して得た額が、その者につき旧法及び法律第164号附則第3項、附則第4項又は附則第6項の規定を適用して計算した退職手当の額より低い額となるときは、これらの規定を適用して計算した額）とする[15]。

一 退職手当法第2条の4から第6条の5まで、法律第164号附則第3項、附則第4項又は附則第6項及びこの法律附則第5項から附則第8項までの規定により計算した額[16]

二 その者が職員又は特定指定法人に使用される者としての引き続いた在職期間内に支給を受けた退職手当（これに相当する給付を含む。以下この号において同じ。）の額と当該退職手当の支給を受けた日の翌日から退職した日の前日までの期間に係る利息に相当する金額を合計した額[17]

（その他の経過措置）

13 附則第9項、附則第10項及び前項の規定は、政令で定めるところにより、他の法律の規定により、国家公務員等退職手当法第7条の2の規定の適用について、同条第1項に規定する公庫等職員とみなされる者について準用する[18]。

14 この法律の施行の日前に、旧法第7条の2第1項の規定に該当する退職をし、かつ、引き続き指定法人職員となつた者（附則第9項又は前項に規定する者を除く。）の新法第7条第1項の規定による在職期間の計

算については、なお従前の例による[19]。
15　前項に規定する者が適用日以後に退職した場合におけるその者に対する新法第3条から第5条までの規定による退職手当の額は、新法第3条から第6条まで、法律第164号附則第3項、附則第4項又は附則第6項及びこの法律附則第5項から第7項までの規定にかかわらず、退職の日におけるその者の俸給月額に第1号に掲げる割合から第2号に掲げる割合を控除した割合を乗じて得た額とする。
　一　その者が新法第3条から第6条まで、法律第164号附則第3項、附則第4項又は附則第6項及びこの法律附則第5項から附則第7項までの規定により計算した額の退職手当の支給を受けるものとした場合における当該退職手当の額の当該俸給月額に対する割合
　二　その者が前項の退職をした際に支給を受けた退職手当の額のその計算の基礎となつた俸給月額に対する割合（職員としての引き続いた在職期間中に当該退職を2回以上した者については、それぞれの退職に係る当該割合を合計した割合）[20]
16　適用日からこの法律の施行の日の前日までの期間内に退職した者（当該退職が死亡による場合には、その遺族）に旧法の規定により支給された退職手当は、新法の規定及び附則第5項から附則第8項まで又は前項の規定による退職手当の内払とみなす。
17　この附則に定めるもののほか、この法律の施行に関し必要な経過措置は、政令で定める[21]。

【解説】
　昭和48年法律第30号は、「国家公務員等退職手当法の一部を改正する法律」である。
　改正の主要な内容は、次の3点である。
　(ア)　公務外の死亡に係る退職手当の額の改善
　　　職員が公務外の死亡により退職した場合には、その職員の勤続期間が20年以上25年未満のときは法第4条、25年以上のときは法第5条の規定による退職手当を支給するものとする。
　(イ)　公庫等に出向した職員の退職手当の取扱い
　　（i）　職員が休職により政令で定める法人等に出向した場合には、その出向の全期間を通算するものとする。

(ⅱ) 職員が任命権者の要請に応じ、退職して通算規定のある公庫等の職員となり、引き続いて再び国家公務員等となった場合には、前後の国家公務員等の期間と公庫等の職員期間とを通算するものとする。
㋒ 退職手当の額の調整
自己都合により退職した場合を除き、勧奨等により、勤続期間が20年以上35年以下の職員が退職した場合には、当分の間、法第3条から第5条までの規定により計算した額に100分の120（平成29年法律第79号による改正後は、100分の83.7）を乗じて得た額の退職手当を支給するものとされていた。
なお、定年等により、勤続期間が35年を超える職員が退職した場合には、当分の間、勤続期間を35年とした場合の支給割合に100分の120（平成29年法律第79号による改正後は、100分の83.7）を乗じて得た割合により計算した額の退職手当を支給するものとする。
(1)(2) 改正法は、昭和48年5月17日から施行されたが、その適用については、職員の退職実態等を考慮して前年の12月1日とされた。なお、ここで改正後の法第7条の2の規定の遡及適用が除外されているのは、公庫等において、退職手当に関する規程（国等との間における在職期間の通算規定）を整備する必要があったことによるものである。
(3) 昭和34年退職手当法改正法附則第3項の規定は、主として、退職手当の最高限度設定、旧官吏俸給令に規定する死亡賜金の支給の廃止に伴う同法による退職手当支給率に係る期待権保障のための規定であるが、（昭和48年の）法律改正により、公務死亡の場合の適用条項が変わることに伴い、整備されたものである。なお、本項の政令は、現在制定されていない。
(4) 附則第5項から附則第8項までの規定は、いわゆる定年、死亡等により退職した長期勤続者に対する退職手当の調整措置のための規定である。
この措置の適用を受けるためには、次に述べる3つの要件を満たしていることが必要である。すなわち、第1の要件は、適用日（昭和47年12月1日）に在職する職員であることが必要である。この場合、適用日現在に休職、欠勤等の事由に該当していた場合においても、職員としての身分を保有する者である以上この要件を満たす者と考えてよい。
なお、次に掲げる者は、適用日には職員として在職しないが、本項括弧書の規定によりこの調整措置を受けることができることとされている。
㋐ 適用日に指定法人職員として在職する者のうち、同日前に職員から引き続いて指定法人職員となった者で、その後引き続いて職員となったもの

(ｲ)　適用日に地方公務員として在職する者で、その後引き続いて職員となったもの
(5)　本項の適用を受けるための第2及び第3の要件は、適用日以後に次に掲げる規定に該当する退職をした場合であって、その者の勤続期間が20年以上35年以下であることであった。
　(ｱ)　法第3条（いわゆる公務外傷病による退職の場合に限る。）
　(ｲ)　法第4条
　(ｳ)　法第5条
　　ただし、現在は、法第3条、第4条及び第5条すべての退職による場合で、勤続35年以下の職員が対象となっている。
(6)　平成17年法律第115号の改正の際に、退職手当の額が退職手当の基本額と退職手当の調整額の合計額に改められたことに伴い、従前は退職手当の額全体の調整措置であったものを、退職手当の基本額の調整措置に改正している（法第2条の4の解説及び後出**43**の解説参照）。
(7)　国家公務員の退職手当の水準については、民間企業の退職金等の水準と比較し、均衡をとりつつ改定されている。
　　本項の調整措置は、昭和46年に民間企業の退職金等の実態調査を行い、公務員と比較した結果、民間企業における定年加算、功労加算等の加算金をも含めた実勢としての退職金等の支給水準が公務員の支給水準を上回っていたため、導入されたものである。
　　民間企業の退職金の水準は、変動し得るので、当面、本則の支給率は改正せず、改正法附則により、適用日に在職する職員に限り、暫定的措置として支給額の調整を行うこととされたものである（後出(8)参照）。
(8)　昭和48年の法改正の時点においては、この調整率は、昭和46年の官民比較に基づき100分の120とされていた。
　　昭和53年民間企業の退職金等の実態調査による官民比較の結果、国の勧奨等による退職手当の支給水準が民間の退職金等の水準を上回っていたため、昭和56年法律第91号によって、100分の110に改められ（後出**10**参照）、平成13年の民間企業退職金実態調査の結果、国家公務員の退職手当の支給水準が民間企業従業員の退職金の支給水準を上回っていたため、平成15年法律第62号によって、100分の104に改められ（後出**37**参照）、平成23年の民間企業退職金実態調査の結果、国家公務員の退職手当等の支給水準が民間企業従業員の退職金等の支給水準を上回っていたため、平成24年法律第96号によって、100分の87に改められた（後出**52**参照）。その後、平成28年の民間企業退職金実態

調査の結果、国家公務員の退職手当等の支給水準が民間企業従業員の退職金の水準を上回っていたため、平成29年法律第79号によって、100分の83.7に改められた（後出**58**参照）。

なお、平成3年法律第51号により、退職手当法に法附則第6項から第8項までが追加され、昭和47年12月2日以降職員となった者に対しても、当分の間、この調整措置と同様の措置が講じられた（第6章**3**参照）。

ただし、昭和47年12月1日に在職する者については、法附則第6項から第8項までではなく、この昭和48年法律第30号附則第5項から第8項までの規定が適用される。

(9)(10)　先に述べた第1の要件（適用日における在職）、第2の要件（定年、死亡等による退職）を満たす者のうち、勤続期間が35年を超える退職者に対する退職手当の基本額の計算方法を定めた規定である。

附則第6項は法第3条第1項の規定に該当する退職をした者で勤続期間が36年以上42年以下であるものの基本額を、法第3条第1項又は第5条の2の規定により計算した額に100分の83.7を乗じて得た額とするものである。

これは、平成24年改正法により、勤続35年以下の3条適用者の支給率は引き下がることとなったため、勤続36年以上42年以下の3条適用者について支給率を引き下げないこととすると、勤続36年から支給率が跳ね上がることとなることから勤続年数間のバランス等を考慮し、勤続36年以上の3条適用者の支給率も引き下げることとしたものである。

なお、勤続43年以上の3条適用者の支給率については、平成15年法律第62号附則第4項により、47.709とされている（後出**37**の解説(3)参照）。

附則第7項は勤続35年を超える5条適用者について、その者の勤続期間を35年として、附則第5項の規定の例により、すなわち本則の規定により計算した額に100分の83.7を乗じて得た額とするものである。ここで注意しなければならないことは、これは、勤続期間35年を超えて退職した者の退職手当の額がその者が勤続35年の時点で退職した場合の退職手当の額と同じであるという意味ではなく、勤続期間を35年としたときに附則第5項の規定の例により得られる支給割合（法第5条の場合にあっては47.709）をその者の退職時における俸給月額に乗じて計算するという趣旨である。

この場合において、調整の対象となる勤続期間を35年以下に止めている理由は、民間企業における退職金の支給実態との均衡等を考慮したことによるものである。

(11)　附則第8項は、昭和34年退職手当法改正法（法律第164号）附則第3項又は

附則第4項の規定の適用を受ける職員について、同法による改正前の国家公務員等退職手当暫定措置法による退職手当の支給率を保障するための規定である。

⑿　附則第9項は、法第7条の2第1項の経過措置として、施行日前に、改正前の退職手当法第7条の2第1項の規定により、職員が公庫等に退職出向し、その後、職員に復帰した場合の勤続期間の計算について定めたものである。

　本項の規定によって、公庫等への出向歴のある職員のうち、次の㈰、㈪、㈫の3つの要件を満たす者については、復帰後の職員としての在職期間に公庫等職員としての在職期間及び公庫等への退職出向前の在職期間を含めたすべての期間が退職手当算定の基礎となる在職期間として取り扱われることとなる。

　3つの要件とは、次のとおりである。

㈰　改正法の施行日（昭和48年5月17日）前に、職員が任命権者の要請に応じ、公庫等へ退職出向した場合であって、支給された退職手当がいわゆる自己都合退職の場合の支給率によって退職していること。

㈪　出向先の公庫等が特定指定法人、すなわち施行日において改正後の法第7条の2第1項にいうところの通算規定を有する公庫等に該当するものであること。

㈫　職員としての最終退職の日が、法改正の適用日以降であること。

　なお、本項の規定の適用を受けるためには、特定指定法人職員となるための退職が施行日前であれば足り、必ずしも法律施行日現在に特定指定法人に出向中である必要はない。換言すれば、本項は、先の3つの要件を満たす限り、適用日又は施行日現在に既に復帰して職員として在職している者にも適用されるわけである。

⒀　附則第10項の規定は特定指定法人への出向歴を有する者が適用日以降に退職出向し、さらに施行日以後に最終退職する場合、すなわち、かつて出向歴のある職員が適用日から施行日までの間に再度退職出向した場合の当該退職に係る退職手当の支給に関する規定であり、これを図示すれば次のとおりである。

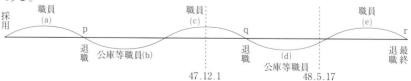

すなわち、qの時点の退職については、改正前の法第7条の2の規定により、俸給月額×{(a＋c)に係る支給割合－aに係る支給割合}の退職手当が支給されているので、昭和48年法律第30号附則第9項の規定（及び附則第12項の規定）により退職手当を再計算すれば、当然に一定額の差額を追給する必要が生じてくるが、qの退職が要請に基づく退職出向である限り、最終退職時のrの時点で清算すれば足りるので、qの時点における退職（出向）については、附則第9項の規定を適用しないこととしているものである。

⑭　附則第11項は、法第7条の2第2項の規定に係る経過措置である。この改正法の施行日前に公庫等から国へ退職出向した者に係る職員としての在職期間の取扱いに関し、その者の特定指定法人に使用される者としての在職期間を職員としての在職期間に含めることとする規定である。

⑮　附則第12項の規定は、附則第9項又は附則第11項の規定により計算された在職期間に係る退職手当の額の計算方法を定めており、第1号の額から第2号の額を控除することとしている（通常、額控除方式と称される。）（計算例については、巻末付録を参照されたい。）。

⑯　第1号の額は、いわばその者が公庫等へ出向しなかったものとした場合に得られる退職手当の額であり、この場合、附則第5項から附則第8項までの規定等を適用した場合に得られる額も当然に第1号の額に含まれる。

⑰　第2号の額は、その者が国又は特定指定法人を退職した際に受けた退職手当の額と当該退職（必ずしも1回に限らない。）に係る退職手当の支給を受けた日の翌日から最終退職の日の前日までの期間に係る利息相当額との合計額である。

　　附則第12項本文中「政令で定めるところ」としては、昭和48年政令第134号附則第4項の規定がある。

○国家公務員等退職手当法施行令の一部を改正する政令（昭和48年政令第134号）（抄）
　　附　則
　　4　法律第30号附則第12項の規定により同項第1号に掲げる額から控除する同項第2号に掲げる額のうち利息に相当する金額は、同号に規定する退職手当の支給を受けた日の翌日から退職した日の前日までの期間につき附則別表の上欄に掲げる期間の区分に応じそれぞれ同表の下欄に掲げる利率で複利計算の方法により計算して得た金額とする。

　なお、本項の実際の取扱いに関しては、次のような行政実例があるので参照されたい。

○行　政　実　例（昭和48年11月26日総人局第555号）
　1　改正法附則第12項中「支給を受けた退職手当（これに相当する給付を含む。以下この

号において同じ。）の額」とあるのは、国家公務員等退職手当法（公庫、公団等の退職手当規程を含む。）の規定により支給決定された額である。
2　改正令附則第4項の規定により複利計算をする場合における「利息に相当する金額」の算定の基礎となる退職手当の額は、現実に支給された額であり、支給決定された額が所得税、地方税の対象となつた場合は、当該所得税、地方税を控除した額である。
3　改正法附則第12項中「退職手当の支給を受けた日」とあるのは、退職手当の支給決定された日又は辞令交付の日ではなく、現実に退職手当を受領した日である。

⒅　他の法律の規定により、退職手当法第7条の2の規定の適用について、同条第1項に規定する公庫等職員とみなされる者については、次に掲げる政令の定めるところにより、改正法附則第9項、第10項及び第12項の規定が準用されることを定めている。

〇国家公務員等退職手当法施行令の一部を改正する政令（昭和48年政令第134号）（抄）
　　附　　則
17　次の表の上欄に掲げる者については、法律第30号附則第9項中「同項に規定する公庫その他の法人でこの法律の施行の日において新法第7条の2第1項に規定する公庫等に該当するもの（以下「特定指定法人」という。）」とあり、又は法律第30号附則第12項中「特定指定法人」とあるのは、それぞれ同表の下欄に掲げる字句に読み替えてこれらの規定及び法律第30号附則第10項の規定を準用するものとする。

オリンピック東京大会の大会運営者の職員（常時勤務に服することを要しない者を除く。）	オリンピック東京大会の大会運営者
財団法人日本万国博覧会協会の職員（常時勤務に服することを要しない者を除く。）	財団法人日本万国博覧会協会
財団法人札幌オリンピック冬季大会組織委員会の職員（常時勤務に服することを要しない者を除く。）	財団法人札幌オリンピック冬季大会組織委員会
財団法人沖縄国際海洋博覧会協会の職員（常時勤務に服することを要しない者を除く。）	財団法人沖縄国際海洋博覧会協会

18　附則第2項、附則第6項から附則第10項まで、附則第12項及び附則第13項の規定は、前項の表の上欄に掲げる者について準用する。この場合において、これらの規定中「特定指定法人」とあり、「特定地方公社等」とあり、又は「特定地方公社等である特定指定法人」とあるのは、同表の項の区分に応じ、それぞれ同表の下欄に掲げる字句に読み替えるものとする。

⒆⒇　附則第14項及び第15項の規定は、改正法の施行日前に、職員が任命権者の要請により公庫等に退職出向し、再び職員に復帰後、適用日以後に退職した場合において、当該公庫等が施行日に国との間に通算規定を定めなかった場合（附則第9項の特定指定法人に該当しない場合）における当該退職者の在職期間及び退職手当の額の計算について定めている。

附則第14項は、出向先の公庫等が改正後の法第7条の2に規定する公庫等に該当しない場合には、その者の在職期間の計算については従前どおり、公庫等の職員としての在職期間を除き、退職出向前後の職員としての在職期間を退職手当の算定の基礎となる在職期間とすることを定めている。

　附則第15項は、前項の規定に該当する職員が退職した場合における退職手当の額の計算については従前どおり、いわゆる率控除方式による計算によることを定めている。この場合において、昭和48年の法改正によって、勧奨等による退職については退職手当の額の調整を行うこととしたので、本項第1号の割合は、調整後の退職手当額に対する俸給月額の割合であることに留意する必要がある。

(21)　附則第17項は、この改正法施行に関し必要な経過措置を政令に委任する旨を定めている。

　次に、昭和48年政令第134号を掲げ、若干の説明を加える。

〇国家公務員等退職手当法施行令の一部を改正する政令（昭和48年政令第134号）（抄）

　　附　則
1　この政令は、国家公務員等退職手当法の一部を改正する法律（以下「法律第30号」という。）の施行の日から施行し、この政令による改正後の国家公務員等退職手当法施行令（以下「新令」という。）の規定（第6条、第7条第3項から第5項まで及び第9条の3の規定を除く。）は、昭和47年12月1日（以下「適用日」という。）以後の退職による退職手当について適用し、適用日前の退職による退職手当については、なお従前の例による[1]。

2　国家公務員退職手当法（昭和28年法律第182号。以下「法」という。）附則第10項及び法律第30号附則第9項の規定に該当する者が適用日以後に退職した場合におけるその者に対する退職手当の額は、国家公務員退職手当法施行令（昭和28年政令第215号。以下この項及び附則第6項において「施行令」という。）附則第16項の規定にかかわらず、同項の規定により計算した額からその者が職員又は特定指定法人（法律第30号附則第9項に規定する特定指定法人をいう。以下同じ。）に使用される者としての引き続いた在職期間内に支給を受けた退職手当（これに相当する給付を含み、施行令附則第16項第2号に規定する特殊退職をした際に支給を受けた法の規定による退職手当に相当する給付を除く。以下この項において同じ。）の額と当該退職手当の支給を受けた日の翌日から退職した日の前日までの期間につき附則別表の上欄に掲げる期間の区分に応じそれぞれ同表の下欄に掲げる利率で複利計算の方法により計算した利息に相当する金額を合計した額を控除して得た額とする[2]。

3　法附則第10項及び法律第30号附則第14項の規定に該当する者が適用日以後に退職した場合におけるその者に対する退職手当の額は、新令附則第16項の規定にかかわらず、当該退職の日における俸給月額に同項第1号に掲げる割合から同項第2号に掲げる割合と法律第30号附則第15項第2号に掲げる割合とを合計した割合を控除した割合を乗じて得た額とする[3]。

4　法律第30号附則第12項の規定により同項第1号に掲げる額から控除する同項第2号に

掲げる額のうち利息に相当する金額は、同号に規定する退職手当の支給を受けた日の翌日から退職した日の前日までの期間につき附則別表の上欄に掲げる期間の区分に応じそれぞれ同表の下欄に掲げる利率で複利計算の方法により計算して得た金額とする[4]。

5　法律第30号の施行の日前に国家公務員法第79条の規定により休職され、又はこれに準ずる措置を受け、引き続き法律第30号の施行の日において法律第30号による改正後の国家公務員等退職手当法第7条第4項に規定する政令で定める法人その他の団体に該当するもの（以下「特定休職指定法人」という。）の業務に従事した職員の当該業務に従事した期間については、法第7条第4項の規定による除算は、行わない[5]。

6　法律第30号の施行の日前に、法律第30号の施行の日において新令第7条第3項に規定する通算制度を有する地方公共団体に該当するもの（以下「特定地方公共団体」という。）の公務員が、任命権者又はその委任を受けた者の要請に応じ、引き続いて地方公社又は新令第9条の2に掲げる法人で法律第30号の施行の日において新令第7条第3項に規定する通算制度を有する地方公社等に該当するもの（以下「特定地方公社等」という。）に使用される者（役員及び常時勤務に服することを要しない者を除く。以下同じ。）となるため退職し、かつ、引き続き特定地方公社等に使用される者として在職した後引き続いて再び特定地方公共団体の公務員となるため退職し、かつ、引き続き地方公務員として在職した後更に法第7条第5項に規定する事由によつて引き続いて職員となつた場合においては、先の地方公務員としての引き続いた在職期間（国家公務員退職手当法等の一部を改正する法律（平成20年法律第95号）第1条の規定による改正前の法第13条の規定により退職手当を支給されないで地方公務員となつた者にあつては、先の職員としての引き続いた在職期間）の始期から後の地方公務員としての引き続いた在職期間の終期までの期間をその者の地方公務員としての引き続いた在職期間として計算する。この場合における先の特定地方公共団体の公務員としての引き続いた在職期間の計算については、施行令第7条第1項の規定は、適用しない[6]。

7　法律第30号の施行の日前に、特定地方公社等である特定指定法人に使用される者（役員及び常時勤務に服することを要しない者を除く。以下同じ。）が、特定指定法人の要請に応じ、引き続いて特定地方公共団体の公務員となるため退職し、かつ、引き続き地方公務員として在職した後法第7条第5項に規定する事由によつて引き続いて職員となつた場合においては、特定地方公社等である特定指定法人に使用される者としての引き続いた在職期間の始期から地方公務員としての引き続いた在職期間の終期までの期間をその者の地方公務員としての引き続いた在職期間として計算する。

8　法律第30号の施行の日前に、職員が、法律第30号による改正前の国家公務員等退職手当法（以下「旧法」という。）第7条の2第1項の規定に該当する退職をし、かつ、引き続き特定地方公社等である特定指定法人に使用される者として在職した後引き続いて特定地方公共団体の公務員となるため退職し、かつ、引き続き地方公務員として在職した後法第7条第5項に規定する事由によつて引き続いて再び職員となつた場合においては、先の職員としての引き続いた在職期間の始期から地方公務員としての引き続いた在職期間の終期までの期間をその者の地方公務員としての引き続いた在職期間として計算する。

9　法律第30号の施行の日前に旧法第7条の2第1項の規定に該当する退職をし、かつ、引き続き特定地方公社等である特定指定法人に使用される者として在職した後引き続いて特定地方公共団体の公務員又は特定地方公社等である地方公社に使用される者（役員及び常時勤務に服することを要しない者を除く。以下同じ。）となるため退職し、かつ、

引き続き特定地方公共団体の公務員又は特定地方公社等である地方公社に使用される者として在職した後引き続いて再び特定地方公社等である特定指定法人に使用される者となるため退職し、かつ、引き続き特定地方公社等である特定指定法人に使用される者として在職した後引き続いて再び職員となつた者の法第7条第1項の規定による在職期間の計算については、先の職員としての在職期間の始期から後の職員としての在職期間の終期までの期間は、職員としての引き続いた在職期間とみなす[7]。

10　法律第30号の施行の日前に、特定地方公社等である特定指定法人に使用される者が、特定指定法人の要請に応じ、引き続いて特定地方公共団体の公務員又は特定地方公社等である地方公社に使用される者となるため退職し、かつ、引き続き特定地方公共団体の公務員又は特定地方公社等である地方公社に使用される者として在職した後引き続いて再び特定地方公社等である特定指定法人に使用される者となるため退職し、かつ、引き続き特定地方公社等である特定指定法人に使用される者として在職した後更に特定指定法人の要請に応じ、引き続いて職員となるため退職し、かつ、引き続いて職員となつた場合におけるその者の法第7条第1項に規定する職員としての引き続いた在職期間には、その者の先の特定地方公社等である特定指定法人に使用される者としての引き続いた在職期間の始期から後の特定地方公社等である特定指定法人に使用される者としての引き続いた在職期間の終期までの期間を含むものとする。

11　附則第5項の規定は、法律第30号の施行の日前に地方公務員法（昭和25年法律第261号）第27条第2項の規定により休職され、引き続き特定休職指定法人又は地方公社の業務に従事した者の法第7条第5項の規定による地方公務員としての引き続いた在職期間の計算について準用する。この場合において、附則第5項中「法第7条第4項」とあるのは、「法第7条第5項において準用する同条第4項」と読み替えるものとする[8]。

12　法律第30号附則第9項、第11項若しくは第14項又は附則第5項から前項までの規定（以下「勤続期間に関する特例規定」という。）の適用を受ける者のうち次の表の上欄に掲げる者（同表のそれぞれの項に掲げる規定以外の勤続期間に関する特例規定の適用を受ける者を除く。）が適用日以後に退職した場合におけるその者に対する法第2条の4及び第6条の5の規定による退職手当の額については、法律第30号附則第12項及び附則第4項の規定を準用する。この場合において、法律第30号附則第12項第2号の規定中同表の中欄に掲げる字句は、それぞれ同表の下欄に掲げる字句に読み替えるものとする[9]。

職員の区分	読み替えられる字句	読み替える字句
附則第5項の規定の適用を受ける者	職員又は特定指定法人に使用される者としての引き続いた在職期間内	特定休職指定法人の業務に従事した期間内
附則第6項の規定の適用を受ける者	職員又は特定指定法人	先の特定地方公共団体の公務員又は特定地方公社等
附則第7項の規定の適用を受ける者	職員又は特定指定法人	特定地方公社等である特定指定法人
附則第8項の規定の適用を受ける者	特定指定法人	特定地方公社等である特定指定法人
附則第9項の規定の適用を受ける者	又は特定指定法人	若しくは特定地方公共団体の公務員又は特定地方公社等

附則第10項の規定の適用を受ける者	職員又は特定指定法人	特定地方公共団体の公務員又は特定地方公社等
前項の規定の適用を受ける者	職員又は特定指定法人に使用される者としての引き続いた在職期間内	特定休職指定法人又は地方公社の業務に従事した期間内

13　法律第30号附則第9項又は第11項及び附則第5項又は第11項の規定の適用を受ける者（他の勤続期間に関する特例規定の適用を受ける者を除く。）が適用日以後に退職した場合におけるその者に対する法第2条の4及び第6条の5の規定による退職手当の額は、法第2条の4から第6条の5まで、国家公務員等退職手当暫定措置法の一部を改正する法律（昭和34年法律第164号。以下「法律第164号」という。）附則第3項及び法律第30号附則第5項から第8項まで又は第12項の規定にかかわらず、同項の規定により計算した額からその者が特定休職指定法人又は地方公社の業務に従事した期間内に支給を受けた退職手当（これに相当する給付を含む。以下この項において同じ。）の額と当該退職手当の支給を受けた日の翌日から退職した日の前日までの期間につき附則別表の上欄に掲げる期間の区分に応じそれぞれ同表の下欄に掲げる利率で複利計算の方法により計算した利息に相当する金額を合計した額を控除して得た額（その控除して得た額が、その者につき旧法及び法律第164号附則第3項の規定を適用して計算した退職手当の額より低い額となるときは、これらの規定を適用して計算した額）とする[10]。

14　法律第30号附則第14項及び附則第5項又は第11項の規定の適用を受ける者（他の勤続期間に関する特例規定の適用を受ける者を除く。）が適用日以後に退職した場合におけるその者に対する法第2条の4及び第6条の5の規定による退職手当の額は、法第2条の4から第6条の5まで、法律第164号附則第3項及び法律第30号附則第5項から第8項まで又は第15項の規定にかかわらず、同項（法律第164号附則第3項の規定の適用を受けるで法律第30号附則第5項から第7項までの規定に該当するものにあつては、法律第30号附則第8項）の規定により計算した額からその者が特定休職指定法人又は地方公社の業務に従事した期間内に支給を受けた退職手当の額と当該退職手当の支給を受けた日の翌日から退職した日の前日までの期間につき附則別表の上欄に掲げる期間の区分に応じそれぞれ同表の下欄に掲げる利率で複利計算の方法により計算した利息に相当する金額を合計した額を控除して得た額（その控除して得た額が、その者につき旧法及び法律第164号附則第3項の規定を適用して計算した退職手当の額より低い額となるときは、これらの規定を適用して計算した額）とする[11]。

15　この政令の施行の日前に、任命権者又はその委任を受けた者の要請に応じ、特定指定法人のうち新令第9条の2第72号から第89号までに掲げる法人（以下「日本育英会等」という。）に使用される者（役員及び常時勤務に服することを要しない者を除く。以下同じ。）となるため旧法第7条の2第1項の規定に該当する退職に準ずる退職をし、かつ、引き続き日本育英会等に使用される者として在職した後引き続いて再び職員となつた者の法第7条第1項の規定による在職期間の計算については、法律第30号附則第9項並びにこの政令附則第8項及び附則第9項中「旧法第7条の2第1項の規定に該当する退職」とあるのは、「旧法第7条の2第1項の規定に該当する退職に準ずる退職」と読み替えて、これらの規定を適用する[12]。

16　前項に規定する者のうち適用日に日本育英会等に使用される者として在職する者で引き続いて職員となつたものは、適用日に在職する職員とみなして、法律第30号附則第5

項から附則第8項までの規定を適用する。
17　次の表の上欄に掲げる者については、法律第30号附則第9項中「同項に規定する公庫その他の法人でこの法律の施行の日において新法第7条の2第1項に規定する公庫等に該当するもの（以下「特定指定法人」という。）」とあり、又は法律第30号附則第12項中「特定指定法人」とあるのは、それぞれ同表の下欄に掲げる字句に読み替えてこれらの規定及び法律第30号附則第10項の規定を準用するものとする[13]。

オリンピック東京大会の大会運営者の職員（常時勤務に服することを要しない者を除く。）	オリンピック東京大会の大会運営者
財団法人日本万国博覧会協会の職員（常時勤務に服することを要しない者を除く。）	財団法人日本万国博覧会協会
財団法人札幌オリンピック冬季大会組織委員会の職員（常時勤務に服することを要しない者を除く。）	財団法人札幌オリンピック冬季大会組織委員会
財団法人沖縄国際海洋博覧会協会の職員（常時勤務に服することを要しない者を除く。）	財団法人沖縄国際海洋博覧会協会

18　附則第2項、附則第6項から附則第10項まで、附則第12項及び附則第13項の規定は、前項の表の上欄に掲げる者について準用する。この場合において、これらの規定中「特定指定法人」とあり、「特定地方公社等」とあり、又は「特定地方公社等である特定指定法人」とあるのは、同表の項の区分に応じ、それぞれ同表の下欄に掲げる字句に読み替えるものとする。
19　法律第30号附則第11項の規定に該当する者が適用日から法律第30号の施行の日の前日までの間に引き続いて特定指定法人に使用される者となるため退職し、かつ、引き続いて特定指定法人に使用される者となつた場合におけるその者の法第7条第1項の規定による職員としての引き続いた在職期間の計算については、法律第30号附則第11項の規定にかかわらず、なお従前の例による[14]。
20　法第20条第3項の規定は、法律第30号附則第11項の規定に該当する者が法律第30号の施行の日以後に引き続いて公庫等職員（法第7条の2第1項に規定する公庫等職員をいう。以下この項において同じ。）となるため退職し、かつ、引き続いて公庫等職員となつた場合について準用する[15]。
21〜23　略[16]
24　この附則に定めるもののほか、法律第30号及びこの政令の施行に関し必要な経過措置は、この附則の規定に準じて、内閣総理大臣が定める[17]。

附則別表

平成13年3月31日以前	年5.5パーセント
平成13年4月1日から平成17年3月31日まで	年4.0パーセント
平成17年4月1日から平成18年3月31日まで	年1.6パーセント
平成18年4月1日から平成19年3月31日まで	年2.3パーセント
平成19年4月1日から平成20年3月31日まで	年2.6パーセント
平成20年4月1日から平成21年3月31日まで	年3.0パーセント
平成21年4月1日から平成22年3月31日まで	年3.2パーセント

平成22年4月1日から平成23年3月31日まで	年1.8パーセント
平成23年4月1日から平成24年3月31日まで	年1.9パーセント
平成24年4月1日から平成25年3月31日まで	年2.0パーセント
平成25年4月1日から平成26年3月31日まで	年2.2パーセント
平成26年4月1日から平成27年3月31日まで	年2.6パーセント
平成27年4月1日から平成28年3月31日まで	年2.9パーセント
平成28年4月1日から平成29年3月31日まで	年3.4パーセント
平成29年4月1日から平成30年3月31日まで	3.6パーセント
平成30年4月1日から平成31年3月31日まで	年3.9パーセント
平成31年4月1日から平成32年3月31日まで	年4.0パーセント
平成32年4月1日以後	年4.1パーセント

(1) 附則第1項は、改正令の施行日及び適用日に関する規定で、適用日前の退職による退職手当については、なお従前の例による退職手当を支給することを明らかにしている。

(2) 附則第2項は、いわゆる特殊退職（法附則第10項に規定）と特定指定法人（通算規定のある公庫等）への退職出向歴との二様の退職経歴を有する者が最終退職をする際における退職手当の計算について定めている。この規定は、施行令附則第16項の規定による特殊退職者の退職手当の額の計算の特例措置に係る調整規定といえよう。

計算方法を例示すれば、次のとおりである。

〔例示〕

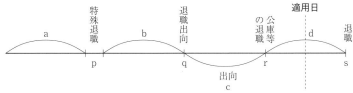

俸給月額×｜(a＋b＋c＋d)に係る支給率－aに係る支給率｜ ……A
qとこれに係る利息相当額の合計額 ……B
rとこれに係る利息相当額の合計額 ……C
s＝A－(B＋C)

(3) 附則第3項は、附則第2項が特殊退職と特定指定法人への退職歴のある者の最終退職の際の退職手当額の計算方法に関する規定であるのに対し、特殊退職と指定法人（通算規定のない公庫等）への退職出向の経歴のある職員が適用日以後に退職する際の退職手当の計算方法に関する規定であり、施行令

附則第16項の規定による特殊退職者に係る退職手当の額の計算の特例を調整する規定である。

計算方法を例示すれば、次のとおりである。

〔例示〕

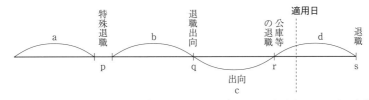

　　s＝俸給月額×｛(a＋b＋d)に係る支給率－(aに係る支給率＋bに係る支給率)｝

(4)　附則第4項については、昭和48年法律第30号附則第12項に関する説明の箇所を参照されたい。

(5)　附則第5項は、法第7条第4項の改正に伴う経過措置を定めている。すなわち、職員が昭和48年5月17日前に休職出向の経歴がある場合において、当該出向先の団体が本項に規定する特定休職指定法人に該当する場合には、昭和48年の退職手当法改正後に政令で定める休職指定法人へ休職出向した者とのバランスを考慮し、当該休職に係る期間をその者の在職期間から除算せず、いわゆる2分の2計算をすることを定めているものである。

(6)　附則第6項から附則第8項までの規定は、法第7条第5項の規定に基づく施行令第7条第3項から第5項までの規定に関する経過措置として、いずれも地方公務員としての在職期間の取扱いに関して定めているものである。これらの規定については、法第7条第5項及び施行令第7条関係の解説を参照されたい。

　なお、附則第6項後段の規定によって、先の特定地方公共団体の公務員としての引き続いた在職期間の計算については、先の地方公共団体を退職する際に退職手当を受けている場合においても施行令第7条第1項の規定は適用しないことを定めているが、この場合における退職手当の額の計算は、この改正令附則第12項の規定に基づき、いわゆる額控除方式によることとなる。

(7)　附則第9項及び第10項の規定は、法第7条の2第3項の規定に基づく施行令第9条の3第1項及び第2項の規定の経過措置として、職員としての在職期間に通算されることとなる公庫等職員としての在職期間の取扱いに関し定めているものである。

　これらの規定については、法第7条の2第3項及び施行令第9条の3関係の解説を参照されたい。

(8) 附則第11項の規定は、職員としての在職期間に通算されることとなる地方公務員としての在職期間の計算に関して、この改正令附則第5項の規定を準用する旨定めたものである。すなわち、地方公務員として在職中、昭和48年5月17日前に特定休職指定法人又は地方公社に休職出向している場合においても、当該休職期間は在職期間の計算に当たって半減されないこととなる。

(9) 附則第12項は、「勤続期間に関する特例規定」の適用を受ける者が適用日以後に退職した場合における退職手当の額の計算方法を一括して定めたものであり、本項の表の上欄に掲げる職員の区分に応じ、それぞれ必要な読替えを行った上、昭和48年法律第30号附則第12項及びこの改正令附則第4項の規定を準用すること、すなわち、これらの職員の退職手当については、額控除方式によって計算することを定めている。

(10) 附則第13項は、特定指定法人（通算規定のある公庫等）への退職出向と特定休職指定法人への休職出向歴とを有する者等に係る退職手当の額の計算について定めたものである。

計算方法を例示すれば、次のとおりである。

〔例示〕

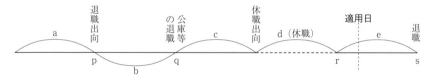

｜（a＋b＋c＋d＋e）に係る退職手当の額｜－（p及びq並びにこれらに係る利息相当額の合計額）　　　　……A

rとこれに係る利息相当額の合計額……B

s＝A－B

(11) 附則第14項の規定は、指定法人（通算規定のない公庫等）への退職出向と特定休職指定法人への休職出向歴とを有する者等に係る退職手当の額の計算について定めたものである。

計算方法を例示すれば、次のとおりである。

〔例示〕

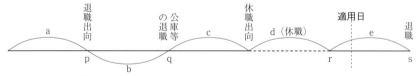

俸給月額×｜（a＋c＋d＋e）に係る支給率－aに係る支給率｜　……A

　　　　　rとこれに係る利息相当額の合計額　　　　　　　　　……B
　　　　　s＝A－B
⑿　附則第15項及び第16項の規定は、昭和48年退職手当法令の改正に際し、施行令第9条の2に掲げる特別法人として新たに18の公庫等を追加（当時の施行令第9条の2第72号から第89号まで）したことに伴う経過措置を定めている。すなわち、施行日前に、それらの公庫等に退職出向した者は、昭和48年法律第30号による改正前の法第7条の2第1項の規定に該当する退職出向をした者ではないが、同項の規定に該当する退職に準ずる退職（国の要請による人事交流としての出向であって普通退職の支給率により退職手当を支給された退職）をした者については、特定指定法人へ退職出向した者と同様に、その者の退職手当の計算の基礎となる在職期間の計算に当たっては、当該公庫等への出向中の期間をも含めて、職員としての在職期間として通算することを定めているものである。

　　なお、適用日にこれらの新たに追加指定された公庫等に退職出向中であった者は、昭和48年法律第30号附則第5項から第8項までの規定が当然には適用されるものでなく、この政令附則第16項の規定によってこれらの規定が適用されることとされている。

⒀　附則第17項及び第18項の規定は、昭和48年法律第30号附則第13項の規定に基づき、他の法律の規定により、法第7条の2及び第20条第3項の規定の適用について、同法第7条の2第1項に規定する公庫等職員とみなされる者に係る退職手当の取扱いに関する経過措置を定めたものであり、表の下欄に掲げる法人に退職出向した者については、特定指定法人へ退職出向した者の場合と同様、いわゆる額控除方式によって退職手当を計算すること等を定めている。

⒁　附則第19項の規定は、特定指定法人の職員が昭和47年12月1日前に特定指定法人の要請により国に退職出向していた場合において、その者が同日から昭和48年5月16日までの間に再び特定指定法人に復帰するため職員を退職した場合には、昭和48年法律第30号附則第11項の規定が適用される結果、退職手当を追給すべきこととなるが、その際には、当該退職に伴う退職手当の追給をしないこととし、その者が特定指定法人を最終退職する際に、通算規定に基づいていわゆる額控除方式による退職手当を支給せしめるための規定であり、法第7条の2第4項の規定と同趣旨の規定である。

⒂　附則第20項の規定は、特定指定法人の職員が昭和48年5月17日前に特定指定法人の要請により、国に退職出向していた場合において、その者が同日以

⒃　附則第21項から第23項までの規定は、昭和48年の退職手当の改正に伴い退職手当に関する他の政令の一部改正を行ったものである。

⒄　附則第24項の規定は、昭和48年法律第30号及びこの改正令の施行に必要な経過措置について、この改正令附則に定められている事項のほか、内閣総理大臣が定め得ることとするための委任規定である。

　昭和48年法律第30号及びこの改正令のそれぞれの附則において、相当に詳細な経過措置が定められているところであるが、これらの規定に該当しないその他の複雑なケース等に係る経過措置を定める必要が生じた場合には、この改正令附則の規定に準じて、内閣総理大臣が定め得ることとしているわけである。

9　昭和49年法律第117号附則

> 　　　附　則
> この法律は、昭和50年4月1日から施行する。

【解説】

　昭和49年法律第117号は、「雇用保険法の施行に伴う関係法律の整備等に関する法律」である。同法は、失業保険法に代えて新たに制定された雇用保険法（昭和49年法律第116号）の施行に伴う関係法律の改正、経過措置等を定めたものであり、その中で退職手当法の一部改正を行った。その内容は、雇用保険法の施行による給付内容の改善・整備に伴い、退職手当法第10条の規定による失業者の退職手当の内容について同様の改善、整備を行うものである。

10　昭和56年法律第91号附則

> 　　　附　則
> （施行期日）
> 1　この法律中第1条並びに次項及び附則第4項から第7項までの規定は公布の日〔昭和56年11月20日〕から、第2条及び附則第3項の規定は昭和57年1月1日から施行する[1]。

（冒頭）後再び当該法人に復帰するため職員を退職した場合においては、法第20条第3項の規定を準用し、当該退職に伴う退職手当を支給しないことを定めているものである。

（適用日等）
2　第1条の規定による改正後の国家公務員等退職手当法（以下「改正後の法」という。）附則第13項から第16項までの規定は、昭和47年12月1日以後の退職に係る退職手当について適用し、同日前の退職に係る退職手当については、なお従前の例による(2)。

（経過措置）
3　第2条の規定による改正後の国家公務員等退職手当法の一部を改正する法律附則第5項（同法附則第6項又は第7項において例による場合を含む。）及び同法附則第6項の規定の適用については、昭和57年1月1日から同年12月31日までの間においては同法附則第5項中「100分の110」とあるのは「100分の117」と、同法附則第6項中「38年」とあるのは「40年」とし、昭和58年1月1日から同年12月31日までの間においては同法附則第5項中「100分の110」とあるのは「100分の113」と、同法附則第6項中「38年」とあるのは「39年」とする(3)。

4　昭和47年12月1日から第1条の規定の施行の日の前日までの期間（以下「適用期間」という。）内に退職した者につき、改正後の法附則第13項から第16項までの規定を適用してその退職手当の額を計算する場合においては、勤続期間に関する事項のうちこれらの項に規定するものを除き、当該退職手当の額の計算の基礎となる俸給月額その他当該退職手当の計算の基礎となる事項については、当該退職の日においてその者について適用されていた退職手当の支給に関する法令（以下「退職時の法令」という。）の規定によるものとする(4)。

5　適用期間内に退職した者で改正後の法附則第13項から第16項までの規定の適用を受けるもの（そのものの退職が死亡による場合には、当該退職に係る退職手当の支給を受けたその遺族）が適用期間内に死亡した場合においては、当該退職に係る改正後の法及び前項の規定による退職手当は、当該退職した者の遺族（当該退職した者の退職が死亡による場合には、その者の他の遺族）で適用期間内に死亡したもの以外のものに対し、その請求により、支給する(5)。

6　改正後の法第11条の規定は、前項に規定する遺族の範囲及び順位について準用する。この場合において、同条第1項中「職員」とあるのは、「職員又は職員であつた者」と読み替えるものとする(6)。

7　適用期間内に退職した者で改正後の法附則第13項から第16項までの規定の適用を受けるものに退職時の法令の規定に基づいて第1条の規定の

施行前に既に支給された退職手当（そのものの退職が死亡による場合には、その遺族に退職時の法令の規定に基づいて第1条の規定の施行前に既に支給された退職手当）は、改正後の法及び附則第4項の規定による退職手当（前2項に規定する遺族に支給すべき改正後の法及び附則第4項の規定による退職手当を含む。）の内払とみなす[(7)]。

【解説】

昭和56年法律第91号は、「国家公務員等退職手当法等の一部を改正する法律」である。

改正の主要な内容は、次の2点である。

(ア) この法律の第1条において国家公務員等退職手当法の一部を改正し、旧プラント類輸出促進臨時措置法に規定する指定機関又は通算規定のない地方公共団体に出向した者の在職期間の通算及び退職手当の額の計算に関する特例措置を講じたものである（法附則第13項から第16項までの解説参照）。

(イ) この法律の第2条において国家公務員等退職手当法の一部を改正する法律（昭和48年法律第30号）の一部を改正し、昭和48年改正法附則第5項の規定による退職手当の額の調整率を100分の120から100分の110に改めるとともに、国家公務員等退職手当制度全般にわたる総合的な見直しを行うことを定めたものである。

(1) 附則第1項は、施行期日を定めたものであり、第1条による改正は、公布の日（昭和56年11月20日）から、第2条による改正は、昭和57年1月1日から施行することとされた。

(2) 附則第2項は、適用日等を定めたものであり、第1条関係の規定は、昭和47年12月1日以後の退職について適用することとされた。これは、指定機関に出向した者の退職手当の措置が、公庫等に出向した者との均衡を図るという観点から議員修正されたものであり、公庫等出向職員の通算措置が講ぜられた昭和48年法改正の適用日に合わせるため、昭和47年12月1日に遡及適用するものである。

(3) 附則第3項以下の規定は、調整率の引下げに伴う経過措置を定めたものである。退職手当の減額は、昭和57年1月1日から施行することとされているが、附則第3項の規定によって、従来100分の120としていた調整率を、昭和57年1月1日からは100分の117に、昭和58年1月1日からは100分の113に、昭和59年1月1日から所定の100分の110に、段階的に引き下げることとしたものである。

(4) 附則第4項の規定は、改正後の法附則第13項から第16項までの規定（指定機関又は通算規定のない地方公共団体に出向した者の在職期間及び退職手当の計算の特例措置）が昭和47年12月1日まで遡及して適用されたことに伴い、適用期間内に退職した者について、これらの規定を適用して退職手当を再計算することとなるが、この場合の退職手当の額の計算の基礎となる俸給月額、支給割合等については、退職時の法令によることとしたものである。

(5) 附則第5項は、適用期間内において職員が死亡した場合はその遺族、先に職員の死亡により退職手当の支給を受けていた遺族が死亡した場合はその職員の他の遺族の請求により、再計算に基づく退職手当（差額分）を支給することとしている。

(6) 附則第6項は、前記の遺族の範囲及び順位については法第11条（現行第2条の2）を準用することを定めている。

(7) 附則第7項は、前記の規定により再計算した退職手当の支給に当たって、既に適用期間内に支給していた退職手当は、今回支給する退職手当の内払いとすることを定めている。

11　昭和56年法律第101号附則

附　則

この法律は、公布の日〔昭和56年12月24日〕から施行する。

【解説】

昭和56年法律第101号は、「国家公務員等退職手当法の一部を改正する法律」である。

この法律は、昭和56年度の給与改定において、管理職員の一部の給与改定が昭和57年4月1日から実施されることとなったので、これらの者が昭和56年度中に退職した場合には、改定後の俸給月額等を受けていたものと仮定した場合の俸給月額等を基礎として退職手当の額を計算することと定めたものである。

この法律は、公布の日から施行することとされているが、この改正法の内容が昭和56年度中に退職した職員に対して適用することとなっているので、昭和56年4月1日から公布の日の前日までの間に退職した管理職員に対しては、退職手当の額を再計算してその差額を追給することとなった。

12　昭和58年法律第82号附則（抄）

　　　　附　則
　（施行期日）
第1条　この法律は、昭和59年4月1日から施行する。〔以下略〕
　（国家公務員等退職手当法の一部改正に伴う経過措置）
第39条　第4条の規定による改正後の国家公務員等退職手当法の規定は、施行日以後の退職に係る退職手当について適用し、施行日前の退職に係る退職手当については、なお従前の例による。

【解説】
　昭和58年法律第82号は、「国家公務員及び公共企業体職員に係る共済組合制度の統合等を図るための国家公務員共済組合法等の一部を改正する法律」である。
　この法律は、公的年金制度の再編・統合の一環として、国家公務員の共済組合制度と公共企業体職員の共済組合制度とを統合し、公共企業体職員に係る長期給付の給付要件等を国家公務員に係る長期給付の給付要件等に合わせ、国鉄共済組合に係る年金の円滑な支払を確保するための財政調整事業の実施、長期給付に要する費用に係る国又は公共企業体の負担の拠出時負担から給付時負担への変更等の措置を講ずるとともに、昭和60年3月からの国家公務員に係る定年制度の実施に伴う定年等退職者に対する長期給付に係る特例措置を講ずる等所要の改正を行ったものである。
　これに伴い、当時の退職手当法第5条の2において、従来両者の長期給付制度の差異に着目して設けられていた「20年以上勤続して退職した公社職員の退職手当の特例」を廃止したものである。

13　昭和59年法律第54号附則（抄）

　　　　附　則
　（施行期日）
第1条　この法律は、昭和59年8月1日から施行する。
　（国家公務員等退職手当法の一部改正に伴う経過措置）
第21条　施行日前の期間に係る前条の規定による改正前の国家公務員等退

職手当法（次項において「旧退職手当法」という。）第10条の規定による失業者の退職手当の支給については、次項に定めるものを除き、なお従前の例による。

2 施行日前に退職した職員のうちこの法律の施行の際現に旧退職手当法第10条の規定により退職手当の支給を受けることができる者に関する国家公務員等退職手当法（昭和28年法律第182号。以下この項において「退職手当法」という。）第10条の規定の適用については、次の各号に定めるところによる。
　一　退職手当法第10条第1項又は第2項の規定による基本手当の日額に相当する退職手当の額については、なお従前の例による。
　二　退職手当法第10条第1項又は第2項の規定による退職手当を支給することができる日数については、これらの規定にかかわらず、旧退職手当法第10条第1項又は第2項の規定による退職手当を支給することができる日数からこれらの規定により支給された当該退職手当（同条第9項の規定により支給があつたものとみなされる退職手当及び前項の規定により従前の例によることとされる施行日前の期間に係る退職手当を含む。）の日数を減じた日数に相当する日数分を限度とする。
　三　退職手当法第10条第6項又は第7項の規定による退職手当の額については、なお従前の例による。
　四　雇用保険法第19条第1項（同法第37条第9項において準用する場合を含む。）及び同法第33条第1項（同法第40条第3項において準用する場合を含む。）の規定に関しては、退職手当法第10条第1項中「雇用保険法（昭和49年法律第116号）の規定による基本手当の支給の条件」とあるのは「雇用保険法等の一部を改正する法律（昭和59年法律第54号。以下「昭和59年改正法」という。）附則第3条第1項に規定する旧受給資格者に対して支給される基本手当の支給の条件」と、同条第2項中「同法の規定による基本手当の支給の条件」とあり、同条第8項中「同条の規定による基本手当の支給の条件」とあり、及び同条第9項中「当該基本手当の支給の条件」とあるのは「昭和59年改正法附則第3条第1項に規定する旧受給資格者に対して支給される基本手当の支給の条件」と、同条第6項及び第7項中「同法の規定による特例一時金の支給の条件」とあるのは「昭和59年改正法附則第7条に規定する旧特例受給資格者に対して支給される特例一時金の支給の条件」とする。
　五　退職手当法第10条第3項から第5項までの規定は、適用しない。

【解説】
　昭和59年法律第54号は、「雇用保険法等の一部を改正する法律」である。
　この法律は、最近における産業・雇用構造の変化、今後における高齢化社会の到来等に対処し、失業者の生活の安定及びその就職の促進を図りつつ雇用保険制度の効率的な運営を進める等の見地から、基本手当の日額の引上げ、賃金日額の算定方法の変更、所定給付日数の見直し、高年齢の被保険者に係る給付金及び早期に再就職した者に係る手当制度の創設等雇用保険の失業給付の内容を改善・整備するとともに、雇用保険の被保険者の範囲について合理化を図る等所要の改正を行ったものである。
　これに伴い、雇用保険法との関連において設けられている退職手当法第10条に規定する失業者の退職手当についても、所要の改正を行ったものである。
　改正の主要な内容は、次のとおりである。
　(ｱ)　定年等退職者が、退職後一定期間求職の申込みをしない旨を申し出た場合には、総理府令で、基本手当に相当する退職手当の受給期間の特例を設けることができるものとする。
　(ｲ)　雇用保険法の失業給付のうち、求職者給付として高年齢求職者給付金が、就職促進給付として再就職手当が創設されたことに伴い、失業者の退職手当として、高年齢求職者給付金に相当する退職手当及び再就職手当に相当する退職手当を新設する。
　(ｳ)　その他所要の規定を整備するとともに、所要の経過措置を講ずる。
　なお、上記の一部改正に伴い、施行令及び総理府令（失業者の退職手当支給規則）についても、所要の改正が行われている。

14　昭和59年法律第69号附則（抄）

附　則

（施行期日）
第1条　この法律は、公布の日〔昭和59年8月10日〕から施行する。
　（職員に関する経過措置）
第13条　公社の解散の際現に公社の職員として在職する者は、会社の成立の時において、会社の職員となるものとする。
2　前項の規定により公社の職員が会社の職員となる場合においては、その者に対して、国家公務員等退職手当法（昭和28年法律第182号）に基づく退職手当は、支給しない。

3　会社は、前項の規定の適用を受けた会社の職員の退職に際し、退職手当を支給しようとするときは、その者の公社の職員としての引き続いた在職期間を会社の職員としての在職期間とみなして取り扱うべきものとする。

【解説】

　昭和59年法律第69号は、「日本たばこ産業株式会社法」である。
　たばこ専売事業は、財政収入の安定的確保を目的として国の直営により行われてきたが、昭和24年6月には日本専売公社が設立され、同公社が専売事業の実施に当たることとなった。公社制度の趣旨は、国会及び政府による規制・監督によって公共性を確保するとともに、一方で、事業経営上の財務・会計・人事管理等の面において、民間企業の能率的経営技法をとり入れた自主的な企業的活動を行わせるというものであった。すなわち、公共性と企業性の調和ということが公社制度設立の理念とされている。
　上記のような点も考慮し、日本専売公社の職員は、公社制度への移行後も引き続き退職手当法の適用対象とされ、同公社の職員が退職した場合には、同法に基づく退職手当を支給することとされた。
　昭和59年法律第69号は、たばこ専売制度の廃止に伴い、我が国たばこ産業の健全な発展等を図るため、日本専売公社を改組して日本たばこ産業株式会社を設立し、同会社にたばこの製造及び販売等の事業を経営させるための所要の改正を行ったものである。
　上記の日本専売公社の経営形態の変更等に伴い、職員は、公社職員としての身分を退くことになり、退職手当法上の「退職」に該当するため退職手当を支給すべきこととなるが、①会社は公社の一切の権利・義務を承継し、特に職員についてはその雇用の継続を明定していること、②公社から会社への移行時に退職手当を支給することは、将来の退職手当の算定基礎となる勤続期間の中断となり、職員間にアンバランスを生ずること、③また、一時に退職手当を支給することは、極めて多額の支出を伴い、会社の財務基盤に大きな影響を与えること等を考慮し、公社から会社への移行の際には、退職手当法に基づく退職手当を支給しないこととするとともに、これにより、職員が不利益を被ることのないよう、会社が退職手当を支給するときは、公社職員としての在職期間を会社職員としての在職期間に通算すべき旨を定めたものである。

15　昭和59年法律第71号附則（抄）

附　則

（施行期日）
第1条　この法律は、昭和60年4月1日から施行する。〔以下略〕
（国家公務員等退職手当法の一部改正に伴う経過措置）
第4条　この法律の施行の際現に第4条の規定による改正後の国家公務員等退職手当法（次項において「新退職手当法」という。）第2条第2項に規定する職員として在職する者で旧公社の職員としての在職期間を有するものの国家公務員退職手当法（昭和28年法律第182号。以下この条及び附則第8条において「新法」という。）に基づいて支給する退職手当の算定の基礎となる勤続期間の計算については、その者の旧公社の職員としての在職期間を新法第2条第1項に規定する職員としての引き続いた在職期間とみなす[(1)]。

2　この法律の施行の日（以下「施行日」という。）の前日に旧公社の職員として在職する者が、引き続いて日本たばこ産業株式会社（以下「会社」という。）の職員となり、かつ、引き続き会社の職員として在職した後引き続いて新退職手当法第2条第2項に規定する職員となつた場合におけるその者の新法に基づいて支給する退職手当の算定の基礎となる勤続期間の計算については、その者の施行日の前日までの第4条の規定による改正前の国家公務員等退職手当法（次項において「旧退職手当法」という。）第2条第2項に規定する職員としての引き続いた在職期間及び施行日以後の会社の職員としての在職期間を新法第2条第1項に規定する職員としての引き続いた在職期間とみなす。ただし、その者が会社を退職したことにより退職手当（これに相当する給付を含む。）の支給を受けているときは、この限りでない[(2)]。

3　この法律の施行前に旧公社を退職した職員であつて旧退職手当法がなおその効力を有しているものとしたならば旧退職手当法第10条の規定による退職手当の支給を受けることができるもの及び施行日の前日に旧公社の職員として在職し、引き続いて会社の職員となつた者のうち施行日から雇用保険法（昭和49年法律第116号）による失業給付の受給資格を取得するまでの間に会社を退職したものであつて、その退職した日まで旧公社の職員として在職したものとし、かつ、旧退職手当法がなおその

効力を有しているものとしたならば旧退職手当法第10条の規定による退職手当の支給を受けることができるものに対しては、新法の適用があるものとみなして、新法第10条の規定による退職手当を支給する[3]。

【解説】

　昭和59年法律第71号は、「たばこ事業法等の施行に伴う関係法律の整備等に関する法律」である。

　この法律は、たばこ事業法、日本たばこ産業株式会社法及び塩専売法の施行に伴い、関係法律の所要の規定の整備等を行うとともに、所要の経過措置を講ずる等の改正を行ったものである。

　退職手当制度関係では、第4条において退職手当法第2条第1項を改正し、日本専売公社の職員を同法の適用対象から除外することとしたものである。

　次に、退職手当法の一部改正に伴う経過措置を定めた附則第4条について、若干の説明を加える。

(1) 第1項は、この法律の施行の日（昭和60年4月1日）に在職する職員が旧公社職員としての在職期間を有するときは、これを職員としての在職期間に通算する旨を定めている。

(2) 第2項は、施行日の前日に旧公社職員として在職し、引き続いて日本たばこ産業株式会社の職員となり、その後、さらに引き続いて退職手当法上の職員となった場合には、全期間を通算する旨を定めている。ただし、同会社を退職した際退職手当が支給されているときは、在職期間の通算を行うことができない。

(3) 第3項は、失業者の退職手当の取扱いに関する経過措置を定めたものである。

　　すなわち、施行日前に退職し、失業者の退職手当を受給中の者（受給することができる者を含む。）については、施行日以降退職手当法が適用されないことから、失業者の退職手当が支給されないこととなる。また、施行日以降、会社の職員は、雇用保険法が適用され、おおむね6月の被保険者期間があれば同法に基づく失業給付の受給資格を取得することとなるが、旧公社職員期間が短期間の者が、施行日から6月以内に退職したような場合には、雇用保険法に基づく失業給付も退職手当法に基づく失業者の退職手当も支給されないこととなる。このため、本項は、これらの者に対し、生活保障的要素の強い失業者の退職手当を支給できるよう措置したものである。

　なお、日本たばこ産業株式会社は、国の事務等と密接な関連を有する特別

法人として、法第7条の2の規定に基づく施行令第9条の2に指定されている。

16　昭和59年法律第85号附則（抄）

> **附　則**
>
> （施行期日）
> **第1条**　この法律は、公布の日〔昭和59年12月25日〕から施行する。〔以下略〕
>
> （職員に関する経過措置）
> **第6条**　会社の成立の際現に公社の職員である者は、会社の成立の時に会社の職員となるものとする。
> 2　前項の規定により公社の職員が会社の職員となる場合においては、その者に対しては、国家公務員等退職手当法（昭和28年法律第182号）に基づく退職手当は、支給しない。
> 3　会社は、前項の規定の適用を受けた会社の職員の退職に際し、退職手当を支給しようとするときは、その者の公社の職員としての引き続いた在職期間を会社の職員としての在職期間とみなして取り扱うべきものとする。

【解説】

昭和59年法律第85号は、「日本電信電話株式会社法」（当時）である。

国内電気通信事業については、戦後の電話に対する急激な需要の増大に対応して効率的な経営体制でこれを行うため、昭和27年8月に日本電信電話公社が設立された。

昭和59年法律第85号は、今後における社会経済の進展、電気通信分野における技術革新等に対処するため、日本電信電話公社を改組して日本電信電話株式会社を設立し、事業の公共性に留意しつつ、その経営の一層の効率化、活性化を図るための所要の改正を行ったものである。右に掲げた職員に関する経過措置の内容、考え方等は、日本たばこ産業株式会社の場合と同様であるので、前述の **14　昭和59年法律第69号附則（抄）** の解説を参照されたい。

17 昭和59年法律第87号附則（抄）

附　則

（施行期日）

第1条　この法律は、昭和60年4月1日から施行する。〔以下略〕

（国家公務員等退職手当法の一部改正に伴う経過措置）

第4条　この法律の施行の際現に第5条の規定による改正後の国家公務員等退職手当法（以下この条において「新退職手当法」という。）第2条第2項に規定する職員として在職する者で旧公社の職員としての在職期間を有するものの国家公務員退職手当法（昭和28年法律第182号。以下この条及び附則第7条において「新法」という。）に基づいて支給する退職手当の算定の基礎となる勤続期間の計算については、その者の旧公社の職員としての在職期間を新法第2条第1項に規定する職員としての引き続いた在職期間とみなす。

2　施行日の前日に旧公社の職員として在職する者が、引き続いて会社の職員となり、かつ、引き続き会社の職員として在職した後引き続いて新退職手当法第2条第2項に規定する職員となつた場合におけるその者の新法に基づいて支給する退職手当の算定の基礎となる勤続期間の計算については、その者の施行日の前日までの第5条の規定による改正前の国家公務員等退職手当法（次項において「旧退職手当法」という。）第2条第2項に規定する職員としての引き続いた在職期間及び施行日以後の会社の職員としての在職期間を新法第2条第1項に規定する職員としての引き続いた在職期間とみなす。ただし、その者が会社を退職したことにより退職手当（これに相当する給付を含む。）の支給を受けているときは、この限りでない。

3　この法律の施行前に旧公社を退職した職員であつて旧退職手当法がなおその効力を有しているものとしたならば旧退職手当法第10条の規定による退職手当の支給を受けることができるもの及び施行日の前日に旧公社の職員として在職し、引き続いて会社の職員となつた者のうち施行日から雇用保険法による失業給付の受給資格を取得するまでの間に会社を退職したものであつて、その退職した日まで旧公社の職員として在職したものとし、かつ、旧退職手当法がなおその効力を有しているものとしたならば旧退職手当法第10条の規定による退職手当の支給を受けること

404　第2編　第7章　改正法律の附則等

> ができるものに対しては、新法の適用があるものとみなして、新法第10条の規定による退職手当を支給する。

【解説】

　昭和59年法律第87号は、「日本電信電話株式会社法及び電気通信事業法の施行に伴う関係法律の整備等に関する法律」である。

　この法律は、日本電信電話株式会社法等の施行に伴い、関係法律の廃止及び改正を行うとともに、所要の経過措置を講ずる等の改正を行ったものである。

　退職手当関係では、同法第5条において退職手当法第2条第1項を改正し、日本電信電話公社の職員を同法の適用対象から除外することとした。

　次に、退職手当法の一部改正に伴う経過措置を定めた昭和59年法律第87号附則第4条の内容については、日本専売公社の場合と同様であるので、**15　昭和59年法律第71号附則（抄）**の解説を参照されたい。

　なお、日本電信電話株式会社についても、国の事務等と密接な関係を有する特別法人として、法第7条の2の規定に基づく施行令第9条の2に指定されている（平成9年法律第98号による改正後については、後出**30　平成9年法律第98号附則（抄）**参照）。

18　昭和60年法律第4号附則（抄）

> 　　　　附　　則
>
> （施行期日等）
>
> 1　この法律は、昭和60年4月1日から施行する。ただし、第2条第2項の改正規定、第3条第2項の改正規定（「傷病」を「負傷若しくは病気（以下「傷病」という。）」に改める部分に限る。）及び附則に2項を加える改正規定（附則第19項に係る部分に限る。）は、同年3月31日から施行する[(1)]。
>
> 2　改正後の国家公務員等退職手当法第12条第3項及び第12条の2の規定は、この法律の施行の日（以下「施行日」という。）以後の退職に係る退職手当について適用する[(2)]。
>
> 　（国家公務員等退職手当暫定措置法の一部を改正する法律の一部改正）
>
> 3　国家公務員等退職手当暫定措置法の一部を改正する法律（昭和34年法律第164号。以下「法律第164号」という。）の一部を次のように改正する[(3)]。

附則第3項第1号中「又は第4条第4項」を削る。
（国家公務員等退職手当法の一部を改正する法律の一部改正）
4　国家公務員等退職手当法の一部を改正する法律（昭和48年法律第30号。以下「法律第30号」という。）の一部を次のように改正する。
附則第5項中「第5条まで」を「第5条の2まで」に改める。
附則第7項中「及び第6条並びに」を「から第6条まで及び」に改める。
附則第18項を削る。
（経過措置）
5　施行日の前日に在職する職員が施行日以後に退職した場合において、その者が施行日の前日に現に退職した理由と同一の理由により退職したものとし、かつ、その者の同日までの勤続期間及び同日における俸給月額を基礎として、改正前の国家公務員等退職手当法第3条から第6条まで、改正前の法律第164号附則第3項又は改正前の法律第30号附則第5項から第8項までの規定により計算した場合の退職手当の額が、改正後の国家公務員等退職手当法第3条から第6条まで、改正後の法律第164号附則第3項又は改正後の法律第30号附則第5項から第8項までの規定による退職手当の額よりも多いときはこれらの規定にかかわらず、その多い額をもつてその者に支給すべきこれらの規定による退職手当の額とする[4]。
6　前項の規定は、施行日の前日に国家公務員等退職手当法第7条の2第1項に規定する公庫等職員（他の法律の規定により同条の規定の適用について公庫等職員とみなされる者を含む。以下この項において同じ。）として在職する者のうち職員から引き続いて公庫等職員となつた者又は施行日の前日に地方公務員として在職する者で、公庫等職員又は地方公務員として在職した後引き続いて職員となつたものが施行日以後に退職した場合について準用する。この場合において、前項中「退職したものとし」とあるのは「職員として退職したものとし」と、「勤続期間」とあるのは「勤続期間として取り扱われるべき期間」と、「俸給月額」とあるのは「俸給月額に相当する給与の額」と読み替えるものとする[5]。

【解説】

昭和60年法律第4号は、「国家公務員等退職手当法の一部を改正する法律」

である。
　この法律は、国家公務員等退職手当制度の総合的な見直しの結果、措置されたものである。
　改正の主要な内容は、次の４点である。
　(ア)　定年制度施行に伴う退職手当に関する規定の整備
　　(ⅰ)　歳出予算の常勤職員給与の目から俸給が支給される者に対し、定年退職等の規定を適用できるようにする。
　　(ⅱ)　国家公務員法第81条の３の規定により勤務延長されて退職した場合、同法第81条の４の規定により再任用されて退職した場合及び定年に達した日以後定年退職日の前日までにその者の非違によることなく退職した場合には、定年に達したことにより退職した者と同様に取り扱うものとする。
　　　なお、既に定年に達していることにより昭和60年３月31日に退職する者についても、同様に取り扱うものとする。
　(イ)　退職手当の支給率の改定
　　(ⅰ)　自己都合退職支給率について、勤続期間11年以上19年以下については20％引き下げるとともに、勤続期間25年以上29年以下については勤続期間に応じ約３％から19％引き上げる。
　　(ⅱ)　特に長期の勤続者に係る退職手当支給率について、勤続31年以上の１年当たり支給割合を約10％引き下げる。
　　(ⅲ)　退職手当支給率の改定に伴い、退職手当の額について所要の経過措置を講ずる。
　(ウ)　定年前早期退職者に係る退職手当の特例の新設
　　　一定年齢以上であり、かつ、勤続期間25年以上である者が、定年前に、その者の事情によらないで退職することとなった場合には、退職手当の算定の基礎となる俸給月額に退職の日におけるその者に係る定年とその者の年齢との差に相当する年数１年につき２％を超えない範囲内の割合を乗じて得た額を、当該俸給月額に加えるものとする（その後の改正につき、法第５条の３の解説参照）。
　(エ)　所要の規定の整備
　　　退職手当の支払いに関する規定、退職手当の支給を受ける遺族に関する規定、退職手当の返納に関する規定の新設その他所要の規定の整備をする。
(1)　附則第１項は、施行日を定めたものである。すなわち、この法律は、昭和

60年4月1日から施行するが、右の(ア)の(ⅰ)及び(ⅱ)(なお書の部分に限る。)の規定は、定年制度の実施日に合わせ同年3月31日から施行する。
(2) 附則第2項は、今回新設された退職手当法第12条第3項（いわゆる退職手当の支給制限）及び第12条の2（現　第15条　退職手当の返納）の規定は、施行日以後の退職に係る退職手当について適用することを確認的に規定したものである。
(3) 附則第3項及び第4項は、退職手当に関する他の法律の条文を整理したものである。
(4) 附則第5項は、今回の退職手当支給率（本則）の改定が、引上げ・引下げの両方の部分が含まれているため、退職手当の額が引き下げられる者に対し所要の経過措置を講ずるものである。

その内容は、施行日の前日に在職する職員が施行日以後に退職した場合に支給される退職手当の額（退職した日における俸給月額と引下げ後の退職手当支給率とを基礎としたもの）が、施行日の前日に退職したものと仮定した場合に算出される退職手当の額（施行日の前日に現に支給されていた俸給月額と引下げ前の退職手当支給率とを基礎としたもの）を下回る場合には、いわゆる仮定計算による金額をその者の退職手当として支給するものである。
(5) 附則第6項は、施行日の前日に、任命権者の要請に応じ公庫等職員（国際科学技術博覧会協会職員を含む。）として在職する者及び地方公務員として在職する者が、その後職員となり退職する場合にも、附則第5項と同様の経過措置を講ずるため、所要の字句の読替えを行うものである。

なお、退職手当法の一部改正に伴い、国家公務員等退職手当法施行令についても改正が行われている。

改正の主要点は、次のとおりである。
(ア) 定年退職等の規定の適用
　　歳出予算の常勤職員給与の目から俸給が支給される者に対し、定年退職等の規定を適用できるようにする。
(イ) 退職手当の支払方法の特例
　　退職手当の支払方法の特例として、日本銀行を支払人とする小切手の振出しとすることを定める。
(ウ) 勧奨の要件
　　国家公務員等退職手当制度において、勧奨退職とは、当該勧奨の事実について記録が作成されたものに限るものとする。
(エ) 定年前早期退職者の範囲等

定年前にその者の事情によらないで退職することとなった場合における退職手当の特例措置の適用を受ける者の範囲等を定める。
　㈺　退職手当の返納
　　　退職手当の支給を受けた者が在職中の行為に係る刑事事件に関し禁錮以上の刑に処せられた場合において、返納させるべき退職手当の額の範囲等を定める。

19　昭和60年法律第97号附則（抄）

> 　　　　附　　則
> 　（施行期日等）
> １　この法律は、公布の日〔昭和60年12月21日〕から施行する。ただし、題名、第１条第１項、第９条の２第４項及び第11条の６第２項の改正規定、第14条の次に２条を加える改正規定、第15条、第17条、第19条の２第３項、第19条の６及び第22条の見出しの改正規定、同条に１項を加える改正規定、附則第16項を附則第18項とし、附則第15項の次に２項を加える改正規定並びに附則第12項から第14項まで及び第23項から第29項までの規定は昭和61年１月１日から、第11条第４項の改正規定は同年６月１日から施行する。

【解説】
　昭和60年法律第97号は、「一般職の職員の給与に関する法律の一部を改正する法律」である。
　「一般職の職員の給与に関する法律」に休暇制度等が新設され、同法の題名が「一般職の職員の給与等に関する法律」に改められたことに伴い、同法を引用している部分を改めたものである。

20　昭和61年法律第87号（抄）

> 　（承継法人の職員）
> 第23条　承継法人の設立委員（当該承継法人が第11条第１項の規定により運輸大臣が指定する法人である場合にあつては、当該承継法人。以下「設立委員等」という。）は、日本国有鉄道を通じ、その職員に対し、それぞれの承継法人の職員の労働条件及び職員の採用の基準を提示して、

職員の募集を行うものとする。
2　日本国有鉄道は、前項の規定によりその職員に対し労働条件及び採用の基準が提示されたときは、承継法人の職員となることに関する日本国有鉄道の職員の意思を確認し、承継法人別に、その職員となる意思を表示した者の中から当該承継法人に係る同項の採用の基準に従い、その職員となるべき者を選定し、その名簿を作成して設立委員等に提出するものとする。
3　前項の名簿に記載された日本国有鉄道の職員のうち、設立委員等から採用する旨の通知を受けた者であつて附則第2項の規定の施行の際現に日本国有鉄道の職員であるものは、承継法人の成立の時において、当該承継法人の職員として採用される。
4及び5　略
6　第3項の規定により日本国有鉄道の職員が承継法人の職員となる場合には、その者に対しては、国家公務員等退職手当法（昭和28年法律第182号）に基づく退職手当は、支給しない。
7　承継法人は、前項の規定の適用を受けた承継法人の職員の退職に際し、退職手当を支給しようとするときは、その者の日本国有鉄道の職員としての引き続いた在職期間を当該承継法人の職員としての在職期間とみなして取り扱うべきものとする。

　　　　附　則
（施行期日）
1　この法律は、公布の日〔昭和61年12月4日〕から施行する。ただし、次項の規定は、昭和62年4月1日から施行する。
（日本国有鉄道法等の廃止）
2　次に掲げる法律は、廃止する。
　一　日本国有鉄道法（昭和23年法律第256号）
　二　日本国有鉄道法施行法（昭和24年法律第105号）

【解説】
　昭和61年法律第87号は、「日本国有鉄道改革法」である。
　日本国有鉄道（以下「国鉄」という。）は、かつて国が直接行っていた鉄道事業を効率的な体制で行うため、昭和24年にいわゆる公社の一つとして設立された。
　しかしながら、昭和40年代のモータリゼーションの急速な進展、航空輸送網

の飛躍的な発達の中で、国鉄の担う鉄道輸送は、我が国の交通体系に占める独占的地位を次第に失い、厳しい経営環境に置かれるに至った。年々悪化を続ける国鉄経営に歯止めをかけるべく策定された4次にわたる再建計画も十分な効果を挙げることができなかったため、公共企業体による全国一元的経営体制の下においては事業の適切かつ健全な運営を確保することが困難であるとの認識の下に、分割・民営化を基本とした抜本的な改革が実施された。

　この法律は、国鉄を改組して、北海道、東日本、東海、西日本、四国及び九州の6旅客鉄道株式会社、日本貨物鉄道株式会社、新幹線鉄道保有機構及び日本国有鉄道清算事業団を設立すること等、国鉄改革の基本的事項を定めたものである。

　第23条第6項及び第7項は、国鉄の職員が承継法人の職員となったときには退職手当法による退職手当を支給せず、承継法人を退職する際に国鉄の職員としての在職期間を通算して支給することを定めたものである。なお、「承継法人」とは、6旅客鉄道株式会社、新幹線鉄道保有機構、日本貨物鉄道株式会社及び運輸大臣（現　国土交通大臣）が指定した法人であり、日本国有鉄道清算事業団の職員となった者の取扱いについては、**21　昭和61年法律第93号（抄）**の解説を参照されたい。

21　昭和61年法律第93号（抄）

　　（清算事業団の職員の退職手当に関する経過措置）
第36条　清算事業団法附則第2条の規定により日本国有鉄道の職員が清算事業団の職員になる場合には、その者に対しては、第51条の規定による改正前の国家公務員等退職手当法（昭和28年法律第182号。以下「旧退職手当法」という。）に基づく退職手当は、支給しない。
２　清算事業団は、前項の規定の適用を受けた清算事業団の職員の退職に際し、退職手当を支給しようとするときは、その者の日本国有鉄道の職員としての引き続いた在職期間を清算事業団の職員としての在職期間とみなして取り扱うべきものとする。
３　清算事業団は、前項に定めるもののほか、第1項の規定の適用を受けた清算事業団の職員が日本国有鉄道退職希望職員及び日本国有鉄道清算事業団職員の再就職の促進に関する特別措置法がその効力を有する間に退職する場合において、その退職に関し、退職手当を支給しようとするときは、附則第5条第3項に規定する場合を除き、旧退職手当法の規定

の例によりその額を計算するものとする[(1)]。
　（国家公務員等退職手当法の一部改正）
第51条　国家公務員等退職手当法の一部を次のように改正する。
　　題名を次のように改める。
　　　　国家公務員退職手当法
　　第1条中「国家公務員等」を「国家公務員」に改める。
　　第2条第1項中「次に掲げる者で常時勤務に服することを要するもの」を「常時勤務に服することを要する国家公務員（以下「職員」という。）」に改め、同項各号を削り、同条第2項中「前項各号に掲げる者のうち常時勤務に服することを要するもの（以下「職員」という。）以外のもので、その勤務形態が職員に準ずる者」を「職員以外の者で、その勤務形態が職員に準ずるもの」に改め、「それぞれ同項各号の」を削る。
　　第5条第1項中「、その者の事情」を「又はその者の事情」に改め、「又は第2条第1項第2号の職員で業務量の減少その他経営上やむを得ない理由により退職したもの」を削る。
　　第7条第4項中「公共企業体等労働関係法」を「国営企業労働関係法」に改める。
　　第7条の2第1項中「又は第2条第1項第2号に規定する法人」を削る。
　　第10条第4項中「又は第2条第1項第2号に規定する法人（次項において「公社」という。）」を削り、同条第5項中「又は公社」を削る[(2)]。
　　　附　　則
　（施行期日）
第1条　この法律は、昭和62年4月1日から施行する。〔以下略〕
　（国家公務員等退職手当法の一部改正に伴う経過措置）
第5条　この法律の施行の際現に第51条の規定による改正後の国家公務員退職手当法（以下この条及び附則第11条において「新退職手当法」という。）第2条第1項に規定する職員として在職する者で日本国有鉄道の職員としての在職期間を有するものの新退職手当法に基づいて支給する退職手当の算定の基礎となる勤続期間の計算については、その者の日本国有鉄道の職員としての在職期間を新退職手当法第2条第1項に規定する職員としての引き続いた在職期間とみなす[(3)]。
2　施行日の前日に日本国有鉄道の職員として在職する者が、引き続いて

承継法人であつて改革法第11条第1項の規定により運輸大臣が指定する法人以外のもの又は清算事業団（以下この項において「承継法人等」という。）の職員となり、かつ、引き続き承継法人等の職員として在職した後引き続いて新退職手当法第2条第1項に規定する職員となつた場合におけるその者の新退職手当法に基づいて支給する退職手当の算定の基礎となる勤続期間の計算については、その者の施行日の前日までの日本国有鉄道の職員としての在職期間及び施行日以後の承継法人等の職員としての在職期間を新退職手当法第2条第1項に規定する職員としての引き続いた在職期間とみなす。ただし、その者が承継法人等を退職したことにより退職手当（これに相当する給付を含む。）の支給を受けているときは、この限りでない。

3　この法律の施行前に日本国有鉄道を退職した職員であつて旧退職手当法がなおその効力を有しているものとしたならば旧退職手当法第10条の規定による退職手当の支給を受けることができるもの及び施行日の前日に日本国有鉄道の職員として在職し、引き続いて承継法人又は清算事業団の職員となつた者のうち施行日から雇用保険法による失業給付の受給資格を取得するまでの間に承継法人又は清算事業団を退職したものであつて、その退職した日まで日本国有鉄道の職員として在職したものとし、かつ、旧退職手当法がなおその効力を有しているものとしたならば旧退職手当法第10条の規定による退職手当の支給を受けることができるものに対しては、新退職手当法の適用があるものとみなして、新退職手当法第10条の規定による退職手当を支給する。

4　この法律の施行前に日本国有鉄道を退職した者に対し、旧退職手当法の規定により支給した一般の退職手当等の返納については、その者及び一般の退職手当等は、国家公務員退職手当法等の一部を改正する法律（平成20年法律第95号）附則第2条の規定によりなお従前の例によることとされる場合における同法第1条の規定による改正前の国家公務員退職手当法第12条の2第1項の退職した者及び一般の退職手当等とみなして同条の規定を適用する。この場合において、その返納は、独立行政法人鉄道建設・運輸施設整備支援機構がさせることができるものとする[4]。

【解説】

昭和61年法律第93号は、「日本国有鉄道改革法等施行法」である。
この法律は、日本国有鉄道改革法等の施行に関する必要事項を定めるととも

に、これらの法律の施行に伴う関係法律の整備等を行ったものである。
(1) 第36条は、国鉄の職員が日本国有鉄道清算事業団の職員となったときには退職手当法による退職手当を支給せず、同事業団を退職する際に国鉄の職員としての在職期間を通算して同事業団から退職手当を支給することを定めたものである。
(2) 第51条では、退職手当法第2条第1項を改正し、国鉄の職員を適用対象から除外するとともに、この結果、退職手当法の適用対象が国家公務員だけとなったため、退職手当法の題名を「国家公務員等退職手当法」から「国家公務員退職手当法」に改める等、所要の規定の整備を行った。

なお、退職手当法以外の関係法律についてもこれと同趣旨の規定の整備を行った。

次に、退職手当法の一部改正に伴う経過措置を定めた附則第5条について説明する。
(3) 第1項から第3項までの規定の内容、考え方等は、日本たばこ産業株式会社の場合と同様であるので、**14 昭和59年法律第69号附則(抄)**の解説を参照されたい。
(4) 第4項は、退職手当の返納の取扱いに関する規定である。昭和61年法律第93号の施行日(昭和62年4月1日)以降は旧国鉄の職員に退職手当法が適用されないが、平成20年の退職手当法改正による改正前の第12条の2の立法趣旨に鑑み、施行日前に旧国鉄を退職した職員に支給された一般の退職手当等については同条の規定を適用できること及び返納は日本国有鉄道清算事業団(現 独立行政法人鉄道建設・運輸施設整備支援機構)がさせることとされた。

なお、6旅客鉄道株式会社、日本貨物鉄道株式会社、新幹線鉄道保有機構(平成3年10月1日解散)及び日本国有鉄道清算事業団(平成10年10月22日解散)は、法第7条の2の規定に基づき、国の事務等と密接な関連を有する特別法人として、施行令第9条の2において定められた。しかし、6旅客鉄道株式会社のうち、東日本、東海及び西日本の各旅客鉄道会社については、「旅客鉄道株式会社及び日本貨物鉄道株式会社に関する法律の一部を改正する法律」(平成13年法律第61号)の施行(平成13年12月1日)により、また、九州旅客鉄道株式会社については、「旅客鉄道株式会社及び日本貨物鉄道株式会社に関する法律の一部を改正する法律」(平成27年法律第36号)の施行(平成28年4月1日)により、いわゆる完全民営化がされたことに伴い、同法施行日以後の期間については施行令第9条の2の対象から除外されている。

22　昭和63年法律第91号附則（抄）

　　　　附　則
（施行期日）
第1条　この法律は、公布の日から起算して6月を超えない範囲内において政令で定める日〔昭和64年1月1日〕から施行する。
（国家公務員退職手当法の一部改正）
第2条　国家公務員退職手当法（昭和28年法律第182号）の一部を次のように改正する。
　　第3条第1項中「25日」を「23日」に改める。
（国家公務員退職手当法の一部改正に伴う経過措置）
第3条　この法律の施行の日（以下「施行日」という。）の前日に在職する職員であつて俸給が日額で定められている者が施行日以後に退職した場合において、その者が施行日の前日に現に退職した理由と同一の理由により退職したとしたならば支給を受けることができた前条による改正前の国家公務員退職手当法第3条から第6条まで、国家公務員等退職手当暫定措置法の一部を改正する法律（昭和34年法律第164号）附則第3項（以下「法律第164号附則」という。）又は国家公務員等退職手当法の一部を改正する法律（昭和48年法律第30号）附則第5項から第8項まで（以下「法律第30号附則」という。）の規定による退職手当の額が、前条の規定による改正後の国家公務員退職手当法第3条から第6条まで、法律第164号附則又は法律第30号附則の規定による退職手当の額よりも多いときは、これらの規定にかかわらず、その多い額をもつてその者に支給すべきこれらの規定による退職手当の額とする。

【解説】
　昭和63年法律第91号は、「行政機関の休日に関する法律」である。
　改正の主要な内容は次のとおりである。
　㋐　この法律附則第2条は、いわゆる日額制職員について、俸給月額に相当する額の算出方法を日額の25日分から23日分に改めることとしたものである。
　　これは、同法の施行により、第2及び第4土曜日を閉庁する、いわゆる土曜閉庁が実施され、1か月当たりの標準的な勤務日数が2日減ること等

(イ) 同法附則第3条は、日額制職員が同法改正後に退職した場合の退職手当支給額が、同法改正前に退職したならば支給されたであろう額を下回ることのないように設けられた経過措置の規定である。

23 平成3年法律第51号附則

> 附　則
> （施行期日）
> 1　この法律は、公布の日〔平成3年5月2日〕から施行する。
> （経過措置）
> 2　改正後の第4条第2項、第5条第2項及び第7条第4項の規定は、平成3年4月1日以後の退職に係る退職手当について適用し、同日前の退職に係る退職手当については、なお従前の例による。

【解説】
(1) 平成3年法律第51号は、「国家公務員退職手当法の一部を改正する法律」である。改正の内容は、次の2点である。
　(ア) 長期勤続者に対する調整措置
　　　勤続期間が20年以上で、定年・勧奨等の理由により退職した長期勤続者については、従来、昭和47年12月1日の在職者に限って暫定的に退職手当の額の調整措置が講じられていたが、その翌日以降職員となった者に対しても同様の措置を講ずる。
　(イ) 通勤災害に係る退職手当の取扱い
　　(i) 支給率の取扱い
　　　　通勤災害による傷病退職に適用される支給率を、通勤災害による死亡退職に適用される支給率と同等の水準に引き上げる。
　　(ii) 休職期間の取扱い
　　　　休職に係る退職手当の一般的な取扱いにおいては休職期間の2分の1の期間を在職期間から除算することになっているが、職員が通勤災害による傷病で休職した場合は、この除算を行うことなく全期間を在職期間に通算する。

○参　考
　昭和47年12月2日以降職員となった者が勤続20年以上となるのは、平成4年11月1日以

(2) 改正法律は、公布の日（平成3年5月2日）から施行されたが、通勤災害に係る退職手当の取扱いの改善措置は、平成3年4月1日以後の退職に係る退職手当について適用することとされている。

24　平成4年法律第28号附則（抄）

　　　　附　　則
（施行期日）
1　この法律は、公布の日から起算して6月を超えない範囲内において政令で定める日〔平成4年5月1日〕から施行する。
（国家公務員退職手当法の一部改正）
4　国家公務員退職手当法（昭和28年法律第182号）の一部を次のように改正する。
　　第3条第1項中「23日」を「21日」に改める。
（国家公務員退職手当法の一部改正に伴う経過措置）
5　この法律の施行の日（以下「施行日」という。）の前日に在職する職員であって俸給が日額で定められているものが施行日以後に退職した場合において、その者が施行日の前日に現に退職した理由と同一の理由により退職したとしたならば支給を受けることができた前項の規定による改正前の国家公務員退職手当法第3条から第6条まで又は国家公務員等退職手当暫定措置法の一部を改正する法律（昭和34年法律第164号）附則第3項（以下「昭和34年法律第164号附則」という。）若しくは国家公務員等退職手当法の一部を改正する法律（昭和48年法律第30号）附則第5項から第8項まで（以下「昭和48年法律第30号附則」という。）の規定による退職手当の額が、前項の規定による改正後の国家公務員退職手当法第3条から第6条まで又は昭和34年法律第164号附則若しくは昭和48年法律第30号附則の規定による退職手当の額よりも多いときは、これらの規定にかかわらず、その多い額をもってその者に支給すべきこれらの規定による退職手当の額とする。

【解説】
　平成4年法律第28号は、「一般職の職員の給与等に関する法律及び行政機関の休日に関する法律の一部を改正する法律」である。改正の主要な内容は、次

のとおりである。
(ア) この法律附則第４項は、いわゆる日額制職員について、俸給月額に相当する額の算出方法を日額の23日分から21日分に改めることとしたものである。
これは、同法の施行により、完全週休二日制が実施され、１か月当たりの標準的な勤務日数が２日減ること等に伴う措置である。
(イ) 同法附則第５項は、日額制職員が同法改正後に退職した場合の退職手当支給額が同法改正前に退職したならば支給されたであろう額を下回ることのないように設けられた経過措置の規定である。

25　平成６年法律第33号附則（抄）

　　　附　則
　（施行期日）
第１条　この法律は、公布の日から起算して６月を超えない範囲内において政令で定める日〔平成６年９月１日〕から施行する。

【解説】
　平成６年法律第33号は、「一般職の職員の勤務時間、休暇等に関する法律」である。
　「一般職の職員の勤務時間、休暇等に関する法律」の制定に伴い、「一般職の職員の給与等に関する法律」の題名が「一般職の職員の給与に関する法律」に改められたため、同法を引用している部分を改めたものである。

26　平成６年法律第57号附則（抄）

　　　附　則
　（施行期日）
第１条　この法律は、平成７年４月１日から施行する。〔以下略〕

【解説】
　平成６年法律第57号は、「雇用保険法等の一部を改正する法律」である。
　「雇用保険法」の改正に伴い、引用している同法の条名及び項番号を改めたものである。

27　平成8年法律第82号附則（抄）

　　　附　則
　（施行期日）
第1条　この法律は、平成9年4月1日から施行する。〔以下略〕

【解説】
　平成8年法律第82号は、「厚生年金保険法等の一部を改正する法律」である。「厚生年金保険法等の一部を改正する法律」により、「国家公務員等共済組合法」の題名が「国家公務員共済組合法」に改められたことに伴い、同法を引用している部分を改めたものである。

28　平成8年法律第112号附則（抄）

　　　附　則
　（施行期日等）
1　この法律は、公布の日〔平成8年12月11日〕から施行する。〔以下略〕

【解説】
　平成8年法律第112号は、「一般職の職員の給与に関する法律等の一部を改正する法律」である。
　この法律により研究員調整手当が新設されたことに伴い、当時の退職手当法第5条第4項（現　第6条の5）に規定する基本給月額の算定基礎として、研究員調整手当を追加することとしたものである。

29　平成9年法律第66号附則（抄）

　　　附　則
　（施行期日等）
1　この法律は、公布の日から起算して3月を超えない範囲内において政令で定める日〔平成9年7月1日〕から施行する。
2　改正後の国家公務員退職手当法第12条の2の規定は、この法律の施行の日以後の退職に係る退職手当について適用する。

【解説】

(1) 平成9年法律第66号は、「国家公務員退職手当法等の一部を改正する法律」である。改正の内容は、次のとおりである。

 (ア) 退職手当の支払期限の新設

  一般の退職手当等は、特別の事情がある場合を除き、職員が退職した日から起算して1月以内に支払わなければならないこととした（法第2条の3の解説(8)～(10)参照）。

 (イ) 退職手当の支給の一時差止制度の新設

  各省各庁の長は、退職した者に対しまだ一般の退職手当等の額が支払われていない場合において、その者の在職期間中の行為に係る刑事事件に関して、その者が逮捕されたとき等であって、一般の退職手当等を支給することが公務に対する国民の信頼を確保し、退職手当制度の適正かつ円滑な実施を維持する上で重大な支障を生ずると認めるときは、一般の退職手当等の支給を一時差し止めることができることとした（法第13条の解説参照）。

(2) この改正法は、平成9年7月1日から施行されており、新設された退職手当の支給の一時差止制度も、同日以後の退職に係る退職手当について適用されることとなっている。

30　平成9年法律第98号附則（抄）

附　則

（施行期日）

第1条　この法律は、公布の日から起算して2年6月を超えない範囲内において政令で定める日〔平成11年7月1日〕から施行する。〔以下略〕

（恩給法の一部を改正する法律等の一部改正）

第22条　略

3　次に掲げる法律の規定中「日本電信電話株式会社」を「東日本電信電話株式会社又は西日本電信電話株式会社」に改める。

 一　出資の受入れ、預り金及び金利等の取締りに関する法律の一部を改正する法律（昭和58年法律第33号）附則第15項

 二　電話加入権質に関する臨時特例法（昭和33年法律第138号）第5条第1項

【解説】

平成9年法律第98号は、「日本電信電話株式会社法の一部を改正する法律」である。

この法律は、我が国の電気通信市場における公正有効競争を促進するとともに、競争が激しさを増す世界市場における我が国の国際競争力の向上を図るために、日本電信電話会社の再編を行うものである。

この法律により、従来の日本電信電話会社は、持ち株会社となる日本電信電話株式会社と、その傘下に置かれる地域通信を業務とする東日本電信電話株式会社及び西日本電信電話株式会社の2社、そして長距離通信会社となった。

退職手当法においては、この法律により、「日本電信電話株式会社法」の題名が「日本電信電話株式会社等に関する法律」に改められたことに伴い、同法を引用している部分を改めている。

なお、この法律による改正後は、国の事務等と密接な関係を有する特別法人として、法第7条の2の規定に基づく施行令第9条の2において、持ち株会社となった日本電信電話株式会社の他、東日本電信電話株式会社及び西日本電信電話株式会社が定められている。

31　平成11年法律第83号附則（抄）

附　則

（施行期日）
第1条　この法律は、平成13年4月1日から施行する。〔以下略〕
（旧法再任用職員に関する経過措置）
第3条　この法律の施行の日（以下「施行日」という。）前に第1条の規定による改正前の国家公務員法第81条の4第1項の規定により採用され、同項の任期又は同条第2項の規定により更新された任期の末日が施行日以後である職員（次項において「旧法再任用職員」という。）に係る任用（任期の更新を除く。）及び退職手当については、なお従前の例による。
2　略

【解説】

平成11年法律第83号は、「国家公務員法等の一部を改正する法律」である。

この法律は、定年退職者等が公務において培った知識、経験を活用できるよ

うにするため、一般職の国家公務員について、65歳までの在職を可能にする新たな再任用制度を設けること等を行ったものである。

これに伴い、民間企業での支給実態に鑑み、定年退職者等の再任用により採用された職員に対しては退職手当を支給しないこととしたものである。

32　平成11年法律第104号附則（抄）

> 　　　　附　則
> （施行期日）
> 第1条　この法律は、内閣法の一部を改正する法律（平成11年法律第88号）の施行の日〔平成13年1月6日〕から施行する。〔以下略〕

【解説】

　平成11年法律第104号は、「独立行政法人通則法の施行に伴う関係法律の整備に関する法律」である。

　この法律は、独立行政法人通則法の施行に伴い、関連する諸法律について所要の規定整備を行ったものである。

　主な改正の内容は、次のとおりである。

(ア)　特定独立行政法人の役員を退職手当法の適用除外とする。

(イ)　退職手当の支給の一時差止め及び退職手当の返納の処分権者に、特定独立行政法人の長を加える。

33　平成11年法律第160号附則（抄）

> 　　　　附　則
> （施行期日）
> 第1条　この法律（第2条及び第3条を除く。）は、平成13年1月6日から施行する。〔以下略〕

【解説】

　平成11年法律第160号は、「中央省庁等改革関係法施行法」である。

　この法律は、中央省庁等改革関連法律の施行のため、関係法律について府省名の変更に伴う規定の整理等を行ったものである。

34　平成12年法律第59号附則（抄）

　　　　附　則
（施行期日）
第1条　この法律は、平成13年4月1日から施行する。〔以下略〕
（国家公務員退職手当法の一部改正に伴う経過措置）
第18条　施行日前に退職した職員に係る失業者の退職手当の支給については、なお従前の例による。

【解説】
　平成12年法律第59号は、「雇用保険法等の一部を改正する法律」である。
　この法律は、現下の厳しい雇用失業情勢に加え、経済社会の変化に対応するため、雇用保険制度等において、一般の離職者に対する求職者給付を全体として圧縮する一方で、倒産、解雇等による離職者に対しては給付の重点化を図ること等所要の改正を行ったものである。
　これに伴い、雇用保険法との関連において設けられている退職手当法第10条の「失業者の退職手当」についても、所要の改正を行ったものである。
　改正の主要な内容は、雇用保険法において特定受給資格者が設けられたこと等に伴う所要の規定の整備である。
　なお、上記の一部改正に伴い、施行令及び総務省令（失業者の退職手当支給規則）についても、所要の改正が行われている。

35　平成14年法律第98号附則（抄）

　　　　附　則
（施行期日）
第1条　この法律は、公社法の施行の日〔平成15年4月1日〕から施行する。〔以下略〕

【解説】
　平成14年法律第98号は、「日本郵政公社法施行法」である。
　この法律は、日本郵政公社法の施行に伴い、関係法律の規定の整備等を行ったものである。

主な改正の内容は、次のとおりである。
ア　日本郵政公社の役員を退職手当法の適用除外とする。
イ　退職手当の支給の一時差止め及び退職手当の返納の処分権者に、日本郵政公社の総裁を加える。

36　平成15年法律第31号附則（抄）

> 　　　　附　則
> （施行期日）
> **第1条**　この法律は、平成15年5月1日から施行する。
> 　（国家公務員退職手当法の一部改正に伴う経過措置）
> **第24条**　前条の規定による改正後の国家公務員退職手当法（以下この条において「新退職手当法」という。）第10条第10項第4号及び第13項の規定は、施行日以後に職業に就いた者に対する同条第10項第4号に掲げる退職手当の支給について適用し、施行日前に職業に就いた者に対する前条の規定による改正前の国家公務員退職手当法第10条第10項第3号の2及び第4号に掲げる退職手当の支給については、なお従前の例による。
> 2　施行日前にした偽りその他不正の行為によって新退職手当法第10条の規定による失業者の退職手当の支給を受けた者に対するその失業者の退職手当の全部又は一部を返還すること又はその失業者の退職手当の額に相当する額以下の金額を納付することの命令については、なお従前の例による。
> 3　新退職手当法第10条第14項の規定は、施行日以後に偽りの届出、報告又は証明をした事業主又は職業紹介事業者等（新雇用保険法第10条の4第2項に規定する職業紹介事業者等をいう。以下同じ。）に対して適用し、同日前に偽りの届出、報告又は証明をした事業主に対する失業者の退職手当の支給を受けた者と連帯して新退職手当法第10条第14項の規定による失業者の退職手当の返還又は納付を命ぜられた金額の納付をすることの命令については、なお従前の例による。

【解説】
　平成15年法律第31号は、「雇用保険法等の一部を改正する法律」である。
　この法律は、当時の厳しい雇用失業情勢の下、経済社会の構造的変化に的確に対応し雇用保険制度の安定的運営を確保するため、雇用保険制度において求

職者給付の見直し、多様な方法による再就職を促進するための給付の改善等の改正を行ったものである。

これに伴い、雇用保険法との関連において設けられている退職手当法第10条の「失業者の退職手当」についても、所要の改正を行ったものである。

37　平成15年法律第62号附則（抄）

附　則

（施行期日）
1　この法律は、平成15年10月1日から施行する。ただし、次の各号に掲げる規定は、当該各号に定める日から施行する。
　一　第1条中国家公務員退職手当法第5条の2及び第7条の2の改正規定並びに同条の次に1条を加える改正規定並びに附則第5項から第7項までの規定　公布の日から起算して2月を超えない範囲内において政令で定める日〔平成15年6月15日〕
　二　附則4項の規定　平成16年10月1日

（経過措置）
2　平成15年10月1日から平成16年9月30日までの間における第1条の規定による改正後の国家公務員退職手当法附則第21項の規定の適用については、同項中「額は」とあるのは「額は、第6条の規定にかかわらず」と、「100分の104」とあるのは「100分の107」とする。
3　平成15年10月1日から平成16年9月30日までの間における第2条の規定による改正後の国家公務員等退職手当法の一部を改正する法律附則第5項（同法附則第6項又は第7項において例による場合を含む。）及び同法附則第6項の規定の適用については、同法附則第5項中「第5条の2」とあるのは「第6条」と、「100分の104」とあるのは「100分の107」と、同法附則第6項中「36年」とあるのは「35年を超え37年以下」と、同法附則第7項中「第5条及び第5条の2並びに」とあるのは「第5条から第6条まで及び」とする。
4　当分の間、42年を超える期間勤続して退職した者で国家公務員退職手当法第3条第1項の規定に該当する退職をしたものに対する退職手当の額は、同項の規定にかかわらず、その者が同法第5条の規定に該当する退職をしたものとし、かつ、その者の勤続期間を35年として同法附則第6項の規定の例により計算して得られる額とする。

> 5　この附則に定めるもののほか、この法律の施行に関し必要な経過措置は、政令で定める。

【解説】

　平成15年法律第62号は、「国家公務員退職手当法等の一部を改正する法律」である。
(1)　主な改正の内容は、次の３点である。
　(ア)　長期勤続者に対する退職手当の支給水準の引下げ
　　　勧奨等により、勤続期間が20年以上35年以下の職員が退職した場合には、当分の間、法第３条から第５条の２までの規定により計算した額に調整率100分の104（平成15年法律第62号による改正前は100分の110）を乗じて得た額の退職手当を支給するものとする。
　　　なお、勧奨等により、勤続期間が35年を超える職員が退職した場合には、当分の間、勤続期間を35年とした場合の支給割合に100分の104（平成15年法律第62号による改正前は100分の110）を乗じて得た割合により計算した額の退職手当を支給するものとする。
　　　この改正は、平成15年10月１日から施行されているが、１年間の経過措置が設けられた（後述の(2)参照）。
　(イ)　定年前早期退職者に対する退職手当に係る特例措置の見直し
　　　定年前早期退職者については、法第５条の２（現　第５条の３）において退職手当の基礎となる俸給月額の特例措置が設けられているが、退職の日における俸給月額が一般職給与法の指定職俸給表９号俸（現　６号俸）相当額以上である者を特例措置の対象から除くとともに、定年までの残年数１年当たりの俸給月額の割増率を俸給月額に応じて100分の２を超えない範囲内で政令で定める割合とする。
　　　この改正は、公布の日から起算して２月を超えない範囲内において政令で定める日（平成15年６月15日）から施行された。
　(ウ)　独立行政法人等役員として在職した後再び職員となった者に対する退職手当の特例規定の整備
　　　任命権者の要請に応じ、引き続いて独立行政法人等役員として在職した後引き続いて再び職員となった場合には、在職期間の通算を行うものとする。
　　　この改正は、公布の日から起算して２月を超えない範囲内において政令

(2)　附則第2項及び第3項は、調整率の引下げに伴う経過措置を定めたものである。退職手当の減額は、平成15年10月1日から施行することとされたが、これらの項の規定によって、従来100分の110としていた調整率を、平成15年10月1日からは100分の107に、平成16年10月1日から所定の100分の104に段階的に引き下げることとしたものである。

(3)　附則第4項は、昭和48年法律第30号、昭和56年法律第91号及び平成3年法律第51号の改正における、勤続35年以上の上限を前提とした退職手当の支給水準の調整を図る枠組みを維持した上で、退職金の支給水準の官民均衡を図る結果、勤続42年を超え法第3条第1項の規定に該当する退職をした者の退職手当の支給率が、同一の勤続年数で法第5条の規定に該当する退職をした者の退職手当の支給率を上回ることがないようにするために設けられたものである。

38　平成15年法律第119号附則（抄）

> 附　則
> （施行期日）
> **第1条**　この法律は、地方独立行政法人法（平成15年法律第118号）の施行の日〔平成16年4月1日〕から施行する。〔以下略〕

【解説】

平成15年法律第119号は、「地方独立行政法人法の施行に伴う関係法律の整備等に関する法律」である。

この法律は、地方独立行政法人法の施行に伴い、関連する諸法律について所要の規定整備を行ったものである。

退職手当法においては、職員が、引き続いて特定地方独立行政法人（役職員が地方公務員たる地方独立行政法人）に就職した場合について、地方公共団体に就職した場合と同様、職員としての在職期間が地方公務員としての在職期間に通算されることとなっている特定地方独立行政法人に就職した場合に限り、退職手当を支給しないこととする改正を行った。

なお、上記の一部改正に伴い、施行令について、以下のような改正が行われている（法第7条の解説(10)参照）。

(ア)　特定地方独立行政法人の公務員を地方公共団体の職員と同様に取り扱う

ための規定の整備
- (イ) 地方公務員の一般地方独立行政法人（役職員が地方公務員の身分を有しない地方独立行政法人）への退職出向の期間を、地方公社同様、勤続期間として通算されるようにするための規定の整備
- (ウ) 一般地方公共団体の設立に伴い、地方公共団体の職員から一般地方独立行政法人の職員に地方独立行政法人法第59条第2項に基づき承継される者の勤続期間が、(イ)同様に通算されるようにするための規定の整備

39　平成16年法律第146号附則（抄）

> 附　則
>
> （施行期日）
> 1　この法律は、平成17年4月1日から施行する。
> （国家公務員退職手当法の一部改正に伴う経過措置）
> 4　施行日の前日に在職する職員であって同日に退職したとしたならば第3条の規定による改正前の国家公務員退職手当法第4条第3項の規定の適用を受けることとなる者が、引き続いて同項に規定する職員として在職し、かつ、同項の規定に該当する退職をした場合におけるその者に対する退職手当の額は、国家公務員退職手当法第4条第1項及び第6条の4第4項第5号の規定に該当するものとして同法第2条の4、第4条、第5条の2及び第6条の4並びに附則第21項の規定により計算した額とする。

【解説】

平成16年法律第146号は、「特別職の職員の給与に関する法律等の一部を改正する法律」である。

この法律は、中央省庁等改革による国家行政組織法第8条に規定する審議会等の位置づけの見直し等を踏まえ、特別職の幹部公務員の給与等の見直しを行ったものである。

(1) 退職手当制度については、法第4条第3項の規定の削除を行った。

平成16年法律第146号による改正前の法第4条第3項は、国家公務員共済組合法の長期給付の規定の適用を受けない、つまり年金制度の対象とならない公務員が退職した場合には、原則として、法第4条の退職手当を支給する趣旨の規定であった。

〇改正前の法第4条第3項
3　国家公務員共済組合法(昭和33年法律第128号)第72条第2項の規定に該当する者(同項第2号に掲げる者については、政令で定める者を除く。)のうち、職員で前2項又は次条第1項若しくは第2項の規定に該当しないものに対する退職手当の額は、第1項の規定の例により計算した額とする。

　まず、国家公務員共済組合法第72条第2項の規定に該当する者(同項第2号に掲げる者については、政令で定める者を除く。)とは、次に掲げる者である。

〇改正前の国家公務員共済組合法(抄)
　(長期給付の種類等)
第72条　略
2　長期給付に関する規定は、次の各号のいずれかに該当する職員(政令で定める職員を除く。)には適用しない。
　一　任命について国会の両院の議決又は同意によることを必要とする職員
　二　国会法(昭和22年法律第79号)第39条の規定により国会議員がその職を兼ねることを禁止されていない職にある職員
3　略

　上記の第1号の職員は、国立国会図書館の館長、人事官、検査官、公正取引委員会その他各種審議会の会長、委員等を指し、第2号の職員は、内閣総理大臣、国務大臣、内閣官房副長官等を指すが、これらの職員のうち、国家公務員共済組合法施行令の規定によって特に指定される者以外には、同法の長期給付の規定が適用されないこととされている。

〇国家公務員共済組合法施行令(平成26年政令第195号による改正後のもの)(抄)
　(長期給付の適用範囲の特例)
第11条の5　法第72条第2項に規定する政令で定める職員は、次に掲げる職員とする。
　一　法第72条第2項第1号に掲げる職員のうち、人事官、検査官、公正取引委員会の委員長及び委員並びに国立国会図書館の館長
　二　国務大臣、内閣官房副長官、内閣総理大臣補佐官、副大臣、大臣政務官及び大臣補佐官並びに特派大使、政府代表、全権委員、政府代表又は全権委員の代理並びに特派大使、政府代表又は全権委員の顧問及び随員のうち、国会議員でない者をもって充てられたもの
　　(注)　第11条の5第2号に掲げる職員のうち、内閣官房副長官以外のものについては、平成16年政令第200号による改正などによって新たに加えられたものであり、いわゆる民間出身の国務大臣等については、当該改正前は長期給付の規定が適用されないこととされていた。

　法第4条第3項に関して、退職手当法施行令においては、次のように定めていた。

〇施　行　令（平成16年政令第404号による改正前のもの）（抄）
第3条　略
　2　法第4条第3項に規定する政令で定める者は、国会議員互助年金法（昭和33年法律第70号）の適用を受ける者とする。

　すなわち、国家公務員共済組合法の長期給付の規定の適用を受けない職員のうち、国会議員である身分を有する者以外の者に、法第4条の退職手当が支給されることとされていた。この規定が適用されていた当時は、第4条の支給率は第3条の1.25倍の関係にあったため、審議会等の委員等について、退職手当額を25％割増する効果を有していた。

　上記の職員であっても「前2項又は次条第1項若しくは第2項の規定に該当する者」は、当然、これらの条項によって退職手当が支給されるので、これらの条項が本項の規定に優先するわけである。すなわち、長期勤続又は整理等を理由として退職となる場合は、当然、それらの規定によるわけである。

　長期給付の適用対象外の職員は、おおむね任期が短い（制度上又は事実上）ので、法第3条の退職手当ではなく、特に本条の退職手当を支給し、年金制度の適用がないことの埋め合わせをしていたものであるが、特別職の幹部公務員の給与の見直しに合わせ、このような特例措置についても見直すこととし、廃止されたものである。

(2)　附則第4項は、この法律の施行日前日に在職する職員で改正前の法第4条第3項の適用対象の者が、引き続き在職した上で、この規定に該当する退職をした場合には、なお従前の期待権を保障するための規定である。

　当初は従前の規定が効力を有する旨の規定であったが、平成17年法律第115号による改正により、改正前の第4条に相当する新法の諸規定により計算した額を保障する旨の規定となった。

　すなわち、これらの者に引き続き改正前の第4条第1項の規定により退職手当を支給することとすると、①俸給月額が給与構造の改革により低下するため、退職手当の水準も同率で低下することから、退職手当の調整額を加算して支給する必要があり、また、②平成16年法の対象者は勤続25年未満であるが、他の改正前の第4条の規定により退職手当を受けていた者については、今回の改正で支給率の有利改正及び俸給月額減額の場合の基本額の特例が設けられており、これとバランスをとる必要がある（実際には、支給率が改善される10年以上勤続はほとんど予想されない。）ことから、①については、旧第4条第3項が特別職職員のみとしての任用が予想される職について

の規定であることから第6条の4第4項第5号の規定に該当するものとして退職手当の調整額を計算することとし、②については、退職手当の調整額以外の規定についても、短期勤続について旧第4条第1項に対応する規定である新第4条第1項に該当するものとして新法を適用して退職手当の基本額を計算することとし、他の新法適用者とバランスのとれた形で、従前の期待権を保護しているものである。

○平成17年法律第115号による改正前の平成16年法律第146号（抄）
　　附　則
　（国家公務員退職手当法の一部改正に伴う経過措置）
4　施行日の前日に在職する職員であって同日に退職したとしたならば第3条の規定による改正前の国家公務員退職手当法第4条第3項の規定の適用を受けることとなる者が、引き続いて同項に規定する職員として在職し、かつ、同項の規定に該当する退職をした場合におけるその者に対する退職手当については、同項の規定は、なおその効力を有する。

40　平成17年法律第97号（抄）

　　　第2節　業務等の承継等
　（公社の解散及び業務等の承継）
第166条　公社は、この法律の施行の時において解散するものとし、承継会社等は、その時において、第163条第3項の認可を受けた実施計画（同条第4項の認可があったときは、変更後の実施計画。以下「承継計画」という。）において定めるところに従い、承継計画において定められた業務等を公社から承継する。
2　前項の規定により公社が解散した場合における解散の登記については、政令で定める。
　（職員の引継ぎ）
第167条　公社の解散の際現に公社の職員である者は、別に辞令を発せられない限り、この法律の施行の時において、承継計画において定めるところに従い、承継会社のいずれかの職員となるものとする。
　（国家公務員退職手当法の適用に関する特例等）
第169条　第167条の規定により承継会社の職員となる者（以下「承継職員」という。）に対しては、国家公務員退職手当法（昭和28年法律第182号）に基づく退職手当は、支給しない。
2　承継会社は、前項の規定の適用を受けた承継会社の職員の退職に際

し、退職手当を支給しようとするときは、その者の国家公務員退職手当法第2条第1項に規定する職員（同条第2項の規定により職員とみなされる者を含む。）としての引き続いた在職期間を承継会社の職員としての在職期間とみなして取り扱うべきものとする。
3 　施行日の前日に公社の職員として在職する者が、第167条の規定により引き続いて前条に規定する株式会社のいずれかの職員となり、かつ、引き続き当該株式会社の職員として在職した後引き続いて国家公務員退職手当法第2条第1項に規定する職員となった場合におけるその者の同法に基づいて支給する退職手当の算定の基礎となる勤続期間の計算については、その者の当該株式会社の職員としての在職期間を同項に規定する職員としての引き続いた在職期間とみなす。ただし、その者が当該株式会社を退職したことにより退職手当（これに相当する給付を含む。）の支給を受けているときは、この限りでない。

　　　附　則
　（施行期日）
第1条　この法律は、平成19年10月1日から施行する。〔以下略〕

【解説】

　平成17年法律第97号は、「郵政民営化法」である。
　郵政事業は、明治以来、政府の経営する国営事業（平成15年まで）及び役職員が公務員の身分を有する日本郵政公社（平成15年以後）により運営されてきた。しかし、民間にゆだねることが可能なものはできる限りこれにゆだねることが、より自由で活力ある経済社会の実現に資することに鑑み、経営の自主性、創造性及び効率性を高めるとともに、公正かつ自由な競争を促進し、多様で良質なサービスの提供を通じた国民の利便の向上及び資金のより自由な運用を通じた経済の活性化を図るため、日本郵政公社が有する機能を分割し、それぞれの機能を引き継ぐ組織を株式会社とするとともに、当該株式会社の業務と同種の業務を営む事業者との対等な競争条件を確保するための措置を講じる等の郵政民営化を行うこととし、この法律を始めとする6法律により、平成19年10月1日をもってこれを実施することとしたものである。
　平成17年法律第97号は、郵政民営化の基本的な理念及び方針並びに国等の責務を定めるとともに、郵政民営化推進本部及び郵政民営化委員会の設置、承継会社（日本郵政株式会社、郵便事業株式会社、郵便局株式会社、郵便貯金銀行

及び郵便保険会社)の設立、これらの承継会社に関して講ずる措置、日本郵政公社の業務等の承継等に関する事項その他郵政民営化の実施に必要となる事項を定めている。

　退職手当制度関係では、第169条において、第167条の規定により承継会社に承継(いわゆる法定承継)された職員(以下「承継職員」という。)に関する退職手当法の適用の特例について規定している。

　第1項は、承継職員に対しては、承継の際には退職手当法に基づく退職手当を支給しないことを定めている。

　第2項は、承継会社が承継職員の退職に際し退職手当を支給しようとするときは、退職手当法上の職員としての在職期間を承継会社の職員としての在職期間に算入すべきことを定めている。

　第3項は、承継職員が、さらに引き続いて退職手当法上の職員となり、退職した場合には、承継会社職員としての在職期間を退職手当法上の職員としての在職期間とみなして退職手当を計算すべきことを定めている。

41　平成17年法律第102号附則（抄）

附　則

（施行期日）

第1条　この法律は、郵政民営化法の施行の日〔平成19年10月1日又は平成20年4月1日〕から施行する。〔以下略〕

（国家公務員退職手当法の一部改正に伴う経過措置）

第87条　施行日の前日に旧公社の職員として在職し、郵政民営化法第167条の規定により引き続いて承継会社の職員となった者のうち施行日から雇用保険法(昭和49年法律第116号)による失業等給付の受給資格を取得するまでの間に承継会社を退職したものであって、その退職した日まで旧公社の職員として在職したものとし、かつ、第54条の規定による改正前の国家公務員退職手当法(以下この条において「旧退職手当法」という。)がなおその効力を有し、なお効力を有している旧退職手当法第10条の規定が雇用保険法等の一部を改正する法律(平成19年法律第30号)附則第61条の規定による改正後の国家公務員退職手当法(以下この項において「平成19年改正後退職手当法」という。)第10条の規定と同様に改正されたものとしたならば当該改正後の旧退職手当法第10条の規定による退職手当の支給を受けることができるものに対しては、その者

のその退職の日までの承継会社の職員としての在職を平成19年改正後退職手当法第2条第1項に規定する職員としての在職と、その者がその退職により承継会社から支給を受けた退職手当（これに相当する給付を含む。）を平成19年改正後退職手当法第10条第1項第1号に規定する一般の退職手当等と、その者が退職の際勤務していた承継会社の業務を国の事務又は事業とみなして同条の規定による退職手当を支給する。

2　この法律の施行前に旧公社を退職した者であって旧退職手当法がなおその効力を有しているものとしたならば旧退職手当法第10条第4項又は第5項の規定による退職手当の支給を受けることができるものに対しては、その者が退職の際勤務していた旧公社の事務又は事業を国の事務又は事業とみなして新退職手当法第10条第4項又は第5項の規定による退職手当を支給する。

3　この法律の施行前に旧公社を退職した者の退職手当について国家公務員退職手当法等の一部改正する法律（平成20年法律第95号）附則第2条の規定によりなお従前の例によることとされる場合における同法第1条の規定による改正前の国家公務員退職手当法第12条の2及び第12条の3の規定の適用については、日本郵政株式会社を同法第12条の2第1項に規定する各省各庁の長等とみなす。

【解説】

平成17年法律第102号は、「郵政民営化法等の施行に伴う関係法律の整備等に関する法律」である。

平成17年法律第102号は、郵政民営化法等の施行に伴い、関係法律の廃止及び改正を行うとともに、所要の経過措置を講ずる等の規定の整備を行ったものである。

退職手当制度関係では、日本郵政公社が廃止されることに伴い、国家公務員退職手当法から「日本郵政公社」並びにその「総裁」及び「役員」の文言を削除するとともに、日本郵政公社の職員を同法の適用対象から除外することとしたものである。

次に、退職手当法の一部改正に伴う経過措置を定めた附則第87条について説明する。

第1項及び第2項は、失業者の退職手当の取扱いに関する経過措置を定めたものである。

第1項は、施行日の前日に旧日本郵政公社の職員として在職し、引き続いて承継会社（日本郵政株式会社、郵便事業株式会社、郵便局株式会社、郵便貯金銀行又は郵便保険会社）の職員となった者が、雇用保険法上の失業等給付の受給資格を取得するまでの間に承継会社を退職した場合に、退職手当法適用職員であるとしたならば退職手当法第10条に規定する失業者の退職手当を受けることのできる者に対しては、これを支給することとするものである。

第2項は、この法律の施行前に旧日本郵政公社を退職した者で、この法律による改正がなかったとすれば退職手当法第10条第4項又は第5項の規定による高年齢求職者給付金に相当する失業者の退職手当の支給を受けることのできる者に対しては、これを支給することとするものである。

第3項は、この法律の施行前に旧日本郵政公社を退職した者の退職手当の支給の一時差止め及び返納の処分については、日本郵政株式会社を各省各庁の長等とみなして適用することとするものである。

（注）　国家公務員退職手当法の一部を改正する法律（平成17年法律第115号）附則第26条の規定により、同法附則第2条の規定を改正するための規定が第143条として追加されている。**43**　平成17年法律第115号の解説(30)参照。

42　平成17年法律第113号附則（抄）

> **附　則**
> （施行期日）
> **第1条**　この法律は、公布の日の属する月の翌月の初日（公布の日が月の初日であるときは、その日）から施行する。ただし、第2条、第3条、第5条及び第7条並びに附則第6条から第15条まで及び第17条から第32条までの規定は、平成18年4月1日から施行する。〔以下略〕。

【解説】

平成17年法律第113号は、「一般職の職員の給与に関する法律等の一部を改正する法律」である。

この法律により調整手当が廃止され地域手当が新設されたことに伴い、平成17年法律第115号による改正前の退職手当法第5条第4項に規定する基本給月額の算定基礎としての調整手当を、地域手当に改める等の改正が行われた。

43　平成17年法律第115号附則（抄）

　　　　附　　則
　（施行期日）
第1条　この法律は、平成18年4月1日から施行する[(1)]。
　（経過措置）
第2条　国有林野の有する公益的機能の維持増進を図るための国有林野の管理経営に関する法律等の一部を改正する等の法律（平成24年法律第42号）第5条第1号の規定による廃止前の国有林野事業を行う国の経営する企業に勤務する職員の給与等に関する特例法（昭和29年法律第141号）第2条第1項に規定する国有林野事業を行う国の経営する企業、独立行政法人通則法の一部を改正する法律（平成26年法律第66号）による改正前の独立行政法人通則法（平成11年法律第103号）第2条第2項に規定する特定独立行政法人（この法律の施行の日（以下「施行日」という。）以後に同項に規定する特定独立行政法人以外の独立行政法人（同条第1項に規定する独立行政法人をいう。）となったものその他の法人で政令で定めるものを含む。）及び郵政民営化法（平成17年法律第97号）第166条第1項の規定による解散前の日本郵政公社（以下「国営企業等」と総称する。）の職員の退職による退職手当については、この法律による改正後の国家公務員退職手当法の規定は、国営企業等ごとに、施行日から起算して1年を超えない範囲内において政令で定める日（以下「適用日」という。）から適用し、適用日前の当該退職による退職手当については、なお従前の例による[(2)]。
第3条　職員が新制度適用職員（職員であって、その者が新制度切替日以後に退職することにより国家公務員退職手当法の規定による退職手当の支給を受けることとなる者をいう。以下同じ。）として退職した場合において、その者が新制度切替日の前日に現に退職した理由と同一の理由により退職したものとし、かつ、その者の同日までの勤続期間及び同日における俸給月額を基礎として、この法律による改正前の国家公務員退職手当法（以下この項において「旧法」という。）第3条から第6条まで及び附則第21項から第23項までの規定、附則第9条の規定による改正前の国家公務員等退職手当法の一部を改正する法律（昭和48年法律第30号）附則第5項から第7項までの規定並びに附則第10条の規定による改

正前の国家公務員退職手当法等の一部を改正する法律（平成15年法律第62号）附則第4項の規定により計算した額（当該勤続期間が43年又は44年の者であって、傷病若しくは死亡によらずにその者の都合により又は通勤による傷病以外の公務によらない傷病[3]により退職したものにあっては、その者が旧法第5条の規定に該当する退職をしたものとみなし、かつ、その者の当該勤続期間を35年として旧法附則第21項の規定の例により計算して得られる額）にそれぞれ100分の83.7（当該勤続期間が20年以上の者（42年以下の者で傷病又は死亡によらずにその者の都合により退職したもの及び37年以上42年以下の者で通勤による傷病以外の公務によらない傷病により退職したものを除く。）にあっては、104分の83.7）を乗じて得た額が、国家公務員退職手当法第2条の4から第6条の5まで並びに附則第6項から第8項まで及び第11項の規定、国家公務員等退職手当法の一部を改正する法律（昭和48年法律第30号）附則第5項から第7項までの規定、国家公務員退職手当法等の一部を改正する法律（平成15年法律第62号）附則第4項の規定並びに附則第5条及び第6条の規定により計算した退職手当の額よりも多いときは、これらの規定にかかわらず、その多い額をもってその者に支給すべきこれらの規定による退職手当の額とする[4]。

2　前項の「新制度切替日」とは、次の各号に掲げる職員の区分に応じ、当該各号に定める日をいう。
　一　施行日の前日及び施行日において職員（国営企業等の職員を除く。以下「一般職員」という。）として在職していた者　施行日
　二　施行日の前日において一般職員として在職していた者で、施行日に国営企業等（当該国営企業等に係る適用日が施行日であるものに限る。）の職員となったもの　施行日
　三　国営企業等のいずれかに係る適用日の前日及び適用日において当該国営企業等の職員として在職していた者（その者の基礎在職期間（国家公務員退職手当法第5条の2第2項に規定する基礎在職期間をいう。以下同じ。）のうち当該適用日前の期間に、新制度適用職員としての在職期間が含まれない者に限る。）　当該国営企業等に係る適用日
　四　国営企業等の職員として在職した後、施行日以後に引き続いて一般職員となった者（その者の基礎在職期間のうち当該一般職員となった日前の期間に、新制度適用職員としての在職期間が含まれない者に限

る。）　当該一般職員となった日
五　国営企業等の職員として在職した後、引き続いて他の国営企業等の職員となった者（その者の基礎在職期間のうち当該他の国営企業等の職員となった日前の期間に、新制度適用職員としての在職期間が含まれない者であって、当該他の国営企業等の職員となった日が当該他の国営企業等に係る適用日以後であるものに限る。）　当該他の国営企業等の職員となった日
六　職員として在職した後、施行日以後に引き続いて地方公務員又は国家公務員退職手当法第７条の２第１項に規定する公庫等職員（他の法律の規定により同条の規定の適用について同項に規定する公庫等職員とみなされる者を含む。以下この項において「公庫等職員」という。）若しくは国家公務員退職手当法第８条第１項に規定する独立行政法人等役員（以下この項において「独立行政法人等役員」という。）となった者で、地方公務員又は公庫等職員若しくは独立行政法人等役員として在職した後引き続いて一般職員となったもの（その者の基礎在職期間のうち当該地方公務員又は公庫等職員若しくは独立行政法人等役員となった日前の期間に、新制度適用職員としての在職期間が含まれない者に限る。）　当該地方公務員又は公庫等職員若しくは独立行政法人等役員となった日
七　職員として在職した後、施行日以後に引き続いて地方公務員又は公庫等職員若しくは独立行政法人等役員となった者で、地方公務員又は公庫等職員若しくは独立行政法人等役員として在職した後引き続いて国営企業等の職員となったもの（その者の基礎在職期間のうち当該地方公務員又は公庫等職員若しくは独立行政法人等役員となった日前の期間に、新制度適用職員としての在職期間が含まれない者であって、当該国営企業等の職員となった日が当該国営企業等に係る適用日以後であるものに限る。）　当該地方公務員又は公庫等職員若しくは独立行政法人等役員となった日
八　施行日の前日に地方公務員として在職していた者又は施行日の前日に公庫等職員として在職していた者のうち職員から引き続いて公庫等職員となった者若しくは施行日の前日に独立行政法人等役員として在職していた者のうち職員から引き続いて独立行政法人等役員となった者で、地方公務員又は公庫等職員若しくは独立行政法人等役員として

在職した後引き続いて一般職員となったもの　施行日
九　施行日の前日に地方公務員として在職していた者又は施行日の前日に公庫等職員として在職していた者のうち職員から引き続いて公庫等職員となった者若しくは施行日の前日に独立行政法人等役員として在職していた者のうち職員から引き続いて独立行政法人等役員となった者で、地方公務員又は公庫等職員若しくは独立行政法人等役員として在職した後引き続いて国営企業等の職員となったもの（当該国営企業等の職員となった日が当該国営企業等に係る適用日以後である者に限る。）　施行日
十　前各号に掲げる者に準ずる者であって政令で定めるもの　施行日から起算して1年を超えない範囲内において政令で定める日[5]
3　前項第8号及び第9号に掲げる者が新制度適用職員として退職した場合における当該退職による退職手当についての第1項の規定の適用については、同項中「退職したものとし」とあるのは「職員として退職したものとし」と、「勤続期間」とあるのは「勤続期間として取り扱われるべき期間」と、「俸給月額」とあるのは「俸給月額に相当する額として政令で定める額」とする[6]。

第4条　削除[7]。

第5条　基礎在職期間の初日が新制度切替日（附則第3条第2項に規定する新制度切替日をいう。次項において同じ。）前である者に対する国家公務員退職手当法第5条の2の規定の適用については、同条第1項中「基礎在職期間」とあるのは、「基礎在職期間（国家公務員退職手当法の一部を改正する法律（平成17年法律第115号）附則第3条第2項に規定する新制度切替日以後の期間に限る。）」とする[8]。

2　新制度適用職員として退職した者で、その者の基礎在職期間のうち新制度切替日以後の期間に、新制度適用職員以外の職員としての在職期間が含まれるものに対する国家公務員退職手当法第5条の2の規定の適用については、その者が当該新制度適用職員以外の職員として受けた俸給月額は、同条第1項に規定する俸給月額には該当しないものとみなす[9]。

第6条　国家公務員退職手当法第6条の4及び附則第11項の規定により退職手当の調整額を計算する場合において、基礎在職期間の初日が平成8年4月1日前である者に対する同条の規定の適用については、次の表の上欄に掲げる同条の規定中同表の中欄に掲げる字句は、それぞれ同表の

下欄に掲げる字句に読み替えるものとする[10]。

読み替える規定	読み替えられる字句	読み替える字句
第1項	その者の基礎在職期間（	平成8年4月1日以後のその者の基礎在職期間（
第2項	基礎在職期間	平成8年4月1日以後の基礎在職期間

2 次に掲げる職員であった者に対する国家公務員退職手当法第6条の4の規定の適用については、当該職員としての在職期間は、同条第4項第5号ロに規定する特別職の職員としての在職期間とみなす。
　一　労働者災害補償保険法等の一部を改正する法律（平成8年法律第42号）による改正前の特別職の職員の給与に関する法律（昭和24年法律第252号。以下「特別職給与法」という。）第1条第12号の2に掲げる労働保険審査会委員
　二　行政機関の保有する情報の公開に関する法律の施行に伴う関係法律の整備等に関する法律（平成11年法律第43号）による改正前の特別職給与法第1条第13号の5の2に掲げる行政改革委員会の常勤の委員
　三　中央省庁等改革のための国の行政組織関係法律の整備等に関する法律（平成11年法律第102号）による改正前の特別職給与法第1条第8号に掲げる政務次官
　四　中央省庁等改革関係法施行法（平成11年法律第160号）による改正前の特別職給与法第1条第13号の2に掲げる原子力委員会の常勤の委員、同条第13号の4に掲げる科学技術会議の常勤の議員及び同条第13号の4の2に掲げる宇宙開発委員会の常勤の委員
　五　航空事故調査委員会設置法等の一部を改正する法律（平成13年法律第34号）による改正前の特別職給与法第1条第13号の6に掲げる航空事故調査委員会の委員長及び常勤の委員並びに同条第14号に掲げる運輸審議会委員
　六　行政機関の保有する個人情報の保護に関する法律等の施行に伴う関係法律の整備等に関する法律（平成15年法律第61号）による改正前の特別職給与法第1条第13号の5の2に掲げる情報公開審査会の常勤の委員
　七　特別職の職員の給与に関する法律等の一部を改正する法律（平成16年法律第146号）による改正前の特別職給与法第1条第13号に掲げる地方財政審議会の会長

八　前各号に掲げる職員に類するものとして政令で定める職員[11]

第7条　この附則に定めるもののほか、この法律の施行に関し必要な経過措置は、政令で定める[12]。

（国家公務員等退職手当暫定措置法の一部を改正する法律の一部改正）

第8条　国家公務員等退職手当暫定措置法の一部を改正する法律（昭和34年法律第164号）の一部を次のように改正する[13]。〔以下略〕

（国家公務員等退職手当法の一部を改正する法律の一部改正）

第9条　国家公務員等退職手当法の一部を改正する法律（昭和48年法律第30号）の一部を次のように改正する[14]。〔以下略〕

（国家公務員退職手当法等の一部を改正する法律の一部改正）

第10条　国家公務員退職手当法等の一部を改正する法律（平成15年法律第62号）の一部を次のように改正する[15]。〔以下略〕

（特別職の職員の給与に関する法律等の一部を改正する法律の一部改正）

第11条　特別職の職員の給与に関する法律等の一部を改正する法律（平成16年法律第146号）の一部を次のように改正する[16]。〔以下略〕

（教育公務員特例法の一部改正）

第12条　教育公務員特例法（昭和24年法律第1号）の一部を次のように改正する[17]。〔以下略〕

（防衛庁の職員の給与等に関する法律の一部改正）

第13条　防衛庁の職員の給与等に関する法律（昭和27年法律第266号）の一部を次のように改正する[18]。〔以下略〕

（防衛庁の職員の給与等に関する法律の一部改正に伴う経過措置）

第14条　防衛省の職員の給与等に関する法律（昭和27年法律第266号。以下この条において「防衛省職員給与法」という。）第28条第1項に規定する任用期間の定めのある隊員が新制度適用任期制隊員（施行日前において前条の規定による改正前の防衛庁の職員の給与等に関する法律第28条第1項に規定する任用期間の定めのある隊員であって、その者が防衛省の職員の給与等に関する法律の一部を改正する法律（平成19年法律第124号）の施行の日以後に退職することにより防衛省職員給与法の規定による退職手当の支給を受けることとなる者をいう。）として退職した場合において防衛省職員給与法第28条第3項ただし書（同条第6項後段において準用する場合を含む。）、第9項第2号及び第3号及び第12項の

規定により新法の規定の例による場合には、附則第3条から第6条までの規定の適用があるものとする[19]。

（最高裁判所裁判官退職手当特例法の一部改正）
第15条　最高裁判所裁判官退職手当特例法（昭和41年法律第52号）の一部を次のように改正する[20]。〔以下略〕

（国際機関等に派遣される一般職の国家公務員の処遇等に関する法律の一部改正）
第16条　国際機関等に派遣される一般職の国家公務員の処遇等に関する法律（昭和45年法律第117号）の一部を次のように改正する[21]。〔以下略〕

（研究交流促進法の一部改正）
第17条　研究交流促進法（昭和61年法律第57号）の一部を次のように改正する[22]。〔以下略〕

（国会職員の育児休業等に関する法律の一部改正）
第18条　国会職員の育児休業等に関する法律（平成3年法律第108号）の一部を次のように改正する[23]。〔以下略〕

（国家公務員の育児休業等に関する法律の一部改正）
第19条　国家公務員の育児休業等に関する法律（平成3年法律第109号）の一部を次のように改正する[24]。〔以下略〕

（裁判官の育児休業に関する法律の一部改正）
第20条　裁判官の育児休業に関する法律（平成3年法律第111号）の一部を次のように改正する[25]。〔以下略〕

（国際機関等に派遣される防衛庁の職員の処遇等に関する法律の一部改正）
第21条　国際機関等に派遣される防衛庁の職員の処遇等に関する法律（平成7年法律第122号）の一部を次のように改正する[26]。〔以下略〕

（国と民間企業との間の人事交流に関する法律の一部改正）
第22条　国と民間企業との間の人事交流に関する法律（平成11年法律第224号）の一部を次のように改正する[27]。〔以下略〕

（法科大学院への裁判官及び検察官その他の一般職の国家公務員の派遣に関する法律の一部改正）
第23条　法科大学院への裁判官及び検察官その他の一般職の国家公務員の派遣に関する法律（平成15年法律第40号）の一部を次のように改正する[28]。〔以下略〕

（判事補及び検事の弁護士職務経験に関する法律の一部改正）
第24条　判事補及び検事の弁護士職務経験に関する法律（平成16年法律第121号）の一部を次のように改正する[29]。〔以下略〕
　（郵政民営化法の一部改正）
第25条　郵政民営化法（平成17年法律第97号）の一部を次のように改正する[30]。〔以下略〕
　（郵政民営化法等の施行に伴う関係法律の整備等に関する法律の一部改正）
第26条　郵政民営化法等の施行に伴う関係法律の整備等に関する法律（平成17年法律第102号）の一部を次のように改正する。
　　第144条を第145条とし、第143条を第144条とし、第142条の次に次の1条を加える。
　（国家公務員退職手当法の一部を改正する法律の一部改正）
第143条　国家公務員退職手当法の一部を改正する法律（平成17年法律第115号）の一部を次のように改正する。
　　附則第2条中「日本郵政公社」を「郵政民営化法（平成17年法律第97号）第166条第1項の規定による解散前の日本郵政公社」に改める[31]。

【解説】

　平成17年法律第115号は、「国家公務員退職手当法の一部を改正する法律」である。
　改正の主要な内容は、以下のとおりである。
(ア)　勤続年数に中立的な形で貢献度を勘案する部分の新設
　（ⅰ）一般の退職手当の額は、退職手当の基本額に、退職手当の調整額を加えて得た額とする。
　〔一般の退職手当の計算方法〕
　　退職手当＝基本額（退職日俸給月額×退職理由別・勤続年数別支給率）＋調整額
　（ⅱ）退職手当の調整額は、基礎在職期間の初日の属する月から末日の属する月までの各月ごとに、当該各月にその者が属していた職員の区分（第1号区分～第11号区分）に応じて定める額（調整月額）のうち、その額が多いものから60月分の調整月額を合計した額とする。

(イ)　退職手当の基本額の支給率カーブのフラット化
　　　中期勤続者の支給率を引き上げ、長期勤続者の支給率を微減するとともに、段差の少ないゆるやかな構造にする。
　(ウ)　俸給月額が減額されたことがある場合の退職手当の基本額に係る特例
　　　基礎在職期間中に、俸給月額の減額改定以外の理由（降格、俸給表間異動等）によりその者の俸給月額が減額されたことがある場合において、特定減額前俸給月額（当該理由による減額がなかったものとした場合の俸給月額のうち最も多いもの）が退職日俸給月額よりも多いときは、退職手当の基本額の計算方法の特例を適用する。
　　〔計算方法の特例〕
　　退職手当の基本額＝特定減額前俸給月額×減額日前日までの勤続期間に応じた支給率＋退職日俸給月額×（退職日までの勤続期間に応じた支給率－減額日前日までの勤続期間に応じた支給率）
　(エ)　その他の改善措置
　　(i)　研究休職で政令で定める要件を満たすものの特例
　　　研究休職で政令で定める要件を満たすものは、基礎在職期間及び勤続期間において、休職期間として取り扱わない。
　　(ii)　育児休業期間の特例
　　　育児休業期間のうち、子が1歳に達した日の属する月までの期間については、勤続期間からその月数の3分の1を除算する。
(1)　改正法の施行日は平成18年4月1日とされた。これは、一般職の職員の給与に関する法律等の一部を改正する法律（平成17年法律第113号）等の給与構造の改革に関する部分の施行日と同日である(注)。

　　年功的な給与上昇の抑制と職務・職責に応じた俸給構造への転換等を図るための給与構造の改革と、公務への貢献の退職手当への反映をより的確に行うための退職手当制度の構造的見直しは政策として軌を一にするものであること、この改正法では、給与構造の改革のための給与法改正による俸給月額の低下による影響も含め、直近の民間退職手当水準調査に基づく官民均衡水準を維持する内容となっており、給与構造の改革のための給与関係法令の施行より退職手当法の改正の施行が遅れた場合、その間は、退職手当の水準が民間均衡を大きく下回ることとなること等から、施行日を一致させたものである。

　(注)　一般職の職員の給与に関する法律等の一部を改正する法律の他、特別職の職員の給与に関する法律等の一部を改正する法律（平成17年法律第114号）、裁判官の報酬等に

関する法律の一部を改正する法律（平成17年法律第116号）、検察官の俸給等に関する法律の一部を改正する法律（平成17年法律第118号）及び防衛庁の職員の給与等に関する法律の一部を改正する法律（平成17年法律第122号）の給与構造の改革に関する部分も、同日に施行されている。

(2) 附則第2条の規定は、適用日の特例に関する規定である。すなわち、旧国有林野事業、特定独立行政法人（施行日以後に非特定独立行政法人となった法人その他の政令で定めるものを含む。）及び旧日本郵政公社（以下「国営企業等」という。）の職員の退職による退職手当については、国営企業等ごとに、この法律の施行日から起算して1年を超えない範囲内において政令で定める日から適用し、適用日前の当該退職による退職手当については、なお従前の例によることとしている。

国営企業等の職員について新制度の適用時期の特例を設けたのは、次のような理由による。

独立行政法人制度においては、国民のニーズに則した行政サービスの提供等を実現するため、法人運営の細部にわたる事前関与・統制を極力排し、組織運営上の裁量・自律性（インセンティブ制度）を可能な限り拡大することにより、弾力的・効果的な業務運営を確保して、効率化・質の向上といった国民の求める成果の達成を可能とすることとされている。

このため、独立行政法人においては、国民のニーズや社会経済情勢の変化に弾力的に対応できるよう、法人の長に職員管理を含む業務運営に関して大きな裁量が与えられており、職員が国家公務員である特定独立行政法人（現在の行政執行法人）においても、勤務条件法定主義の例外を設け、給与を自主的に決定することができる等の自律性が法人に与えられている。

したがって、職員が国家公務員の身分を有する特定独立行政法人においては、職員の公務への貢献の度についても、他の国家公務員退職手当法適用職員と異なり、公務への貢献を職務の級や官職の職制上の段階等の法令上の制度を通じて判断することが困難であり、また、弾力的な業務運営のために経営判断で柔軟に変更され得るしくみとなっている。

改正後の国家公務員退職手当法を特定独立行政法人の職員に適用するに当たっては、区分及び区分に応じた月額の設定、並びに区分への職員の区分の当てはめに際し、職員の公務への貢献の度の考え方について個々の法人の諸事情をよく踏まえて検討する必要がある。また、公務への貢献の度の判断材料の一つである給与制度については、給与構造の改革に応じた見直しを行うことが予想され、これについては労使交渉が必要とされていることから、

個々の法人の給与改定交渉の妥結時期も勘案して適用する必要がある。したがって、特定独立行政法人等の職員に対する新制度の適用時期については、特例を設け、それまでの間は従前の例によることとなっている。

また、独立採算性の公社である日本郵政公社の職員やその事業の企業性により国営事業として同じく独立採算制の下で弾力性をもって運営されている国有林野事業の職員についても、同様の趣旨から、同一の措置を採ることとしたものである。

具体的な適用日は、「国家公務員退職手当法の一部を改正する法律の施行に伴う経過措置に関する政令」（平成18年政令第30号）（以下「経過措置令」という。）第1条において規定されている。

○経過措置令（抄）
（法附則第2条に規定する政令で定める法人等）
第1条 国家公務員退職手当法の一部を改正する法律（以下「法」という。）附則第2条に規定する政令で定める法人は、次に掲げる法人とする。
　一　独立行政法人に係る改革を推進するための独立行政法人農林水産消費技術センター法及び独立行政法人森林総合研究所法の一部を改正する法律（平成19年法律第8号。以下「農林水産消費技術センター法等改正法」という。）第1条の規定による改正前の独立行政法人農林水産消費技術センター法（平成11年法律第183号）第2条の独立行政法人農林水産消費技術センター
　二　農林水産消費技術センター法等改正法附則第3条第1項の規定による解散前の独立行政法人肥飼料検査所
　三　農林水産消費技術センター法等改正法附則第3条第1項の規定による解散前の独立行政法人農薬検査所
　四　自動車検査独立行政法人（自動車検査独立行政法人法及び道路運送車両法の一部を改正する法律（平成19年法律第9号）の施行の日の前日までの間におけるものに限る。）
　五　独立行政法人国立公文書館
　六　独立行政法人駐留軍等労働者労務管理機構
　七　独立行政法人統計センター
　八　独立行政法人造幣局
　九　独立行政法人国立印刷局
　十　独立行政法人製品評価技術基盤機構
　十一　独立行政法人国立病院機構（独立行政法人通則法の一部を改正する法律の施行に伴う関係法律の整備に関する法律（平成26年法律第67号。以下「平成26年独法整備法」という。）の施行の日の前日までの間におけるものに限る。）
2　次に掲げる国営企業等に係る法附則第2条に規定する政令で定める日は、平成18年4月1日とする。
　一　国有林野の有する公益的機能の維持増進を図るための国有林野の管理経営に関する法律等の一部を改正する法律（平成24年法律第42号）第5条第1号の規定による廃止前の国有林野事業を行う国の経営する企業に勤務する職員の給与等に関する特例法

（昭和29年法律第141号）第2条第1項に規定する国有林野事業を行う国の経営する企業
　二　前項第1号から第10号までに掲げる法人
 3　第1項第11号に掲げる法人に係る法附則第2条に規定する政令で定める日は、平成18年8月1日とする。
 4　郵政民営化法（平成17年法律第97号）第166条第1項の規定による解散前の日本郵政公社に係る法附則第2条に規定する政令で定める日は、平成19年3月31日とする。

⑶　平成24年改正法において、平成17年改正法附則第3条第1項に「公務によらない傷病」という文言を追加したが、本来、調整率の対象となる通勤による傷病を除くことが必要であり、その主旨を条文上明確にするため、「通勤による傷病以外の公務によらない傷病」とした。
⑷　附則第3条の規定は、改正後の退職手当法の規定に基づく退職手当の額が、改正前の退職手当法の規定に基づく額を下回る場合の保障に係る経過措置を規定したものである。
　　平成17年の退職手当法の改正においては、公務員制度改革における指摘や給与構造の改革等の状況を踏まえ、退職手当を基本額部分と職務・職責に応じた調整額との2本立て構造とするといった構造面の見直しを行うものである一方、これまでの退職手当制度を前提にした職員の期待権を一定の範囲で保護することも必要だった。このため、本条においては、改正後の退職手当法の規定に基づく退職手当の額が、改正前の退職手当法の規定に基づく額を下回る場合の保障について所要の措置を講じることとしている。退職金債権は、判例上、退職時に確定するものとされており、これによれば期待権は保護しなくても良いこととなる。しかしながら、一般的に民間企業においても、退職金制度の見直しに際して過去勤務分の期待権（＝当該制度見直し時点における過去の勤続期間に対応する期待権）は保護することとされている。国家公務員の退職手当制度の見直しに際しても、従来このような考え方に基づいて経過措置を設けてきたことから、平成17年の改正にあたっても同様に過去勤務分の期待権を保護する経過措置を設けることとしたものである。
　　本条は、ある退職者の退職手当額が、改正後の退職手当法に基づき算定した額が、新制度切替日の前日に同じ退職理由で退職したと仮定した場合の額（新制度切替日前日額）より低くなる場合には、新制度切替日前日額を保障するものであり、改正前の退職手当法第3条から第6条までの計算規定のほか、改正前の原始附則第21項から第23項まで、附則第9条の規定による改正

前の昭和48年法律第30号附則第5項から第7項まで及び、附則第10条の規定による改正前の平成15年法律第62号附則第4項の規定に基づき計算した額に調整率100分の83.7（新制度切替日前日において既に勤続期間が20年以上の者であって、傷病又は死亡によらずにその者の都合により退職した者等でない場合にあっては104分の83.7）を掛けて計算した額のいずれか多い方の額を支給するべき退職手当の額とするものである。この場合、新制度切替日前日額について、定年前早期退職特例措置（割増の有無、割増率及び割増年数）は新制度切替日前日の時点における俸給月額、年齢及び勤続年数により計算することとなるので注意を要する。

(5) 新制度切替日とは、職員が初めて新制度の適用職員になった日であり、一般的には施行日を指す。ただし、施行日と異なる適用日となる国営企業等の職員や、地方公務員、公庫等職員又は独立行政法人等役員として出向中の者に関する取扱いをどうするかを決めておく必要がある。このため、施行日を新制度切替日とする原則の下、自律性をもって給与等を決定することとなっている国営企業等の職員については特例として適用日を新制度切替日とすることとし、その他、適用前の国営企業等から国営企業等の職員以外の職員（一般職員）に異動した場合等の人事異動の実態を踏まえ、新制度切替日を第1号から第9号までにより設定している。各号を図示すると次のとおりである。

施行日以降、適用日前の国営企業等職員から地方公務員等に出向したのち引き続いて職員に復帰した場合については、適用日以後の国営企業等に復帰した場合であっても、当該国営企業等の適用日ではなく、当該地方公務員等になった日を新制度切替日としている（第7号）。これは退職手当法の職員概念の外に出て行く日をもって新制度切替日としているものである。また、逆に施行日に退職手当法の職員概念の外にいる職員については、そもそも特例の対象とはならず、原則に立ち戻って新制度切替日を施行日とすることが適当であることから、施行日の前日から地方公務員等として在職し、その後これらの者として在職した後、職員として復帰した場合については、一般職員として復帰しても適用日以後の国営企業等の職員として復帰しても、共に「施行日」を新制度切替日としているところである（ただし、適用日以前の国営企業等の職員として復帰した場合には、当該国営企業等の適用日が新制度切替日となる。）。

なお、第10号において、第1号から第9号までに掲げる者に準ずる者として政令で定める者の適用日について規定しているが、同号に基づく政令は定

められていない。

第1号　施行日の前日及び施行日において職員（国営企業等の職員を除く。以下「一般職員」という。）として在職していた者：施行日

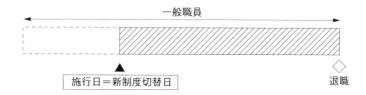

第2号　施行日の前日において一般職員として在職していた者で、施行日に国営企業等（当該国営企業等に係る適用日が施行日であるものに限る。）の職員となったもの：施行日

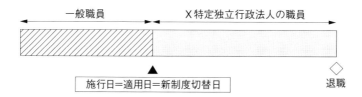

第3号　国営企業等のいずれかに係る適用日の前日及び適用日において当該国営企業等の職員として在職していた者（その者の基礎在職期間のうち当該適用日前の期間に、新制度適用職員としての在職期間が含まれない者に限る。）：当該国営企業等に係る適用日

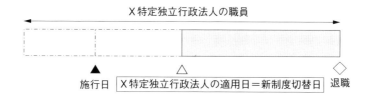

第4号　国営企業等の職員として在職した後、施行日以後に引き続いて一般職員となった者（その者の基礎在職期間のうち当該一般職員となった日前の期間に、新制度適用職員としての在職期間が含まれない者に限る。）：当該一般職員となった日

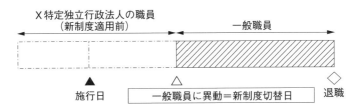

第5号　国営企業等の職員として在職した後、引き続いて他の国営企業等の職員となった者（その者の基礎在職期間のうち当該他の国営企業等の職員となった日前の期間に、新制度適用職員としての在職期間が含まれない者であって、当該他の国営企業等の職員となった日が当該他の国営企業等に係る適用日以後であるものに限る。）：当該他の国営企業等の職員となった日

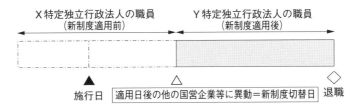

第6号　職員として在職した後、施行日以後に引き続いて地方公務員又は国家公務員退職手当法第7条の2第1項に規定する公庫等職員（他の法律の規定により同条の規定の適用について公庫等職員とみなされる者を含む。以下同じ。）若しくは国家公務員退職手当法第8条第1項に規定する独立行政法人等役員となった者で、地方公務員又は公庫等職員若しくは独立行政法人等役員として在職した後引き続いて一般職員となったもの（その者の基礎在職期間のうち当該地方公務員又は公庫等職員若しくは独立行政法人等役員となった日前の期間に、新制度適用職員としての在職期間が含まれない者に限る。）：当該地方公務員又は公庫等職員若しくは独立行政法人等役員となった日

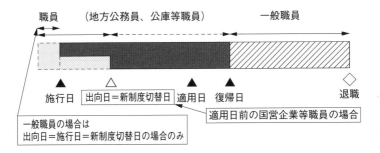

第7号　職員として在職した後、施行日以後に引き続いて地方公務員又は公庫等職員若しくは独立行政法人等役員となった者で、地方公務員又は公庫等職員若しくは独立行政法人等役員として在職した後引き続いて国営企業等の職員となったもの（その者の基礎在職期間のうち当該地方公務員又は公庫等職員若しくは独立行政法人等役員となった日前の期間に、新制度適用職員としての在職期間が含まれない者であって、当該国営企業等の職員となった日が当該国営企業等に係る適用日以後であるものに限る。）：当該地方公務員又は公庫等職員若しくは独立行政法人等役員となった日

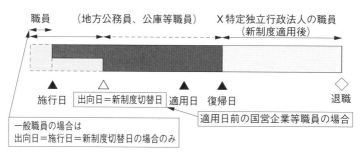

第8号　施行日の前日に地方公務員として在職していた者又は施行日の前日に公庫等職員として在職していた者のうち職員から引き続いて公庫等職員となった者若しくは施行日の前日に独立行政法人等役員として在職していた者のうち職員から引き続いて独立行政法人等役員となった者で、地方公務員又は公庫等職員若しくは独立行政法人等役員として在職した後引き続いて一般職員となったもの：施行日

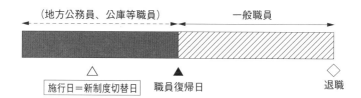

第9号　施行日の前日に地方公務員として在職していた者又は施行日の前日に公庫等職員として在職していた者のうち職員から引き続いて公庫等職員となった者若しくは施行日の前日に独立行政法人等役員として在職していた者のうち職員から引き続いて独立行政法人等役員となった者で、地方公務員又は公庫等職員若しくは独立行政法人等役員として在職した後引き続いて国営企業等の職員となったもの（当該国営企業等の職員となった日が当該国営企

業等に係る適用日以後である者に限る。）：施行日

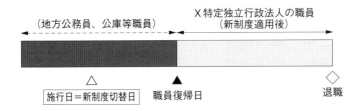

(6) 施行日の前日に、地方公務員として在職する者又は任命権者の要請により公庫等職員若しくは独立行政法人等役員として在職する者が、その後職員となり退職した場合については、新制度切替日たる施行日の前日においては退職手当法上の職員ではないため、職員とみなして新制度切替日前日額を計算するために、所要の読替え規定を定めている。

なお、「俸給月額に相当する額として政令で定める額」は、経過措置令第2条及びこれに基づく内閣総理大臣の定めにより、給与制度におけるいわゆる給与の再計算のルールに従って計算すべきものとされている。

〇経過措置令（抄）
（法附則第3条第3項の規定により読み替えて適用する同条第1項に規定する政令で定める額）

第2条 法附則第3条第3項（前条第2項において準用する場合を含む。）の規定により読み替えて適用する法附則第3条第1項に規定する政令で定める額は、同条第2項第8号及び第9号並びに前条第1項第2号に掲げる者が、内閣総理大臣の定めるところにより、その者の地方公務員、公庫等職員又は独立行政法人等役員としての在職期間において職員として在職していたものとみなした場合に、その者が平成18年3月31日において受けるべき俸給月額とする。

〇国家公務員退職手当法の一部を改正する法律（平成17年法律第115号）の施行後の退職手当の取扱いについて（通知）（平成18年3月14日総人恩総第204号）（抄）

第四 国家公務員退職手当法の一部を改正する法律の施行に伴う経過措置に関する政令第2条及び第3条関係

国家公務員退職手当法の一部を改正する法律の施行に伴う経過措置に関する政令（以下「経過措置令」という。）第2条及び第3条に規定する俸給月額は、退職した者で国家公務員退職手当法の一部を改正する法律（平成17年法律第115号）附則第3条第2項第8号及び第9号並びに経過措置令第1条の2第1項第2号に掲げる者であったものが第二の第1項及び第2項の規定により同法の施行の日の前日を含む特定基礎在職期間においてこれらの項の各号に定める職員として在職していたものとみなされる場合に当該特定基礎在職期間にその者に適用されることとなる初任給の決定、昇格、昇給等に関する規定の例により計算した場合にその者が同日において受けるべき俸給月額とする。

(7) 附則第4条は、本制度改正後における退職手当の額が、従来の制度の下で

計算した額を超える場合の支給調整規定であり、新制度切替日以後平成21年3月31日までの間に退職した職員が適用対象となっていた（詳細は第6次改訂版参照）。

(8) 附則第5条は、改正法により新たに設けられた法第5条の2（俸給月額の減額改定以外の理由により俸給月額が減額されたことのある場合の退職手当の基本額に係る特例）の経過措置である。

　第1項は、新制度切替日前から在職する職員に係る減額日（給与の減額改定以外の理由により俸給月額が減額した場合における当該理由が生じた日）は、新制度切替日以後の期間が対象であることを、「基礎在職期間」を「基礎在職期間（国家公務員退職手当法の一部を改正する法律（平成17年法律第115号）附則第3条第2項に規定する新制度切替日以後の期間に限る。）」と読み替えることにより明記したものである。

　減額日を新制度切替日以降の期間としたのは、そもそも法第5条の2の規定は、今後、在職期間長期化等のために俸給月額を減額するという人事運用も含め、複線化する人事管理に対応できるよう、在職期間中に俸給月額の減額があった場合に当該減額前に早期退職する場合よりも退職手当額が著しく下がることがないようにとの趣旨で設けられたものであり、給与減額改定による減額は法第5条の2の特例の対象とはならない。一方、新制度切替日前の俸給月額は、(1)で述べた一般職の職員の給与に関する法律等の一部を改正する法律（平成17年法律第113号）等による給与構造の改革に伴う引下げの前の俸給月額（国営企業等職員についても一般職の職員と同様、引下げ措置が行われる前の俸給月額）であることから、新制度切替日前（したがって、一般職員の場合には平成18年3月31日以前）の俸給月額が「特定減額前俸給月額」となった場合には、平成18年4月1日の給与構造改革に伴う俸給引下げ（給与減額改定として分類される）の効果が反映されていない俸給月額を法第5条の2に規定する「特定減額前俸給月額」として扱うこととなり、適当ではないからである。

　なお、新制度切替日以後に俸給月額の減額があるということは、同日以後の特定の日の俸給月額と比較して俸給月額が低くなっているということを意味する。したがって、新制度切替日の日付で降格人事が行われ当該人事がないとした場合に給与制度上の俸給の切り替え後に受けるべき俸給月額より低い俸給月額を受けたとしても、法第5条の2の適用の余地はなく、実際には、新制度切替日の翌日以降の俸給月額の減額について同条が適用されることとなる。

(9) 附則第5条第2項は、改正法の施行日以降、改正後の退職手当法が適用されていない国営企業等の職員として在職した期間については、当該期間において俸給月額の減額があった場合であってもその減額前の俸給月額は法第5条の2の規定する特定減額前俸給月額とはしないこととするものである。これは、前項の場合と同様、改正法が適用されていない国営企業等については、給与構造改革に伴う俸給月額の引下げ措置が依然として行われていないままであるので、この俸給月額を特定減額前俸給月額とすることは適当ではないからである。

(10) 附則第6条は、法第6条の4及び附則第11項に規定する退職手当の調整額を計算する際の、施行日前の基礎在職期間の取扱いについての経過措置に関する規定である。

　第1項は、改正法の施行前から在職している者における調整額に係る基礎在職期間の起算点を平成8年4月1日とするための読み替え規定である。改正法の施行前から長期間在職している者が退職した場合に、基礎在職期間のすべてについて職員の区分に応じた調整月額を付すこととすると、①累次にわたる俸給表の見直しが行われていることなどから、遡って法第6条の4第1項で定める11区分のいずれに相当するかの対応関係を把握し、確定させることは事実上困難であること、②今後はともかく、これまでの人事管理の実情を踏まえれば、退職時から相当期間遡った時期に職務・職責が高い時期があることは考えにくいこと等から、改正法の施行日の10年前、すなわち平成8年4月1日以降を対象とすることにしたものである。10年としたのは、調整額を算出するためには、最低5年分の職員として従事した期間について調整月額を決定する必要があり、かつ、いわゆる専従休職、研究休職等の除算となる期間があり得ることを勘案したためである。すなわち、研究休職の最高限度5年（除算2年6月）、いわゆる専従休職の最高限度5年（本則上。現在は国家公務員法及び行政執行法人の労働関係に関する法律の附則により、当分の間7年。）（除算年数同じ）等に鑑み、施行日前10年間について、調整額算定の基礎としたものである。

(11) 附則第6条第2項は、平成8年4月1日以後、特別職給与法上の特別職の職員であった者について在職期間とみなすための規定である。

　法第6条の4第4項第5号ロにおいては、基礎在職期間がすべて特別職給与法第1条各号（第73号に定める宮内庁職員（宮内庁長官、侍従長、東宮大夫及び式部官長を除く。）及び第74号に定める国会職員を除く。）に掲げる特別職の職員としての在職期間である者については、法第3条から第5条まで

の規定により計算した退職手当の基本額の100分の8（附則第11項の規定による読替えにより、当分の間は100分の8.3）に相当する額をこれらの者の退職手当の調整額としているところであるが、特別職給与法に掲げられている特別職の官職には変動があり、改正法施行時では規定されていない官職もあるところである。

　このため、こうした改正法施行時の特別職給与法では規定されていない官職の職員に該当する期間が基礎在職期間に含まれる者について、改正法の施行日前に特別職給与法第1条に列挙されていた官職の職員であった者で、常勤であった者の種類を本項で列挙しているものである。なお、これらの職員の種類については、本条第1項との平仄などの観点から、改正法の施行日から10年前（平成8年4月1日）までに存在しており、かつ、現在の特別職給与法に規定されていない職員の種類を列挙しているところである。ただし、宮内庁法の一部を改正する法律（平成13年法律第32号）による改正前の特別職給与法第1条第15号に掲げられていた皇太后宮大夫については、その職にあった者は既に退職しているため、本項では規定していない。

　第8号においては、第1号から第7号までに掲げる職員に類するものとして政令で定める職員を掲げている。これは、改正法施行日後に、特別職給与法第1条に列挙されていた官職について、法律改正による名称変更等により特別職給与法に規定されなくなった際、同号に基づく政令で追記していくことを想定したものであり、現在、以下のとおり経過措置令に規定されている。なお、ここに列挙されている以外にも改正施行後に特別職給与法で規定されなくなった官職は存在するが、その職にあった者が既に退職しているか、本項の適用対象者ではなかったため、政令では規定していない。

○経過措置令（抄）
　（法附則第6条第2項第8号に規定する政令で定める職員）
第3条　法附則第6条第2項第8号に規定する政令で定める職員は、次に掲げる職員とする。
　一　内閣府設置法の一部を改正する法律（平成26年法律第31号）附則第4条第1号の規定による改正前の特別職の職員の給与に関する法律（平成24年法律第252号）第1条第17号に掲げる総合科学技術会議の常勤の議員
　二　個人情報の保護に関する法律及び行政手続における特定の個人を識別するための番号の利用等に関する法律の一部を改正する法律（平成27年法律第65号）附則第13条の規定による改正前の特別職の職員の給与に関する法律第1条第14号の2に掲げる特定個人情報保護委員会の委員長及び常勤の委員

⑿　附則第7条は、この改正法施行に関し、必要な経過措置を政令に委任する

旨を定めている。本条の規定に基づき、経過措置令第4条から第6条までが定められている。

〇経過措置令（抄）
（特定の者に対する退職手当の額の計算に関する経過措置）
第4条 裁判官の報酬等に関する法律の一部を改正する法律（平成17年法律第116号）附則第2条第1項の規定による報酬月額を受けていたことがある者が退職した場合においては、その者が当該報酬月額を受けていた間、俸給月額として122万6,000円を受けていたものとみなして、その者に対する退職手当の額を計算するものとする。

（基礎在職期間に旧財務省造幣局の職員としての在職期間等が含まれる場合に関する経過措置）
第5条 退職した者の基礎在職期間に次に掲げる期間が含まれる場合においては、当該期間における職員としての在職を職員以外の者としての在職と、当該期間を国家公務員退職手当法第5条の2第2項第7号に規定する政令で定める在職期間とそれぞれみなして、同法第6条の4及び国家公務員退職手当法施行令（昭和28年政令第215号）第6条の2の規定を適用する。

一 独立行政法人造幣局法（平成14年法律第40号）附則第8条による改正前の国営企業及び特定独立行政法人の労働関係に関する法律（昭和23年法律第257号）第2条第1号ニに掲げる事業（これに附帯する事業を含む。）を行う国の経営する企業に勤務する職員としての在職期間（一般職の職員の給与に関する法律（昭和25年法律第95号。以下「一般職給与法」という。）の適用を受けていた職員としての在職期間を除く。次号及び第3号において同じ。）

二 独立行政法人国立印刷局法（平成14年法律第41号）附則第9条による改正前の国営企業及び特定独立行政法人の労働関係に関する法律第2条第1号ハに掲げる事業（これに附帯する事業を含む。）を行う国の経営する企業に勤務する職員としての在職期間

三 郵政民営化法等の施行に伴う関係法律の整備等に関する法律（平成17年法律第102号）第2条第12号の規定による廃止前の日本郵政公社法施行法（平成14年法律第98号）第141条による改正前の国営企業及び特定独立行政法人の労働関係に関する法律第2条第1号イに掲げる事業（これに附帯する事業を含む。）を行う国の経営する企業に勤務する職員としての在職期間

四 平成26年独法整備法第88条の規定による改正前の独立行政法人宇宙航空研究開発機構法（平成14年法律第161号）附則第10条第1項の規定により解散した旧独立行政法人航空宇宙技術研究所の職員としての在職期間

五 平成26年独法整備法第170条の規定による改正前の独立行政法人産業技術総合研究所法（平成11年法律第203号）第2条の独立行政法人産業技術総合研究所の職員としての在職期間（独立行政法人産業技術総合研究所法の一部を改正する法律（平成16年法律第83号）の施行の日の前日までの間に限る。）

六 平成8年4月1日から平成16年10月27日までの間において適用されていた一般職給与法（他の法令において、引用し、準用し、又はその例による場合を含む。）の教育職俸給表㈡又は教育職俸給表㈢の適用を受けていた期間

七 平成26年独法整備法第47条の規定による改正前の独立行政法人情報通信研究機構法（平成11年法律第162号）第3条の独立行政法人情報通信研究機構の職員としての在職

期間（独立行政法人通信総合研究所法の一部を改正する法律（平成14年法律第134号）附則第2条の規定により独立行政法人情報通信研究機構となった旧独立行政法人通信総合研究所の職員としての在職期間を含み、独立行政法人情報通信研究機構法の一部を改正する法律（平成18年法律第21号）の施行の日の前日までの間に限る。）

八　独立行政法人消防研究所の解散に関する法律（平成18年法律第22号）第1項の規定により解散した旧独立行政法人消防研究所の職員としての在職期間

九　独立行政法人酒類総合研究所の職員としての在職期間（独立行政法人酒類総合研究所法の一部を改正する法律（平成18年法律第23号）の施行の日の前日までの間に限る。）

十　独立行政法人に係る改革を推進するための文部科学省関係法律の整備に関する法律（平成18年法律第24号。以下「平成18年独法改革文部科学省関係法整備法」という。）第3条の規定による改正前の独立行政法人国立オリンピック記念青少年総合センター法（平成11年法律第167号）第2条の国立オリンピック記念青少年総合センターの職員としての在職期間

十一　学校教育法等の一部を改正する法律（平成18年法律第80号）第4条の規定による改正前の独立行政法人国立特殊教育総合研究所法（平成11年法律第165号）第2条の独立行政法人国立特殊教育総合研究所、独立行政法人大学入試センター、独立行政法人国立女性教育会館、独立行政法人に係る改革を推進するための文部科学省関係法律の整備等に関する法律（平成21年法律第18号）附則第2条第1項の規定により解散した旧独立行政法人国立国語研究所、独立行政法人国立科学博物館、平成26年独法整備法第79条の規定による改正前の独立行政法人物質・材料研究機構法（平成11年法律第173号）第3条の独立行政法人物質・材料研究機構、平成26年独法整備法第80条の規定による改正前の独立行政法人防災科学技術研究所法（平成11年法律第174号）第3条の独立行政法人防災科学技術研究所、平成26年独法整備法第81条の規定による改正前の独立行政法人放射線医学総合研究所法（平成11年法律第176号）第2条の独立行政法人放射線医学総合研究所、独立行政法人国立美術館、独立行政法人国立博物館の一部を改正する法律（平成19年法律第7号）による改正前の独立行政法人国立博物館法（平成11年法律第178号）第2条の独立行政法人国立博物館及び独立行政法人国立博物館法の一部を改正する法律附則第2条第1項の規定により解散した旧独立行政法人文化財研究所の職員としての在職期間（平成18年独法改革文部科学省関係法整備法の施行の日の前日までの間に限る。）

十二　独立行政法人に係る改革を推進するための厚生労働省関係法律の整備に関する法律（平成18年法律第25号。以下「平成18年独法改革厚生労働省関係法整備法」という。）第1条の規定による改正前の独立行政法人産業安全研究所法（平成11年法律第181号）第2条の独立行政法人産業安全研究所及び平成18年独法改革厚生労働省関係法整備法附則第8条第1項の規定により解散した旧独立行政法人産業医学総合研究所の職員としての在職期間

十三　独立行政法人医薬基盤研究所法の一部を改正する法律（平成26年法律第38号）附則第2条第1項の規定により解散した旧独立行政法人国立健康・栄養研究所の職員としての在職期間（平成18年独法改革厚生労働省関係法整備法の施行の日の前日までの間に限る。）

十四　独立行政法人に係る改革を推進するための農林水産省関係法律の整備に関する法律（平成18年法律第26号。以下「平成18年独法改革農林水産省関係法整備法」とい

う。）第１条の規定による改正前の独立行政法人農業・生物系特定産業技術研究機構法（平成11年法律第192号）第３条の独立行政法人農業・生物系特定産業技術研究機構並びに平成18年独法改革農林水産省関係法整備法附則第８条第１項の規定により解散した旧独立行政法人農業者大学校、旧独立行政法人農業工学研究所及び旧独立行政法人食品総合研究所の職員としての在職期間（独立行政法人農業技術研究機構法の一部を改正する法律（平成14年法律第129号）附則第２条の規定により独立行政法人農業・生物系特定産業技術研究機構となった旧独立行政法人農業技術研究機構の職員としての在職期間を含む。）

十五 平成26年独法整備法第153条の規定による改正前の独立行政法人水産総合研究センター法（平成11年法律第199号）第２条の独立行政法人水産総合研究センター及び平成18年独法改革農林水産省関係法整備法附則第16条第１項の規定により解散した旧独立行政法人さけ・ます資源管理センターの職員としての在職期間（平成26年独法整備法第153条の規定による改正前の独立行政法人水産総合研究センター法第２条の独立行政法人水産総合研究センターの職員としての在職期間にあっては、平成18年独法改革農林水産省関係法整備法の施行の日の前日までの間に限る。）

十六 独立行政法人種苗管理センター、独立行政法人家畜改良センター、農林水産消費技術センター法等改正法附則第６条第１項の規定により解散した旧独立行政法人林木育種センター、独立行政法人水産大学校、平成26年独法整備法第149条の規定による改正前の独立行政法人農業生物資源研究所法（平成11年法律第193号）第２条の独立行政法人農業生物資源研究所、平成26年独法整備法第150条の規定による改正前の独立行政法人農業環境技術研究所法（平成11年法律第194号）第２条の独立行政法人農業環境技術研究所、平成26年独法整備法第151条の規定による改正前の独立行政法人国際農林水産業研究センター法（平成11年法律第197号）第２条の独立行政法人国際農林水産業研究センター及び平成26年独法整備法第152条の規定による改正前の独立行政法人森林総合研究所法（平成11年法律第198号）第２条の独立行政法人森林総合研究所の職員としての在職期間（平成18年独法改革農林水産省関係法整備法の施行の日の前日までの間に限る。）

十七 独立行政法人工業所有権情報・研修館の職員としての在職期間（特許審査の迅速化等のための特許法等の一部を改正する法律（平成16年法律第79号）附則第５条の規定により独立行政法人工業所有権情報・研修館となった旧独立行政法人工業所有権総合情報館の職員としての在職期間を含み、独立行政法人工業所有権情報・研修館法の一部を改正する法律（平成18年法律第27号）の施行の日の前日までの間に限る。）

十八 平成26年独法整備法第184条の規定による改正前の独立行政法人土木研究所法（平成11年法律第205号）第２条の独立行政法人土木研究所及び独立行政法人に係る改革を推進するための国土交通省関係法律の整備に関する法律（平成18年法律第28号。以下「平成18年独法改革国土交通省関係法整備法」という。）附則第８条第１項の規定により解散した旧独立行政法人北海道開発土木研究所の職員としての在職期間（平成26年独法整備法第184条の規定による改正前の独立行政法人土木研究所法第２条の独立行政法人土木研究所の職員としての在職期間にあっては、平成18年独法改革国土交通省関係法整備法の施行の日の前日までの間に限る。）

十九 平成18年独法改革国土交通省関係法整備法附則第８条第１項の規定により解散した旧独立行政法人海技大学校及び平成18年独法改革国土交通省関係法整備法第８条の規定による改正前の独立行政法人海員学校法（平成11年法律第214号）第２条の独立

行政法人海員学校の職員としての在職期間
二十　平成26年独法整備法第185条の規定による改正前の独立行政法人建築研究所法（平成11年法律第206号）第２条の独立行政法人建築研究所、独立行政法人交通安全環境研究所、平成26年独法整備法第187条の規定による改正前の独立行政法人海上技術安全研究所法（平成11年法律第208号）第２条の独立行政法人海上技術安全研究所、平成26年独法整備法第188条の規定による改正前の独立行政法人港湾空港技術研究所法（平成11年法律第209号）第２条の独立行政法人港湾空港技術研究所、平成26年独法整備法第189条の規定による改正前の独立行政法人電子航法研究所法（平成11年法律第210号）第２条の独立行政法人電子航法研究所、独立行政法人航海訓練所及び独立行政法人航空大学校の職員としての在職期間（平成18年独法改革国土交通省関係法整備法の施行の日の前日までの間に限る。）
二十一　平成26年独法整備法第204条の規定による改正前の独立行政法人国立環境研究所法（平成11年法律第216号）第２条の独立行政法人国立環境研究所の職員としての在職期間（独立行政法人国立環境研究所法の一部を改正する法律（平成18年法律第29号）の施行の日の前日までの間に限る。）
（研究交流促進法施行令の適用に関する経過措置）

第６条　法附則第17条の規定による改正前の研究交流促進法（昭和61年法律第57号）第６条第１項の規定の適用に係る研究交流促進法施行令（昭和61年政令第345号）第４条第２項の総務大臣の承認は、法附則第17条の規定による改正後の研究交流促進法第６条第１項の規定の適用に係る同令第４条第２項の総務大臣の承認とみなす。

　経過措置令第４条は、判事特号の報酬月額を受けていたことがある者に関する経過措置を規定している。

　裁判官の報酬等に関する法律の一部を改正する法律（平成17年法律第116号）により、事務次官相当の報酬である判事１号より上位の報酬が支給される、いわゆる「判事特号」が廃止されるとともに、判事特号廃止後の報酬月額について、その経過措置が設けられた。これを受けて、経過措置令第４条に退職手当に関する必要な経過措置を設けたものである。現在は、裁判官の報酬等に関する法律の一部を改正する法律（平成17年法律第116号）の改正により、判事特号廃止に伴う報酬月額に関する経過措置は、廃止されている。経過措置令第４条に関する解説については、『公務員の退職手当法詳解』（第５次改訂版）を参照されたい。

　経過措置令第５条は、旧国営企業の職員等の「職員の区分」の決定方法について規定している。

　改正法による改正後の退職手当法の規定による退職手当の調整額の計算にあたっては、調整額算定の対象となる期間の初日（平成８年４月１日）以降に在職していた職員の「職員の区分」を、その職務等に応じて定めることとしている（法第６条の４及び法附則第６条の解説参照）。

ただし、本条の規定により、改正法施行日（平成18年4月1日）までに、①国営企業であった当時の造幣、印刷及び郵政各事業の職員のように、職員に対する法の適用がある機関であって、職員の職務の級等について自ら決定していた機関のうち、機関の意思決定主体の変更があった機関において、（その変更前に）在職していた職員（経過措置令第1号から第3号までに掲げる職員。以下「①の職員」という。）、②特定独立行政法人が非特定化された場合の非特定化前の職員のように、職員に対する法の適用があった機関であって、職員の職務の級等について自ら決定していた機関のうち、職員に対して法の適用がなくなった機関において、法が適用されていた機関に在職していた職員（経過措置令第4号及び第5号に掲げる職員。以下「②の職員」という。）及び③平成16年10月27日までの一般職給与法教育職俸給表㈡又は教育職俸給表㈢の適用を受けていた職員のように、改正法の立案前に廃止されていた職務の級等に属していた職員（経過措置令第6号に掲げる職員。以下「③の職員」という。）の「職員の区分」の決定方法については例外とし、職員が①から③に掲げる職員として在職していた期間（以下「特定期間」という。）における職員の「職員の区分」は、職員以外の者として在職していたものとみなした上で、法第6条の4及び施行令第6条の2を適用し、その者の従事していた職務等を仮定して定めることとしている。
　このような「職員の区分」の決定方法としたのは、他の職員の「職員の区分」の決定方法を定める場合と異なり、それぞれ、
① 　特定期間における職員の職務の級等について自ら決定していた機関のうち、機関の意思決定主体の変更があった機関において、その変更前の「職員の区分」の決定方法について当該機関から（当該期間における職務の級等に係るデータの提供も含め）責任をもった協力が得られないおそれがあること、
② 　特定期間における職員の職務の級等について自ら決定していた機関のうち、改正法施行時に職員に対する法の適用がなくなっている機関において、当該期間の「職員の区分」の決定方法につき（当該期間における職務の級等に係るデータの提供も含め）当該機関から責任をもった協力が得られないおそれがあること、
③ 　特定期間中の職員の職種が改正法の立案前に廃止されたため、（当該期間における職務の級等に係るデータの提供も含め）当該職種の職務の級等について責任をもった協力のできる主体が存在しないこと等の問題がある。

そのため、①から③の職員については、特定期間の「職員の区分」に係る職務の級等を的確に把握し、当該期間における他の職種の「職員の区分」の決定方法等との均衡も図りつつ「職員の区分」を決定することができないおそれがある。

そこで、当該職員を「職員以外の者」とみなした上で、法第6条の4第2項及び施行令第6条の2を適用し、特定期間において、当該期間の前又は後に従事していた職務と同種の職務にその者が従事していたものとみなして「職員の区分」を定めることとしたものである。

したがって、経過措置令第5条の規定の趣旨は、施行令第6条の2と同旨であるといえる。

なお、改正法施行後に①から③のような要件に該当する職員となった者が生じる（例えば俸給表の廃止）場合があったとしても、その者の特定期間における「職員の区分」の決定方法については、当該期間におけるその者の職務の級等に基づき定めることとしている。これは、その者の特定期間における「職員の区分」の決定方法は、改正法施行時において既に定めており、当該期間におけるその者の属する「職員の区分」を定めることは困難ではないこと、及び改正法施行後、特定期間中に示されていた「職員の区分」の決定方法が法人形態の変更や俸給表構成の変更に伴い変更されることは在職者に対するインセンティブ効果発揮の観点から好ましくないことによる。

経過措置令第6条は、研究交流促進法施行令の適用に関する経過措置を定めているものである。詳細については、⑫を参照されたい。

⒀⒁⒂⒃　附則第8条から第11条は、国家公務員退職手当法の一部改正法のうち、⒀国家公務員等退職手当暫定措置法の一部を改正する法律（昭和34年法律第164号）、⒁国家公務員等退職手当法の一部を改正する法律（昭和48年法律第30号）、⒂国家公務員退職手当法等の一部を改正する法律（平成15年法律第62号）及び⒃特別職の職員の給与に関する法律等の一部を改正する法律（平成16年法律第146号）について、それぞれの附則の一部を改正するものである。

昭和34年法律第164号、昭和48年法律第30号及び平成15年法律第62号については、平成17年の法改正に伴う形式改正である。

平成16年法律第146号については、同法の施行日の前日に現に在職する者について、改正前の退職手当法第4条第3項がなお効力を有するとした規定について、当該者に対し、今回の改正により有利に改定された支給率により退職手当の額を計算することとするものである。詳細については、**39　平成16年法律第146号**の解説を参照されたい。

⒄　附則第12条から第24条までは、他の法律について、用語の修正その他所要の規定の整備を行うものである。

　　附則第12条は、教育公務員特例法（昭和24年法律第1号）第34条第1項に規定する研究施設研究教育職員が共同研究等に従事するために休職にされた場合の休職期間について、従前のとおり退職手当法上の勤続期間から除算しないことに加え、退職手当の調整額の計算においても現実に職務をとることを要しない期間には該当しないものとみなすよう、規定の整備を行っている。同法の詳細については、第3編第12章を参照されたい。

⒅　附則第13条は、防衛庁の職員の給与等に関する法律（昭和27年法律第266号）の規定の整備を行っている。具体的には、次の3点である。
　（ⅰ）若年定年の定めのある自衛官についての改正前の退職手当法の第4条第1項の規定の適用における退職事由中の勤続期間の特例規定を削除する（同法第28条の2第2項）。
　（ⅱ）自衛官独自の懲戒降任に伴う給与の減額について、改正後の退職手当法第5条の2の俸給月額が減額されたことがある場合の退職手当の基本額に関する特例が適用されないこととするための規定の整備を行う（同法第28条の4）。
　（ⅲ）その他、退職手当法の改正に伴う形式改正を行う。
　　同法の詳細については、第3編第18章を参照されたい。

⒆　附則第14条は、⒅⑴により改正された任期付自衛官の退職手当について、改正後の退職手当法の例による場合には、改正法附則第3条から第6条までの経過措置規定の適用があるものとする規定である。

⒇　附則第15条は、最高裁判所裁判官退職手当特例法（昭和41年法律第52号）について、退職手当法改正に伴う形式的改正を行うものである。

㉑　附則第16条は、国際機関等に派遣される一般職の国家公務員の処遇等に関する法律（昭和45年法律第117号）の規定に基づく派遣の期間について、⒄と同旨の改正を行うものである（同法第9条第2項）。同法の詳細については、第3編第1章を参照されたい。

㉒　附則第17条は、研究交流促進法（昭和61年法律第57号）の規定に基づき、研究公務員が共同研究等に従事するために休職にされた場合の休職期間について、⒄と同旨の改正を行うものである（同法第6条第1項）。同法の詳細については、第3編第11章を参照されたい。

　　なお、研究公務員の共同研究等に従事するための休職期間については、従前は、研究交流促進法第6条第1項の規定により、政令で定める一定の要件

に該当することが必要とされ、かつ、同法施行令第4条第2項の規定により、その要件に該当することについて休職前に総務大臣の承認を受けているときに限り、退職手当の額の計算の基礎となる勤続期間から除算されないこととされていた。附則第17条による研究交流促進法第6条第1項の改正により、退職手当の基本額の計算の基礎となる勤続期間の特例に加えて、退職手当の調整額の計算の対象となる基礎在職期間からも除かれない（法第6条の4第1項及び第7条第4項に規定する「現実に職務をとることを要しない期間」には該当しない）こととされ、同法施行令第4条第2項に規定する総務大臣の承認は、これまでの退職手当の額の計算の基礎となる勤続期間の特例についての承認から、退職手当の基本額の計算の基礎となる勤続期間の特例と退職手当の調整額の計算の対象となる基礎在職期間の特例とを併せた（両者を一体とした）新たな承認へと、その法的効果が変更されることとなった。

　このため、経過措置令第6条の規定により、改正法施行前に、改正前の研究交流促進法第6条第1項の規定の適用に係る研究交流促進法施行令第4条第2項の承認を受けていたときは、当該承認は、改正後の同法第6条第1項の規定に係る同施行令第4条第2項の承認とみなす、すなわち、既に受けた総務大臣の承認は、退職手当の基本額の計算の基礎となる勤続期間の特例及び退職手当の調整額の計算の対象となる基礎在職期間の特例についての承認であったものとみなし、その承認に係る休職期間については、退職手当の基本額の計算の基礎となる勤続期間から除算せず、また、退職手当の調整額の計算の対象となる基礎在職期間（実際には平成8年4月1日以降の期間）からも除かないこととする経過措置が定められている。

　ちなみに、承認要件及び手続には変更がないため、研究交流促進法施行令第4条の改正は行われていない。

⑳㉔㉕　附則第18条から第20条までは、退職手当法適用職員に適用される育児休業等に関する法律の規定の整備を行っている。

　退職手当法適用職員に適用される育児休業等に関する法律は次の3つである（これらの法律の詳細については、第3編第13章参照）。

① 　国会職員の育児休業等に関する法律（平成3年法律第108号）
② 　国家公務員の育児休業等に関する法律（平成3年法律第109号）
③ 　裁判官の育児休業に関する法律（平成3年法律第111号）

　この改正法においては、次の2点について、規定の整備を行った。
（ⅰ）　育児休業をした期間について、従前のとおり退職手当法上の勤続期間

の計算において「現実に職務を執ることを要しない期間に該当する」ものとすることに加え、退職手当の調整額の計算においても同様の取扱いとするよう、規定を整備する（国会職員育児休業法第10条第1項、国家公務員育児休業法第10条第1項、裁判官育児休業法第7条第1項）。
  (ⅱ) 当該育児休業に係る子が1歳に達した日の属する月までの期間に限り、育児休業をした期間については、退職手当法上の勤続期間の計算において、一般の休職期間と同じ2分の1除算であったものを、3分の1除算に改善するための規定を整備する（国会職員育児休業法第10条第2項、国家公務員育児休業法第10条第2項、裁判官育児休業法第7条第2項）。
  （注） 退職手当の調整額の計算における休職月等の計算においても、施行令第6条第3項第2号において、同旨の改善措置がとられている（法第6条の4の解説(5)参照）。

　(ⅱ)の特例の適用対象期間を当該育児休業に係る子が1歳に達した日の属する月までの期間に限定しているのは、育児休業、介護休業等育児又は家族介護を行う労働者の福祉に関する法律（平成3年法律第76号）第5条により受けられる育児休業の期間が、原則1歳に達するまでとされていることとの平仄をとったものである。
　(ⅱ)の特例については、改正法の施行日前に国家公務員の育児休業等に関する法律第3条等の規定により承認を受けた育児休業の期間についても適用される。
(26) 附則第21条は、国際機関等に派遣される防衛庁の職員の処遇等に関する法律（平成7年法律第122号）の規定に基づく派遣の期間について、(17)と同旨の改正を行うものである。同法の詳細については、第3編第2章を参照されたい。
(27) 附則第22条は、国と民間企業との間の人事交流に関する法律（平成11年法律第224号）の規定に基づく交流派遣の期間について、(17)と同旨の改正を行う他、退職手当法の改正に伴う形式改正を行うものである。同法の詳細については、第3編第3章を参照されたい。
(28) 附則第23条は、法科大学院への裁判官及び検察官その他の一般職の国家公務員の派遣に関する法律（平成15年法律第40号）の規定に基づく派遣の期間について、(17)と同旨の改正を行う他、退職手当法の改正に伴う形式改正を行うものである。同法の詳細については、第3編第4章を参照されたい。
(29) 附則第24条は、判事補及び検事の弁護士職務経験に関する法律（平成16年法律第121号）の規定の整備を行っている。具体的には、次の3点である。

(i) 同法に基づく弁護士職務従事期間について、(17)と同旨の改正を行う（同法第11条第2項）。

(ii) 弁護士職務従事職員又は弁護士職務従事職員であった者が退職した場合における退職手当の調整額の計算に係る職務については、弁護士職務に従事するために裁判官又は検察官が裁判所事務官又は法務事務官に任命された日の前日において従事していた職務に従事していたものとみなすよう、規定の整備を行う（同法第11条第5項）。

(iii) その他、退職手当法の改正に伴う形式改正を行う。

同法の詳細については、第3編第5章を参照されたい。

(30)(31) 附則第26条は、郵政民営化法の施行に伴う改正法における日本郵政公社職員の取扱いについて必要な措置を講ずるものである。具体的には、郵政民営化法等の施行に伴う関係法律の整備等に関する法律（平成17年法律第102号）に、附則第2条中「日本郵政公社」を「郵政民営化法（平成17年法律第97号）第166条第1項の規定による解散前の日本郵政公社」に改めるための規定を追加するものである。なお附則第25条については、附則第26条による整備法の条ずれに伴う形式改正である。

附則第2条において、国営企業等の職員の退職による退職手当については、施行日（平成18年4月1日）から起算して1年を超えない範囲内において政令で定める日までに新制度を適用することとしているため、日本郵政公社が解散する時点（平成19年10月1日）には、既にすべての国営企業等の適用日が定められていることから、同条の効力を継続させる観点からは、日本郵政公社の解散に関し規定を整備する必要はない。

しかし、附則第2条に規定する「国営企業等」という概念を附則第3条において用いており、同条は日本郵政公社の解散後においても適用される条文であることから、「国営企業等」の概念を継続させるため、附則第2条に規定する「日本郵政公社」を「郵政民営化法による解散前の郵政公社」に改める必要があることから、規定整備を行ったものである。

44　平成18年法律第12号附則（抄）

附　則

（施行期日）

第1条　この法律は、平成18年4月1日から施行する。

（国家公務員退職手当法の一部改正）

> 第8条　国家公務員退職手当法（昭和28年法律第182号）の一部を次のように改正する。
> 　　第4条第2項中「第1条の2」の下に「（他の法令において、引用し、準用し、又はその例による場合を含む。）」を加える。

【解説】
　平成18年法律第12号は「通勤の範囲の改定等のための国家公務員災害補償法及び地方公務員災害補償法の一部を改正する法律」である。
　この法律は、労働者災害補償保険法（昭和22年法律第50号）に規定する通勤災害保護制度における通勤の範囲の見直しを踏まえ、その均衡を図るため、国家公務員災害補償法（昭和26年法律第191号）の通勤災害保護制度における通勤の範囲の見直し等を行ったもので、この改正により、当該通勤の範囲として、これまでの「住居と勤務場所との間の往復」の他に、「一の勤務場所から他の勤務場所への移動その他の人事院規則で定める就業の場所から勤務場所への移動（国家公務員法第103条第1項の規定に違反して同項に規定する営利企業を営むことを目的とする団体の役員、顧問又は評議員の職を兼ねている場合その他の人事院規則で定める職員に関する法令の規定に違反して就業している場合における当該就業の場所から勤務場所への移動を除く。）」及び「住居と勤務場所との往復に先行し、又は後続する住居間の移動（人事院規則で定める要件に該当するものに限る。）」が含まれることとなった。
　退職手当法上、通勤傷病による退職の場合の「通勤」については、法第4条第2項において、国家公務員災害補償法第1条の2に規定する「通勤」の定義を引用している。
　附則第8条による改正は、当該国家公務員災害補償法の通勤災害保護制度における通勤の範囲の見直しに伴うものであり、当該「通勤」について、国家公務員法が適用されない特別職の職員についても同様の取扱い（適用関係）となるよう法第4条第2項に必要な措置を講じたものである。

45　平成18年法律第101号附則（抄）

> 　　　　附　　則
> 　（施行期日）
> 第1条　この法律は、平成19年4月1日から施行する。〔以下略〕

【解説】

平成18年法律第101号は、「一般職の職員の給与に関する法律の一部を改正する法律」である。

この法律により広域異動手当が新設されたことに伴い、退職手当法第6条の5第2項に規定する基本給月額の算定基礎として、広域異動手当を追加することとしたものである。

46　平成19年法律第30号附則（抄）

附　則

（施行期日）

第1条　この法律は、公布の日〔平成19年4月23日〕から施行する。ただし、次の各号に掲げる規定は、当該各号に定める日から施行する。

一　略

一の二　第1条中雇用保険法の目次の改正規定、同法第6条、第13条、第14条、第17条第1項及び第2項、第35条、第37条第1項、第37条の2第2項、第37条の3第1項、第37条の5、第38条第3項、第39条、第40条第1項、第56条第2項、第61条の4、第61条の7第2項、第72条第1項、附則第3条並びに附則第7条の改正規定並びに同法附則に3条を加える改正規定（同法附則第10条を加える部分を除く。）並びに第3条中船員保険法第33条ノ3、第33条ノ10第3項、第33条ノ12第3項、第33条ノ16ノ2第1項、第33条ノ16ノ4第1項第1号及び第34条の改正規定、同法第36条に1項を加える改正規定、同法第59条第5項第1号の改正規定（「第33条ノ3第2項各号」を「第33条ノ3第3項各号」に改める部分に限る。）、同項第2号の改正規定、同法第60条第1項第1号の改正規定（「第33条ノ3第2項各号」を「第33条ノ3第3項各号」に改める部分に限る。）、同項第2号の改正規定、同項第3号の改正規定（「第33条ノ3第2項各号」を「第33条ノ3第3項各号」に改める部分に限る。）、同項第4号の改正規定、同法附則第23項の改正規定並びに同法附則第24項の次に6項を加える改正規定（同法附則第25項から第28項までを加える部分を除く。）並びに附則第3条から第5条まで、第10条、第11条、第13条、第14条、第16条、第17条、第61条、第63条、第66条及び第69条の規定、附則第70条中国家公務員共済組合法（昭和33年法律第128号）附則第11条の次に1条を加

える改正規定並びに同法附則第12条の8の2第1項及び第5項の改正規定、附則第74条及び第75条の規定、附則第76条中地方公務員等共済組合法（昭和37年法律第152号）附則第17条の次に1条を加える改正規定並びに同法附則第26条の2第1項及び第4項の改正規定、附則第95条の規定並びに附則第127条中郵政民営化法等の施行に伴う関係法律の整備等に関する法律（平成17年法律第102号）附則第87条第1項の改正規定　平成19年10月1日

二　略

三　第2条、第4条、第6条及び第8条並びに附則第27条、第28条、第29条第1項及び第2項、第30条から第50条まで、第54条から第60条まで、第62条、第64条、第65条、第67条、第68条、第71条から第73条まで、第77条から第80条まで、第82条、第84条、第85条、第90条、第94条、第96条から第100条まで、第103条、第115条から第118条まで、第120条、第121条、第123条から第125条まで、第128条、第130条から第134条まで、第137条、第139条及び第139条の2の規定　日本年金機構法の施行の日

（国家公務員退職手当法の一部改正に伴う経過措置）

第63条　附則第61条の規定による改正後の国家公務員退職手当法第10条第1項及び第2項の規定は、附則第1条第1号の2に掲げる規定の施行の日以後の退職に係る退職手当について適用し、同日前の退職に係る退職手当については、なお従前の例による。

第64条　附則第62条の規定による改正後の国家公務員退職手当法第10条の規定による退職手当は、附則第42条の規定によりなお従前の例によるものとされた平成22年改正前船員保険法の規定による失業等給付の支給を受ける者に対して支給してはならない。

【解説】

平成19年法律第30号は、「雇用保険法等の一部を改正する法律」である。

この法律は、簡素で効率的な政府を実現するための行政改革の推進に関する法律に基づく特別会計の改革を実施するため、雇用保険の失業等給付に係る国庫負担及び雇用安定事業等並びに労働者災害補償保険の労働福祉事業の見直しを行うとともに、船員保険の職務上の災害等に関する給付制度を労働者災害補償保険制度に、失業等に関する給付制度を雇用保険制度に統合するほか、雇用保険制度における直面する課題に対応するための見直し等の措置を講ずるため

の改正を行ったものである。

これに伴い、雇用保険法との関連において設けられている退職手当法第10条の「失業者の退職手当」についても、所要の改正を行ったものである。

改正の主要な内容は、以下のとおりである。

(ア) 雇用保険法の一部改正

雇用保険法等の一部を改正する法律（以下「改正法」という。）により、雇用保険法に基づく失業等給付の受給資格要件が、被保険者期間6月以上から、12月以上（倒産・解雇等による離職者（「特定受給資格者」）については6月以上）あることに変更されるため、「失業者の退職手当」についても、法第10条を改正し、勤続期間6月以上から、12月以上（整理退職等による退職者については6月以上）あることを受給資格要件とすることとされた。

なお、従来から、上記の「整理退職等による退職者」を「失業者の退職手当」の給付日数を優遇する者として、法第10条及び失業者の退職手当支給規則第6条の2に規定していた。この者と今般新たに定める受給資格要件優遇者は、概念上、同一の者であるから、「特定退職者」との略称を設け、両者を規定することとされた。

(イ) 船員保険法の一部改正

改正法により、船員保険法による失業等給付制度を廃止し、雇用保険法による失業等給付制度に統合することとされたため、船員保険法による失業等給付を受けた国家公務員に対して失業者の退職手当を給付することを禁じていた規定が削除された。

なお、上記の一部改正に伴い、施行令及び総務省令（失業者の退職手当支給規則）についても、所要の改正が行われている。

47　平成19年法律第58号（抄）

（国会職員法等の一部改正）

第2条　次に掲げる法律の規定中「公庫の予算及び決算に関する法律（昭和26年法律第99号）第1条に規定する公庫」を「沖縄振興開発金融公庫」に改める。

　一〜三　略

　四　国家公務員退職手当法（昭和28年法律第182号）第7条の2第1項

　五〜八　略

附　則
（施行期日）
第1条　この法律は、平成20年10月1日から施行する。

【解説】
　平成19年法律第58号は、「株式会社日本政策金融公庫法の施行に伴う関係法律の整備に関する法律」である。
　この法律は、株式会社日本政策金融公庫法の施行に伴い、関係法律の規定の整備等を行ったものである。退職手当法においては、第7条の2第1項の「公庫の予算及び決算に関する法律（昭和26年法律第99号）第1条に規定する公庫」を「沖縄振興開発金融公庫」に改めている。

48　平成19年法律第109号附則（抄）

　　　附　則
（施行期日）
第1条　この法律は、平成22年4月1日までの間において政令で定める日〔平成23年1月1日〕から施行する。ただし、次の各号に掲げる規定は、当該各号に定める日から施行する。
　一　附則第3条から第6条まで、第8条、第9条、第12条第3項及び第4項、第29条並びに第36条の規定、附則第63条中健康保険法等の一部を改正する法律（平成18年法律第83号）附則第18条第1項の改正規定、附則第64条中特別会計に関する法律（平成19年法律第23号）附則第23条第1項、第67条第1項及び第191条の改正規定並びに附則第66条及び第75条の規定　公布の日〔平成19年4月6日〕
　二　略
（機構の職員の退職手当に関する経過措置）
第10条　附則第8条第3項の規定により機構の職員として採用される者に対しては、国家公務員退職手当法（昭和28年法律第182号）に基づく退職手当は、支給しない。
2　機構は、前項の規定の適用を受けた機構の職員の退職に際し、退職手当を支給しようとするときは、その者の国家公務員退職手当法第2条第1項に規定する職員（同条第2項の規定により職員とみなされる者を含む。）としての引き続いた在職期間を機構の職員としての在職期間とみ

なして取り扱うべきものとする。
3　機構は、機構の成立の日の前日に社会保険庁の職員として在職し、附則第8条第3項の規定により引き続いて機構の職員として採用された者のうち機構の成立の日から雇用保険法（昭和49年法律第116号）による失業等給付の受給資格を取得するまでの間に機構を退職したものであって、その退職した日まで社会保険庁の職員として在職したものとしたならば国家公務員退職手当法第10条の規定による退職手当の支給を受けることができるものに対しては、同条の規定の例により算定した退職手当の額に相当する額を退職手当として支給するものとする。

【解説】

平成19年法律第109号は「日本年金機構法」である。

この法律は、政府管掌年金事業の適正な運営及び政府管掌年金に対する国民の信頼の確保を図るため、社会保険庁を廃止するとともに、日本年金機構（以下「機構」という。）を設立し、その業務運営の基本となるべき事項等を定めたものである。

退職手当制度関係では、附則第10条において、附則第8条第3項の規定により機構の職員として採用された旧社会保険庁の職員に関する退職手当法の適用の特例について規定している。

第1項は、機構に採用された旧社会保険庁の職員に対しては、退職手当法に基づく退職手当を支給しないことを定めている。

第2項は、機構が、機構に採用された旧社会保険庁の職員の退職に際し退職手当を支給しようとするときは、退職手当法上の職員としての在職期間を機構の職員としての在職期間に算入すべきことを定めている。

第3項は、失業者の退職手当の取扱いに関する経過措置を定めたものである。

49　平成20年法律第95号附則（抄）

附　則

（施行期日）

第1条　この法律は、公布の日から起算して6月を超えない範囲内において政令で定める日〔平成21年4月1日〕から施行する[1]。〔以下略〕

（国家公務員退職手当法の一部改正に伴う経過措置）

> **第2条** 第1条の規定による改正後の国家公務員退職手当法の規定は、この法律の施行の日以後の退職に係る退職手当について適用し、同日前の退職に係る退職手当については、なお従前の例による[(2)]。

【解説】

平成20年法律第95号は、「国家公務員退職手当法等の一部を改正する法律」（以下「改正法」という。）である。この法律は、退職手当制度の一層の適正化を図り、もって公務に対する国民の信頼確保に資するため、退職手当支払後に、在職期間中に懲戒免職等処分を受けるべき行為をしたと認められた場合、退職をした者に退職手当の返納を命ずることができることとする等、退職手当について新たな支給制限および返納の制度を設けたものであり、退職手当の支給制限及び返納の要件の拡張に伴い、関連する規定全般を見直したものである。

改正の主要な内容は、以下のとおりである。

(ア) 「懲戒免職等処分を受けるべき行為をしたと認めたとき」を、退職後の支給制限及び返納の要件として拡大

退職手当支払後に、在職期間中に懲戒免職等処分を受けるべき行為をしたと認められた場合、退職をした者に退職手当の返納を命ずることができることとされた。なお、退職後、退職手当支払前に在職期間中の懲戒免職等処分を受けるべき行為をしたと認められた場合には、退職手当の支給を制限することができることとされた。

(イ) 非違を行った職員又は職員であった者が死亡した場合の遺族、相続人等に対する処分の新設

在職期間中に懲戒免職等処分を受けるべき行為をしたと認められた場合で、既に当該職員が死亡しているときには、支払前であれば遺族等に対する退職手当の支給を制限し、支払後であれば遺族等に返納を命ずることができることとされた。

(ウ) 一部支給制限及び一部返納・納付制度の新設

退職手当の支給制限に際しては、非違の性質などを考慮して退職手当の一部を支給することが可能な制度が創設された。返納についても、一部を返納させることが可能な制度が創設された。

(エ) 退職手当・恩給審査会等への諮問等の手続の整備

処分を受ける者の権利保護を図る観点から、懲戒免職等処分を受けるべき行為をしたことを認めたことによる支給制限、全ての返納命令を行う際

には、退職手当・恩給審査会等に諮問することとされた。
- (オ) その他の措置

    その他、上記の支給制限・返納制度の拡充に伴い、これらの処分があった場合には、共済年金の一部を支給制限できるようにするための国家公務員共済組合法、地方公務員等共済組合法の改正等が行われた。

(1) 改正法の施行日は、適用対象となる職員に周知を図り、また、退職手当・恩給審査会等の設置準備を行った後、平成21年度のできるだけ早い時期に施行することを想定して規定された。

(2) 改正法の施行日前の退職に係る退職手当については、改正法による改正前の退職手当法の規定が適用される。改正法によって拡大された要件に該当する場合であっても、施行時に既に退職した者に改正後の法律を適用することは、遡及適用に当たると考えられ、適当でないと考えられる。また、改正後であれば一部支給・一部返納がありうる場合であっても、改正前に退職していた者について改正後の規定を適用することは、同一の退職日における事案間の均衡を失すると考えられる。

50　平成22年法律第15号附則（抄）

附　則

（施行期日）

第1条　この法律は、平成22年4月1日から施行する。〔以下略〕

（国家公務員退職手当法の一部改正に伴う経過措置）

第8条　施行日前に国家公務員退職手当法第2条第1項に規定する職員（同条第2項の規定により職員とみなされる者を含む。以下この条において同じ。）であった者であって、退職の日が施行日前であるもの及び施行日の前日において職員であって、施行日以後引き続き職員であるものに対する前条の規定による改正後の同法第10条第6項及び第7項の規定の適用については、なお従前の例による。

【解説】

平成22年法律第15号は、「雇用保険法等の一部を改正する法律」である。

この法律は、当時の厳しい雇用失業情勢を踏まえ、非正規労働者に対するセーフティネット機能の強化、雇用保険の財政基盤の強化等を図るために被保険者の要件の見直し等所要の措置を講じたものである。

これに伴い、雇用保険法との関連において設けられている退職手当法第10条の「失業者の退職手当」についても、所要の改正を行ったものである。

なお、上記の一部改正に伴い、施行令及び総務省令(失業者の退職手当支給規則)についても、所要の改正が行われている。

51 平成24年法律第42号附則(抄)

> 附　則
> (施行期日)
> **第1条** この法律は、平成25年4月1日から施行する。〔以下略〕
> (労働組合のための職員の行為の制限に関する経過措置)
> **第7条** 略
> 2 旧特労法第7条第1項ただし書に規定する事由により国有林野事業職員が現実に職務をとることを要しなかった期間は、附則第29条の規定による改正後の国家公務員退職手当法(昭和28年法律第182号)第7条第4項の規定の適用については、新特労法第7条第1項ただし書に規定する事由により現実に職務をとることを要しなかった期間とみなす[1]。
> 3 略
> (国家公務員退職手当法の一部改正に伴う経過措置)
> **第30条** 施行日前に旧給与特例法適用職員であったことのある者であって施行日以後に退職したものに対する前条の規定による改正後の国家公務員退職手当法第5条の2第1項及び附則第24項の規定の適用については、これらの規定に規定する法令には、旧給与特例法第4条の給与準則を含むものとする[2]。

【解説】
　平成24年法律第42号は「国有林野の有する公益的機能の維持増進を図るための国有林野の管理経営に関する法律等の一部を改正する等の法律」である。
　この法律は、国有林野の有する公益的機能の維持増進を図るため、国有林と一体として整備及び保全を行うことが相当と認められる民有林について、国が森林所有者等と協定を締結してその整備及び保全を行う制度を創設するとともに、国有林野事業を企業的に運営するために設置された国有林野事業特別会計を廃止する等の措置を講じたものである。
　この法律により、国有林野事業職員が特定独立行政法人等の労働関係に関す

る法律の適用対象から外れ、国有林野事業を行う国の経営する企業に勤務する職員の給与等に関する法律（昭和29年法律第141号）が廃止された。退職手当法においては、「特定独立行政法人等の労働関係に関する法律」の題名が「特定独立行政法人の労働関係に関する法律」に改められることに伴う改正、「給与準則」の文言の削除等所要の改正が行われた。

　この改正に伴う経過措置である平成24年法律第42号附則第7条第2項及び第30条について説明する。
(1)　附則第7条第2項は、改正前の特定独立行政法人等の労働関係に関する法律の規定による専従休職期間について、従前どおり退職手当法上の勤続期間から除算するため、改正前の特定独立行政法人等の労働関係に関する法律による専従休職期間を改正後の特定独立行政法人の労働関係に関する法律の規定による専従休職期間とみなす経過措置である。
(2)　附則第30条は、退職手当法第5条の2第1項から「給与準則」の文言を削除する改正後も、国有林野事業職員であった期間における給与準則による俸給月額の減額改定を、従前どおり「俸給月額の減額改定」であるとし、退職手当法附則第24項から「給与準則」の文言を削除する改正後も、国有林野事業職員であった期間の給与準則による現給保障額を、従前どおり、退職手当の算定に用いる俸給月額に含まないものとするため、退職手当法第5条の2及び附則第24項の「法令」には、「給与準則」が含むものとする経過措置である。

52　平成24年法律第96号附則（抄）

附　則

（施行期日）
第1条　この法律は、平成25年1月1日から施行する。ただし、次の各号に掲げる規定は、当該各号に定める日から施行する。
　一～四　略
　五　第1条中国家公務員退職手当法目次、第3条、第4条、第5条（見出しを含む。）、第5条の3、第6条の3及び第6条の4第4項の改正規定、同法第2章中第8条の次に1条を加える改正規定並びに同法第11条第2号及び第14条第1項第2号の改正規定並びに附則第5条の規定　公布の日から起算して1年を超えない範囲内において政令で定める日[1]

六　略

（退職手当に関する経過措置）

第2条　第1条の規定による改正後の国家公務員退職手当法（以下この条及び附則第5条において「新退職手当法」という。）附則第21項（新退職手当法附則第23項及び第3条の規定による改正後の国家公務員退職手当法等の一部を改正する法律附則第4項においてその例による場合を含む。）及び第22項の規定の適用については、新退職手当法附則第21項中「100分の87」とあるのは、平成25年1月1日から同年9月30日までの間においては「100分の98」と、同年10月1日から平成26年6月30日までの間においては「100分の92」とする(2)。

第3条　第2条の規定による改正後の国家公務員等退職手当法の一部を改正する法律附則第5項（同法附則第7項においてその例による場合を含む。）及び第6項の規定の適用については、同法附則第5項中「100分の87」とあるのは、平成25年1月1日から同年9月30までの間においては「100分の98」と、同年10月1日から平成26年6月30日までの間においては「100分の92」とする(3)。

第4条　第4条の規定による改正後の国家公務員退職手当法の一部を改正する法律附則第3条第1項の規定の適用については、同項中「100分の87」とあるのは、平成25年1月1日から同年9月30日までの間においては「100分の98」と、同年10月1日から平成26年6月30日までの間においては「100分の92」と、「104分の87」とあるのは、平成25年1月1日から同年9月30日までの間においては「104分の98」と、同年10月1日から平成26年6月30日までの間においては「104分の92」とする(4)。

第5条　この法律の施行の際に職員として在職していた者が第1条の規定による改正前の国家公務員退職手当法第4条第1項に規定する25年未満の期間勤続し、その者の事情によらないで引き続いて勤続することを困難とする理由により退職した者で政令で定めるものに該当する場合（その者が新退職手当法第5条第1項第3号に掲げる者に該当する場合を除き、その者の勤続期間が11年未満である場合に限る。）には、新退職手当法第4条第1項に規定する11年以上25年未満の期間勤続した者であって、同項第2号に掲げるものとみなして、同項の規定を適用する(5)。

【解説】

平成24年法律第96号は「国家公務員の退職給付の給付水準の見直し等のた

の国家公務員退職手当法等の一部を改正する法律」（以下「改正法」という。）である。

改正の主要な内容は以下のとおりである。
　㋐　退職手当の支給水準の引下げ
　　　調整率を100分の104から100分の87に引き下げることとされた。
　㋑　早期退職に対するインセンティブの拡充
　　（ⅰ）定年前早期退職特例措置の対象となる要件を、勤続25年以上で定年前10年内に退職した職員から、勤続20年以上で定年前15年内に退職した職員とし、割増率を定年までの残年数１年につき２％から最大３％とされた（具体的な割増率は政令事項）。
　　（ⅱ）年齢別構成の適正化を通じた組織活力の維持等を図る観点から、早期退職募集制度（応募認定退職）が創設された。同制度により退職した者の支給率は定年退職と同率となるほか、定年前早期退職特例措置が適用される。なお、本制度の導入に伴い、従前の勧奨退職は廃止された。
(1)　改正法の施行日は平成25年１月１日であるが、早期退職募集制度に係る改正規定については、次のとおり政令により施行日が分けられている。
　①　第２章中第８条の次に１条を加える改正規定（第８条の２の新設）：平成25年６月１日
　　　第８条の２は今般創設された早期退職募集制度の手続規定であり、平成25年６月１日から早期退職希望者の募集等の一連の手続が実施できることとされた（手続規定の先行施行）。
　②　国家公務員退職手当法目次、第３条、第４条、第５条（見出しを含む。）、第５条の３、第６条の３、第６条の４第４項、第11条第２号及び第14条第１項第２号の改正規定並びに附則第５条の規定：平成25年11月１日
　　　①のとおり、早期退職希望者の募集等の手続は平成25年６月１日から行えることとなったが、当該募集による退職（応募認定退職）により、支給率の優遇（定年と同率）や定年前早期退職特例措置を受けることができるのは、平成25年11月１日以降とされた。
(2)(3)(4)　附則第２条から第４条までの規定は、支給水準の引下げの激変緩和措置であり、調整率は、平成25年１月１日から同年９月30日までの間の退職については「100分の98」、同年10月１日から平成26年６月30日までの間の退職については「100分の92」とされた。なお、国家公務員退職手当法の一部を改正する法律（平成17年法律第115号）附則第３条第１項の規定（従前額保障）の適用については、調整率（当時100分の104）の対象者となっていた者につ

いては、調整率の逆数（104分の100）を乗じることにより本則支給率に戻した上で、今般の調整率（100分の87）を乗じる必要があることから、それぞれ「104分の98」、「104分の92」とされた。

(5) 附則第5条の規定は、裁判官が勤続11年未満の期間勤続し、日本国憲法第80条に定める任期（10年）を終えて退職し、又は任期の終了に伴う裁判官の配置等の事務の都合により任期の終了前1年内に退職した場合を念頭に置いた経過措置規定である。今般の改正法により、任期10年を1期のみ務めて退職する裁判官は、他の勤続11年未満で任期満了退職又は定年退職する国家公務員と同様に、退職手当法第3条第1項の適用となるところ、当該裁判官の退職手当の期待権を保護する観点から、引き続き第4条第1項第2号に掲げる者とみなして、同項の規定を適用することとされた。

53　平成26年法律第22号附則（抄）

附　則

（施行期日）
第1条　この法律は、公布の日から起算して六月を超えない範囲内において、政令で定める日〔平成26年5月30日〕から施行する。〔以下略〕

【解説】
　平成26年法律第22号は「国家公務員法等の一部を改正する法律」である。
　この法律により、幹部職員人事の一元管理等に関する事務を担うとともに、政府としての人材戦略を推進していくため、人事管理に関連する制度について、企画立案、方針決定、運用を一体的に担う内閣人事局が内閣官房に設置され、従前総務省人事・恩給局が所掌していた人事行政に関する事務は、国家公務員の退職手当制度に関することを含め、内閣人事局に移管されることとなった。また、退職手当・恩給審査会に代わり、退職手当審査会が内閣府に置かれることとなったことから、所要の改正を行ったものである。

54　平成26年法律第67号附則（抄）

附　則

（施行期日）
第1条　この法律は、独立行政法人通則法の一部を改正する法律（平成26

年法律第66号。以下「通則法改正法」という。）の施行の日から施行する。ただし、次の各号に掲げる規定は、当該各号に定める日から施行する。
一　附則第14条第2項、第18条及び第30条の規定　公布の日
二　略
（国家公務員退職手当法の一部改正に伴う経過措置）
第6条　旧特労法第7条第1項ただし書に規定する事由により現実に職務をとることを要しなかった期間は、第5条の規定による改正後の国家公務員退職手当法（次項において「新退手法」という。）第7条第4項の規定の適用については、新行労法第7条第1項ただし書に規定する事由により現実に職務をとることを要しなかった期間とみなす[1]。
2　この法律の施行前に特定独立行政法人を退職した職員に対する新退手法第10条第4項及び第5項の規定の適用については、同条第4項及び第5項中「行政執行法人の事務又は事業」とあるのは、「独立行政法人通則法の一部を改正する法律（平成26年法律第66号）による改正前の独立行政法人通則法（平成11年法律第103号）第2条第2項に規定する特定独立行政法人の事務又は事業」とする[2]。

【解説】

　平成26年法律第67号は「独立行政法人通則法の一部を改正する法律の施行に伴う関係法律の整備に関する法律」（以下「平成26年独法通則法整備法」という。）である。

　独立行政法人通則法の一部を改正する法律（平成26年法律第66号）により、独立行政法人が、制度導入本来の趣旨に則り、国民に対する説明責任を果たしつつ、政策実施機能を最大限発揮できるよう、法人運営の基本となる共通制度について、①業務の特性に対応した法人のマネジメントを行うため、独立行政法人について「中期目標管理法人」、「国立研究開発法人」及び「行政執行法人」の3つの法人の分類を設ける、②目標・評価の一貫性・実効性を向上させ、主務大臣の下での政策のPDCAサイクルを強化するため、主務大臣を評価主体とする等の見直しが行われた。

　平成26年独法通則法整備法は、独立行政法人通則法の一部を改正する法律の施行に伴い、関係法律について、所要の規定の整備を行ったものであり、退職手当法においては、「特定独立行政法人の労働関係に関する法律」の題名が「行政執行法人の労働関係に関する法律」に改められることに伴う改正、「特定

独立行政法人」が「行政執行法人」へ移行することに伴う改正等が行われた。
　この改正に伴う経過措置である平成26年独法通則法整備法附則第6条について説明する。
(1)　附則第6条第1項は、改正前の「特定独立行政法人の労働関係に関する法律」の規定による専従休職期間について、従前どおり退職手当法上の勤続期間から除算するため、改正前の「特定独立行政法人の労働関係に関する法律」による専従休職期間を、改正後の「行政執行法人の労働関係に関する法律」の規定による専従休職期間とみなす経過措置である。
(2)　附則第6条第2項は、退職手当法第10条第4項及び第5項中「特定独立行政法人」が「行政執行法人」に改められることに伴い、平成26年独法通則法整備法の施行日（平成27年4月1日）前に特定独立行政法人を退職し施行日以後に失業者の退職手当（高年齢求職者給付金に相当するもの）の支給を受ける職員について、改正後の規定（「行政執行法人の事務又は事業」）ではその者の特定独立行政法人に従事していた期間を読めなくなるおそれがあることから、その者については、改正後の規定中「行政執行法人の事務又は事業」とあるのは、「独立行政法人通則法の一部を改正する法律による改正前の独立行政法人通則法第2条第2項に規定する特定独立行政法人の事務又は事業」と読み替える経過措置を設けることとしたものである。

55　平成26年法律第107号附則（抄）

附　則

（施行期日）

第1条　この法律は、平成27年4月1日から施行する。ただし、附則第3条の規定は、公布の日から施行する[1]。

（経過措置）

第2条　行政執行法人（独立行政法人通則法（平成11年法律第103号）第2条第4項に規定する行政執行法人をいう。以下この条において同じ。）の職員の退職による退職手当については、この法律による改正後の国家公務員退職手当法の規定は、行政執行法人ごとに、この法律の施行の日から起算して1年を超えない範囲内において政令で定める日から適用し、同日前の当該退職による退職手当については、なお従前の例による[2]。

（政令への委任）
第3条 前条に定めるもののほか、この法律の施行に関し必要な経過措置は、政令で定める[(3)]。

【解説】

平成26年法律第107号は「国家公務員退職手当法の一部を改正する法律」（以下「平成26年改正法」という。）である。

平成26年7月に提出された人事院勧告には、俸給と手当の配分を見直し、俸給月額を引下げ、地域手当等を拡充する「給与制度の総合的見直し」が盛り込まれていた。この給与制度の総合的見直しを実施した場合、退職日の俸給月額をベースに算出する退職手当の支給水準が低下することとなる。このため、平成26年7月に引下げを完了した退職手当の支給水準の範囲内で、職員の公務への貢献度をより的確に反映させるよう措置を講ずる法改正が行われたものである（第1編第2章**14**参照）。

平成26年改正法の主な内容は以下のとおりである。

㋐ 調整額の第1号区分から第10号区分までの調整月額を改定し、本省審議官クラス（第2号区分）以上を除き、昇格に伴う調整額の増加メリットを、各段階とも従来に比べ30％拡大することとされた。

㋑ 調整額の制度導入後の職員の退職実態や中途採用を今後積極的に進めるとの政府の方針等を踏まえ、第10号区分について勤続期間が24年以下の退職者に対しても調整額の支給の対象とすることとされた。

㋒ 退職日の俸給月額が一般職の職員の給与に関する法律の指定職俸給表8号俸の額に相当する額を超える者等の調整額について、一般職職員との均衡を図るため、退職手当の基本額に乗ずる率を100分の6から100分の8に改定することとされた。

(1) 平成26年改正法の施行期日は、給与制度の総合的見直しのための給与関係法令の施行期日と同日である平成27年4月1日とされた。

(2) 附則第2条の規定は、平成26年改正法による退職手当法の改正が給与制度の総合的見直しを前提としており、行政執行法人については、職員が退職手当法の対象であって、給与に関する事項は団体交渉の対象とされていることから、平成17年の改正と同様、個々の行政執行法人における給与制度の見直しの実施に合わせて改正後の退職手当法の規定を適用するため、改正後の退職手当法の規定が適用される日を政令で定めることとし、それまでの間は従

前の例によることとする経過措置である。
　具体的な適用日は、「国家公務員退職手当法の一部を改正する法律附則第2条に規定する政令で定める日を定める政令」（平成27年政令第102号）において規定されている。

○国家公務員退職手当法の一部を改正する法律附則第2条に規定する政令で定める日を定める政令（平成27年政令第102号）
　　次に掲げる行政執行法人（独立行政法人通則法（平成11年法律第103号）第2条第4項に規定する行政執行法人をいう。）に係る国家公務員退職手当法の一部を改正する法律附則第2条に規定する政令で定める日は、平成27年4月1日とする。
　一　独立行政法人国立公文書館
　二　独立行政法人農林水産消費安全技術センター
　三　独立行政法人製品評価技術基盤機構
　四　独立行政法人駐留軍等労働者労務管理機構
　五　独立行政法人統計センター
　六　独立行政法人造幣局
　七　独立行政法人国立印刷局
　　　附　則
　　この政令は、平成27年4月1日から施行する。

(3)　附則第3条の規定には、平成26年改正法の施行に関し、必要な経過措置を政令に委任する旨を定めたものであるが、本条の規定に基づく経過措置は現時点で定められていない。

56　平成28年法律第17号附則（抄）

　　　附　則
　（施行期日）
第1条　この法律は、平成29年1月1日から施行する。〔以下略〕
　（国家公務員退職手当法の一部改正に伴う経過措置）
第17条　退職職員（退職した国家公務員退職手当法第2条第1項に規定する職員（同条第2項の規定により職員とみなされる者を含む。）をいう。以下この条において同じ。）であって、退職職員が退職の際勤務していた国又は独立行政法人通則法（平成11年法律第103号）第2条第4項に規定する行政執行法人の事務又は事業を雇用保険法第5条第1項に規定する適用事業とみなしたならば第2条改正前雇用保険法第6条第1号に掲げる者に該当するものにつき、前条の規定による改正後の国家公務員退職手当法（以下この条において「新退職手当法」という。）第10条第

4項又は第5項の勤続期間を計算する場合における国家公務員退職手当法第7条の規定の適用については、同条第1項中「在職期間」とあるのは「在職期間（雇用保険法等の一部を改正する法律（平成28年法律第17号）の施行の日（以下この項及び次項において「雇用保険法改正法施行日」という。）前の在職期間を有する者にあつては、雇用保険法改正法施行日以後の職員としての引き続いた在職期間）」と、同条第2項中「月数」とあるのは「月数（雇用保険法改正法施行日前の在職期間を有する者にあつては、雇用保険法改正法施行日の属する月から退職した日の属する月までの月数（退職した日が雇用保険法改正法施行日前である場合にあつては、零））」とする。

2　新退職手当法第10条第10項（第6号に係る部分に限り、同条第11項において準用する場合を含む。）の規定は、退職職員であって求職活動に伴い施行日以後に同号に規定する行為（当該行為に関し、前条の規定による改正前の国家公務員退職手当法（以下この条において「旧退職手当法」という。）第10条第10項第6号に掲げる広域求職活動費に相当する退職手当が支給されている場合における当該行為を除く。）をしたもの（施行日前1年以内に旧退職手当法第10条第4項又は第5項の規定による退職手当の支給を受けることができる者となった者であって施行日以後に新退職手当法第10条第4項から第7項までの規定による退職手当の支給を受けることができる者となっていないものを除く。）について適用し、退職職員であって施行日前に公共職業安定所の紹介により広範囲の地域にわたる求職活動をしたものに対する広域求職活動費に相当する退職手当の支給については、なお従前の例による。

3　新退職手当法第10条第11項において準用する同条第10項（第4号に係る部分に限る。）の規定は、退職職員であって施行日以後に職業に就いたものについて適用し、退職職員であって施行日前に職業に就いたものに対する国家公務員退職手当法第10条第10項第4号に掲げる就業促進手当に相当する退職手当の支給については、なお従前の例による。

4　施行日前に旧退職手当法第10条第4項又は第5項の規定による退職手当の支給を受けることができる者となった者（施行日以後に新退職手当法第10条第4項から第7項までの規定による退職手当の支給を受けることができる者となった者を除く。）に対する国家公務員退職手当法第10条第10項第5号に掲げる移転費に相当する退職手当の支給については、なお従前の例による。

【解説】

平成28年法律第17号は、「雇用保険法等の一部を改正する法律」である。

この法律は、高年齢者の雇用が進んでいる当時の状況を踏まえ、65歳以降に雇用された者を雇用保険の適用の対象とするとともに、高年齢者の多様なニーズに応じた雇用・就業機会の確保等所要の措置を講じたものである。

これに伴い、雇用保険法との関連において設けられている退職手当法第10条の「失業者の退職手当」についても、所要の改正を行ったものである。

改正の主要な内容は、65歳に達した日以後に退職手当法適用職員となった者が退職して一定の失業状態になった場合には高年齢求職者給付金に相当する退職手当として支給するとともに、就業促進手当、移転費及び求職活動支援費を支給対象とするものである。

なお、上記の一部改正に伴い、施行令及び内閣官房令（失業者の退職手当支給規則）についても、所要の改正が行われている。

57　平成29年法律第14号附則（抄）

附　則

（施行期日）

第1条　この法律は、平成29年4月1日から施行する。ただし、次の各号に掲げる規定は、当該各号に定める日から施行する。

四　第2条中雇用保険法第10条の4第2項、第58条第1項、第60条の2第4項、第76条第2項及び第79条の2並びに附則第11条の2第1項の改正規定並びに同条第3項の改正規定（「100分の50を」を「100分の80を」に改める部分に限る。）、第4条の規定並びに第7条中育児・介護休業法第53条第5項及び第6項並びに第64条の改正規定並びに附則第5条から第8条まで及び第10条の規定、附則第13条中国家公務員退職手当法（昭和28年法律第182号）第10条第10項第5号の改正規定、附則第14条第2項及び第17条の規定、附則第18条（次号に掲げる規定を除く。）の規定、附則第19条中高年齢者等の雇用の安定等に関する法律（昭和46年法律第68号）第38条第3項の改正規定（「第4条第8項」を「第4条第9項」に改める部分に限る。）、附則第20条中建設労働者の雇用の改善等に関する法律（昭和51年法律第33号）第30条第1項の表第4条第8項の項、第32条の11から第32条の15まで、第32条の16第1項及び第51条の項及び第48条の3及び第48条の4第1項の項の

改正規定、附則第21条、第22条、第26条から第28条まで及び第32条の規定並びに附則第33条（次号に掲げる規定を除く。）の規定　平成30年1月1日

（国家公務員退職手当法の一部改正に伴う経過措置）

第14条　前条の規定による改正後の国家公務員退職手当法（以下この条において「新退職手当法」という。）第10条第9項（第2号に係る部分に限り、新退職手当法附則第25項の規定により読み替えて適用する場合を含む。）の規定は、退職職員（退職した国家公務員退職手当法第2条第1項に規定する職員（同条第2項の規定により職員とみなされる者を含む。）をいう。次項において同じ。）であって国家公務員退職手当法第10条第1項第2号に規定する所定給付日数から同項に規定する待期日数を減じた日数分の同項の退職手当又は同号の規定の例により雇用保険法の規定を適用した場合におけるその者に係る同号に規定する所定給付日数に相当する日数分の同条第2項の退職手当の支給を受け終わった日が施行日以後であるものについて適用する。

2　退職職員であって第4条改正後職業安定法第4条第8項に規定する特定地方公共団体又は第4条改正後職業安定法第18条の2に規定する職業紹介事業者の紹介により職業に就いたものに対する国家公務員退職手当法第10条第10項（第5号に係る部分に限り、同条第11項において準用する場合を含む。）の規定は、当該退職職員が当該紹介により職業に就いた日が第4号施行日以後である場合について適用する。

【解説】

平成29年法律第14号は、「雇用保険法等の一部を改正する法律」である。

この法律は、就業促進及び雇用継続を通じた職業の安定を図るため、雇用保険の基本手当、移転費、教育訓練給付及び育児休業給付の拡充等所要の措置を講じたものである。

これに伴い、雇用保険法との関連において設けられている退職手当法第10条の「失業者の退職手当」についても、所要の改正を行ったものである。

改正の主要な内容は、次の3点である。

(ア)　基本手当に相当する退職手当について新たな給付日数の延長措置（恒久措置）として個別延長給付を設ける。

(イ)　基本手当に相当する退職手当について、新たな給付日数の延長措置（時

限措置）として地域延長給付を設ける（第2編第6章附則第10項参照）。
(ウ) 移転費に相当する退職手当について、地方公共団体又は民間の職業紹介事業者の紹介した職業に就くためその住所又は居所を変更した者を支給対象とする。

なお、上記の一部改正に伴い、内閣官房令（失業者の退職手当支給規則）についても、所要の改正が行われている。

58　平成29年法律第79号附則（抄）

> 　　　　附　則
> （施行期日）
> 1　この法律は、平成30年1月1日から施行する。
> 　（競争の導入による公共サービスの改革に関する法律の一部改正）
> 2　競争の導入による公共サービスの改革に関する法律（平成18年法律第51号）の一部を次のように改正する。
> 　　第31条第3項第1号中「及び」を「並びに」に、「、国家公務員等退職手当暫定措置法の一部を改正する法律（昭和34年法律第164号）附則第3項」を「及び第26項」[(1)]に、「第8項」を「第7項」に、「から第6条まで」を「、第5条及び第6条」に改める。
> 　（国家戦略特別区域法の一部改正）
> 3　国家戦略特別区域法（平成25年法律第107号）の一部を次のように改正する。
> 　　第19条の2第4項第1号中「まで及び」を「まで並びに」に改め、「第23項まで」の下に「及び第26項」[(2)]を加え、同条第5項中「第1項から前項まで」を「前各項」に改める。

【解説】

平成29年法律第79号は、「国家公務員退職手当法等の一部を改正する法律」である。

主な改正の内容は、次の2点である。
(ア) 調整率を100分の87から100分の83.7に引き下げることとされた。
(イ) 退職日の俸給月額が一般の職員の給与に関する法律の指定職俸給表8号俸の額に相当する額を超える者等の調整額について、(ア)による基本額の引下げに伴う影響が生じないように、退職手当法第6条の4第4項第5号

に規定する退職手当の基本額に乗ずる率を100分の8から100分8.3に改定することとされた。また、その改定においては、今後も調整率の改定に伴い改正があり得ることから、退職手当法の原始附則第26項（令和3年法律第61号による改正後は附則第11項）において当分の間の措置として読み替える規定を置く形で措置された。
(1)(2)　共に退職手当法第6条の4第4項第5号の規定を引用しているが、同号は法附則第26項（改正後は附則第11項）により読み替えられるため、退職手当の額の計算において疑義が生じないよう、附則第26項（改正後は附則第11項）を明記した。その他、所要の改正を行った。

59　令和元年法律第37号附則（抄）

附　則

（施行期日）
第1条　この法律は、公布の日〔令和元年6月14日〕から起算して3月を経過した日から施行する。〔以下略〕

【解説】

令和元年法律第37号は、「成年被後見人等の権利の制限に係る措置の適正化等を図るための関係法律の整備に関する法律」である。この法律により、国家公務員法（昭和22年法律第120号）第38条第1号で欠格条項として規定されていた「成年被後見人又は保佐人」が削除されるとともに、同法第76条で規定されている失職の要件にも該当しないこととされた。これに伴い、国家公務員退職手当法（昭和28年法律第182号）においても所要の改正を行った。

具体的には、国家公務員退職手当法第12条第1項第2号中、退職手当の全部又は一部を支給しないこととする処分を行うことができる対象から国家公務員法第38条第1号の「成年被後見人又は保佐人」を除く規定を削除した。

なお、上記の国家公務員法の一部改正に伴い、内閣官房令（失業者の退職手当支給規則）及び国家公務員退職手当法の運用方針についても、所要の改正が行われている。

60　令和3年法律第61号附則（抄）

　　　　附　則
（施行期日）
第1条　この法律は、令和5年4月1日から施行する。ただし、第3条中国家公務員退職手当法附則第25項の改正規定及び第8条中自衛隊法附則第6項の改正規定並びに次条並びに附則第15条及び第16条の規定は、公布の日〔令和3年6月11日〕から施行する。
第7条　略
2～7　略
8　暫定再任用職員に対する第3条の規定による改正後の国家公務員退職手当法（附則第12条第6項において「新退職手当法」という。）第2条第1項の規定の適用については、同項中「又は自衛隊法」とあるのは「、自衛隊法」と、「第45条の2第1項」とあるのは「第45条の2第1項又は国家公務員法等の一部を改正する法律（令和3年法律第61号）附則第4条第1項若しくは第2項若しくは第5条第1項若しくは第2項」とする。
9・10　略
第12条　略
2～5　略
6　暫定再任用隊員に対する新退職手当法第2条第1項の規定の適用については、同項中「又は自衛隊法」とあるのは「、自衛隊法」と、「第45条の2第1項」とあるのは「第45条の2第1項又は国家公務員法等の一部を改正する法律（令和3年法律第61号）附則第9条第1項若しくは第2項若しくは第10条第1項若しくは第2項」とする。
7・8　略
（その他の経過措置の政令等への委任）
第15条　附則第3条から前条までに定めるもののほか、この法律の施行に関し必要な経過措置は、政令（人事院の所掌する事項については、人事院規則）で定める。

【解説】

令和3年法律第61号は「国家公務員法等の一部を改正する法律」（以下「令和3年国家公務員法等改正法」という。）である。

この法律は、人事院の国会及び内閣に対する平成30年8月10日付けの意見の申出に鑑み、国家公務員の定年を段階的に65歳に引き上げるとともに、管理監督職勤務上限年齢による降任及び転任並びに定年前再任用短時間勤務の制度を設けるほか、60歳を超える職員に係る給与及び退職手当に関する特例を設ける等の措置を講ずるものである（第2編第6章原始附則第12項～第16項参照）。

令和3年国家公務員法等改正法の施行期日は、令和5年4月1日とされた。

附則第7条第8項の規定は、国家公務員法の改正によりそれまでの再任用職員が廃止されるが、定年の段階的な引上げ期間中における定年以降65歳までの間の雇用確保措置として任用される暫定再任用職員について、退職手当法の適用範囲から除外するものである。

令和3年国家公務員法等改正法による改正前の国家公務員法の規定に基づき再任用された職員については、常時勤務に服するか否かに関わらず退職手当法の適用範囲から除外し、再任用期間に係る退職手当を支給しないこととしてきた。これは、民間企業において定年に達した後の再雇用に係る退職金が支給されないことが一般的であることを勘案したことによるものである。

このため、暫定再任用職員についても、再任用職員である以上、退職手当法の適用範囲から除外することが適当であることから、退職手当法第2条を読み替える経過措置規定を設けたものである。

附則第12条第6項は、自衛隊法の規定に基づく暫定再任用隊員について、一般の職員の暫定再任用職員と同様に退職手当法の適用範囲から除外するものである。

61 令和3年法律第62号附則（抄）

附　則

（施行期日）

第1条 この法律は、令和5年4月1日から施行する。ただし、次条及び附則第8条の規定は、公布の日〔令和3年6月11日〕から施行する。

（経過措置）

第7条 暫定再任用職員に対する第2条の規定による改正後の国家公務員退職手当法第2条第1項の規定の適用については、同項中「第45条の2

第1項」とあるのは、「第45条の２第１項又は国会職員法及び国家公務員退職手当法の一部を改正する法律（令和３年法律第62号）附則第４条第１項若しくは第２項若しくは第５条第１項若しくは第２項」とする。
2・3　略
（その他の経過措置の両院議長協議決定への委任）
第8条　附則第３条から前条までに定めるもののほか、この法律の施行に関し必要な経過措置は、両議院の議長が協議して定める。

【解説】

　令和３年法律第62号は「国会職員法及び国家公務員退職手当法の一部を改正する法律」（以下「令和３年国会職員法等改正法」という。）である。

　この法律は、一般職の国家公務員と同様に、国会職員の定年を段階的に65歳に引き上げるとともに、管理監督職勤務上限年齢による降任及び転任並びに定年前再任用短時間勤務の制度を設けるほか、60歳を超える職員に係る給与及び退職手当に関する特例を設ける等の措置を講ずるものである（第２編第６章原始附則第12項～第16項参照）。

　令和３年国会職員法等改正法の施行期日は、令和３年国家公務員法等改正法の施行期日と同じ令和５年４月１日とされた。

　附則第７条第１項は、国会職員法の規定に基づく暫定再任用国会職員について、一般の職員の暫定再任用職員と同様に退職手当法の適用範囲から除外するものである。

62　令和４年法律第12号附則（抄）

附　則

（施行期日）
第1条　この法律は、令和４年４月１日から施行する。ただし、次の各号に掲げる規定は、当該各号に定める日から施行する。
一　第２条中職業安定法第32条及び第32条の11第１項の改正規定並びに附則第28条の規定　公布の日
二　第１条中雇用保険法第15条第３項ただし書の改正規定、同法第20条の次に一条を加える改正規定並びに同法第64条、第72条第１項及び第79条の２の改正規定並びに附則第３条の規定、附則第11条中国家公務員退職手当法（昭和28年法律第182号）第10条第３項の改正規定並び

に附則第12条及び第23条の規定　令和4年7月1日
三　第1条中雇用保険法第10条の4第2項及び第58条第1項の改正規定、第2条の規定（第1号に掲げる改正規定並びに職業安定法の目次の改正規定（「第48条」を「第47条の3」に改める部分に限る。）、同法第5条の2第1項の改正規定及び同法第4章中第48条の前に一条を加える改正規定を除く。）並びに第3条の規定（職業能力開発促進法第10条の3第1号の改正規定、同条に一項を加える改正規定、同法第15条の2第1項の改正規定及び同法第18条に一項を加える改正規定を除く。）並びに次条並びに附則第5条、第6条及び第10条の規定、附則第11条中国家公務員退職手当法第10条第10項の改正規定、附則第14条中青少年の雇用の促進等に関する法律（昭和45年法律第98号）第4条第2項及び第18条の改正規定並びに同法第33条の改正規定（「、第11条中「公共職業安定所」とあるのは「地方運輸局」と、「厚生労働省令」とあるのは「国土交通省令」と、「職業安定法第5条の5第1項」とあるのは「船員職業安定法第15条第1項」と」を削る部分を除く。）並びに附則第15条から第22条まで、第24条、第25条及び第27条の規定　令和4年10月1日

（返還命令等に関する経過措置）

第2条　第1条の規定（前条第3号に掲げる改正規定に限る。）による改正後の雇用保険法第10条の4第2項（国家公務員退職手当法第10条第14項において準用する場合を含む。）の規定は、同号に掲げる規定の施行の日（以下「第3号施行日」という。）以後に偽りの届出、報告又は証明をした者について適用し、第3号施行日前に偽りの届出、報告又は証明をした者については、なお従前の例による。

（国家公務員退職手当法の一部改正に伴う経過措置）

第12条　前条の規定（附則第1条第2号に掲げる改正規定に限る。）による改正後の国家公務員退職手当法第10条第3項の規定は、第2号施行日以後に同項の事業を開始した職員その他これに準ずるものとして同項の内閣官房令で定める職員に該当するに至った者について適用する。

（政令への委任）

第28条　この附則に定めるもののほか、この法律の施行に伴い必要な経過措置は、政令で定める。

【解説】
　令和4年法律第12号は「雇用保険法等の一部を改正する法律」である。
　この法律は、新型コロナウイルス感染症による雇用情勢及び雇用保険財政への影響等に対応し、雇用の安定と就業の促進を図るため、雇止めによる離職者の給付日数の特例等の期限を延長するとともに、労働者になろうとする者に関する情報を収集して行う募集情報等提供事業に係る届出制の創設等による事業運営の適正化の推進、雇用保険制度の安定的運営のための国庫負担の見直し及び雇用保険料率の暫定措置の見直し等の措置を講ずるための改正を行ったものである。
　これに伴い、雇用保険法との関連において設けられている退職手当法第10条の「失業者の退職手当」についても、所要の改正を行ったものである。
　改正の主要な内容は、自営業主やフリーランスとして事業を開始等した者について、当該事業の実施期間を基本手当の支給期間に算入しない特例の創設及び地域延長給付の暫定措置の延長である。
　なお、上記の一部改正に伴い、内閣官房令（失業者の退職手当支給規則）についても、所要の改正が行われている。

63　令和4年法律第68号（抄）

（国家公務員退職手当法の一部改正）
第72条　国家公務員退職手当法（昭和28年法律第182号）の一部を次のように改正する。
　　第13条第1項第1号及び第5項第2号中「禁錮」を「拘禁刑」に改める。
　　第14条の見出し、同条第1項第1号、第15条第1項第1号及び第17条第4項中「禁錮」を「拘禁刑」に改める。
（国家公務員退職手当法の一部改正に伴う経過措置）
第498条　刑法等一部改正法等の施行前に犯した禁錮以上の刑（死刑を除く。）が定められている罪につき起訴をされた者は、第72条の規定による改正後の国家公務員退職手当法第13条第1項及び第5項、第14条第1項（第1号に係る部分に限る。）並びに第17条第4項並びに国家公務員退職手当法第17条第3項の規定の適用については、拘禁刑が定められている罪につき起訴をされた者とみなす。
（罰則の適用等に関する経過措置）

第441条 刑法等の一部を改正する法律（令和4年法律第67号。以下「刑法等一部改正法」という。）及びこの法律（以下「刑法等一部改正法等」という。）の施行前にした行為の処罰については、次章に別段の定めがあるもののほか、なお従前の例による。

2　略

（人の資格に関する経過措置）

第443条 懲役、禁錮又は旧拘留に処せられた者に係る人の資格に関する法令の規定の適用については、無期の懲役又は禁錮に処せられた者はそれぞれ無期拘禁刑に処せられた者と、有期の懲役又は禁錮に処せられた者はそれぞれ刑期を同じくする有期拘禁刑に処せられた者と、旧拘留に処せられた者は拘留に処せられた者とみなす。

2　拘禁刑又は拘留に処せられた者に係る他の法律の規定によりなお従前の例によることとされ、なお効力を有することとされ又は改正前若しくは廃止前の法律の規定の例によることとされる人の資格に関する法令の規定の適用については、無期拘禁刑に処せられた者は無期禁錮に処せられた者と、有期拘禁刑に処せられた者は刑期を同じくする有期禁錮に処せられた者と、拘留に処せられた者は刑期を同じくする旧拘留に処せられた者とみなす。

（国家公務員退職手当法の一部改正に伴う経過措置）

第498条 刑法等一部改正法等の施行前に犯した禁錮以上の刑（死刑を除く。）が定められている罪につき起訴をされた者は、第72条の規定による改正後の国家公務員退職手当法第13条第1項及び第5項、第14条第1項（第1号に係る部分に限る。）並びに第17条第4項並びに国家公務員退職手当法第17条第3項の規定の適用については、拘禁刑が定められている罪につき起訴をされた者とみなす。

　　　　附　則

（施行期日）

1　この法律は、刑法等一部改正法施行日から施行する。ただし、次の各号に掲げる規定は、当該各号に定める日から施行する。〔以下略〕

【解説】

令和4年法律第68号は「刑法等の一部を改正する法律の施行に伴う関係法律の整理等に関する法律」である。

この法律は、「刑法等の一部を改正する法律」（令和4年法律第67号）の施行に伴い、関係法律の規定の整理等を行ったもので、「刑法等の一部を改正する法律」により、刑事施設における受刑者の処遇及び執行猶予制度等のより一層の充実を図るため、懲役及び禁錮を廃止して拘禁刑を創設されたことに伴い、「禁錮」及び「禁錮」を引用している部分を改めたものである。

　第498条の経過措置は、施行前の行為について「施行日前」及び「施行日後」に起訴をされた両方に対応するためのものである。施行日前の行為について「施行日後」に起訴された場合は、今般の禁錮を拘禁刑とする改正は、量刑の軽重にかかわらず、刑の種類の改正であるところ、罰則に関する包括的な経過規定を設けることにより、改正前の禁錮を法定刑に含む罰則が適用されるため、当該行為の処罰は「拘禁刑が定められている罪」ではなく、「禁錮が定められている罪」となり、その上で、今般の起訴に係る経過措置により、「禁錮が定められている罪」で起訴された者が「拘禁刑が定められている罪」で起訴された者にみなされて退手法の規定が適用されることとなる。

〇刑法等の一部を改正する法律（令和4年法律第67号）（抄）
　　附　則
　（施行期日）
1　この法律は、公布の日〔令和4年6月17日〕から起算して3年を超えない範囲内において政令で定める日から施行する。〔以下略〕

第 3 編　特別法令の解説

第1章　国際機関等に派遣される一般職の国家公務員の処遇等に関する法律

　我が国における国際的地位の向上に伴って一般職の国家公務員で国際機関等の業務に従事する者の数も増加し、開発途上国からの強い要請も含め、国際機関等への派遣が増加するものと考えられた。

　このような状況に鑑み、職員が安心して国際機関等の業務に従事できるよう国際機関等に派遣される職員の処遇等に関して、昭和45年に制度の整備が行われた。そこで、まず派遣職員制度の要点を述べ、併せて、その退職手当法上の取扱いについて言及することとする。

1　国際機関等への派遣制度

　国際機関等への派遣制度は、「国際機関等に派遣される一般職の国家公務員の処遇等に関する法律」（昭和45年法律第117号）（以下「派遣法」という。）により制度化された。

　まず、職員を派遣することができる機関は、我が国が加盟している国際機関、外国政府の機関のほか、人事院規則で定めるもの（外国の州又は自治体の機関、外国の学校、研究所又は病院等）とされている。

　次に、派遣法に基づく派遣は、職員の任命権者が、条約その他の国際約束若しくはこれに準ずるものに基づき、又は国際機関等の要請に応じ、これらの機関の業務に従事させるために部内の職員を派遣することにより行うこととされている。したがって、職員が単に知識の習得、資格の取得等を目的として、調査、研究のため海外に赴くような場合には、派遣の対象とはならない。

　派遣された職員は、その派遣期間中、職員としての身分を保有するが、職務には従事しないこととされており、また当該職員には派遣期間中、給与として俸給、扶養手当、地域手当、広域異動手当、研究員調整手当、住居手当及び期末手当のそれぞれの100分の100以内を支給することができることとされている。

2　退職手当に関する特例

　派遣職員の退職手当については、前述の派遣法の第9条により、その特例が設けられている。

○国際機関等に派遣される一般職の国家公務員の処遇等に関する法律（昭和45年法律第117号）（抄）

（派遣職員に関する国家公務員退職手当法の特例）
第 9 条 派遣職員に関する国家公務員退職手当法（昭和28年法律第182号）第 5 条第 1 項の規定の適用については、派遣先の機関の業務を公務とみなす。
2 派遣職員に関する国家公務員退職手当法第 6 条の 4 第 1 項及び第 7 条第 4 項の規定の適用については、派遣の期間は、同法第 6 条の 4 第 1 項に規定する現実に職務をとることを要しない期間には該当しないものとみなす。

　退職手当法第 5 条第 1 項の規定の適用について、派遣先の機関の業務は公務とみなされることになるので、派遣先の機関の業務に起因する死亡又は傷病により退職した場合には、公務上の死亡又は傷病として退職手当法第 5 条第 1 項の規定による退職手当が支給されることとなる。

　退職手当法第 6 条の 4 第 1 項及び第 7 条第 4 項では、休職、停職等により職員が「現実に職務をとることを要しない期間」がある場合には、原則として、その月数の 2 分の 1 に相当する月数を退職手当の調整額の計算の対象となる基礎在職期間及び退職手当の基本額の算定の基礎となる勤続期間から除算することとされている。派遣職員は、派遣期間中、国の事務又は業務に従事しているものではないが、派遣法に基づく派遣期間については、この「現実に職務をとることを要しない期間」には該当しないものとみなされていることから、職員としての在職期間から除算せず、職員としての引き続いた在職期間として取り扱うこととなる。

　なお、派遣法の施行に伴い、退職手当について所要の経過措置が講ぜられている。その概要の解説については、『公務員の退職手当法詳解』（第 5 次改訂版）を参照されたい。

第2章　国際機関等に派遣される防衛省の職員の処遇等に関する法律

　軍備管理、軍縮又は人道的精神に基づき行われる諸活動に対する協力等の目的で、国際機関、外国政府の機関等に派遣される防衛省の職員に対する処遇等について定めた「国際機関等に派遣される防衛省の職員の処遇等に関する法律」（平成7年法律第122号）が制定されている。
　退職手当については、同法第10条において、派遣された期間等の取扱いに関する特例が定められている。

〇国際機関等に派遣される防衛省の職員の処遇等に関する法律（平成7年法律第122号）
　　（抄）
　　（派遣職員に関する国家公務員退職手当法等の特例）
　第10条　派遣職員に関する国家公務員退職手当法（昭和28年法律第182号）第5条第1項の規定の適用については、派遣先の機関の業務を公務とみなす。
　2　派遣職員に関する国家公務員退職手当法第6条の4第1項及び第7条第4項（給与法第28条の2第5項において準用する場合を含む。）の規定の適用については、派遣の期間は、国家公務員退職手当法第6条の4第1項に規定する現実に職務をとることを要しない期間には該当しないものとみなす。

　第1項は、派遣先の機関の業務を退職手当法上、公務とみなすこととしたものである。これにより、派遣先の機関の業務に起因する死亡又は傷病により退職した場合には、公務上の死亡又は傷病として法第5条第1項の規定による退職手当が支給されることとなる。
　第2項は、派遣職員に関する退職手当法第6条の4第1項及び第7条第4項の規定の適用について、当該派遣の期間は、同法第6条の4第1項に規定する現実に職務をとることを要しない期間には該当しないものとみなす、すなわち、退職手当の調整額の算定及び退職手当の基本額の算定の基礎となる在職期間からは除算されることなくすべて通算されることを規定しているものである。

第3章　国と民間企業との間の人事交流に関する法律

　行政の課題に柔軟かつ的確に対応するために必要な知識及び能力を有する人材の育成及び行政運営の活性化を図るため、一般の職員を期間を定めて民間企業の業務に従事させること及び民間企業に雇用されていた者を任期を定めて一般の職員に採用することについて定めること等を内容とする「国と民間企業との間の人事交流に関する法律」（平成11年法律第224号）が制定された。

　退職手当については、同法第17条において、交流派遣された期間等の取扱いに関する特例が定められている。

○国と民間企業との間の人事交流に関する法律（平成11年法律第224号）（抄）
　　（職務に復帰した職員等に関する国家公務員退職手当法の特例）
第17条　交流派遣後職務に復帰した職員が退職した場合（交流派遣職員がその交流派遣の期間中に退職した場合を含む。）における国家公務員退職手当法（昭和28年法律第182号）の規定の適用については、派遣先企業の業務に係る業務上の傷病又は死亡は同法第4条第2項、第5条第1項及び第6条の4第1項に規定する公務上の傷病又は死亡と、当該業務に係る労働者災害補償保険法第7条第2項に規定する通勤による傷病は国家公務員退職手当法第4条第2項、第5条第2項及び第6条の4第1項に規定する通勤による傷病とみなす。
2　交流派遣職員に関する国家公務員退職手当法第6条の4第1項及び第7条第4項の規定の適用については、交流派遣の期間は、同法第6条の4第1項に規定する現実に職務をとることを要しない期間には該当しないものとみなす。
3　前項の規定は、交流派遣職員が派遣先企業から所得税法（昭和40年法律第33号）第30条第1項に規定する退職手当等（同法第31条の規定により退職手当等とみなされるものを含む。）の支払を受けた場合には、適用しない。
4　交流派遣職員がその交流派遣の期間中に退職した場合に支給する国家公務員退職手当法の規定による退職手当の算定の基礎となる俸給月額については、部内の他の職員との権衡上必要があると認められるときは、次条第1項の規定の例により、その額を調整することができる。

　第1項は、交流派遣後職務に復帰した職員が退職した場合（交流派遣職員がその交流派遣の期間中に退職した場合を含む。）における退職手当法の規定の適用については、派遣先企業の業務に係る業務上の傷病又は死亡は公務上の傷病又は死亡と、当該業務に係る労働者災害補償保険法に規定する通勤による傷病は退職手当法に規定する通勤による傷病とみなすことを規定している。

　第2項は、交流派遣職員に関する退職手当法第6条の4第1項及び第7条第4項の規定の適用について、当該交流派遣の期間は、同法第6条の4第1項に

規定する現実に職務をとることを要しない期間には該当しないものとみなす。すなわち、退職手当の調整額の算定の対象となる基礎在職期間及び退職手当の基本額の算定の基礎となる勤続期間からは除算されることなくすべて通算されることを規定しているものである。

　なお、第3項では、交流派遣職員が当該派遣先企業から退職金の支払を受けた場合には、第2項の特例は適用されない旨規定している。

　第4項は、交流派遣職員がその交流派遣の期間中に退職した場合に支給する退職手当法の算定の基礎となる俸給月額について規定したものであり、部内の他の職員との権衡上必要があると認められるときは、その額を調整することができるとされている。

第4章　法科大学院への裁判官及び検察官その他の一般職の国家公務員の派遣に関する法律

　法科大学院における教育が、司法修習生の修習との有機的連携のもとに法曹としての実務に関する教育の一部を担うものであり、かつ、将来の法曹としての実務に必要な法律に関する理論的かつ実践的な能力を備えた多数の法曹の育成の要請を実現すべきものであることに鑑み、国の責務として、裁判官及び検察官その他の一般職の国家公務員が法科大学院教員としての業務を行うための派遣に関し必要な事項について定めることを内容とする「法科大学院への裁判官及び検察官その他の一般職の国家公務員の派遣に関する法律」（平成15年法律第40号）が制定された。

　退職手当については、同法第10条及び第19条において、派遣された期間等の取扱いに関する特例が定められている。第10条は第4条（職務とともに教授等の業務を行うための派遣）の規定に基づく派遣、第19条は第11条（専ら教授等の業務を行うための派遣）の規定に基づく派遣にそれぞれ係る規定である。

○法科大学院への裁判官及び検察官その他の一般職の国家公務員の派遣に関する法律（平成15年法律第40号）（抄）

　（国家公務員退職手当法の特例）

第10条　第4条第3項の規定による派遣の期間中又はその期間の満了後に当該検察官等が退職した場合における国家公務員退職手当法（昭和28年法律第182号）の規定の適用については、当該法科大学院における教授等の業務に係る業務上の傷病又は死亡は同法第4条第2項、第5条第1項及び第6条の4第1項に規定する公務上の傷病又は死亡と、当該教授等の業務に係る労働者災害補償保険法第7条第2項に規定する通勤による傷病は国家公務員退職手当法第4条第2項、第5条第2項及び第6条の4第1項に規定する通勤による傷病とみなす。

　（国家公務員退職手当法の特例）

第19条　第10条の規定は、第11条第1項の規定により派遣された検察官等について準用する。この場合において、当該検察官等が法科大学院を置く公立大学に派遣されたものであるときは、第10条中「労働者災害補償保険法第7条第2項」とあるのは、「地方公務員災害補償法第2条第2項」とする。

2　第11条第1項の規定により派遣された検察官等に関する国家公務員退職手当法第6条の4第1項及び第7条第4項の規定の適用については、第11条第1項の規定による派遣の期間は、同法第6条の4第1項に規定する現実に職務をとることを要しない期間には該当しないものとみなす。

3　前項の規定は、第11条第1項の規定により派遣された検察官等が当該法科大学院設置者から所得税法（昭和40年法律第33号）第30条第1項に規定する退職手当等（同法第31

条の規定により退職手当等とみなされるものを含む。）の支払を受けた場合には、適用しない。
4　第11条第１項の規定により派遣された検察官等がその派遣の期間中に退職した場合に支給する国家公務員退職手当法の規定による退職手当の算定の基礎となる俸給月額については、部内の他の職員との権衡上必要があると認められるときは、次条第１項の規定の例により、その額を調整することができる。

　第10条及び第19条第１項は、職務とともに又は専ら法科大学院における教授等の業務を行うものとして法科大学院に派遣された期間又は当該期間後に退職した場合における退職手当法の規定の適用について規定したものであり、当該法科大学院における教授等の業務に係る業務上の傷病又は死亡は公務上の傷病又は死亡と、当該教授等の業務に係る労働者災害補償保険法に規定する通勤による傷病は退職手当法に規定する通勤による傷病とみなすこととしている。

　第２項は、派遣された検察官等に関する退職手当法第６条の４第１項及び第７条第４項の規定の適用について、当該派遣の期間は、同法第６条の４第１項に規定する現実に職務をとることを要しない期間には該当しないものとみなす、すなわち、退職手当の調整額の算定の対象となる基礎在職期間及び退職手当の基本額の算定の基礎となる勤続期間からは除算されることなくすべて通算されることを規定しているものである。

　なお、第３項では、派遣された検察官等が当該法科大学院設置者から退職金の支払を受けた場合には、第２項の特例は適用されない旨規定している。

　第４項は、検察官等がその派遣の期間中に退職した場合に支給する退職手当の算定の基礎となる俸給月額について規定したものであり、部内の他の職員との権衡上必要があると認められるときは、その額を調整することができるとされている。

第5章　判事補及び検事の弁護士職務経験に関する法律

　内外の社会経済情勢の変化に伴い、司法の果たすべき役割がより重要なものとなり、司法に対する多様かつ広範な国民の要請にこたえることのできる広くかつ高い識見を備えた裁判官及び検察官が求められていることに鑑み、判事補及び検事について、その経験多様化のための方策の一環として、一定期間その官を離れ、弁護士となってその職務を経験するために必要な措置を講ずるための法律「判事補及び検事の弁護士職務経験に関する法律」（平成16年法律第121号）が制定された。

　退職手当については、同法第11条において、弁護士職務従事期間等の取扱いに関する特例が定められている。

○判事補及び検事の弁護士職務経験に関する法律（平成16年法律第121号）（抄）
　（国家公務員退職手当法の特例）
第11条　弁護士職務従事職員又は弁護士職務従事職員であった者が退職した場合における国家公務員退職手当法（昭和28年法律第182号）の規定の適用については、第4条第1項に規定する弁護士の業務に係る業務上の傷病又は死亡は同法第4条第2項、第5条第1項及び第6条の4第1項に規定する公務上の傷病又は死亡と、当該弁護士の業務に係る労働者災害補償保険法第7条第2項に規定する通勤による傷病は国家公務員退職手当法第4条第2項、第5条第2項及び第6条の4第1項に規定する通勤による傷病とみなす。
2　弁護士職務従事職員又は弁護士職務従事職員であった者に関する国家公務員退職手当法第6条の4第1項及び第7条第4項の規定の適用については、弁護士職務従事期間は、同法第6条の4第1項に規定する現実に職務をとることを要しない期間には該当しないものとみなす。
3　前項の規定は、弁護士職務従事職員又は弁護士職務従事職員であった者が当該受入先弁護士法人等から所得税法（昭和40年法律第33号）第30条第1項に規定する退職手当等（同法第31条の規定により退職手当等とみなされるものを含む。）の支払を受けた場合には、適用しない。
4　弁護士職務従事職員がその弁護士職務従事期間中に退職した場合に支給する国家公務員退職手当法の規定による退職手当の算定の基礎となる俸給若しくは扶養手当又はこれらに対する地域手当若しくは広域異動手当（以下この項において「俸給等」という。）の月額については、当該弁護士職務従事職員が第2条第3項又は第6項の規定により裁判所事務官又は法務省に属する官職に任命された日の前日において受けていた俸給等の月額をもって、当該弁護士職務従事職員の俸給等の月額とする。ただし、必要があると認められるときは、他の判事補若しくは判事又は検事との均衡を考慮し、必要な措置を講ずることができる。
5　弁護士職務従事職員又は弁護士職務従事職員であった者が退職した場合における国家

公務員退職手当法第6条の4の規定の適用については、これらの者は、その弁護士職務従事期間中、第2条第3項又は第6項の規定により裁判所事務官又は法務省に属する官職に任命された日の前日において従事していた職務に従事していたものとみなす。

　第1項は、弁護士職務従事職員又は弁護士職務従事職員であった者が退職した場合における退職手当法の規定の適用について規定したものであり、弁護士の業務に係る業務上の傷病又は死亡は公務上の傷病又は死亡と、当該弁護士の業務に係る労働者災害補償保険法に規定する通勤による傷病は退職手当法に規定する通勤による傷病とみなすこととしている。

　第2項は、弁護士職務従事職員又は弁護士職務従事職員であった者に関する退職手当法第6条の4第1項及び第7条第4項の規定の適用について、当該弁護士職務従事期間は、同法第6条の4第1項に規定する現実に職務をとることを要しない期間には該当しないものとみなす、すなわち、退職手当の調整額の算定の対象となる基礎在職期間及び退職手当の基本額の算定の基礎となる勤続期間からは除算されることなくすべて通算されることを規定しているものである。

　なお、第3項では、弁護士職務従事職員又は弁護士職務従事職員であった者が当該受入先弁護士法人等から退職金の支払を受けた場合には、第2項の特例は適用されない旨規定している。

　第4項は、弁護士職務従事職員がその弁護士職務従事期間中に退職した場合に支給する退職手当の算定の基礎となる俸給等の月額について規定したものであり、この場合には、当該弁護士職務に従事するために裁判官又は検察官が裁判所事務官又は法務省に属する官職に任命された日の前日において受けていた俸給等の月額をもって、当該弁護士職務従事職員の俸給等の月額とすることとしている。なお、必要があると認められるときは、他の判事補若しくは判事又は検事との均衡を考慮し、必要な措置を講ずることができるとされている。

　第5項は、弁護士職務従事職員又は弁護士職務従事職員であった者が退職した場合における退職手当の調整額の算定にあたっては、当該弁護士職務従事期間中、当該弁護士職務に従事するために裁判官又は検察官が裁判所事務官又は法務省に属する官職に任命された日の前日において従事していた職務に従事していたものとみなす旨規定している。

第6章　令和3年東京オリンピック競技大会・東京パラリンピック競技大会特別措置法

　2021年に開催された東京オリンピック競技大会及び東京パラリンピック競技大会の円滑な準備及び運営に資するため、東京オリンピック競技大会・東京パラリンピック競技大会推進本部の設置及び基本方針の策定等について定める、令和3年東京オリンピック競技大会・東京パラリンピック競技大会特別措置法（平成27年法律第33号）第17条第1項においては、公益財団法人東京オリンピック・パラリンピック競技大会組織委員会の要請に応じ、同委員会の特定業務（国の事務又は事業との密接な連携の下で実施する必要があるもの）を行うものとして国の職員を同委員会に派遣することができる旨が規定されている。

　同法第24条においては、退職手当法の特例として、同委員会への派遣の期間は現実に職務をとることを要しない期間には該当しないものとみなす旨等が規定されている。

〇令和3年東京オリンピック競技大会・東京パラリンピック競技大会特別措置法（平成27年法律第33号）（抄）
　　（国の職員の派遣）
第17条　任命権者は、前条第一項の規定による要請があった場合において、スポーツの振興、公共の安全と秩序の維持、交通の機能の確保及び向上、外交政策の推進その他の国の責務を踏まえ、その要請に係る派遣の必要性、派遣に伴う事務の支障その他の事情を勘案して、国の事務又は事業との密接な連携を確保するために相当と認めるときは、これに応じ、国の職員の同意を得て、組織委員会との間の取決めに基づき、期間を定めて、専ら組織委員会における特定業務を行うものとして当該国の職員を組織委員会に派遣することができる。
2～8　略
　　（国家公務員退職手当法の特例）
第24条　第17条第1項の規定による派遣の期間中又はその期間の満了後に当該国の職員が退職した場合における国家公務員退職手当法（昭和28年法律第182号）の規定の適用については、組織委員会における特定業務に係る業務上の傷病又は死亡は同法第4条第2項、第5条第1項及び第6条の4第1項に規定する公務上の傷病又は死亡と、当該特定業務に係る労働者災害補償保険法第7条第2項に規定する通勤による傷病は国家公務員退職手当法第4条第2項、第5条第2項及び第6条の4第1項に規定する通勤による傷病とみなす。
2　派遣職員に関する国家公務員退職手当法第6条の4第1項及び第7条第4項の規定の適用については、第17条第1項の規定による派遣の期間は、同法第6条の4第1項に規定する現実に職務をとることを要しない期間には該当しないものとみなす。

3　前項の規定は、派遣職員が組織委員会から所得税法(昭和40年法律第33号)第30条第1項に規定する退職手当等(同法第31条の規定により退職手当等とみなされるものを含む。)の支払を受けた場合には、適用しない。
4　派遣職員がその派遣の期間中に退職した場合に支給する国家公務員退職手当法の規定による退職手当の算定の基礎となる俸給月額については、部内の他の職員との権衡上必要があると認められるときは、次条第1項の規定の例により、その額を調整することができる。

第7章　平成31年ラグビーワールドカップ大会特別措置法

　2019年に開催されたラグビーワールドカップ大会の円滑な準備及び運営に資するため、必要な特別措置について定める、平成31年ラグビーワールドカップ大会特別措置法（平成27年法律第34号）第4条第1項においては、公益財団法人ラグビーワールドカップ2019組織委員会の要請に応じ、同委員会の特定業務（国の事務又は事業との密接な連携の下で実施する必要があるもの）を行うものとして国の職員を同委員会に派遣することができる旨が規定されている。同法第11条においては、退職手当法の特例として、同委員会への派遣の期間は現実に職務をとることを要しない期間には該当しないものとみなす旨等が規定されている。

　〇平成31年ラグビーワールドカップ大会特別措置法（平成27年法律第34号）（抄）
　　（国の職員の派遣）
　第4条　任命権者は、前条第一項の規定による要請があった場合において、スポーツの振興、公共の安全と秩序の維持、交通の機能の確保及び向上、外交政策の推進その他の国の責務を踏まえ、その要請に係る派遣の必要性、派遣に伴う事務の支障その他の事情を勘案して、国の事務又は事業との密接な連携を確保するために相当と認めるときは、これに応じ、国の職員の同意を得て、組織委員会との間の取決めに基づき、期間を定めて、専ら組織委員会における特定業務を行うものとして当該国の職員を組織委員会に派遣することができる。
　2～8　略
　　（国家公務員退職手当法の特例）
　第11条　第4条第1項の規定による派遣の期間中又はその期間の満了後に当該国の職員が退職した場合における国家公務員退職手当法（昭和28年法律第182号）の規定の適用については、組織委員会における特定業務に係る業務上の傷病又は死亡は同法第4条第2項、第5条第1項及び第6条の4第1項に規定する公務上の傷病又は死亡と、当該特定業務に係る労働者災害補償保険法第7条第2項に規定する通勤による傷病は国家公務員退職手当法第4条第2項、第5条第2項及び第6条の4第1項に規定する通勤による傷病とみなす。
　2　派遣職員に関する国家公務員退職手当法第6条の4第1項及び第7条第4項の規定の適用については、第4条第1項の規定による派遣の期間は、同法第6条の4第1項に規定する現実に職務をとることを要しない期間には該当しないものとみなす。
　3　前項の規定は、派遣職員が組織委員会から所得税法（昭和40年法律第33号）第30条第1項に規定する退職手当等（同法第31条の規定により退職手当等とみなされるものを含む。）の支払を受けた場合には、適用しない。
　4　派遣職員がその派遣の期間中に退職した場合に支給する国家公務員退職手当法の規定による退職手当の算定の基礎となる俸給月額については、部内の他の職員との権衡上必

要があると認められるときは、次条第一項の規定の例により、その額を調整することができる。

第8章　福島復興再生特別措置法

　福島復興再生特別措置法の一部を改正する法律（平成29年法律第32号）において、福島復興再生特別措置法（平成24年法律第25号。この章において「特措法」という。）が改正され、特措法第48条の10に退職手当法の特例が設けられ被災事業者の事業再開等を支援する官民合同チーム（国、福島県、（公社）福島相双復興推進機構（以下「相双機構」という。）等から構成）の組織の一元化を図るため、その中核である相双機構を法律に位置付けるとともに、国の職員をその身分を保有したまま相双機構へ派遣できること等を可能とする改正が行われ、退職手当法においては特例として、相双機構への派遣の期間は現実に職務をとることを要しない期間には該当しないものとみなす旨等が規定されている。

　また、復興庁設置法等の一部を改正する法律（令和2年法律第46号）において、特措法が改正され、特措法第7条第5項第2号に規定する取組（福島イノベーション・コースト構想）を推進するため、特措法第89条の3第1項において、公益財団法人福島イノベーション・コースト構想推進機構（以下この章において「イノベ機構」という。）を法律に位置付けるとともに、国の職員をその身分を保有したまま相双機構へ派遣できること等を可能とする改正が行われ、退職手当法においては特例として、イノベ機構への派遣の期間は現実に職務をとることを要しない期間には該当しないものとみなす旨等が規定されている。

〇**福島復興再生特別措置法**（平成24年法律第25号）（抄）

　　（公益社団法人福島相双復興推進機構による派遣の要請）

第48条の2　避難指示・解除区域市町村の復興及び再生を推進することを目的とする公益社団法人福島相双復興推進機構（平成27年8月12日に一般社団法人福島相双復興準備機構という名称で設立された法人をいう。以下この節において「機構」という。）は、避難指示・解除区域市町村の復興及び再生の推進に関する業務のうち、特定事業者（避難指示・解除区域市町村の区域内に平成23年3月11日においてその事業所が所在していた個人事業者又は法人をいう。以下この項において同じ。）の経営に関する診断及び助言、特定事業者の事業の再生を図るための方策の企画及び立案、国の行政機関その他の関係機関との連絡調整その他国の事務又は事業との密接な連携の下で実施する必要があるもの（以下この節において「特定業務」という。）を円滑かつ効果的に行うため、国の職員（国家公務員法（昭和22年法律第120号）第2条に規定する一般職に属する職員（法律により任期を定めて任用される職員、常時勤務を要しない官職を占める職員、独立行政法人通則法（平成11年法律第103号）第2条第4項に規定する行政執行法人の職員その他人事院規則で定める職員を除く。）をいう。以下同じ。）を機構の職員として必要とするときは、その必要とする事由を明らかにして、任命権者（国家公務員法第55条第1

項に規定する任命権者及び法律で別に定められた任命権者並びにその委任を受けた者をいう。以下同じ。）に対し、その派遣を要請することができる。
2　略
（国の職員の派遣）
第48条の3　任命権者は、前条第一項の規定による要請があった場合において、原子力災害からの福島の復興及び再生の推進その他の国の責務を踏まえ、その要請に係る派遣の必要性、派遣に伴う事務の支障その他の事情を勘案して、国の事務又は事業との密接な連携を確保するために相当と認めるときは、これに応じ、国の職員の同意を得て、機構との間の取決めに基づき、期間を定めて、専ら機構における特定業務を行うものとして当該国の職員を機構に派遣することができる。
2～8　略
（国家公務員退職手当法の特例）
第48条の10　第48条の3第1項の規定による派遣の期間中又はその期間の満了後に当該国の職員が退職した場合における国家公務員退職手当法（昭和28年法律第182号）の規定の適用については、機構における特定業務に係る業務上の傷病又は死亡は同法第4条第2項、第5条第1項及び第6条の4第1項に規定する公務上の傷病又は死亡と、当該特定業務に係る労働者災害補償保険法第7条第2項に規定する通勤による傷病は国家公務員退職手当法第4条第2項、第5条第2項及び第6条の4第1項に規定する通勤による傷病とみなす。
2　派遣職員に関する国家公務員退職手当法第6条の4第1項及び第7条第4項の規定の適用については、第48条の3第1項の規定による派遣の期間は、同法第6条の4第1項に規定する現実に職務をとることを要しない期間には該当しないものとみなす。
3　前項の規定は、派遣職員が機構から所得税法（昭和40年法律第33号）第30条第1項に規定する退職手当等（同法第31条の規定により退職手当等とみなされるものを含む。）の支払を受けた場合には、適用しない。
4　略
（公益財団法人福島イノベーション・コースト構想推進機構による派遣の要請）
第89条の2　福島国際研究産業都市区域における新たな産業の創出及び産業の国際競争力の強化に寄与する取組を重点的に推進することを目的とする公益財団法人福島イノベーション・コースト構想推進機構（平成29年7月25日に一般財団法人福島イノベーション・コースト構想推進機構という名称で設立された法人をいう。以下この節において「機構」という。）は、当該取組の推進に関する業務のうち、産業集積の形成及び活性化に資する事業の創出の促進、国、地方公共団体、研究機関、事業者、金融機関その他の関係者相互間の連絡調整及び連携の促進、産業集積の形成及び活性化を図るための方策の企画及び立案その他国の事務又は事業との密接な連携の下で実施する必要があるもの（以下この節において「特定業務」という。）を円滑かつ効果的に行うため、国の職員を機構の職員として必要とするときは、その必要とする事由を明らかにして、任命権者に対し、その派遣を要請することができる。
2　略
（国の職員の派遣）
第89条の3　任命権者は、前条第一項の規定による要請があった場合において、原子力災害からの福島の復興及び再生の推進その他の国の責務を踏まえ、その要請に係る派遣の必要性、派遣に伴う事務の支障その他の事情を勘案して、国の事務又は事業との密接な

連携を確保するために相当と認めるときは、これに応じ、国の職員の同意を得て、機構との間の取決めに基づき、期間を定めて、専ら機構における特定業務を行うものとして当該国の職員を機構に派遣することができる。
2〜8　略
　（国家公務員退職手当法の特例）
第89条の10　第89条の３第１項の規定による派遣の期間中又はその期間の満了後に当該国の職員が退職した場合における国家公務員退職手当法の規定の適用については、機構における特定業務に係る業務上の傷病又は死亡は同法第４条第２項、第５条第１項及び第６条の４第１項に規定する公務上の傷病又は死亡と、当該特定業務に係る労働者災害補償保険法第７条第２項に規定する通勤による傷病は国家公務員退職手当法第４条第２項、第５条第２項及び第６条の４第１項に規定する通勤による傷病とみなす。
2　派遣職員に関する国家公務員退職手当法第６条の４第１項及び第７条第４項の規定の適用については、第89条の３第１項の規定による派遣の期間は、同法第６条の４第１項に規定する現実に職務をとることを要しない期間には該当しないものとみなす。
3　前項の規定は、派遣職員が機構から所得税法第30条第１項に規定する退職手当等の支払を受けた場合には、適用しない。
4　派遣職員がその派遣の期間中に退職した場合に支給する国家公務員退職手当法の規定による退職手当の算定の基礎となる俸給月額については、部内の他の職員との権衡上必要があると認められるときは、次条第１項の規定の例により、その額を調整することができる。

第9章　令和7年に開催される国際博覧会の準備及び運営のために必要な特別措置に関する法律

　2025年に開催される国際博覧会の円滑な準備及び運営に資するため、必要な特別措置について定める、令和7年に開催される国際博覧会の準備及び運営のために必要な特別措置に関する法律（平成31年法律第18号）第25条第1項においては、公益社団法人2025年日本国際博覧会協会の要請に応じ、同協会の特定業務（国の事務又は事業との密接な連携の下で実施する必要があるもの）を行うものとして国の職員を同協会に派遣することができる旨が規定されている。同法第32条においては、退職手当法の特例として、同協会への派遣の期間は現実に職務をとることを要しない期間には該当しないものとみなす旨等が規定されている。

〇令和7年に開催される国際博覧会の準備及び運営のために必要な特別措置に関する法律
　（平成31年法律第18号）（抄）
　　（国の職員の派遣）
第25条　任命権者は、前条第1項の規定による要請があった場合において、経済及び産業の発展、公共の安全と秩序の維持、交通の機能の確保及び向上、外交政策の推進その他の国の責務を踏まえ、その要請に係る派遣の必要性、派遣に伴う事務の支障その他の事情を勘案して、国の事務又は事業との密接な連携を確保するために相当と認めるときは、これに応じ、国の職員の同意を得て、博覧会協会との間の取決めに基づき、期間を定めて、専ら博覧会協会における特定業務を行うものとして当該国の職員を博覧会協会に派遣することができる。
2～8　略
　　（国家公務員退職手当法の特例）
第32条　第25条第1項の規定による派遣の期間中又はその期間の満了後に当該国の職員が退職した場合における国家公務員退職手当法（昭和28年法律第182号）の規定の適用については、博覧会協会における特定業務に係る業務上の傷病又は死亡は同法第4条第2項、第5条第1項及び第6条の4第1項に規定する公務上の傷病又は死亡と、当該特定業務に係る労働者災害補償保険法第7条第2項に規定する通勤による傷病は国家公務員退職手当法第4条第2項、第5条第2項及び第6条の4第1項に規定する通勤による傷病とみなす。
2　派遣職員に関する国家公務員退職手当法第6条の4第1項及び第7条第4項の規定の適用については、第25条第1項の規定による派遣の期間は、同法第6条の4第1項に規定する現実に職務をとることを要しない期間には該当しないものとみなす。
3　前項の規定は、派遣職員が博覧会協会から所得税法（昭和40年法律第33号）第30条第1項に規定する退職手当等（同法第31条の規定により退職手当等とみなされるものを含む。）の支払を受けた場合には、適用しない。
4　略

第10章　令和9年に開催される国際園芸博覧会の準備及び運営のために必要な特別措置に関する法律

　2027年に開催される国際園芸博覧会の円滑な準備及び運営に資するため、必要な特別措置について定める、令和9年に開催される国際園芸博覧会の準備及び運営のために必要な特別措置に関する法律（令和4年法律第15号）第15条第1項においては、一般社団法人2027年国際園芸博覧会協会の要請に応じ、同協会の特定業務（国の事務又は事業との密接な連携の下で実施する必要があるもの）を行うものとして国の職員を同協会に派遣することができる旨が規定されている。同法第22条においては、退職手当法の特例として、同協会への派遣の期間は現実に職務をとることを要しない期間には該当しないものとみなす旨等が規定されている。

〇令和9年に開催される国際園芸博覧会の準備及び運営のために必要な特別措置に関する法律（令和4年法律第15号）（抄）
（国の職員の派遣）
第15条　任命権者は、前条第1項の規定による要請があった場合において、都市における自然的環境の整備、公共の安全と秩序の維持、交通の機能の確保及び向上、外交政策の推進その他の国の責務を踏まえ、その要請に係る派遣の必要性、派遣に伴う事務の支障その他の事情を勘案して、国の事務又は事業との密接な連携を確保するために相当と認めるときは、これに応じ、国の職員の同意を得て、博覧会協会との間の取決めに基づき、期間を定めて、専ら博覧会協会における特定業務を行うものとして当該国の職員を博覧会協会に派遣することができる。
2～8　略
（国家公務員退職手当法の特例）
第22条　第15条第1項の規定による派遣の期間中又はその期間の満了後に当該国の職員が退職した場合における国家公務員退職手当法（昭和28年法律第182号）の規定の適用については、博覧会協会における特定業務に係る業務上の傷病又は死亡は同法第4条第2項、第5条第1項第4号及び第6条の4第1項に規定する公務上の傷病又は死亡と、当該特定業務に係る労働者災害補償保険法第7条第2項に規定する通勤による傷病は国家公務員退職手当法第4条第2項、第5条第2項及び第6条の4第1項に規定する通勤による傷病とみなす。
2　派遣職員に関する国家公務員退職手当法第6条の4第1項及び第7条第4項の規定の適用については、第15条第1項の規定による派遣の期間は、同法第6条の4第1項に規定する現実に職務をとることを要しない期間には該当しないものとみなす。
3　前項の規定は、派遣職員が博覧会協会から所得税法（昭和40年法律第33号）第30条第1項に規定する退職手当等（同法第31条の規定により退職手当等とみなされるものを含む。）の支払を受けた場合には、適用しない。

4　派遣職員がその派遣の期間中に退職した場合に支給する国家公務員退職手当法の規定による退職手当の算定の基礎となる俸給月額については、部内の他の職員との権衡上必要があると認められるときは、次条第一項の規定の例により、その額を調整することができる。

第11章　科学技術・イノベーション創出の活性化に関する法律

　国際的な競争条件の変化、急速な少子高齢化の進展等の経済社会情勢の変化に対応して、研究開発能力の強化及び研究開発等の効率的推進を図ることが喫緊の課題であることに鑑み、研究開発システムの改革の推進等による研究開発能力の強化及び研究開発等の効率的推進に関し、基本理念を定め、並びに国、地方公共団体並びに研究開発法人、大学等及び事業者の責務等を明らかにするとともに、研究開発システムの改革の推進等による研究開発能力の強化及び研究開発等の効率的推進のために必要な事項等を定めることにより、我が国の国際競争力の強化及び国民生活の向上に寄与することを目的として、「研究開発システムの改革の推進等による研究開発能力の強化及び研究開発等の効率的推進等に関する法律」（平成20年法律第63号）が制定された。

　また、「研究開発システムの改革の推進等による研究開発能力の強化及び研究開発等の効率的推進等に関する法律の一部を改正する法律」（平成30年法律第94号）により、国際競争の激化、急速な少子高齢化の進展等の経済社会情勢変化に対応して、我が国の経済社会を更に発展させるためには科学技術・イノベーション創出の活性化を通じてこれに関する知識、人材及び資金の好循環を実現することが極めて重要あることに鑑み、科学技術・イノベーション創出の活性化に関し、基本理念を定め、並びに国、地方公共団体、研究開発法人及び大学等並びに民間事業者の責務等を明らかにするとともに、科学技術・イノベーション創出の活性化のために必要な事項等を定めることにより、我が国の国際協力の強化、経済社会の健全な発展及び国民生活の向上に寄与することを目的とした、「科学技術・イノベーション創出の活性化に関する法律」に改められた。

　退職手当については、同法第17条において、研究公務員が、共同研究等（国及び行政執行法人以外の者が行う国（研究公務員が行政執行法人の職員である場合にあっては、当該行政執行法人）と共同して行う研究又は国の委託を受けて行う研究）に従事するために休職にされた場合の当該休職期間の取扱いに関する特例が定められている。

　なお、同法により、研究交流促進法（昭和61年法律第57号）は廃止されたが、廃止前の研究交流促進法第6条第1項に規定する共同研究等に従事するため国家公務員法第79条又は自衛隊法第43条の規定により休職にされた旧法第2条第

3項に規定する研究公務員については、廃止前の研究交流促進法第6条の規定は、なおその効力を有するものとされている。

　〇科学技術・イノベーション創出の活性化に関する法律（平成20年法律第63号）（抄）
　　（研究公務員に関する国家公務員退職手当法の特例）
　第17条　研究公務員が、国及び行政執行法人以外の者が国（当該研究公務員が行政執行法人の職員である場合にあっては、当該行政執行法人。以下この条において同じ。）と共同して行う研究又は国の委託を受けて行う研究（以下この項において「共同研究等」という。）に従事するため国家公務員法第79条又は自衛隊法（昭和29年法律第165号）第43条の規定により休職にされた場合において、当該共同研究等への従事が当該共同研究等の効率的実施に特に資するものとして政令で定める要件に該当するときは、研究公務員に関する国家公務員退職手当法（昭和28年法律第182号）第6条の4第1項及び第7条第4項の規定の適用については、当該休職に係る期間は、同法第6条の4第1項に規定する現実に職務をとることを要しない期間には該当しないものとみなす。
　2　前項の規定は、研究公務員が国以外の者から国家公務員退職手当法の規定による退職手当に相当する給付として政令で定めるものの支払を受けた場合には、適用しない。
　3　前項に定めるもののほか、第1項の規定の適用に関し必要な事項は、政令で定める。
　　　附　則
　第4条　この法律の施行前に旧法第6条第1項に規定する共同研究等に従事するため国家公務員法第79条又は自衛隊法第43条の規定により休職にされた旧法第2条第3項に規定する研究公務員については、旧法第6条の規定は、なおその効力を有する。

　退職手当法第6条の4第1項及び第7条第4項では、休職、停職等により職員が「現実に職務をとることを要しない期間」がある場合には、原則として、その月数の2分の1に相当する月数を退職手当の調整額の計算の対象となる基礎在職期間及び退職手当の基本額の算定の基礎となる勤続期間から除算することとされている。研究公務員は、休職期間中国の事務又は事業に従事しているものではないが、政令で定める要件に該当する場合には、当該休職期間については、この「現実に職務をとることを要しない期間」には該当しないものとみなされていることから、職員としての在職期間から除算せず、職員としての引き続いた在職期間として取り扱うこととなる（科学技術・イノベーション創出の活性化に関する法律第17条第1項）。
　ただし、研究公務員が共同研究等に従事した民間研究機関等から退職金を支給されたときは、この特例を適用しないこととされており、当該休職期間は半減対象となる（同法第17条第2項）。
　なお、「研究公務員」とは、科学技術（人文科学のみに係るものを除く。）に関する試験研究を行っている国の機関に勤務する研究者である。この国の機関については、「科学技術・イノベーション創出の活性化に関する法律施行令」

（平成20年政令第314号）別表にその名称が個別に列挙されている。

　次に、半減対象とならないための「政令で定める要件」等は、科学技術・イノベーション創出の活性化に関する法律施行令第4条に定められているので、同条を引用する。

〇科学技術・イノベーション創出の活性化に関する法律施行令（平成20年政令第314号）
　（抄）
　（国家公務員退職手当法の特例に関する要件等）
　第4条　法第17条第1項の政令で定める要件は、次に掲げる要件の全てに該当することとする。
　　一　研究公務員の共同研究等（国及び行政執行法人以外の者が国（当該研究公務員が行政執行法人の職員である場合にあっては、当該行政執行法人。以下この号において同じ。）と共同して行う研究又は国の委託を受けて行う研究をいう。以下この条において同じ。）への従事が、当該共同研究等の規模、内容その他の状況に照らして、当該共同研究等の効率的実施に特に資するものであること。
　　二　研究公務員が共同研究等において従事する業務が、当該研究公務員の職務に密接な関連があり、かつ、当該共同研究等において重要なものであること。
　　三　研究公務員を共同研究等に従事させることについて当該共同研究等を行う国及び行政執行法人以外の者からの要請があること。
　2　各省各庁の長（財政法（昭和22年法律第34号）第20条第2項に規定する各省各庁の長をいう。以下同じ。）及び行政執行法人の長（第4項において「各省各庁の長等」という。）は、職員の退職に際し、その者の在職期間のうちに研究公務員として共同研究等に従事するため国家公務員法（昭和22年法律第120号）第79条又は自衛隊法（昭和29年法律第165号）第43条の規定により休職にされた期間があった場合において、当該休職に係る期間（その期間が更新された場合にあっては、当該更新に係る期間。以下この項において同じ。）における当該研究公務員としての当該共同研究等への従事が前項各号に掲げる要件の全てに該当することにつき、当該休職前（更新に係る場合には、当該更新前）に当該研究公務員の所属する各省各庁（財政法第21条に規定する各省各庁をいう。）又は行政執行法人の長において内閣総理大臣の承認を受けていたときに限り、当該休職に係る期間について法第17条第1項の規定を適用するものとする。
　3　法第17条第2項の政令で定める給付は、所得税法（昭和40年法律第33号）第30条第1項に規定する退職手当等（同法第31条の規定により退職手当等とみなされるものを含む。）とする。
　4　第2項の承認に係る共同研究等に従事した研究公務員は、当該共同研究等を行う国及び行政執行法人以外の者から前項に規定する退職手当等の支払を受けたときは、所得税法第226条第2項の規定により交付された源泉徴収票（源泉徴収票の交付のない場合には、これに準ずるもの）を各省各庁の長等に提出し、各省各庁の長等はその写しを内閣総理大臣に送付しなければならない。

第12章　教育公務員特例法

　産官学の人事交流を通じて我が国における科学技術の水準の向上を図り、もって経済社会の発展と国民の福祉の向上に寄与するため、研究施設研究教育職員（国立教育政策研究所の職員のうち専ら研究又は教育に従事する者）が、国及び行政執行法人以外の者が国若しくは指定行政執行法人（行政執行法人のうち、その業務の内容その他の事情を勘案して国の行う研究と同等の公益性を有する研究を行うものとして文部科学大臣が指定するものをいう。）と共同して行う研究又は国若しくは指定行政執行法人の委託を受けて行う研究（以下「共同研究等」という。）に従事するため休職にされた場合について、教育公務員特例法（昭和24年法律第1号）において、当該休職期間を退職手当の算定の基礎となる在職期間に通算することとする措置が講じられている。これは、「教育公務員特例法の一部を改正する法律」（平成9年法律第31号）により導入されたものである。

　具体的には、教育公務員特例法第34条（平成9年の法改正当初は第21条の2）の規定により、研究施設研究教育職員が共同研究等に従事するために国家公務員法第79条の規定により休職にされた場合において、当該共同研究等への従事がその効率的実施に特に資するものとして政令で定める要件に該当するときは、退職手当法第6条の4第1項及び第7条第4項の規定の適用上、当該休職期間は、同法第6条の4第1項に規定する現実に職務をとることを要しない期間には該当しないものとみなす、すなわち、退職手当の調整額の計算の対象となる基礎在職期間及び退職手当の基本額の算定の基礎となる勤続期間からは除算されないこととされている。

　なお、共同研究休職に係る退職手当法上の取扱いは、いわゆる研究公務員については、第3編第11章で述べたとおり、既に科学技術・イノベーション創出の活性化に関する法律において措置されているところであり、本章の特例対象となる職員は、あくまで、教育公務員特例法に規定されている職員である。

　〇**教育公務員特例法**（昭和24年法律第1号）（抄）
　　（研究施設研究教育職員等に関する特例）
　第31条　文部科学省に置かれる研究施設で政令で定めるもの（次条及び第35条において「研究施設」という。）の職員のうち専ら研究又は教育に従事する者（以下この章及び附則第八条において「研究施設研究教育職員」という。）に対する国家公務員法の適用については、次の表の上欄に掲げる同法の規定中同表の中欄に掲げる字句は、それぞれ同表の下欄に掲げる字句とする。

第81条の2第2項	年齢60年とする。ただし、次の各号に掲げる管理監督職を占める職員の管理監督職勤務上限年齢は、当該各号に	文部科学省令で定めるところにより任命権者が
第81条の5第1項及び第3項	で当該	で文部科学省令で定めるところにより任命権者が定める期間をもつて当該
第81条の5第2項及び第4項	で延長された	で文部科学省令で定めるところにより任命権者が定める期間をもつて延長された
第81条の6第1項	定年に達した日以後における最初の3月31日又は第55条第1項に規定する任命権者若しくは法律で別に定められた任命権者があらかじめ指定する日のいずれか早い日	定年に達した日から起算して1年を超えない範囲内で文部科学省令で定めるところにより任命権者があらかじめ指定する日
第81条の6第2項	年齢65年とする。ただし、その職務と責任に特殊性があること又は欠員の補充が困難であることにより定年を年齢65年とすることが著しく不適当と認められる官職を占める医師及び歯科医師その他の職員として人事院規則で定める職員の定年は、65年を超え70年を超えない範囲内で人事院規則で定める年齢とする	文部科学省令で定めるところにより任命権者が定める
第81条の7第1項	期限を定め	文部科学省令で定めるところにより任命権者が定める期限をもつて
第81条の7第2項	範囲内で	範囲内で文部科学省令で定めるところにより任命権者が定める期間をもつて

2 略

第34条 研究施設研究教育職員（政令で定める者に限る。以下この条において同じ。）が、国及び行政執行法人（独立行政法人通則法（平成11年法律第103号）第2条第4項に規定する行政執行法人をいう。以下同じ。）以外の者が国若しくは指定行政執行法人（行政執行法人のうち、その業務の内容その他の事情を勘案して国の行う研究と同等の公益性を有する研究を行うものとして文部科学大臣が指定するものをいう。以下この項において同じ。）と共同して行う研究又は国若しくは指定行政執行法人の委託を受けて行う研究（以下この項において「共同研究等」という。）に従事するため国家公務員法第79条の規定により休職にされた場合において、当該共同研究等への従事が当該共同研究等の効率的実施に特に資するものとして政令で定める要件に該当するときは、研究施設研究教育職員に関する国家公務員退職手当法（昭和28年法律第182号）第6条の4第1項及び第7条第4項の規定の適用については、当該休職に係る期間は、同法第6条の4第

1項に規定する現実に職務をとることを要しない期間には該当しないものとみなす。
2　前項の規定は、研究施設研究教育職員が国及び行政執行法人以外の者から国家公務員退職手当法の規定による退職手当に相当する給付として政令で定めるものの支払を受けた場合には、適用しない。
3　前項に定めるもののほか、第１項の規定の適用に関し必要な事項は、政令で定める。

本特例の対象となる研究施設研究教育職員、対象となるための要件等については、政令で次のとおり定められている。

〇教育公務員特例法施行令（昭和24年政令第６号）（抄）
　（法第31条の政令で定める研究施設）
第11条　法第31条の政令で定める研究施設は、国立教育政策研究所とする。
　（法第34条第１項の政令で定める研究施設研究教育職員等）
第12条　法第34条第１項の政令で定める者は、一般職の職員の給与に関する法律（昭和25年法律第95号）第６条第１項の規定に基づき同法別表第７研究職俸給表の適用を受ける者でその属する職務の級が１級であるもの以外の者とする。
2　法第34条第１項の政令で定める要件は、次に掲げる要件の全てに該当することとする。
　一　当該研究施設研究教育職員の共同研究等への従事が、当該共同研究等の規模、内容等に照らして、当該共同研究等の効率的実施に特に資するものであること。
　二　当該研究施設研究教育職員が共同研究等において従事する業務が、その職務に密接な関連があり、かつ、当該共同研究等において重要なものであること。
　三　当該研究施設研究教育職員を共同研究等に従事させることについて当該共同研究等を行う国及び行政執行法人以外の者からの要請があること。
3　各省各庁の長等（財政法（昭和22年法律第34号）第20条第２項に規定する各省各庁の長及び行政執行法人の長をいう。）は、職員の退職に際し、その者の在職期間のうちに研究施設研究教育職員として共同研究等に従事するため国家公務員法（昭和22年法律第120号）第79条の規定により休職にされた期間があつた場合において、当該休職に係る期間（その期間が更新された場合にあつては、当該更新に係る期間。以下この項において同じ。）における当該研究施設研究教育職員としての当該共同研究等への従事が前項各号に掲げる要件の全てに該当することにつき、文部科学大臣において当該休職前（更新に係る場合には、当該更新前）に内閣総理大臣の承認を受けているときに限り、当該休職に係る期間について法第34条第１項の規定を適用するものとする。
4　法第34条第２項の政令で定める給付は、所得税法（昭和40年法律第33号）第30条第１項に規定する退職手当等（同法第31条の規定により退職手当等とみなされるものを含む。）とする。
5　第３項の承認に係る共同研究等に従事した研究施設研究教育職員は、当該共同研究等を行う国及び行政執行法人以外の者から前項に規定する退職手当等の支払を受けたときは、所得税法第226条第２項の規定により交付された源泉徴収票（源泉徴収票の交付のない場合には、これに準ずるもの）を文部科学大臣に提出し、文部科学大臣はその写しを内閣総理大臣に送付しなければならない。

第13章　国家公務員の育児休業等に関する法律

1　国家公務員の育児休業制度

(1)　女性の著しい社会進出、家族形態の変化等に伴い、育児と仕事の両立を図る施策への社会的関心が急速に高まる中、平成3年5月に、民間の労働者を対象とし、子が1歳に達するまでの間育児休業をすることができること等を内容とする「育児休業等に関する法律」（平成3年法律第76号）が成立し、平成4年4月1日から施行されることとなった（現在は「育児休業、介護休業等育児又は家族介護を行う労働者の福祉に関する法律」）。

このような状況の下で、国家公務員についても、「国家公務員の育児休業等に関する法律」（平成3年法律第109号）が制定され、平成4年4月1日から、育児休業等に関する法律と同時に施行された。

なお、この法律の施行と同時に、小中学校等の女子教育公務員等に適用されていた「義務教育諸学校等の女子教育職員及び医療施設、社会福祉施設等の看護婦、保母等の育児休業に関する法律」（昭和50年法律第62号）（旧育児休業法）は廃止された。

(2)　国家公務員の育児休業制度の下では、職員は、任命権者の承認を受けて、当該職員の3歳に満たない子を養育するため、その子が3歳に達する日まで、育児休業をすることができることとされている。

育児休業をしている職員は、職員としての身分を保有するが、職務には従事せず、その間、給与も支給されない。ただし、育児休業（育児休業に係る子が1歳に達する日までの期間）により勤務に服さなかった期間については、所属共済組合から育児休業手当金が支給されることとなっている。

また、育児休業をした職員が職務に復帰した場合には、育児休業の期間を100分の100以下の換算率により換算して得た期間を引き続き勤務したものとみなして、号俸を調整することができることとされている。

2　育児休業期間の退職手当制度上の取扱い

退職手当法第6条の4第1項及び第7条第4項は、休職、停職等により、「現実に職務をとることを要しない期間」がある場合は、原則としてその月数の2分の1に相当する月数を退職手当の調整額の計算の対象となる基礎在職期

間及び退職手当の基本額の算定の基礎となる勤続期間から除算することとしている。

　育児休業をした期間は、この「現実に職務をとることを要しない期間」に該当し、当該期間についてはその2分の1（当該育児休業に係る子が1歳に達した日の属する月までの期間についてはその3分の1）に相当する月数が退職手当の調整額の算定の対象となる基礎在職期間及び退職手当の基本額の算定の基礎となる勤続期間から除算されることとなる。ちなみに、育児休業に係る子が1歳に達した日の属する月までの期間についての「3分の1」除算の緩和措置は、平成17年の法改正によるものである。詳しくは第2編第2章**8**　退職手当の調整額（第6条の4）及び第7章**43**　平成17年法律第115号附則第18条等の解説を参照されたい。

　○国家公務員の育児休業等に関する法律（平成3年法律第109号）（抄）
　　（育児休業をした職員についての国家公務員退職手当法の特例）
　第10条　国家公務員退職手当法（昭和28年法律第182号）第6条の4第1項及び第7条第4項の規定の適用については、育児休業をした期間は、同法第6条の4第1項に規定する現実に職務をとることを要しない期間に該当するものとする。
　2　育児休業をした期間（当該育児休業に係る子が1歳に達した日の属する月までの期間に限る。）についての国家公務員退職手当法第7条第4項の規定の適用については、同項中「その月数の2分の1に相当する月数」とあるのは、「その月数の3分の1に相当する月数」とする。

　なお、育児休業をした期間に係る退職手当制度上の取扱いについては、「国会職員の育児休業等に関する法律」（平成3年法律第108号）及び「裁判官の育児休業に関する法律」（平成3年法律第111号）においても、同様の規定が置かれている。

　○国会職員の育児休業等に関する法律（平成3年法律第108号）（抄）
　　（育児休業をした国会職員についての国家公務員退職手当法の特例）
　第10条　国家公務員退職手当法（昭和28年法律第182号）第6条の4第1項及び第7条第4項の規定の適用については、育児休業をした期間は、同法第6条の4第1項に規定する現実に職務をとることを要しない期間に該当するものとする。
　2　育児休業をした期間（当該育児休業に係る子が1歳に達した日の属する月までの期間に限る。）についての国家公務員退職手当法第7条第4項の規定の適用については、同項中「その月数の2分の1に相当する月数」とあるのは、「その月数の3分の1に相当する月数」とする。

　○裁判官の育児休業に関する法律（平成3年法律第111号）（抄）
　　（退職手当に関する育児休業の期間の取扱い）
　第7条　国家公務員退職手当法（昭和28年法律第182号）第6条の4第1項及び第7条第4項（最高裁判所裁判官退職手当特例法（昭和41年法律第52号）第3条第2項において

準用する場合を含む。次項において同じ。）の規定の適用については、育児休業をした期間は、国家公務員退職手当法第6条の4第1項に規定する現実に職務をとることを要しない期間に該当するものとする。
2　育児休業をした期間（当該育児休業に係る子が1歳に達した日の属する月までの期間に限る。）についての国家公務員退職手当法第7条第4項の規定の適用については、同項中「その月数の2分の1に相当する月数」とあるのは、「その月数の3分の1に相当する月数」とする。

3　国家公務員の育児短時間勤務制度

　現在我が国が直面している急速な少子化は社会全体に大きな影響を与えており、各分野においてその対応と既存のシステムの見直しが迫られる中で、行政においても迅速な対応が求められている。また、個人の意識・価値観やライフスタイルが多様化する中で、職員が、職業生活と家庭生活とを両立させつつ働けるような環境の整備を早急に行うことが重要になってきている。

　このような状況を踏まえ、育児を行う職員が職務を完全に離れることなく育児の責任も果たせるよう職員の職業生活と家庭生活の両立を支援するための制度として、常勤職員のまま1週間当たりの勤務時間を短くすることができる育児のための短時間勤務の制度を設け、併せて、短時間勤務を行う職員が処理することができなくなる業務に従事させるために、任期を定めて職員を任用する任期付短時間勤務の制度及び週20時間勤務をする育児のための短時間勤務職員2人を1つの常勤官職に並立的に任用し、空いた常勤官職に常勤職員を任用することができる仕組みを導入するため、国家公務員の育児休業等に関する法律の改正が行われた。

4　育児短時間勤務をした期間の退職手当制度上の取扱い

　退職手当法第6条の4第1項及び第7条第4項は、休職、停職等により、「現実に職務をとることを要しない期間」がある場合は、原則としてその月数の2分の1に相当する月数を退職手当の調整額の計算の対象となる基礎在職期間及び退職手当の基本額の算定の基礎となる勤続期間から除算することとしている。

　育児短時間勤務をした期間は、この「現実に職務をとることを要しない期間」に該当し、当該期間についてはその3分の1に相当する月数が退職手当の調整額の計算の対象となる基礎在職期間及び退職手当の基本額の算定の基礎となる勤続期間から除算されることとなる。

○国家公務員の育児休業等に関する法律（抄）

（育児短時間勤務職員についての国家公務員退職手当法の特例）

第20条 国家公務員退職手当法第6条の4第1項及び第7条第4項の規定の適用については、育児短時間勤務をした期間は、同法第6条の4第1項に規定する現実に職務をとることを要しない期間に該当するものとみなす。

2　育児短時間勤務をした期間についての国家公務員退職手当法第7条第4項の規定の適用については、同項中「その月数の2分の1に相当する月数」とあるのは、「その月数の3分の1に相当する月数」とする。

3　育児短時間勤務の期間中の国家公務員退職手当法の規定による退職手当の計算の基礎となる俸給月額は、育児短時間勤務をしなかったと仮定した場合の勤務時間により勤務したときに受けるべき俸給月額とする。

○国会職員の育児休業等に関する法律（抄）

（育児短時間勤務国会職員についての国家公務員退職手当法の特例）

第16条 国家公務員退職手当法第6条の4第1項及び第7条第4項の規定の適用については、育児短時間勤務をした期間は、同法第6条の4第1項に規定する現実に職務をとることを要しない期間に該当するものとみなす。

2　育児短時間勤務をした期間についての国家公務員退職手当法第7条第4項の規定の適用については、同項中「その月数の2分の1に相当する月数」とあるのは、「その月数の3分の1に相当する月数」とする。

3　育児短時間勤務の期間中の国家公務員退職手当法の規定による退職手当の計算の基礎となる給料月額は、育児短時間勤務をしなかったと仮定した場合の勤務時間により勤務したときに受けるべき給料月額とする。

第14章　国家公務員の自己啓発等休業に関する法律

1　国家公務員の自己啓発等休業制度

　近年、国際化、情報化、少子高齢化、個人の意識・価値観やライフスタイルの多様化など、公務を取り巻く社会環境が著しく変化し、それに伴って、行政課題の複雑・高度化が顕著となっている。公務においてこのような情勢に対応できるよう、職員について幅広い能力開発を促進していく必要があるが、そのためには、職員の自発性や自主性を積極的に活かす柔軟な仕組みを用意することが有用であり、それにより組織の活力を高めることも期待されるところである。このような仕組みについては、民間においても、従業員の自発的な能力開発を支援するための就学休業制度を推奨する動きがあるなど、その導入についての気運が高まってきている。

　また、政府開発援助大綱（平成15年8月29日閣議決定）において我が国の人的国際貢献の促進が定められたことを考慮し、職員の自発性や自主性を積極的に活かし、組織の活性化と職員の公務感覚の一層の醸成を図る観点から、意欲ある職員の主体的な国際貢献活動を支援するための仕組みの導入を図る必要がある。

　このため、修学や国際貢献活動への参加を希望する常勤の職員に対し、職員としての身分を保有したまま職務に従事しないことを認める休業制度を創設することを内容とする「国家公務員の自己啓発等休業に関する法律」（平成19年法律第45号）が制定された。

2　自己啓発等休業期間の退職手当制度上の取扱い

　退職手当法第6条の4第1項及び第7条第4項は、休職、停職等により、「現実に職務をとることを要しない期間」がある場合は、原則としてその月数の2分の1に相当する月数を退職手当の調整額の計算の対象となる基礎在職期間及び退職手当の基本額の算定の基礎となる勤続期間から除算することとしている。

　自己啓発等休業をした期間は、この「現実に職務をとることを要しない期間」に該当するが、当該期間については、国家公務員の自己啓発等休業に関する法律第8条第2項により、その全期間に相当する月数（大学等における修学

又は国際貢献活動の内容が公務の能率的な運営に特に資するものと認められることその他の内閣総理大臣が定める要件に該当する場合については、その月数の2分の1）が退職手当の調整額の計算の対象となる基礎在職期間及び退職手当の基本額の算定の基礎となる勤続期間から除算されることとなる。

○**国家公務員の自己啓発等休業に関する法律**（平成19年法律第45号）（抄）
（自己啓発等休業をした職員についての国家公務員退職手当法の特例）
第8条 国家公務員退職手当法（昭和28年法律第182号）第6条の4第1項及び第7条第4項の規定の適用については、自己啓発等休業をした期間は、同法第6条の4第1項に規定する現実に職務をとることを要しない期間に該当するものとする。
2 自己啓発等休業をした期間についての国家公務員退職手当法第7条第4項の規定の適用については、同項中「その月数の2分の1に相当する月数（国家公務員法第108条の6第1項ただし書若しくは行政執行法人の労働関係に関する法律（昭和23年法律第257号）第7条第1項ただし書に規定する事由又はこれらに準ずる事由により現実に職務をとることを要しなかつた期間については、その月数）」とあるのは、「その月数（国家公務員の自己啓発等休業に関する法律（平成19年法律第45号）第2条第5項に規定する自己啓発等休業の期間中の同条第3項又は第4項に規定する大学等における修学又は国際貢献活動の内容が公務の能率的な運営に特に資するものと認められることその他の内閣総理大臣が定める要件に該当する場合については、その月数の2分の1に相当する月数）」とする。

○**国家公務員の自己啓発等休業に関する法律第8条第2項の規定により読み替えて適用される国家公務員退職手当法第7条第4項に規定する内閣総理大臣が定める要件について**
（平成19年7月20日総人恩総第812号）
1 国家公務員の自己啓発等休業に関する法律（以下「法」という。）第8条第2項（法第10条及び裁判所職員臨時措置法（以下「措置法」という。）において準用する場合を含む。）の規定により読み替えて適用される国家公務員退職手当法（以下「退職手当法」という。）第7条第4項に規定する内閣総理大臣の定める要件は、次の各号のいずれにも該当することとする。
(1) 自己啓発等休業（法第2条第5項（法第10条及び措置法において準用する場合を含む。）に規定する自己啓発等休業をいう。以下同じ。）の期間中の法第2条第3項又は第4項（法第10条及び措置法において準用する場合を含む。）に規定する大学等における修学又は国際貢献活動の内容が、その成果によって当該自己啓発等休業の期間の終了後においても公務の能率的な運営に特に資することが見込まれるものとして当該自己啓発等休業の期間の初日の前日（法第4条（法第10条及び措置法において準用する場合を含む。）の規定により自己啓発等休業の期間が延長された場合にあっては、延長された自己啓発等休業の期間の初日の前日）までに、各省各庁の長等（財政法（昭和22年法律第34号）第20条第2項に規定する各省各庁の長及び独立行政法人通則法（平成11年法律第103号）第2条第4項に規定する行政執行法人の長並びにこれらの委任を受けた者をいう。）が内閣総理大臣の承認を受けたこと。
(2) 自己啓発等休業の期間中の行為を原因として国家公務員法（昭和22年法律第120号）第82条の規定による懲戒処分又はこれに準ずる処分を受けていないこと。
(3) 自己啓発等休業の期間の末日の翌日から起算した職員としての在職期間（退職手当

法第7条第5項、第7条の2第1項及び第8条第1項の規定により職員としての引き続いた在職期間に含むものとされる期間を含む。）が5年に達するまでの期間中に退職したものではないこと。ただし、次のいずれかに該当する場合は、この限りでない。
- イ 通勤（退職手当法第4条第2項に規定する通勤（他の法令の規定により通勤とみなされるものを含む。）をいう。以下同じ。）による負傷若しくは病気（以下「傷病」という。）若しくは死亡により退職した場合又は退職手当法第5条第1項に規定する公務上の傷病若しくは死亡（他の法令の規定により公務とみなされる業務に係る業務上の傷病又は死亡を含む。）により退職した場合
- ロ 国家公務員法等の一部を改正する法律（令和3年法律第61号）附則第3条第5項に規定する旧国家公務員法勤務延長期限若しくは同条第6項の規定により延長された期限の到来により退職した場合又はこれに準ずる他の法令の規定により退職した場合
- ハ 国家公務員法第81条の6第1項の規定により退職した場合（同法第81条の7第1項の期限又は同条第2項の規定により延長された期限の到来により退職した場合を含む。）又はこれに準ずる他の法令の規定により退職した場合
- ニ 任期を定めて採用された職員が、当該任期が満了したことにより退職した場合
- ホ 退職手当法第20条各項の規定に該当して退職した場合

2　前項第3号の職員としての在職期間には、次に掲げる期間を含まないものとする。
- (1) 国家公務員法第79条の規定による休職の期間（通勤による傷病若しくは退職手当法第5条第1項に規定する公務上の傷病（他の法令の規定により公務とみなされる業務に係る業務上の傷病を含む。）により国家公務員法第79条第1号に掲げる事由に該当し、又は人事院規則11-4（職員の身分保障）第3条に規定する事由（同条第1項第3号に規定する事由を除く。）に該当して休職にされた場合における当該休職の期間を除く。）
- (2) 国家公務員法第82条の規定による停職の期間
- (3) 国家公務員法第108条の6第1項ただし書の規定により職員団体の業務に専ら従事した期間又は行政執行法人の労働関係に関する法律（昭和23年法律第257号）第7条第1項ただし書の規定により労働組合の業務に専ら従事した期間
- (4) 国家公務員の育児休業等に関する法律（平成3年法律第109号）第3条第1項の規定による育児休業をした期間
- (5) 自己啓発等休業をした期間
- (6) 国家公務員の配偶者同行休業に関する法律（平成25年法律第78号）第2条第4項の規定による配偶者同行休業をした期間
- (7) (1)から(6)までの期間に準ずる期間

3　裁判官及び裁判官の秘書官以外の裁判所職員の自己啓発等休業に係る第1項の規定の適用については、同項第1号中「見込まれるものとして当該自己啓発等休業の期間の初日の前日（法第4条（法第10条及び措置法において準用する場合を含む。）の規定により自己啓発等休業の期間が延長された場合にあっては、延長された自己啓発等休業の期間の初日の前日）までに、各省各庁の長等（財政法（昭和22年法律第34号）第20条第2項に規定する各省各庁の長及び独立行政法人通則法（平成11年法律第103号）第2条第4項に規定する行政執行法人の長並びにこれらの委任を受けた者をいう。）が内閣総理大臣の承認を受けたこと」とあるのは、「見込まれること」とする。

第15章　国家公務員の配偶者同行休業に関する法律

1　国家公務員の配偶者同行休業制度

　配偶者の外国への転勤に伴い、配偶者に同行するために有為な職員が退職せざるを得ない事例が生じているとして、従来、複数の府省等が、配偶者に同行するための休業制度の創設について、人事院に要望等を行ってきた。

　また、配偶者の転勤に伴う離職への対応については、「我が国の若者・女性の活躍推進のための提言」（平成25年5月19日若者・女性活躍推進フォーラム）や「日本再興戦略」（平成25年6月14日閣議決定）において、公務員から率先して取り組むこととされ、男女共同参画担当大臣から人事院に検討の要請が行われた。

　このような状況の下で、人事院において、各府省における人事管理や公務運営への影響等をも考慮し検討した結果、国家公務員法第23条の規定に基づき、平成25年8月8日、人事院から国会及び内閣に対し、有為な職員の継続的な勤務を促進するため、外国で勤務等をすることとなった配偶者と生活を共にするための休業の制度を設けることについての意見の申出（「一般職の配偶者帯同休業に関する法律の制定についての意見の申出」）がなされた。これを踏まえ、職員が転勤等の理由により外国に転居する配偶者と共に、又は配偶者の転居後に単独で、配偶者の転居先に赴き、現地において配偶者と生活を共にするための休業制度を創設することを内容とする「国家公務員の配偶者同行休業に関する法律」（平成25年法律第78号）が制定された。

2　配偶者同行休業期間の退職手当制度上の取扱い

　退職手当法第6条の4第1項及び第7条第4項は、休職、停職等により、「現実に職務をとることを要しない期間」がある場合は、原則としてその月数の2分の1に相当する月数を退職手当の調整額の算定の対象となる基礎在職期間及び退職手当の基本額の算定の基礎となる勤続期間から除算することとしている。

　配偶者同行休業をした期間は、この「現実に職務をとることを要しない期間」に該当し、当該期間については、その全期間に相当する月数が退職手当の

調整額の算定の対象となる基礎在職期間及び在職期間から除算されることとなる。

○国家公務員の配偶者同行休業に関する法律（平成25年法律第78号）（抄）
（配偶者同行休業をした職員についての国家公務員退職手当法の特例）
第9条 国家公務員退職手当法（昭和28年法律第182号）第6条の4第1項及び第7条第4項の規定の適用については、配偶者同行休業をした期間は、同法第6条の4第1項に規定する現実に職務をとることを要しない期間に該当するものとする。
2 配偶者同行休業をした期間についての国家公務員退職手当法第7条第4項の規定の適用については、同項中「その月数の2分の1に相当する月数（国家公務員法第108条の6第1項ただし書若しくは行政執行法人の労働関係に関する法律（昭和23年法律第257号）第7条第1項ただし書に規定する事由又はこれらに準ずる事由により現実に職務をとることを要しなかつた期間については、その月数）」とあるのは、「その月数」とする。

なお、配偶者同行休業をした期間に係る退職手当制度上の取扱いについては、「国会職員の配偶者同行休業に関する法律」（平成25年法律第80号）及び「裁判官の配偶者同行休業に関する法律」（平成25年法律第91号）においても、同様の規定が置かれている。

○国会職員の配偶者同行休業に関する法律（平成25年法律第80号）（抄）
（配偶者同行休業をした国会職員についての国家公務員退職手当法の特例）
第9条 国家公務員退職手当法（昭和28年法律第182号）第6条の4第1項及び第7条第4項の規定の適用については、配偶者同行休業をした期間は、同法第6条の4第1項に規定する現実に職務をとることを要しない期間に該当するものとする。
2 配偶者同行休業をした期間についての国家公務員退職手当法第7条第4項の規定の適用については、同項中「その月数の2分の1に相当する月数（国家公務員法第108条の6第1項ただし書若しくは行政執行法人の労働関係に関する法律（昭和23年法律第257号）第7条第1項ただし書に規定する事由又はこれらに準ずる事由により現実に職務をとることを要しなかつた期間については、その月数）」とあるのは、「その月数」とする。

○裁判官の配偶者同行休業に関する法律（平成25年法律第91号）（抄）
（配偶者同行休業をした裁判官についての国家公務員退職手当法の特例）
第7条 国家公務員退職手当法（昭和28年法律第182号）第6条の4第1項及び第7条第4項（最高裁判所裁判官退職手当特例法（昭和41年法律第52号）第3条第2項において準用する場合を含む。次項において同じ。）の規定の適用については、配偶者同行休業をした期間は、国家公務員退職手当法第6条の4第1項に規定する現実に職務をとることを要しない期間に該当するものとする。
2 配偶者同行休業をした期間についての国家公務員退職手当法第7条第4項の規定の適用については、同項中「その月数の2分の1に相当する月数（国家公務員法第108条の6第1項ただし書若しくは行政執行法人の労働関係に関する法律（昭和23年法律第257号）第7条第1項ただし書に規定する事由又はこれらに準ずる事由により現実に職務を

とることを要しなかつた期間については、その月数)」とあるのは、「その月数」とする。

第16章　災害対策基本法施行令

　国土並びに国民の生命、身体及び財産を災害から保護するため、防災に関し、基本理念を定め、国、地方公共団体及びその他の公共機関を通じて必要な体制を確立し、責任の所在を明確にするとともに、防災計画の作成、災害予防、災害応急対策、災害復旧及び防災に関する財政金融措置その他必要な災害対策の基本を定める、災害対策基本法（昭和36年法律第223号）では、地方公共団体は、災害応急対策又は災害復旧のため必要があるときは、国の職員の派遣を要請することができるとされ、当該要請があった場合には所掌事務に著しい支障のない限り、適任と認める職員を派遣しなければならないとされている（災害対策基本法第29条から第31条）。

　派遣された職員の身分取扱いに関し必要な事項は政令で定められており、退職手当に関する特例も次のとおり規定されている。

○**災害対策基本法施行令**（昭和37年政令第288号）（抄）
　　（派遣職員の給与等）
　第18条　略
　2　略
　3　派遣職員に対する次に掲げる規定（指定公共機関からの派遣職員にあつては、第6号及び第7号に掲げる規定）の適用については、派遣を受けた都道府県又は市町村の職員としての勤務を国又は指定公共機関の職員としての勤務とみなす。
　　一～五　略
　　六　国家公務員退職手当法（昭和28年法律第182号）第2条第1項、第6条の4第1項及び第7条第4項
　　七　略
　4　派遣職員に対する次に掲げる規定（指定公共機関からの派遣職員にあつては、第1号、第3号及び第5号に掲げる規定）の適用については、派遣を受けた都道府県又は市町村の公務を国又は指定公共機関の公務とみなす。
　　一・二　略
　　三　国家公務員退職手当法第5条第1項第4号
　　四・五　略
　5～8　略

　災害対策基本法施行令第18条第3項は、派遣職員に対して同項に定める法令の規定を適用することについて、都道府県又は市町村の職員としての勤務を当該法令上の国の職員としての勤務とみなすことにより、これらの法令の規定の適用を可能ならしめる規定である。

　第6号により、派遣職員としての勤務は、国家公務員退職手当法上も（国

の)職員とみなされ、その期間は退職手当の基本額及び退職手当の調整額の算定の対象として取り扱われることとなる。

災害対策基本法施行令第18条第4項は、派遣職員に対して同項各号に定める法令の規定を適用することについて、都道府県又は市町村の公務を国の公務とみなすことにより、これらの法令の規定の適用を可能ならしめる規定である。

第3号により、派遣先の都道府県又は市町村の公務は、国家公務員退職手当法上も（国の）公務とみなされ、派遣先の都道府県又は市町村の業務に起因する死亡又は傷病により退職した場合には、公務上の死亡又は傷病として法第5条第1項第4号の規定による退職手当が支給されることとなる。

第17章　大規模災害からの復興に関する法律施行令

　大規模な災害を受けた地域の円滑かつ迅速な復興を図るため、その基本理念、政府による復興対策本部の設置及び復興基本方針の策定並びに復興のための特別の措置について定める、大規模災害からの復興に関する法律（平成25年法律第55号）では、地方公共団体は、復興計画の作成等のため必要があるときは、政令で定めるところにより、関係行政機関の長又は関係地方行政機関の長に対し、当該関係行政機関又は当該関係地方行政機関の職員の派遣を要請することができることとされ、当該要請等があった場合には、その所掌事務又は業務の遂行に著しい支障のない限り、適任と認める職員を派遣するよう努めるものとされている（大規模災害からの復興に関する法律第53条から54条）。

　派遣された職員の身分の取扱いに関し必要な事項は政令で定められており、退職手当に関する特例も次のとおり規定されている。

〇**大規模災害からの復興に関する法律施行令**（平成25年政令第237号）（抄）
　　（派遣職員の給与等）
第42条　略
　2　略
　3　派遣職員に対する次に掲げる規定の適用については、派遣を受けた都道府県又は市町村の職員としての勤務を国の職員としての勤務とみなす。
　　一～五　略
　　六　国家公務員退職手当法（昭和28年法律第182号）第2条第1項、第6条の4第1項及び第7条第4項
　　七　略
　4　派遣職員に対する次に掲げる規定の適用については、派遣を受けた都道府県又は市町村の公務を国の公務とみなす。
　　一・二　略
　　三　国家公務員退職手当法第5条第1項第4号
　　四・五　略
　5～8　略

　大規模災害からの復興に関する法律施行令第42条第3項は、派遣職員に対して同項各号に定める法令の規定を適用することについて、都道府県又は市町村の職員としての勤務を当該法令上の国の職員としての勤務とみなすことにより、これらの法令の規定の適用を可能ならしめる規定である。

　第6号により、派遣職員としての勤務は、国家公務員退職手当法上も（国

の）職員とみなされ、その期間は退職手当の基本額及び退職手当の調整額の算定の対象として取り扱われることとなる。

　大規模災害からの復興に関する法律施行令第42条第4項は、派遣職員に対して同項各号に定める法令の規定を適用することについて、都道府県又は市町村の公務を国の公務とみなすことにより、これらの法令の規定の適用を可能ならしめる規定である。

　第3号により、派遣先の都道府県又は市町村の公務は、国家公務員退職手当法上も（国の）公務とみなされ、派遣先の都道府県又は市町村の業務に起因する死亡又は傷病により退職した場合には、公務上の死亡又は傷病として法第5条第1項第4号の規定による退職手当が支給されることとなる。

第18章　防衛省の職員の給与等に関する法律

　防衛省の職員、特に自衛官については、その国家公務員としての身分、性格、機能等基本的な面において一般職の国家公務員と異なっている。したがって、有事の際に、防衛ないし戦闘を予定されている制服自衛官については、任用、服務、給与等に関し、一般の職員とは異なる取扱いが定められ、退職手当についてもその特殊な任用制度等との関係から、「防衛省の職員の給与等に関する法律」（昭和27年法律第266号）第28条から第28条の4までの規定において特例が定められている。

1　任期制自衛官の退職手当

　　○防衛省の職員の給与等に関する法律（昭和27年法律第266号）（抄）
　　　（退職手当の特例）
　　第28条　自衛隊法第36条の規定により任用期間を定めて任用されている自衛官（以下「任用期間の定めのある隊員」という。）がその任用期間を満了した日に退職し、又は死亡した場合には、退職手当として、その者の退職又は死亡当時の俸給日額（俸給月額の30分の1に相当する額をいう。以下この条において同じ。）に、次の各号に掲げる区分に従い、当該各号に定める日数を乗じて得た額を支給する。
　　一　自衛官候補生から引き続いて自衛隊法第36条第1項の規定により任用された者　同項に規定する期間が2年である者にあつては87日（自衛官候補生としての任用期間が3月でない者にあつては、当該任用期間を勘案して防衛省令で定めるところにより算定した日数）、同項に規定する期間が3年である者にあつては137日（自衛官候補生としての任用期間が3月でない者にあつては、当該任用期間を勘案して防衛省令で定めるところにより算定した日数）
　　二　自衛隊法第36条第1項の規定により任用された者（前号の規定の適用を受けるものを除く。）　任用期間が2年である者にあつては100日、任用期間が3年である者にあつては150日
　　三　自衛隊法第36条第7項の規定により1回任用された者　200日
　　四　自衛隊法第36条第7項の規定により2回任用された者　150日
　　五　自衛隊法第36条第7項の規定により3回以上任用された者　75日
　　2　前項の場合において、次に掲げる事由により現実に職務をとることを要しない日（以下「休職等の日」という。）が任用期間中にあつたときは、その者の退職手当の計算の基礎となる日数は、同項各号の規定にかかわらず、当該各号に定める日数から、当該日数に当該休職等の日の2分の1（第3号に掲げる育児休業による休職等の日のうち当該育児休業に係る子が1歳に達した日までの間のものにあつては、3分の1。第4項及び第7項において同じ。）に相当する日数を当該任用期間に係る日数で除して得た率を乗じて得た日数（1日未満の端数があるときは、これを切り捨てた日数。第4項及び第7

項において同じ。）を減じた日数とする。
　一　自衛隊法第43条の規定による休職（公務上の傷病による休職及び通勤による傷病による休職を除く。）
　二　自衛隊法第46条第１項の規定による停職
　三　国家公務員の育児休業等に関する法律第27条第１項において準用する同法第３条第１項の規定による育児休業
３　任用期間の定めのある隊員がその任用期間が経過する前に次の各号に掲げる場合のいずれかに該当するに至つた場合には、退職手当として、その者の退職又は死亡当時の俸給日額にその者の勤続期間１月につき、第１項第１号及び第２号に掲げる者にあつては４日、同項第３号に掲げる者にあつては８日、同項第４号に掲げる者にあつては６日、同項第５号に掲げる者にあつては３日の割合で計算した日数を乗じて得た額を支給する。ただし、その者の退職手当の額が国家公務員退職手当法第５条、第５条の２及び第６条の５の規定の例により計算して得た額に満たないときは、その額をもつて退職手当の額とする。
　一　公務上死亡した場合
　二　公務上の傷病によりその職に堪えないで退職した場合
４　前項の場合において、休職等の日が任用期間中にあつたときは、その者の退職手当の計算の基礎となる日数は、同項本文の規定にかかわらず、同規定により計算した日数から、当該日数に休職等の日の２分の１に相当する日数をその者の勤続期間に係る日数で除して得た率を乗じて得た日数を減じた日数とする。
５　任用期間の定めのある隊員が自衛隊法第36条第７項の規定により任用された場合又は同条第８項の規定によりその任用期間を延長された場合には、当該任用前又は当該延長前の任用期間が経過した日をもつて退職したものとみなし、当該隊員に第１項及び第２項の規定による退職手当を支給する。
６　自衛隊法第36条第８項の規定により任用期間の定めのある隊員がその任用期間を延長され、その延長された期間を任用期間の定めのある隊員として勤務して退職し、若しくは死亡した場合又はその延長された期間が経過する前に第３項各号に掲げる場合のいずれかに該当するに至つた場合には、退職手当として、その者の退職又は死亡当時の俸給日額にその延長された期間１月につき８日の割合で計算した日数を乗じて得た額を支給する。同項ただし書の規定は、この場合について準用する。
７　前項の場合において、休職等の日がその延長された期間中にあつたときは、その者の退職手当の計算の基礎となる日数は、同項前段の規定にかかわらず、同規定により計算した日数から、当該日数に休職等の日の２分の１に相当する日数を当該延長された期間に係る日数で除して得た率を乗じて得た日数を減じた日数とする。
８　第５項（第10項において読み替えて適用する場合を含む。次項において同じ。）の規定は、任用期間の定めのある隊員が自衛隊法第36条第７項の規定による任用又は同条第８項の規定による任用期間の延長に際し、当該任用又は延長前の任用期間と当該任用又は延長に係る期間との引き続いた在職期間をもつて退職手当の計算の基礎となる期間とすることを希望する旨を申し出たときは、その者については、適用しない。
９　前項の規定により第５項の規定による退職手当の支給を受けなかつた任用期間の定めのある隊員（以下「未受給隊員」という。）が次の各号に掲げる場合のいずれかに該当するに至つた場合には、退職手当として、当該各号に定める額を支給する。
　一　自衛隊法第36条第７項の規定により任用された任用期間（以下「継続任用期間」と

いう。）が満了した日に退職し、又は死亡した場合　継続任用期間につき第１項及び第２項の規定の例により計算して得た額と、退職又は死亡当時の俸給日額に第５項の規定による退職手当の支給を受けていない任用期間（以下「未受給期間」という。）につき第１項各号に定める日数（休職等の日が未受給期間にある場合にあつては第２項の規定を適用して得られる日数とし、未受給期間である任用期間が二以上ある場合にあつてはそれぞれの任用期間に係る日数を合算した日数。以下「未受給期間に係る日数」という。）を乗じて得た額（以下「未受給期間に係る額」という。）との合計額
　二　継続任用期間又は自衛隊法第36条第８項の規定により任用期間を延長された期間（以下「延長期間」という。）に関し、第３項又は第６項に規定する場合に該当するに至つた場合　これらの期間につき第３項、第４項、第６項及び第７項の規定の例により計算して得た額と未受給期間に係る額との合計額（国家公務員退職手当法第５条、第５条の２及び第６条の５の規定の例により計算して得た額に満たないときは、その額）
　三　継続任用期間又は延長期間が経過する前に退職し、又は死亡した場合（前号に該当する場合を除く。）　未受給期間に係る額と国家公務員退職手当法第７条の勤続期間から未受給期間を除算した期間につき同法の規定の例により計算して得た額との合計額
10　継続任用期間が満了した場合における未受給隊員に係る第５項の規定の適用については、同項中「第１項及び第２項」とあるのは、「第９項第１号」とする。
11　陸士長、海士長又は空士長以下の自衛官が３等陸曹、３等海曹若しくは３等空曹以上の自衛官に昇任し、又は政令で定める場合に該当し、その後政令で定める期間内に退職し、又は死亡した場合における前各項の規定の適用について必要な退職手当の計算及び支給の方法は、政令で定める。
12　未受給隊員が、継続任用期間又は延長期間が経過する前又は満了した日に３等陸曹、３等海曹若しくは３等空曹以上の自衛官に昇任し、又は政令で定める場合に該当し、その後退職し、又は死亡した場合（前項に規定する場合を除く。）において、国家公務員退職手当法の規定により支給される退職手当の額（以下「一般の退職手当の額」という。）が、その昇任した日又は政令で定める日の前日におけるその者の号俸を基準として政令で定めるところにより計算して得た額に未受給期間に係る日数を乗じて得た額と次に掲げる額との合計額に満たないときは、一般の退職手当の額のほか、その差額に相当する額を退職手当として支給する。
　一　その者の国家公務員退職手当法第７条の勤続期間から未受給期間を除算した期間につき、同法第３条から第６条の３まで及び第６条の５の規定の例により計算して得た額
　二　その者の国家公務員退職手当法第６条の４の基礎在職期間のうち未受給期間に係る期間を除いた期間につき、同条及び同法第６条の５の規定の例により計算して得た額

　防衛省の自衛官の中には、あらかじめ任期を定めて任用されるものがあり、自衛隊法第36条にその根拠がおかれている。
　すなわち、陸士長、１等陸士及び２等陸士（陸士長等）は２年を、海士長、１等海士及び２等海士（海士長等）並びに空士長、１等空士及び２等空士（空士長等）は３年を任用期間として任用されることとされており、これらを一般に任期制自衛官と称している。

この任期制自衛官は、志願した場合には引き続き2年を任用期間として更新することができ、再更新も可能とされている。また、こうした任期の更新だけでなく、任期満了に伴う退職が、自衛隊の任務の遂行に重大な支障を及ぼすと認められる場合には、当該任期制自衛官が防衛出動を命ぜられている場合にあっては1年以内、その他の場合にあっては6月以内の期間を限って、任用期間を延長することができることとされている。

　この任期制自衛官が任期を満了した日に退職し、又は死亡した場合には、その退職又は死亡時の俸給日額（俸給月額の30分の1に相当する額）に、次の日数を乗じて得た額を支給する。

(1)　自衛官候補生から引き続いて任用された者
　　①任期が2年である者　原則87日
　　②任期が3年である者　原則137日
(2)　任期が2年である者　100日、任期が3年である者　150日
(3)　任期が更新され、1回任用された者　200日
(4)　任期が更新され、2回任用された者　150日
(5)　任期が更新され、3回以上任用された者　75日

　任期が更新される場合には、任期の終了の際に退職したものとみなされ更新前の期間に係る退職手当をその都度支給することとされているが、昭和58年の改正により、任期の更新に際し、その者が前後の任用期間を通算することを希望する旨申し出た場合には、退職手当を支給せず、更新後の任期終了時に前後の任用期間に係る給付日数を合計したものを算定の基礎とした退職手当が支給されることとなった。

　これらの自衛官が任期を経過する前に、公務上の死傷病により退職した場合には、勤続期間1月につき俸給日額に、(1)及び(2)に掲げる者は4日、(3)に掲げる者は8日、(4)に掲げる者は6日、(5)に掲げる者は3日の日数を乗じて得た額を退職手当として支給する。

　また、任期制自衛官については、自衛隊員としての欠格条項に該当し失職する場合、懲戒免職の処分を受けた場合及び労働組合を結成しようとして退職させられた場合は、これらの退職手当の全部又は一部を支給しない処分を行うことができる。

2　自衛官の定年等に伴う退職手当

　自衛隊法第45条及びこれに基づく同法施行令第60条は、次の表のとおり自衛官の定年制を定め、併せて定年退職により自衛隊の任務の遂行に重大な支障を

及ぼすと認めるときは、一定の期間を限り定年後も引き続いて自衛官として勤務させることができる旨規定している。

○自衛隊法施行令（昭和29年政令179号）（抄）
別表第9（第60条関係）

階　級	年齢	階　級	年齢	階　級	年齢	階　級	年齢	階　級	年齢
陸　　将 海　　将 空　　将	60年	2等陸佐 2等海佐 2等空佐	56年	2等陸尉 2等海尉 2等空尉	55年	陸曹長 海曹長 空曹長	55年	3等陸曹 3等海曹 3等空曹	54年
陸将補 海将補 空将補	60年	3等陸佐 3等海佐 3等空佐	56年	3等陸尉 3等海尉 3等空尉	55年	1等陸曹 1等海曹 1等空曹	55年		
1等陸佐 1等海佐 1等空佐	57年	1等陸尉 1等海尉 1等空尉	55年	准陸尉 准海尉 准空尉	55年	2等陸曹 2等海曹 2等空曹	54年		

備考　1　統合幕僚長、陸上幕僚長、海上幕僚長又は航空幕僚長の職にある陸将、海将又は空将である自衛官の定年は、年齢62年とする。
　　　2　医師、歯科医師又は薬剤師である自衛官、音楽の演奏に関する業務又は情報の総合的な分析若しくは画像情報及び地理情報若しくは通信情報の収集及び分析に関する業務に従事する者として指定された自衛官並びに警務官を命ぜられた自衛官のうち、1等陸佐以下、1等海佐以下又は1等空佐以下のものの定年は、年齢60年とする。
　　　3　定年による退職の日に昇任した自衛官の定年は、その昇任前の階級について定められている年齢とする。

　退職手当法は、第20条第1項において、職員が退職した場合にその者が退職の日又はその翌日に再び職員となったときは、その退職について退職手当を支給しない旨を規定しているが、定年に達した自衛官が、自衛隊法第45条第3項又は第4項の規定に基づき、定年後引き続いて勤務することを命ぜられた場合においては、定年に達した日に退職したものとみなし、退職手当が支給できることになっている。これは、退職手当の面においても、その時点で1つの区切りをつけておくための措置である。
　さらに、一般職の国家公務員から自衛官となり、さらにそれから一般職の国家公務員となったような場合には、自衛官としての退職手当を受けた期間は、一般職の国家公務員の在職期間から除算することとされている。

○防衛省の職員の給与等に関する法律（抄）
　第28条の2　定年に達した自衛官が自衛隊法第45条第3項又は第4項の規定により引き続いて勤務することを命ぜられた場合には、国家公務員退職手当法第20条第1項の規定にかかわらず、その者が定年に達した日に退職したものとみなし、その際退職手当を支給

することができる。
2 　自衛官に対する国家公務員退職手当法の規定の適用については、同法第5条の2第2項中「（一般の退職手当」とあるのは「（一般の退職手当、防衛省の職員の給与等に関する法律（昭和27年法律第266号）第28条の規定による退職手当」と、同法第9条中「一般の退職手当」とあるのは「一般の退職手当若しくは防衛省の職員の給与等に関する法律第28条の規定による退職手当又はこれらの合計額」とする。
3 　前条又は第1項の規定による退職手当の支給を受けた自衛官（国家公務員退職手当法第12条第1項又は第14条第1項の規定により当該退職手当の全部を支給しないこととする処分を受けた自衛官を含む。）に対する同法の規定の適用については、その退職手当の計算の基礎となつた期間（同法第12条第1項又は第14条第1項の規定により当該退職手当の全部を支給しないこととする処分を受けた自衛官にあつては、仮にこれに退職手当を支給することとした場合にその退職手当の計算の基礎となるべき期間）は、同法第6条の4の基礎在職期間及び同法第7条の勤続期間からそれぞれ除くものとする。ただし、同法第10条の規定の適用については、この限りでない。
4 　学生及び生徒に対する国家公務員退職手当法の規定の適用については、学生又は生徒としての在職期間は、同法第7条の勤続期間から除算する。ただし、その者が学生又は生徒としての正規の課程を終了し、引き続いて自衛官に任用され、当該任用に引き続いた自衛官としての在職期間が6月以上となつた場合又は当該在職期間が6月を経過する前に次の各号に掲げる場合のいずれかに該当するに至つた場合に限り、学生又は生徒としての在職期間の2分の1に相当する期間は、自衛官としての在職期間に通算する。
　一　傷病又は死亡により退職した場合
　二　定員の減少若しくは組織の改廃のため過員若しくは廃職を生ずることにより、又は勤務公署の移転により退職した場合
5 　国家公務員退職手当法第7条第2項及び第4項の規定は、前項ただし書に規定する自衛官としての在職期間の計算について準用する。この場合において、同条第2項中「職員となつた日」とあるのは「学生又は生徒としての正規の課程を終了し、引き続いて自衛官に任用された日」と、「退職した日」とあるのは「事務官等となつた日又は退職した日」と、同条第4項中「前三項の規定による」とあるのは「防衛省の職員の給与等に関する法律第28条の2第5項において準用する第2項の規定による」と、「月数（国家公務員法第108条の6第1項ただし書若しくは行政執行法人の労働関係に関する法律（昭和23年法律第257号）第7条第1項ただし書に規定する事由又はこれらに準ずる事由により現実に職務をとることを要しなかつた期間については、その月数）を前3項」とあるのは「月数を同項」と読み替えるものとする。

3　予備自衛官、即応予備自衛官及び予備自衛官補に対する退職手当

　防衛省には、一般の自衛官のほか予備自衛官、即応予備自衛官及び予備自衛官補制度がある。予備自衛官とは、常時勤務に服する者ではなく、防衛招集命令により招集された場合に自衛官となって勤務し、又は訓練招集命令により招集された場合に訓練に従事するものとされている（自衛隊法第66条）。即応予備自衛官とは、常時勤務に服する者ではなく、防衛招集命令、国民保護等招集命

令、治安招集命令又は災害等招集命令により招集された場合に自衛官となって勤務し、若しくは訓練招集命令により招集された場合に訓練に従事するものとされている（自衛隊法第75条の4）。予備自衛官補とは、常時勤務に服するものではなく、教育訓練招集命令により招集された場合に教育訓練を受けるものとされている（自衛隊法第75条の9）。

予備自衛官又は即応予備自衛官が訓練招集に応じている期間中の職務に起因する傷病によりその職に堪えないで退職したとき、又は訓練招集に応じている期間中の職務に起因して死亡したときは、本人又は遺族に対して、その者が属するとされる階級に対応する最低の俸給月額又は俸給の幅の最低の号俸による俸給月額に相当する金額を退職手当として支給することとされている。

予備自衛官補が教育訓練招集に応じている期間中の職務に起因する傷病によりその職に堪えないで退職したとき、又は教育訓練招集に応じている期間中の職務に起因して死亡したときは、本人又は遺族に対して、防衛省の職員の給与等に関する法律別表第2の2等陸士、2等海士及び2等空士の俸給の幅の最低の号俸による俸給月額に相当する額を退職手当として支給することとされている。

  ○**防衛省の職員の給与等に関する法律**（抄）
  第28条の3　予備自衛官及び即応予備自衛官が訓練招集に応じている期間中の職務に起因する傷病によりその職に堪えないで退職したとき、又は訓練招集に応じている期間中の職務に起因して死亡したときは、その者に対して、又は国家公務員退職手当法第2条の2の規定の例によりその遺族に対して、退職手当として、その者が自衛隊法第67条第3項（同法第75条の8において準用する場合を含む。）の規定により指定されている自衛官の階級について別表第2に定める最低の俸給月額（当該職員の指定されている階級が陸将、海将又は空将である場合に限る。）又は俸給の幅の最低の号俸（当該職員の指定されている階級が1等陸佐、1等海佐又は1等空佐である場合にあつては、同表の1等陸佐、1等海佐及び1等空佐の(3)欄における最低の号俸をいう。）による俸給月額（その者が自衛官であつた者である場合において、当該俸給月額が当該自衛官として受けていた最終の俸給月額に満たないときは、その最終の俸給月額）に相当する額を支給する。ただし、その者が国家公務員退職手当法の規定による退職手当の支給を受ける者である場合においては、この限りでない。
  2　予備自衛官補が教育訓練招集に応じている期間中の職務に起因する傷病によりその職に堪えないで退職したとき、又は教育訓練招集に応じている期間中の職務に起因して死亡したときは、その者に対して、又は国家公務員退職手当法第2条の2の規定の例によりその遺族に対して、退職手当として、別表第2の2等陸士、2等海士及び2等空士の俸給の幅の最低の号俸による俸給月額に相当する額を支給する。ただし、その者が国家公務員退職手当法の規定による退職手当の支給を受ける者である場合においては、この限りでない。

最後に自衛隊員に係る懲戒処分として降任による給与の減額については、退

職手当法第5条の2に規定する俸給月額の減額改定以外の理由により俸給月額が減額されたことがある場合の退職手当の基本額に係る特例は適用されないこととされている。これは、分限処分としての降任とは異なり、その者の非違による降任であることが明らかであるため、ピーク時特例を適用することは不適当であることによる。

　〇**防衛省の職員の給与等に関する法律**（抄）
　第28条の4　職員に対する国家公務員退職手当法第5条の2の規定（第28条第3項ただし書、第9項第2号及び第3号並びに第12項第1号の規定によりその例による場合を含む。）の適用については、同法第5条の2第1項中「以下同じ。）」とあるのは、「以下同じ。）及び自衛隊法（昭和29年法律第165号）第46条第1項に規定する降任」とする。

第19章　最高裁判所裁判官退職手当特例法

　三権分立の原則の下で我が国の統治機構は構成されており、日本国憲法の下における司法の重要性については、改めていうまでもないところである。司法界の頂点にたち、重大な役割を担っている最高裁判所は、その裁判官に広く各界から識見の高い人物を得なければならず、その地位、役割にふさわしい処遇を必要とする。また、最高裁判所の裁判官としてその職務を安んじて行うに足るだけのものでなければならない。

　最高裁判所の裁判官は、地方裁判所や高等裁判所と異なり、各界から選ばれ、しかも比較的短期間でその職を去るケースが多いため、長期勤続に対する報償という基本的性格を有する国家公務員退職手当法の特例として、「最高裁判所裁判官退職手当特例法」（昭和41年法律第52号）が定められている。もちろん、これは国家公務員退職手当法の特例法たる性格を有するものであり、当該特例法に規定のない事項については、退職手当法の適用があるのは当然である。

1　支給率の特例

　最高裁判所の裁判官が退職した場合に支給する退職手当の額は、退職手当法第2条の4及び第6条の5の規定によらず、その者の退職日報酬月額に、その者の勤続期間1年につき100分の240を乗じて得た額とされている。ちなみに、この率は、100分の650（昭和41年の立法当時において、当時の法曹界の収入の実情、平均在職期間等を総合的に勘案して定められたもの）であったが、平成17年の法改正により、100分の240に引き下げられた。これは、独立行政法人、特殊法人等の役員の退職金が、平成14年度から1年につき100分の432から100分の336に、さらに平成16年度から100分の150に引き下げられたこと、日本銀行の役員のうち審議委員の退職手当が1年につき100分の240とされていること等を踏まえたものである。

　この支給率の引下げについては、経過措置が設けられており、平成17年改正法の施行日前の最高裁判所裁判官の在職期間については、施行日前日の俸給月額と施行日前日までの勤続期間に従って、改正前の支給率により退職手当額を算出することとされている。

　○**最高裁判所裁判官退職手当特例法の一部を改正する法律**（平成17年法律第117号）
　　最高裁判所裁判官退職手当特例法（昭和41年法律第52号）の一部を次のように改正する。

第2条第1項中「650」を「240」に改める。
　　附　則
（施行期日）
1　この法律は、平成18年4月1日から施行する。
（経過措置）
2　この法律の施行の日（以下「施行日」という。）の前日から引き続き最高裁判所の裁判官として在職していた者が施行日以後に退職した場合に支給する退職手当の額は、その者の施行日の前日までの勤続期間及び同日における報酬月額を基礎としてこの法律による改正前の最高裁判所裁判官退職手当特例法（以下「旧法」という。）第2条第1項の規定の例により計算して得た額に、その者の施行日以後の勤続期間及び退職の日における報酬月額を基礎としてこの法律による改正後の最高裁判所裁判官退職手当特例法第2条第1項の規定の例により計算して得た額を加えて得た額とする。
3　前項の規定により施行日の前日までの勤続期間を計算する場合において、在職期間に1年未満の端数があるときは、その端数は、旧法第3条第2項において準用する国家公務員退職手当法の一部を改正する法律（平成17年法律第115号）による改正前の国家公務員退職手当法（昭和28年法律第182号）第7条第6項の規定にかかわらず、これを1年とする。
4　前二項の規定により計算して得た額が、退職の日までの勤続期間及び同日における報酬月額を基礎として旧法第2条第1項の規定の例により計算して得た額よりも多いときは、前二項の規定にかかわらず、当該額をもってその者に支給すべき退職手当の額とする。
5　前三項の規定により計算して得た額が、施行日の前日までの勤続期間及び同日における報酬月額を基礎として旧法第2条第1項の規定の例により計算して得た額よりも少ないときは、前三項の規定にかかわらず、当該額をもってその者に支給すべき退職手当の額とする。

　なお、先に述べた支給率により計算した退職手当の額が60月分を超える場合には、60月をもって最高限度とすることとされている（同法第2条第2項）。

2　在職期間の計算

　最高裁判所の裁判官に対する退職手当の算定の基礎となる勤続期間の計算は、最高裁判所の裁判官としての引き続いた在職期間によることとされており、地方裁判所あるいは高等裁判所の裁判官の勤続期間とは通算することができず、もちろん一般職の国家公務員の勤続期間とも通算することができない。あくまでも最高裁判所の裁判官としての引き続いた勤続期間によるわけである。

　最高裁判所の裁判官が退職し、その退職の日又はその翌日にそれ以外の一般職員等となった場合、あるいは、一般職員等から最高裁判所の裁判官となった場合には、退職手当法によれば、職員としての在職期間が引き続いたことにな

るのであるが、前者の場合は最高裁判所の裁判官を退職した日に、後者の場合は一般職員等を退職した日に、それぞれ、退職手当を支給することとされている。

○最高裁判所裁判官退職手当特例法（昭和41年法律第52号）

（趣旨）
第1条 この法律は、最高裁判所の裁判官が退職した場合に支給する退職手当に関して、国家公務員退職手当法（昭和28年法律第182号。以下「退職手当法」という。）の特例を定めるものとする。

（最高裁判所の裁判官が退職した場合の退職手当の特例）
第2条 最高裁判所の裁判官が退職した場合に支給する退職手当の額は、退職手当法第2条の4及び第6条の5の規定にかかわらず、退職の日におけるその者の報酬月額に、その者の勤続期間1年につき100分の240を乗じて得た額とする。
2　前項の規定により計算した退職手当の額が、最高裁判所の裁判官の退職の日における報酬月額に60を乗じて得た額をこえるときは、同項の規定にかかわらず、その乗じて得た額をその者の退職手当の額とする。

第3条 前条の退職手当の算定の基礎となる勤続期間の計算は、退職手当法第7条第1項の規定にかかわらず、最高裁判所の裁判官としての引き続いた在職期間による。
2　退職手当法第7条第2項から第4項まで及び第6項から第8項までの規定は、前項の規定による在職期間の計算について準用する。この場合において、同条第6項ただし書中「6月以上1年未満（第3条第1項（傷病又は死亡による退職に係る部分に限る。）、第4条第1項又は第5条第1項の規定により退職手当の基本額を計算する場合にあつては、1年未満）」とあるのは、「1年未満」と読み替えるものとする。

第4条 第2条の退職手当は、退職手当法第10条第1項、第2項、第4項及び第5項、第12条第1項、第13条第1項から第4項まで及び第7項から第9項まで、第14条第1項（第2号を除く。）、第2項及び第6項、第15条第1項（第2号を除く。）及び第2項（退職手当法第16条第2項及び第17条第7項において準用する場合を含む。）、第16条第1項並びに第17条第1項から第4項まで及び第6項の規定の適用については、退職手当法第2条の3第2項に規定する一般の退職手当とみなす。

（最高裁判所の裁判官が一般職員等となつた場合の取扱い）
第5条 最高裁判所の裁判官が退職した場合において、その者が退職の日又はその翌日に一般職員（退職手当法の適用を受ける者のうち、最高裁判所の裁判官以外の者をいう。以下同じ。）となつたときは、その退職については、退職手当法第7条第3項及び第20条第1項の規定は、適用しない。
2　最高裁判所の裁判官が引き続いて一般職員又は地方公務員となつた場合には、退職手当に関する法令の規定の適用については、一般職員又は地方公務員となつた日の前日に最高裁判所の裁判官を退職したものとみなす。

（一般職員等が最高裁判所の裁判官となつた場合の取扱い）
第6条 一般職員が退職した場合において、その者が退職の日又はその翌日に最高裁判所の裁判官となつたときは、その退職については、退職手当法第7条第3項及び第20条第1項の規定は、適用しない。
2　一般職員又は地方公務員が引き続いて最高裁判所の裁判官となつた場合には、退職手当に関する法令の規定の適用については、最高裁判所の裁判官となつた日の前日に一般

職員又は地方公務員を退職したものとみなす。
　　　附　則
1　この法律は、公布の日から施行する。
2　この法律の施行の際現に在職する最高裁判所の裁判官のうち、この法律の施行前に一般職員から引き続いて最高裁判所の裁判官となつた者に対しては、第6条の規定の例により退職手当を支給する。ただし、その退職手当の計算の基礎となる俸給月額は、その者が退職したとみなされる日に占めていた官職と同一の官職につきこの法律の施行の日に支給されるべき俸給月額とする。
3　前項に規定する者が最高裁判所の裁判官を退職した場合において、同項の退職手当及び第2条の退職手当の合計額が、この法律の規定を適用しないものとしたならば支給されることとなるべき退職手当の額に達しないときは、その差額に相当する金額を同条の退職手当の額に加算するものとする。

第20章　沖縄の復帰に伴う国家公務員退職手当法の適用の特別措置等に関する政令

　沖縄の本土復帰に際しては、永年にわたる本土との断絶を埋めるための諸施策が経過的な特別措置として講ぜられた。
　「沖縄の復帰に伴う特別措置に関する法律」(昭和46年法律第129号)第156条の規定に基づき、退職手当についても、「沖縄の復帰に伴う国家公務員退職手当法の適用の特別措置等に関する政令」(昭和47年政令第176号)が制定され、所要の措置が講ぜられた。この特別措置のうちには、復帰職員の退職手当の額の計算に関する特例措置が含まれるが、これは、昭和52年5月14日に当初予定された期間を経過したので、改めて見直しが行われた結果、同政令の一部を改正する政令(昭和52年政令第138号)が制定された。
　この延長措置は、琉球政府職員から国家公務員へ切り替えられた職員(以下「切替職員」という。)のうち、改正前の元南西諸島官公署職員等の身分、恩給等の特別措置に関する法律(昭和28年法律第156号)に基づき、いわゆる「通算辞退」をした職員に関するものである。これをさらに特別措置として昭和52年5月15日以降も再延長した理由としては、切替職員のうち在職期間の通算の辞退等をして退職手当の支給を受けた者に対する退職手当が他の職員との均衡を欠くため、再延長の必要があったためである。
　切替職員の退職手当の額の計算の特例措置の要点は、次のとおりである。
(ア)　通算辞退職員については、その者の退職手当法による退職手当の額が、琉球政府職員としての在職期間について琉球政府公務員の退職手当に関する立法に規定する支給割合に相当する支給割合により算出した額と、復帰日以後の職員としての在職期間について退職手当法に規定する支給割合により算出した額との合計額(60月分を限度とする。)に達しないときは、当分の間、その合計額をもってその者の退職手当の額とすること。
(イ)　切替職員のうち、退職手当法による退職手当の支給を受けて琉球政府職員を退職し、3日以内に再び琉球政府職員となった者については、当分の間、(ア)の職員と同様の方法により退職手当の額を支給すること。

○沖縄の復帰に伴う国家公務員退職手当法の適用の特別措置等に関する政令(昭和47年政令第176号)(抄)
第5条　第2条第4項に規定する者が退職した場合におけるその者に対する退職手当の額

が、第1号及び第2号に掲げる額の合計額（その額が俸給月額に60を乗じて得た額を超えるときは、その乗じて得た額）に達しないときは、退職手当法第2条の4から第6条の5まで、国家公務員等退職手当暫定措置法の一部を改正する法律（昭和34年法律第164号）附則第3項、国家公務員等退職手当法の一部を改正する法律（昭和48年法律第30号）附則第5項から第8項まで、国家公務員退職手当法等の一部を改正する法律（平成15年法律第62号）附則第4項及び国家公務員退職手当法の一部を改正する法律（平成17年法律第115号）附則第3条から第6条までの規定にかかわらず、当分の間、当該合計額をもつてその者の退職手当の額とする。
一　退職の日におけるその者の俸給月額に、別表上欄に掲げる退職区分に応じ、第2条第4項の規定を適用しないものとした場合の職員としての在職期間とみなされる琉球諸島民政府職員としての在職期間（1年未満の端数があるときは、その端数を切り捨てる。）を同表下欄のように区分して、当該区分に対応する同欄の割合を乗じて得た額の合計額からその者が改正前の特別措置法第5条第1項又は第10条第2項の規定により受けた退職手当のうち昭和21年1月29日前の在職期間に係る額を控除して得た額（琉球政府公務員の退職手当に関する立法（1956年立法第3号）第2条第2項ただし書に規定する差額を受けている者にあつては、当該差額を加えて得た額）を控除して得た額
二　退職の日におけるその者の俸給月額に、イに掲げる割合からロに掲げる割合を控除した割合を乗じて得た額
　　イ　その者が昭和21年1月29日以後の職員としての勤続期間について退職手当法の規定により計算した額の退職手当の支給を受けるものとした場合における当該退職手当の額の当該俸給月額に対する割合
　　ロ　その者が昭和21年1月29日以後施行日の前日までの職員としての勤続期間についてイの退職手当法の規定と同一の規定により計算した額の退職手当の支給を受けるものとした場合における当該退職手当の額の当該俸給月額に対する割合
2　切替職員のうち、施行日前に琉球諸島民政府職員を退職し、改正前の特別措置法第5条第1項又は第10条第2項の規定により退職手当の支給を受けた者で、当該退職の日から3日以内に再び琉球諸島民政府職員となつたものが退職した場合におけるその者に対する退職手当については、前項の規定を準用する。この場合において、同項第1号中「第2条第4項の規定を適用しないものとした場合」とあるのは、「琉球諸島民政府職員としての先の在職期間と後の在職期間とが引き続くものとした場合」と読み替えるものとする。

第21章　競争の導入による公共サービスの改革に関する法律

　国の行政機関等又は地方公共団体が自ら実施する公共サービスに関し、その実施を民間が担うことができるものは民間にゆだねるとの観点から、これを見直し、民間事業者の創意と工夫が反映されることが期待される一体の業務を選定して官民競争入札又は民間競争入札に付することにより、公共サービスの質の維持向上及び経費の削減を図る改革を実施するため、その基本理念、公共サービス改革基本方針の策定、官民競争入札及び民間競争入札の手続、落札した民間事業者が公共サービスを実施するために必要な措置、官民競争入札等監理委員会の設置その他必要な事項について定めた「競争の導入による公共サービスの改革に関する法律」（平成18年法律第51号）が平成18年の行政改革関連法の１つとして制定された。

　この場合、官民競争入札等で落札した民間事業者には、業務遂行の方法について様々な創意工夫を行うことが期待されており、その一環として、落札事業を実施する期間中、従前公務員として公共サービスの実施に従事してきた者を雇用して当該事業に従事してもらうことを希望する場合等も考えられる。

　国にとっても、これに応じることには、①良質な公共サービスをより低いコストで提供するとの同法の趣旨に資すること、及び②公務への復帰後に民間における経験を公務にフィードバックが期待できること等の観点から、有益と考えられる。

　こうした観点から、同法第31条において、民間事業者がそれまで当該公共サービスの実施に従事していた公務員の受入れを希望する場合において、本人の同意を前提とし、公務員を退職して落札企業に一定期間雇用され公共サービスの実施に従事することを円滑化する仕組みが設けられた。

　具体的には、公務員を退職して官民競争入札等の落札企業に雇用され公共サービスに従事した後、再び国家公務員として採用された場合において、退職手当の額の算定の基礎となる在職期間について、先の公務員としての期間と後の公務員であった期間を通算することなどの退職手当の算定に係る特例が規定されている。

○**競争の導入による公共サービスの改革に関する法律**（平成18年法律第51号）（抄）
　（国家公務員退職手当法の特例）
第31条　国家公務員退職手当法（昭和28年法律第182号）第２条第１項に規定する職員

(以下この項において「職員」という。)のうち、国の行政機関等の長等が第20条第1項の契約を締結した日の翌日から当該契約に係る対象公共サービスの第9条第2項第2号に規定する実施期間又は第14条第2項第2号に規定する実施期間(以下この項において「実施期間」という。)の初日以後1年を経過する日までの期間内に、任命権者又はその委任を受けた者の要請に応じ、引き続いて当該対象公共サービスを実施する公共サービス実施民間事業者に使用される者(当該対象公共サービスに係る業務に従事するものに限る。以下この項において「対象公共サービス従事者」という。)となるための退職(同法第4条第1項又は第5条第1項の規定に該当する退職に限る。次項において「特定退職」という。)[(1)]をし、かつ、引き続き対象公共サービス従事者として在職した後引き続いて実施期間の末日の翌日までに再び職員となった[(2)]者(以下この条において「再任用職員」という。)が退職した場合におけるその者に対する同法第2条の4の規定による退職手当に係る同法第7条第1項の規定による在職期間の計算[(3)]については、先の職員としての在職期間は、後の職員としての在職期間に引き続いたものとみなす。
2 再任用職員が退職した場合におけるその者に対する国家公務員退職手当法第2条の4の規定による退職手当の額の計算の基礎となる同法第5条の2第2項に規定する基礎在職期間(以下この項において「基礎在職期間」という。)には、同条第2項の規定にかかわらず、特定退職に係る退職手当(以下この条において「先の退職手当」という。)の額の計算の基礎となった基礎在職期間を含むものとする。
3 再任用職員が退職した場合におけるその者に対する国家公務員退職手当法第2条の4の規定による退職手当の額は、第1号に規定する法律の規定にかかわらず、政令で定めるところにより、同号に掲げる額から第2号に掲げる額を控除して得た額とする。ただし、その額が第3号に掲げる額より少ないときは、同号に掲げる額とする。
　一 国家公務員退職手当法第2条の4から第6条の4まで並びに附則第6項から第8項まで及び第11項、国家公務員等退職手当法の一部を改正する法律(昭和48年法律第30号)附則第5項から第7項まで、国家公務員退職手当法等の一部を改正する法律(平成15年法律第62号)附則第4項並びに国家公務員退職手当法の一部を改正する法律(平成17年法律第115号)附則第3条、第5条及び第6条の規定により計算した額
　二 再任用職員が支給を受けた先の退職手当の額と当該先の退職手当の支給を受けた日の翌日から退職した日の前日までの期間に係る利息に相当する額を合計した額
　三 前2項の規定を適用しないで第1号に規定する法律の規定により計算した額
4 前3項の規定は、再任用職員の退職前に、先の退職手当に関し、国家公務員退職手当法第14条第1項の規定による処分(先の退職手当の全部を支給しないこととするものに限る。)又は同法第15条第1項の規定による処分(先の退職手当の全部の返納を命ずるものに限る。)が行われたときは、適用しない。
5 再任用職員が退職し、まだ当該退職に係る退職手当(その額を第3項本文の規定により計算するものに限る。次項及び第7項において同じ。)の額が支払われていない場合において、先の退職手当に関し国家公務員退職手当法第13条第1項から第3項までの規定による処分が行われたときは、当該退職に係る同法第11条第2号に規定する退職手当管理機関(次項及び第7項において単に「退職手当管理機関」という。)は、当該処分を受けている者に対し、これらの規定による場合に準じて、第3項本文の規定により計算した額から同項第3号に掲げる額を控除して得た額(以下この条において「特例加算額」という。)の支払を差し止める処分を行うものとする。この場合において、先の退職手当に関し同法第13条第1項から第3項までの規定による処分が取り消されたときは、

当該特例加算額の支払を差し止める処分も取り消すものとする。
6 再任用職員の退職前に、先の退職手当に関し、国家公務員退職手当法第14条第1項の規定による処分（先の退職手当の全部を支給しないこととするものを除く。）若しくは同法第15条第1項の規定による処分（先の退職手当の全部の返納を命ずるものを除く。）が行われたとき、又は再任用職員が退職し、まだ当該退職に係る退職手当の額が支払われていない場合において、先の退職手当に関し同法第14条第1項若しくは第2項、第15条第1項、第16条第1項若しくは第17条第1項から第5項までの規定による処分が行われたときは、当該退職に係る退職手当管理機関は、当該処分を受けている者に対し、これらの規定による場合に準じて、特例加算額の全部又は一部を支給しないこととする処分を行うものとする。この場合において、これらの規定による処分が取り消されたときは、当該特例加算額の全部又は一部を支給しないこととする処分も取り消すものとする。
7 再任用職員が退職し、当該退職に係る退職手当の額が支払われた後において、先の退職手当に関し国家公務員退職手当法第15条第1項、第16条第1項又は第17条第1項から第5項までの規定による処分が行われたときは、当該退職に係る退職手当管理機関は、当該処分を受けている者に対し、これらの規定による場合に準じて、特例加算額の全部又は一部に相当する額の返納又は納付を命ずる処分を行うものとする。この場合において、これらの規定による処分が取り消されたときは、当該特例加算額の全部又は一部に相当する額の返納又は納付を命ずる処分も取り消すものとする。
8 国家公務員退職手当法第12条第2項及び第3項の規定は第5項及び第6項の規定による処分について、同条第2項の規定は前項の規定による処分について準用する。

　第1項は、一定要件を満たしつつ、上記のような人事運用がなされた場合、勤続期間の計算上、先の国家公務員の期間Aと後の国家公務員（再任用職員）の期間Cとを通算できることを規定したものである。なお、対象公共サービス従事者の期間Bは、当然ながら、民間事業者がその従業員に関し必要な人件費を支出すべき期間であるので、退職手当の算定対象期間とはしていない。

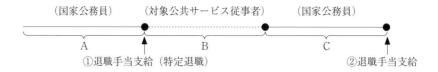

(1)　①対象公共サービス従事者となるための退職は契約日の翌日から実施期間の初日以後1年を経過する日までの期間であること、②任命権者又はその委任を受けた者の要請に応じ退職手当法第4条第1項又は第5条第1項の規定に該当する退職（特定退職）をすること、③引き続いて対象公共サービスに係る業務に従事する従業員となるため退職すること、④引き続き対象公共サービス従事者として在職していたことを特例の要件としているのは、国又

は行政執行法人側の都合により要請を受けて退職した場合であって、かつ、対象公共サービスの円滑な実施に資する退職であった場合に限定する趣旨である。

　また、任命権者又はその委任を受けた者の要請に応じ退職手当法第4条第1項又は第5条第1項の規定に該当する退職をすることとは、退職手当法施行令第3条第5号又は第4条に該当する勤続11年以上での特定退職を指している。なお、この特例は対象公共サービスの円滑な実施を支援する観点から相当な知識・経験を有する者が要請を受けて退職をする場合を対象とするものであるので、勤続10年以下の短期勤続者に適用することは想定していない。

(2)　実施期間の末日の翌日までに引き続いて再び職員となったことを特例の要件としているのは、対象公共サービスを実施する期間を超えて民間事業者の業務に従事していた場合には、競争入札とは関係なく民間事業者の固有の業務に従事していたこととなり、一般的な民間企業への再就職（転身）の場合と異なるところは少ないことから、特例の対象とはしないこととしたものである。

(3)　この特例の効果が及ぶ範囲は、退職手当法第2条の4の規定による一般の退職手当の計算に限定し、Cの期間終了後にその者が失業した場合の「失業者の退職手当」（退職手当法第10条）に関しては、Aの期間を通算する措置をしないこととした（一般的に、相当短期の勤続後の退職者で少額の退職手当が支給される者又は懲戒免職等により退職手当が不支給の者しか失業者の退職手当の対象とならないため、その支給対象となること自体が稀である。）。

　第2項の規定は、再任用職員が退職した場合、退職手当法第2条の4の規定による退職手当の額の計算の基礎となる基礎在職期間については、対象公共サービス従事者となるための退職（Aの期間の終了）に係る退職手当の額の計算の基礎となった基礎在職期間も含むこととするものである。

　なお、第1項及び本項で、Aの期間とCの期間を共にCの期間の終了に係る退職手当の支給の基礎となる勤続期間及び基礎在職期間に含むように措置しているのは、その再任用職員の退職に係る退職手当の額の計算上の措置であり、Aの期間の終了に係る退職手当はCの期間とは関係ないものであることから、退職手当法第12条から第17条までの適用については、Aの基礎在職期間とCの基礎在職期間を共に基礎在職期間に含むよう措置していない（仮にCの基礎在職期間中の行為により、再任用職員の退職に係る退職手当が懲戒免職等による不支給、退職後の起訴による不支給、支払差止対象及び返納対象になったと

しても、Aの期間の終了に係る退職手当には影響はない。なお、Aの基礎在職期間中の行為により、Aの期間の終了に係る退職手当が不支給又は返納対象になった場合については、第4項から第8項までの解説を参照されたい。)。

第3項は本条の特例による退職手当の額の計算に関する規定である。再任用職員が退職した場合、第1項の規定によりAの期間とCの期間が通算され、第2項の規定により基礎在職期間にAの期間とCの期間を含むものとされることを前提に計算された退職手当の額（第1号）から、対象公共サービス従事者となるための退職に係る退職手当とその支給日の翌日からの期間に応じた利息とを合計した額（第2号）を控除した額を、その者の退職手当とするものである。

なお、退職者によっては、この特例が適用されない方が退職手当の計算上有利となる場合もあり得る（Aの期間が相当長期である者、最終退職が自己都合であるために退職手当額があまり多くない者など）ことから、特例を設ける理由（再任用する予定の者の在職期間が引き続かないことによる退職手当の計算上の不利益を緩和する。）に鑑み、そのような場合には、この条の特例を適用しないで計算した退職手当の額（第3号）を支給することとした。

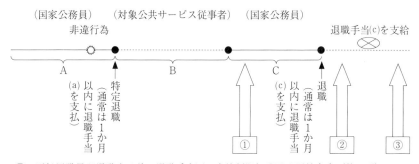

① 再任用職員が退職する前に退職手当(a)の支給制限処分又は返納命令（第4項）
② 再任用職員が退職後、退職手当(c)の支払前に退職手当(a)の支払差止処分（第5項）又は支給制限処分、返納命令若しくは納付命令（第6項）
③ 再任用職員が退職後、退職手当(c)の支給後に退職手当(a)の返納命令又は納付命令（第7項）

第4項から第8項までの規定は、Aの期間中の行為により、Aの期間の終了に係る退職手当について処分がなされた場合についての取扱いについて定めるものである。

第4項は、再任用職員の退職前において、先の退職手当に関し全額を支給制限する処分又は全額を返納させる処分が行われたときの取扱いである。この場合、再任用職員の退職に係る退職手当を算出する際に、基礎在職期間を有利に

する必要が全く無いことがわかっているため、第１項から第３項までの特例規定を適用しないこととするものである。

　第５項は、再任用職員の退職に係る退職手当の支払前において、先の退職手当に関し支払差止処分が行われたときの取扱いである。先の退職手当の取扱いが最終的に判明するまでは、特例加算額（第３項本文の規定により計算した額から同項第３号に掲げる額を控除して得た額）を支払うべきか否か確定しないために、先の退職手当に関する支払差止処分を受けている者に対し、特例加算額の支払を差し止める処分を行うこととするものである。なお、その後、先の退職手当について支給制限処分が行われた場合には、後述の第６項の規定により、特例加算額は支給しない。また、先の退職手当に関する支払差止処分が取り消されたときは、特例加算額に関する支払差止処分も取り消すものとしている。

　第６項は、再任用職員の退職前に先の退職手当に関し一部を支給制限する処分若しくは一部を返納させる処分が行われたとき、又は再任用職員の退職後、当該退職に係る退職手当の支払前において、先の退職手当に関し支給制限、返納・納付命令処分が行われたときの取扱いである。第４項の場合とは異なり、支給制限すべき額についても処分をもって決定することが必要であるため、特例加算額の一部または全部を支給しないこととする処分を行うものとする。処分に当たっては要件や考慮要素について退職手当法上の規定による処分の場合に準じて行うものである。なお、先の退職手当に関するこれらの処分が取り消された場合には、特例加算額を支給しないこととする処分も取り消すことについても、念のため規定している。

　第７項は、再任用職員の退職後、当該退職に係る退職手当の額の支払後において、先の退職手当に関する返納・納付命令処分が行われることとなったときの取扱いである。先の退職手当を返納・納付させるべきであることが確定したことで、再任用職員の退職に係る退職手当として特例加算額の全部又は一部を支払うべきではなかったことが判明したのだから、それに相当する額を返納・納付させる必要があるため、先の退職手当に関する返納・納付命令処分を受けた者に対し、特例加算額の全部又は一部に相当する額の返納・納付命令処分を行うものとしている。第６項と同様、処分に当たっては要件や考慮要素について退職手当法上の規定による処分の場合に準じて行うものとし、先の退職手当に関するこれらの処分が取り消された場合には、特例加算額についての処分も取り消すこととしている。

　第８項は、①第５項又は第６項の規定による処分を行う際には、処分を受け

るべき者に対して処分の理由を付記した書面による通知をすべきこと及び当該者の所在が不明な場合には公示送達が可能であることについて、②第7項の規定による処分を行う際には、処分を受けるべき者に対して処分の理由を付記した書面による通知をすべきことについて、国家公務員退職手当法における手続規定を準用することとしている。

　なお、先の退職手当についての処分が既になされており、そこでの審査が活用できることから、退職手当審査会への諮問までは、必要ないとしている。

第22章　国家戦略特別区域法

　国家戦略特別区域法及び構造改革特別区域法の一部を改正する法律（平成27年法律第56号）において、国家戦略特別区域法（平成25年法律第107号）が改正され、同法第19条の2に退職手当法の特例が設けられた。国家戦略特別区域創業者人材確保支援事業を定めた区域計画において指定された創業者に勤務するため公務員を退職し、引き続いて創業者に勤務した後、引き続いて再び国家公務員として採用された場合において、退職手当の額の算定の基礎となる在職期間について、先の公務員としての期間と後の公務員であった期間を通算するとなどの退職手当の算定に係る特例が規定されている。
　第21章の「競争の導入による公共サービスの改革に関する法律」の規定振りと同様であるため、ここでの解説は省略する。

○国家戦略特別区域法（平成25年法律第107号）（抄）
　　（国家公務員退職手当法の特例）
第19条の2　2　国家戦略特別区域会議が、第8条第2項第2号に規定する特定事業として、国家戦略特別区域創業者人材確保支援事業（国家戦略特別区域において、創業者（産業競争力強化法（平成25年法律第98号）第2条第29項第2号、第4号及び第6号に掲げる者をいう。以下この条及び第36条の3第1項において同じ。）が行う事業の実施に必要な人材であって、国の行政機関の職員としての経験を有するものの確保を支援する事業をいう。次項及び別表の7の2の項において同じ。）を定めた区域計画について、内閣総理大臣の認定を申請し、その認定を受けたときは、当該認定の日以後は、国家公務員退職手当法（昭和28年法律第182号）第2条第1項に規定する職員（国の行政機関の職員に限る。以下この項において単に「職員」という。）のうち、内閣官房令で定めるところにより、引き続いて創業者（当該区域計画に定められた次項の創業者に限る。）に使用される者（以下この項において「特定被使用者」という。）となるための退職（同法第7条第1項に規定する退職手当の算定の基礎となる勤続期間が3年以上である職員の退職に限り、当該退職が同法第11条第1号に規定する懲戒免職等処分を受けた職員の退職又は国家公務員法（昭和22年法律第120号）第76条の規定による失職若しくはこれに準ずる退職に該当する場合を除く。第3項において「特定退職」という。）をし、かつ、引き続き特定被使用者となった者であって、引き続き特定被使用者として在職した後特定被使用者となった日から起算して3年を経過した日までに再び職員となったもの（特定被使用者として在職した後引き続いて職員となった者及びこれに準ずる者として内閣官房令で定める者に限る。以下この条において「再任用職員」という。）が退職した場合におけるその者に対する国家公務員退職手当法第2条の4の規定による退職手当に係る同法第7条第1項の規定による在職期間の計算については、先の職員としての在職期間は、後の職員としての在職期間に引き続いたものとみなす。
2　前項の区域計画には、第8条第2項第4号に掲げる事項として、国家戦略特別区域創業者人材確保支援事業に係る創業者を定めるものとする。

3 再任用職員が退職した場合におけるその者に対する国家公務員退職手当法第2条の4の規定による退職手当の額の計算の基礎となる同法第5条の2第2項に規定する基礎在職期間（以下この項において単に「基礎在職期間」という。）には、同条第2項の規定にかかわらず、特定退職に係る退職手当（以下この条において「先の退職手当」という。）の額の計算の基礎となった基礎在職期間を含むものとする。

4 再任用職員が退職した場合におけるその者に対する国家公務員退職手当法第2条の4の規定による退職手当の額は、第1号に規定する法律の規定にかかわらず、政令で定めるところにより、同号に掲げる額から第2号に掲げる額を控除して得た額とする。ただし、その額が第3号に掲げる額より少ないときは、同号に掲げる額とする。
　一　国家公務員退職手当法第2条の4から第6条の4まで並びに附則第6項から第8項まで及び第11項、国家公務員等退職手当法の一部を改正する法律（昭和48年法律第30号）附則第5項から第7項まで、国家公務員退職手当法等の一部を改正する法律（平成15年法律第62号）附則第4項並びに国家公務員退職手当法の一部を改正する法律（平成17年法律第115号）附則第3条、第5条及び第6条の規定により計算した額
　二　再任用職員が支給を受けた先の退職手当の額と当該先の退職手当の支給を受けた日の翌日から退職した日の前日までの期間に係る利息に相当する額を合計した額
　三　前3項の規定を適用しないで第1号に規定する法律の規定により計算した額

5 前各項の規定は、再任用職員の退職前に、先の退職手当に関し、国家公務員退職手当法第14条第1項の規定による処分（先の退職手当の全部を支給しないこととするものに限る。）又は同法第15条第1項の規定による処分（先の退職手当の全部の返納を命ずるものに限る。）が行われたときは、適用しない。

6 再任用職員が退職し、まだ当該退職に係る退職手当（その額を第4項本文の規定により計算するものに限る。次項及び第8項において同じ。）の額が支払われていない場合において、先の退職手当に関し国家公務員退職手当法第13条第1項から第3項までの規定による処分が行われたときは、当該退職に係る同法第11条第2号に規定する退職手当管理機関（次項及び第8項において単に「退職手当管理機関」という。）は、当該処分を受けている者に対し、これらの規定による処分の場合に準じて、第4項本文の規定により計算した額から同項第3号に掲げる額を控除して得た額（以下この条において「特例加算額」という。）の支払を差し止める処分を行うものとする。この場合において、先の退職手当に関し同法第13条第1項から第3項までの規定による処分が取り消されたときは、当該特例加算額の支払を差し止める処分も取り消すものとする。

7 再任用職員の退職前に、先の退職手当に関し、国家公務員退職手当法第14条第1項の規定による処分（先の退職手当の全部を支給しないこととするものを除く。）若しくは同法第15条第1項の規定による処分（先の退職手当の全部の返納を命ずるものを除く。）が行われたとき、又は再任用職員が退職し、まだ当該退職に係る退職手当の額が支払われていない場合において、先の退職手当に関し同法第14条第1項若しくは第2項、第15条第1項、第16条第1項若しくは第17条第1項から第5項までの規定による処分が行われたときは、当該退職に係る退職手当管理機関は、当該処分を受けている者に対し、これらの規定による処分の場合に準じて、特例加算額の全部又は一部を支給しないこととする処分を行うものとする。この場合において、これらの規定による処分が取り消されたときは、当該特例加算額の全部又は一部を支給しないこととする処分も取り消すものとする。

8 再任用職員が退職し、当該退職に係る退職手当の額が支払われた後において、先の退

職手当に関し国家公務員退職手当法第15条第 1 項、第16条第 1 項又は第17条第 1 項から第 5 項までの規定による処分が行われたときは、当該退職に係る退職手当管理機関は、当該処分を受けている者に対し、これらの規定による処分の場合に準じて、特例加算額の全部又は一部に相当する額の返納又は納付を命ずる処分を行うものとする。この場合において、これらの規定による処分が取り消されたときは、当該特例加算額の全部又は一部に相当する額の返納又は納付を命ずる処分も取り消すものとする。

9　国家公務員退職手当法第12条第 2 項及び第 3 項の規定は第 6 項及び第 7 項の規定による処分について、同条第 2 項の規定は前項の規定による処分について、それぞれ準用する。

第4編 関係事項

第1章　退職手当と端数計算

　退職手当の規定によって計算した退職手当の額に端数を生じた場合には、「国等の債権債務等の金額の端数計算に関する法律」（昭和25年法律第61号）の規定に基づいて端数を整理することとなる。すなわち、同法第2条の規定により、1円未満の端数があるときはその端数金額を切り捨てるものとする。

　○国等の債権債務等の金額の端数計算に関する法律（抄）
　　（通則）
　第1条　国、沖縄振興開発金融公庫、地方公共団体及び政令で指定する公共組合（以下「国及び公庫等」という。）の債権若しくは債務の金額又は国の組織相互間の受払金等についての端数計算は、この法律の定めるところによる。
　2　他の法令中の端数計算に関する規定がこの法律の規定に矛盾し、又はてい触する場合には、この法律の規定が優先する。
　　（国等の債権又は債務の金額の端数計算）
　第2条　国及び公庫等の債権で金銭の給付を目的とするもの（以下「債権」という。）又は国及び公庫等の債務で金銭の給付を目的とするもの（以下「債務」という。）の確定金額に1円未満の端数があるときは、その端数金額を切り捨てるものとする。
　2　国及び公庫等の債権の確定金額の全額が1円未満であるときは、その全額を切り捨てるものとし、国及び公庫等の債務の確定金額の全額が1円未満であるときは、その全額を1円として計算する。
　3　国及び公庫等の相互の間における債権又は債務の確定金額の全額が1円未満であるときは、前項の規定にかかわらず、その全額を切り捨てるものとする。

第2章　退職手当と時効

　国家公務員の退職手当は、職員が退職した場合、一定の支給制限事由に該当しない限り一律に支給されるものであり、国が支払義務を負う金銭債務であるとともに、退職者が権利として請求し得る金銭給付でもある。したがって、退職（死亡による退職を含む。）後5年間、上記の請求権を行使しない場合には「会計法」（昭和22年法律第35号）第30条の規定により、時効により消滅する。この場合、会計法第31条の規定により、その時効による消滅は絶対的消滅時効として、時効の援用を必要とせず、また、時効の利益を放棄することもできず、5年間の期間の経過により自動的に権利は消滅することとなる。

　〇会　計　法（抄）
　第30条　金銭の給付を目的とする国の権利で、時効に関し他の法律に規定がないものは、これを行使することができる時から5年間行使しないときは、時効によつて消滅する。国に対する権利で、金銭の給付を目的とするものについても、また同様とする。
　第31条　金銭の給付を目的とする国の権利の時効による消滅については、別段の規定がないときは、時効の援用を要せず、また、その利益を放棄することができないものとする。国に対する権利で、金銭の給付を目的とするものについても、また同様とする。
　②　金銭の給付を目的とする国の権利について、消滅時効の完成猶予、更新その他の事項（前項に規定する事項を除く。）に関し、適用すべき他の法律の規定がないときは、民法の規定を準用する。国に対する権利で、金銭の給付を目的とするものについても、また同様とする。

　反対に、受給権者が退職手当の受領を拒絶したような場合、退職手当を放棄する意思が明確に確認されない限りは、国としては、これを供託するのが適当であろう。

第3章　退職手当と会計法上の取扱い

　退職手当は退職手当の予算科目から支出される。ただし、公共職業安定所から支給される失業者の退職手当については、厚生労働省所管の政府職員等失業者退職手当の目から支出される。
　なお、退職手当について、予備費を使用しようとする場合は、昭和29年4月16日の閣議決定により、「財政法」（昭和22年法律第34号）第35条第3項ただし書の規定に基づく「財務大臣の指定する経費」として、閣議を経ることなく財務大臣がこれに関する予備費使用書を決定することができる。

〇財　政　法（抄）
第35条　予備費は、財務大臣が、これを管理する。
② 　各省各庁の長は、予備費の使用を必要と認めるときは、理由、金額及び積算の基礎を明らかにした調書を作製し、これを財務大臣に送付しなければならない。
③ 　財務大臣は、前項の要求を調査し、これに所要の調整を加えて予備費使用書を作製し、閣議の決定を求めなければならない。但し、予め閣議の決定を経て財務大臣の指定する経費については、閣議を経ることを必要とせず、財務大臣が予備費使用書を決定することができる。
④・⑤　略

〇予備費の使用について（昭和29年4月16日閣議決定）（抄）
1 　財政法第35条第3項但書の規定に基づき、財務大臣の指定する経費は別表のとおりとする。
2 　以下略
別表
　1～4　略
　5　退職手当
　6～33　略
　34　政府職員等失業者退職手当

　また、退職手当については、「予算決算及び会計令臨時特例」（昭和21年勅令第558号）第1条の規定により、その資金の前渡をすることができることとなっている。

〇予算決算及び会計令臨時特例（抄）
第1条　各省各庁の長（財政法（昭和22年法律第34号）第20条第2項に規定する各省各庁の長をいう。以下同じ。）は、当分の間、会計法（昭和22年法律第35号。以下「法」という。）第17条の規定により、次に掲げる経費について、主任の職員に現金支払いをさせるため、その資金を当該職員に前渡することができる。

一・二　略
　三　国家公務員退職手当法（昭和28年法律第182号）の規定による退職手当
　四～八　略
② 　略
③ 　令第52条第1項の規定は、第1項の規定により資金を前渡する場合について準用する。
第1条の2 　各省各庁の長は、前条第1項第3号に掲げる退職手当の支払をなさしめるため、出納官吏をしてその保管に係る前渡の資金を繰り替え使用せしめることができる。
② 　前項の規定による前渡の資金の繰替使用に関する手続は、各省各庁の長が、財務大臣に協議してこれを定める。

　最後に、失業者の退職手当については、各特別会計から一般会計にその負担すべき金額を繰り入れるべきことが法律で定められている。

〇退職職員に支給する退職手当支給の財源に充てるための特別会計からする一般会計への繰入れに関する法律（昭和25年法律第62号）（抄）
　（各特別会計からの繰入れ）
第1条　政府は、その退職した職員で失業しているものに対し国家公務員退職手当法（昭和28年法律第182号）第10条に規定する差額に相当する退職手当の支給に要する費用の財源に充てるため、外国為替資金特別会計、国債整理基金特別会計、財政投融資特別会計、地震再保険特別会計、エネルギー対策特別会計、年金特別会計、食料安定供給特別会計、特許特別会計、労働保険特別会計及び自動車安全特別会計（以下「各特別会計」という。）から、当該各特別会計の負担すべき金額を、予算の定めるところにより、一般会計に繰り入れなければならない。
　（一般会計の受入金の過不足額の調整）
第2条　一般会計において前条の規定により各特別会計から受け入れた金額が、当該年度における各特別会計の負担すべき金額を超過し、又は不足する場合においては、当該超過額に相当する金額は、翌年度において同条の規定により各特別会計から受け入れる金額から減額し、なお余りがあるときは翌々年度までに各特別会計に返還し、当該不足額は、翌々年度までに各特別会計から補てんするものとする。
　（繰入れの方法）
第3条　第1条の規定による繰入れの方法について必要な事項は、政令で定める。

第4章　退職手当と差押え等

(1) 恩給法による恩給、国家公務員共済組合法による長期給付等については、その譲渡、担保、差押え等は、これらの法律の規定によって、禁止又は制限されている。しかし、現行の退職手当については、この種の規定はないが、法第2条の3においていわゆる直接払等に関する規定があるので、譲渡したり、担保に供することは事実上制限される。

○恩　給　法（抄）
第11条　恩給ヲ受クルノ権利ハ之ヲ譲渡シ又ハ担保ニ供スルコトヲ得ス但シ株式会社日本政策金融公庫及別ニ法律ヲ以テ定ムル金融機関ニ担保ニ供スルハ此ノ限ニ在ラズ
② 　前項ノ規定ニ違反シタルトキハ裁定庁ハ支給庁ニ通知シ恩給ノ支給ヲ差止ムヘシ
③ 　恩給ヲ受クルノ権利ハ之ヲ差押フルコトヲ得ス但シ普通恩給（増加恩給ト併給スルモノヲ除ク）及一時恩給ヲ受クルノ権利ニ付テハ滞納処分ニ依ル場合ハ此ノ限ニ在ラス

○国家公務員共済組合法（抄）
　（給付を受ける権利の保護）
第48条　この法律に基づく給付を受ける権利は、譲り渡し、担保に供し、又は差し押さえることができない。ただし、退職年金若しくは公務遺族年金又は休業手当金を受ける権利を国税滞納処分（その例による処分を含む。）により差し押さえる場合は、この限りでない。

(2) 「民事執行法」（昭和54年法律第4号）第152条は、差押禁止の金銭債権の種類、程度を規定しているが、退職手当、慰労金等の類については、その4分の3に相当する部分は差し押さえてはならないとされている。

○民事執行法（抄）
　（差押禁止債権）
第152条　次に掲げる債権については、その支払期に受けるべき給付の4分の3に相当する部分（その額が標準的な世帯の必要生計費を勘案して政令で定める額を超えるときは、政令で定める額に相当する部分）は、差し押さえてはならない。
　一　債務者が国及び地方公共団体以外の者から生計を維持するために支給を受ける継続的給付に係る債権
　二　給料、賃金、俸給、退職年金及び賞与並びにこれらの性質を有する給与に係る債権
　2　退職手当及びその性質を有する給与に係る債権については、その給付の4分の3に相当する部分は、差し押さえてはならない。
　3　略

(3) 国税の徴収は、「国税徴収法」（昭和34年法律第147号）第8条の規定により、

「すべての公課その他の債権に先だつて」これを行うものとされるが、同法第76条第4項の規定により、退職手当の一定部分の金額の差押えは、禁止されている。

〇国税徴収法（抄）
（給与の差押禁止）
第76条 給料、賃金、俸給、歳費、退職年金及びこれらの性質を有する給与に係る債権（以下「給料等」という。）については、次に掲げる金額の合計額に達するまでの部分の金額は、差し押えることができない。この場合において、滞納者が同一の期間につき2以上の給料等の支払を受けるときは、その合計額につき、第4号又は第5号に掲げる金額に係る限度を計算するものとする。
一　所得税法第183条（給与所得に係る源泉徴収義務）、第190条（年末調整）、第192条（年末調整に係る不足額の徴収）又は第212条（非居住者等の所得に係る源泉徴収義務）の規定によりその給料等につき徴収される所得税に相当する金額
二　地方税法第321条の3（個人の市町村民税の特別徴収）その他の規定によりその給料等につき特別徴収の方法によつて徴収される道府県民税及び市町村民税に相当する金額
三　健康保険法（大正11年法律第70号）第167条第1項（報酬からの保険料の控除）その他の法令の規定によりその給料等から控除される社会保険料（所得税法第74条第2項（社会保険料控除）に規定する社会保険料をいう。）に相当する金額
四　滞納者（その者と生計を一にする親族を含む。）に対し、これらの者が所得を有しないものとして、生活保護法（昭和25年法律第144号）第12条（生活扶助）に規定する生活扶助の給付を行うこととした場合におけるその扶助の基準となる金額で給料等の支給の基礎となつた期間に応ずるものを勘案して政令で定める金額
五　その給料等の金額から前各号に掲げる金額の合計額を控除した金額の100分の20に相当する金額（その金額が前号に掲げる金額の2倍に相当する金額をこえるときは、当該金額）
2・3　略
4　退職手当及びその性質を有する給与に係る債権（以下「退職手当等」という。）については、次に掲げる金額の合計額に達するまでの部分の金額は、差し押えることができない。
一　所得税法第199条（退職所得に係る源泉徴収義務）又は第212条の規定によりその退職手当等につき徴収される所得税に相当する金額
二　第1項第2号及び第3号中「給料等」とあるのを「退職手当等」として、これらの規定を適用して算定した金額
三　第1項第4号に掲げる金額で同号に規定する期間を1月として算定したものの3倍に相当する金額
四　退職手当等の支給の基礎となつた期間が5年をこえる場合には、そのこえる年数1年につき前号に掲げる金額の100分の20に相当する金額
5　第1項、第2項及び前項の規定は、滞納者の承諾があるときは適用しない。

(4)　国が退職者に対して有する債権を退職手当と相殺することについては、退

職手当には全額現金払いの原則があり（退職手当法第2条の3）、他の法令において明示的に退職手当と相殺又は控除できる旨が規定されていない限り、全額を現金により支払わなければならないため、国が退職手当債権を受働債権として退職者に対して有する債権を相殺することはできない。

（注）　民間法制においては、労働基準法第24条に基づき、退職手当を含む賃金について全額現金払いの原則が規定されており、退職手当を含む賃金を受働債権とする相殺禁止の趣旨を包含することとされている（関西精機事件〔最判昭31年11月2日／労働者の任務懈怠を理由とする損害賠償債権による相殺を禁止〕、日本勧業経済会事件〔最判昭36年5月31日／労働者の背任行為に対する損害賠償債権による相殺を禁止〕）。

　　　退職手当法第2条の2〔現　第2条の3〕は、小倉電話局事件〔最判昭43年3月12日〕において、国家公務員の退職手当についても労働基準法第24条の規定が適用ないし準用されるものと解するのが適当との判断がなされたことを受け、昭和60年改正において明文化されたものであるため、国家公務員の退職手当についても、これを受働債権とする相殺禁止の趣旨が妥当するところである。

付　　録

≪目　次≫

第 1　国家公務員退職手当支給率早見表 ……………………………………… 573
第 2　国家公務員退職手当制度の変遷 …………………………………………… 574
第 3　公庫等への出向歴を有する者の退職手当の計算方式の変遷 …………… 585
第 4　定年制度施行関連退職手当の取扱い ……………………………………… 587
第 5　支給制限・返納等の対象者の類型図 ……………………………………… 588
第 6　退職手当の支払と返納・納付の流れ ……………………………………… 589

第1 国家公務員退職手当支給率早見表 ※調整率を乗じた後のもの
（平成30年1月1日以降の退職）

勤続年数	法第3条 自己都合	法第3条 定年・応募認定・退職終了・公務傷病・通勤傷病等死亡（十一年未満勤務）	法第4条 定年・応募認定・退職終了・公務外傷病を除く	法第4条 定年・応募認定・退職終了・公務傷病・通勤傷病等死亡（十一年以上二十五年未満勤続）	法第5条 整理退職・公務上傷病・死亡（二号）	法第5条 定年・応募認定・退職終了・公務傷病・通勤傷病等死亡（二十五年以上勤続）
1年	0.5022	0.837	0.837		1.2555 (3.6a)	
2	1.0044	1.674	1.674		2.511 (4.5a)	
3	1.5066	2.511	2.511		3.7665 (5.4a)	
4	2.0088	3.348	3.348		5.022 (5.4a)	
5	2.511	4.185	4.185		6.2775	
6	3.0132	5.022	5.022		7.533	
7	3.5154	5.859	5.859		8.7885	
8	4.0176	6.696	6.696		10.044	
9	4.5198	7.533	7.533		11.2995	
10	5.022	8.37	8.37		12.555	
11	7.43256		9.2907	11.613375	13.93605	
12	8.16912		10.2114	12.76425	15.3171	
13	8.90568		11.1321	13.915125	16.69815	
14	9.64224		12.0528	15.066	18.0792	
15	10.3788		12.9735	16.216875	19.46025	
16	12.88143		14.3127	17.890875	20.8413	
17	14.08671		15.6519	19.564875	22.22235	
18	15.29199		16.9911	21.238875	23.6034	
19	16.49727		18.3303	22.912875	24.98445	
20	19.6695		19.6695	24.586875	26.3655	
21	21.3435		21.3435	26.260875	27.74655	
22	23.0175		23.0175	27.934875	29.1276	
23	24.6915		24.6915	29.608875	30.50865	
24	26.3655		26.3655	31.282875	31.8897	
25	28.0395		28.0395		33.27075	33.27075
26	29.3787		29.3787		34.77735	34.77735
27	30.7179		30.7179		36.28395	36.28395
28	32.0571		32.0571		37.79055	37.79055
29	33.3963		33.3963		39.29715	39.29715
30	34.7355		34.7355		40.80375	40.80375
31	35.7399		35.7399		42.31035	42.31035
32	36.7443		36.7443		43.81695	43.81695
33	37.7487		37.7487		45.32355	45.32355
34	38.7531		38.7531		46.83015	46.83015
35	39.7575		39.7575		47.709	47.709
36	40.7619		40.7619		47.709	47.709
37	41.7663		41.7663		47.709	47.709
38	42.7707		42.7707		47.709	47.709
39	43.7751		43.7751		47.709	47.709
40	44.7795		44.7795		47.709	47.709
41	45.7839		45.7839		47.709	47.709
42	46.7883		46.7883		47.709	47.709
43	47.709		47.709		47.709	47.709
44	47.709		47.709		47.709	47.709
45	47.709		47.709		47.709	47.709

(注1)　（　）内は、法第6条の5の最低保障である。
(注2)　aは、基本給月額であり、俸給及び扶養手当の月額並びにこれらに対する地域手当等（又はこれらに相当する手当）の月額合計額をいう。
(注3)　法附則第6項から第8項まで及び昭和48年法律第30号附則第5項から第7項による退職手当の基本額の調整（83.7/100）を含めた計数である。
(注4)　令和5年4月1日以降、国家公務員の定年引上げに伴い、当分の間、引上げ前の定年年齢以降非違なく退職した職員については、勤続期間を同じくする定年退職者と同様の支給率となる。

第2　国家公務員退職手当制度の変遷

公布年月日及び法律番号	概　　要	備　　考
昭和 22. 3.29　給発第475号	退官・退職手当支給準則	昭和 22. 3.29 閣議決定(退官・退職支給要綱)に基づき制定 21. 7. 1 適用
23. 3. 8　給発第208号	民法及び戸籍法の改正に伴う一部改正	23. 1. 1 適用
23. 6.16　給発第469号	政府職員の新給与実施に関する法律(昭23法律46号)に伴う一部改正と退職手当の算定基礎となる俸給月額に関する通牒を廃止する	23. 5.31 適用
24. 5.16　政令第95号	政府職員に対する退職手当の停止に関する政令の制定	24. 5.11 適用
24. 7. 8　政令第263号	政府機関職員定員法施行に伴い退職する職員に対して支給される退職手当に関する政令の制定	24. 6. 1 適用
24. 7.11　政令第264号	昭和24年度総合均衡予算の実施に伴う退職手当の臨時措置に関する政令の制定	ポツダム宣言の受諾に伴い発する命令に関する件(昭20勅令542号)に基づき制定 24. 5.11 適用
25. 4.13　政令第79号	①昭24政令264号を昭和25年度においても存続させる ②第10条の失業者の退職手当は、昭25. 4.16支給の分より公共職業安定所で支給する	上記昭20勅令542号及び行政機関職員定員法(昭24法律126号)附則第11項に基づく改正
25. 5. 4　法律第142号	①国家公務員等に対する退職手当の臨時措置に関する法律の制定 ②上記昭24年政令264号を廃止する	25. 5. 4 適用
26. 3.31　法律第109号	予算実行上の要請により退職した者で閣議で定めるものに対する退職手当の割増し措置を講ずる	
26. 6. 2　法律第192号	同　　　　上	
26.12. 6　法律第300号	同　　　　上	
27. 7.31　法律第285号	昭和27年度における行政機構の改革等に伴う国家公務員等に対する退職手当の臨時措置に関する法律の特例に関する法律の制定	
28. 8. 8　法律第182号	国家公務員等退職手当暫定措置法の制定	28. 8. 1 適用 現行法の適用日
30. 8. 5　法律第133号	①失業保険法の改正に伴い、失業者の退職手当の給付日数を勤続期間に応じて定めることとする(10条関係) ②遺族のうち父母の順位について養父母を優先する(11条関係)	30. 9. 1 施行
31. 3.23　法律第25号	※住宅金融公庫法の一部を改正する法律附則第12項による改正 住宅金融公庫の役職員を適用除外とする(2条	31. 6. 1 施行

公布年月日及び法律番号	概　　　　　要	備　　　考
	関係）	
31. 5.15 法律第105号	※日本国有鉄道法の一部を改正する法律附則第17項による改正 日本国有鉄道の役員を適用除外とする（2条関係）	31. 6.25 施行
32. 4.20 法律第74号	①日本専売公社及び日本電信電話公社の役員を適用除外とする（2条関係） ②勤続25年以上の勤続者に整理退職者と同率の退職手当額を支給する（5条関係） ③施行日に在職する者が，勤続10年以上年齢50歳以上で勧奨により退職する場合，当分の間，法第5条を適用する（一部改正法附則2項）	32. 4.20 施行
32. 6. 1 法律第154号	※一般職の職員の給与に関する法律の一部を改正する法律附則第36項による改正 ①勤務地手当の廃止に伴い，短期勤続の整理退職者等の「基本給月額」の取扱いを改める（4条関係） ②暫定手当が支給される間の所要の規定の読替え（一部改正法附則38項）	32. 4. 1 施行
33. 5. 1 法律第128号	※国家公務員共済組合法の全部を改正する法律附則第30条による改正 共済法の全面改正に伴う引用部分の改正	（注）　国家公務員共済組合法 昭23法律69号（旧） ↓ 昭33法律128号（新）
33. 5. 1 法律第130号	恩給及び旧令共済制度の廃止，新共済組合制度の発足に伴い，長期給付の規定の適用を受ける職員の退職手当の額を暫定的に引き上げる（法附則に2項を追加）	昭33法律128号の施行日から施行 非現業官吏　34.10. 1 現業職員及び非現業雇傭人　34. 1. 1
34. 5.15 法律第164号	現行法の暫定措置たる建前を改め，昭33法律130号による措置も含め，恒久制度化するため全面的な改正をした ①法律名から「暫定措置」をとる ②支給率を約25％引き上げる（3条から5条関係） ③公社職員の退職手当額を調整する（5条の2関係） ④退職手当の支給限度額を60月分とする（6条関係） ⑤死亡・傷病を公務上と公務外とに分ける（3条から5条関係） ⑥その他所要の規定改正	適用日は昭33法律130号と同じ
35. 6.28 法律第111号	①いわゆる公庫復帰方式を新設する（7条の2関係） ②失業保険法の改正に伴い，失業者の退職手当に附加給付（就職支度金及び移転費）を新設する（10条関係）	35.4.1適用

公布年月日及び法律番号	概　　　　要	備　　考
36. 6.19 法律第151号	①外地引揚者に対する勤続期間の計算の特例を新設する（附則9項関係） ②特殊退職者の退職手当の額の計算の特例（公庫復帰方式に準じた措置）を新設する（附則10項関係）	適用日 ①昭28. 8. 1 　　　　②昭36. 3. 1 （注）　政府案ではいずれも昭36. 3. 1であったが，①につき議員修正により遡及適用となった。
38. 8. 1 法律第162号	※失業保険法の一部を改正する法律附則第9条による改正 失業者の退職手当に附加給付（技能習得手当，寄宿手当及び傷病給付金）を新設する（10条関係）	38. 8. 1 施行
40. 5.18 法律第68号	※公共企業体等労働関係法の一部を改正する法律附則第8条による改正 勤続期間の計算上，組合専従期間を除算する（7条関係）	41.12.14 施行
40. 5.18 法律第69号	※国家公務員法の一部を改正する法律附則第6条による改正 勤続期間の計算上，組合専従期間を除算する（7条関係）	41.12.14 施行
42. 6.13 法律第37号	※沖縄居住者等に対する失業保険に関する特別措置法附則第5項による改正 失業者の退職手当の取扱いの特例を新設する（10条関係）	42. 7. 1 施行
42.12.22 法律第141号	※一般職の職員の給与に関する法律等の一部を改正する法律附則第19項による改正 調整手当の新設に伴い，短期勤続の整理退職者等の「基本給月額」の取扱いを改める（5条関係）	42. 8. 1 適用
44.12. 9 法律第83号	※失業保険法及び労働者災害補償保険法の一部を改正する法律附則第15条による改正 ①失業保険法上，就職支度金及び移転費を福祉施設として取り扱うこととしたことに伴い，これらに相当する給付を失業者の退職手当として支給しない ②失業者の退職手当に関する規定の整備を行う（10条関係）	45. 1. 1 適用 （注）　一部改正法附則16条による経過措置あり （昭44.12.18 　政令301号）
45.12.17 法律第125号	※国家公務員災害補償法等の一部を改正する法律第3条による改正 勤続期間の計算上，公務上傷病による休職期間は除算しない（7条関係）	45.12.17 施行
46.12.31 法律第130号	※沖縄の復帰に伴う関係法令の改廃に関する法律第1条による改正 失業者の退職手当の取扱いの特例を廃止する（10条関係）	47. 5.15 施行

公布年月日及び法律番号	概要	備考
48. 5.17 法律第30号	①公務外死亡による退職手当の改善を図る（4条及び5条関係） ②公庫等出向期間を通算する（7条及び7条の2関係） ③長期勤続後勧奨等により退職した者の退職手当の額を暫定的に100分の120に調整する（一部改正法附則5項から8項関係）	48. 5.17施行 47.12. 1適用 （7条の2関係を除く） （注）政府案では昭48. 4. 1施行，昭48. 1. 1適用であったが，議員修正により上記のとおりとなった。
49.12.28 法律第117号	※雇用保険法の施行に伴う関係法律の整備等に関する法律第14条による改正 失業保険法が廃止され，雇用保険法が制定されたことに伴い，失業者の退職手当についても所要の規定の整備を行う（10条関係）	50. 4. 1 施行
56.11.20 法律第91号	①旧プラント類輸出促進臨時措置法に規定する指定機関及び通算規定のない地方公共団体の在職期間の通算の特例を新設する（附則13項から16項関係） ②長期勤続後勧奨等により退職した者の退職手当の額の調整率を100分の120から100分の110に改める（経過措置，昭57. 1. 1から117/100，昭58. 1. 1から113/100，昭59. 1. 1以降110/100）（昭48法30号附則5項及び6項関係）	①56.11.20 施行 議員修正により追加 ②57. 1. 1 施行 （注）政府案では，昭56. 4. 1 施行（昭56. 4. 1から115/100，昭57. 4. 1以降110/100）であったが，議員修正により上記のとおりとなった。
56.12.24 法律第101号	①昭和56年度に退職した職員のうちベアが据置となる職員の俸給月額の特例を新設する（附則17項関係） ②整理等による短期勤続退職者の扶養手当の月額の特例を新設する（附則18項関係）	①56.12.24 施行
58.12. 3 法律第82号	※国家公務員及び公共企業体職員に係る共済組合制度の統合等を図るための国家公務員共済組合法等の一部を改正する法律第4条による改正 国家公務員及び公共企業体職員に係る共済組合制度の統合に伴い，20年以上勤続して退職した公社職員の退職手当の特例を廃止する（5条の2及び6条関係）	59. 4. 1 施行
59. 7.13 法律第54号	※雇用保険法等の一部を改正する法律附則第20条による改正 ①定年退職者に係る受給期間の特例を新設する ②高年齢求職者給付金に相当する退職手当を新設する ③再就職手当に相当する退職手当を新設する ④その他所要の規定の整備を行う（10条関係）	59. 8. 1 施行
59. 8.10 法律第71号	※たばこ事業法等の施行に伴う関係法律の整備等に関する法律第4条及び第5条による改正 ①日本専売公社の民営化に伴い，同公社職員を適用対象から除外する（2条関係）	60. 4. 1 施行

公布年月日及び法律番号	概　　　　　要	備　　　　考
	②上記①に伴う規定の整備を行う	
59.12.25 法律第87号	※日本電信電話株式会社法及び電気通信事業法の施行に伴う関係法律の整備等に関する法律第5条及び第6条による改正 ①日本電信電話公社の民営化に伴い，同公社職員を適用対象から除外する（2条関係） ②上記①に伴う規定の整備を行う	60. 4. 1 施行
60. 3.30 法律第4号	退職手当制度の総合的な見直しを行い，所要の改正を行った 1　定年制度施行に伴う規定の整備 　①いわゆる常勤労務者に対し定年退職等の規定を適用できるようにする（2条関係） 　②定年に達した後勤務延長されて退職する者，定年退職後引き続いて再任用されて退職する者及び定年に達した日以後定年退職日の前日までの間にその者の非違によることなく退職する者は，定年退職者と同様に取り扱うこととする（4条及び5条関係） 　③既に定年に達していることにより60.3.31に退職する者は，定年退職者と同様に取り扱うこととする（附則19項関係） 2　退職手当支給率の改正 　①自己都合退職支給率について，勤続11年以上19年以下を20％引き下げ，勤続25年以上29年以下を約3％ないし19％引き上げる（3条及び4条関係） 　②特に長期の勤続者に係る退職手当支給率について，勤続31年以上の1年当たり支給割合を約10％引き下げる（4条及び5条関係） 3　定年前早期退職特例措置の新設 　一定年齢以上で，かつ，勤続25年以上である者が，定年前にその者の事情によらないで退職する場合，退職手当の算定の基礎となる俸給月額について特例を設ける（5条の2関係） 4　その他所要の規定の整備 　退職手当の支払に関する規定，遺族からの排除に関する規定及び退職手当の返納に関する規定を新設するほか，所要の規定の整備を行う（2条の2，11条の2，12条の2等関係）	1の①及び③については60. 3.31 施行 その他については60. 4. 1 施行
60.12.21 法律第97号	※一般の職員の給与に関する法律の一部を改正する法律附則第29項による改正 　一般職の職員の給与に関する法律の題名改正に伴う所要の規定の整備を行う	60.12.21 施行 題名等の改正については61. 1. 1 施行
61.12. 4 法律第93号	※日本国有鉄道改革法施行法第51条・第53条・第54条及び第55条による改正 ①日本国有鉄道の民営化に伴い，日本国有鉄道の	62. 4. 1 施行 一部は61.12. 4 施行

公布年月日及び法律番号	概要	備考
	職員を適用対象から除外する（2条関係） ②上記①に伴い，法律の題名を改正する等規定の整備を行う	
63.12.13 法律第91号	※行政機関の休日に関する法律附則第2条による改正 日額制職員の俸給月額の算出方法を日額の25日分から23日分に改める（3条関係）	64. 1. 1 施行
平成 元. 6.28 法律第36号	※雇用保険法及び労働保険の保険料の徴収等に関する法律の一部を改正する法律附則第6条による改正 雇用保険法の引用部分の改正（10条関係）	平成 元.10. 1 施行
3. 5. 2 法律第51号	1　通勤災害に係る退職手当の取扱い 　①支給率の取扱い 　　通勤災害による傷病退職に適用される支給率を，通勤災害による死亡退職に適用される支給率と同等の水準に引き上げる 　②休職期間の取扱い 　　勤続期間の計算上通勤災害による傷病で休職した期間は，除算しない 2　長期勤続者に対する割増措置 　昭和47年12月2日以降に採用された者に対しても，長期勤続後勧奨等の理由で退職した場合の退職手当の額の調整（100分の110）を適用する	3. 5. 2 施行 1については 3. 4. 1 適用
4. 4. 2 法律第28号	※一般職の職員の給与等に関する法律及び行政機関の休日に関する法律の一部を改正する法律附則第4項による改正 日額制職員の俸給月額の算出方法を日額の23日分から21日分に改める（3条関係）	4. 5. 1 施行
6. 6.15 法律第33号	※一般職の職員の勤務時間，休暇等に関する法律附則第12条による改正 一般職の職員の給与等に関する法律の題名改正に伴う引用部分の改正（5条関係）	6. 9. 1 施行
6. 6.29 法律第57号	※雇用保険法等の一部を改正する法律附則第27条による改正 雇用保険法の引用部分の改正（10条関係）	7. 4. 1 施行 （10条関係）
8. 6.14 法律第82号	※厚生年金保険法等の一部を改正する法律附則第133条による改正 国家公務員等共済組合法の題名改正に伴う引用部分の改正（4条関係）	9. 4. 1 施行
8.12.11 法律第112号	※一般職の職員の給与に関する法律等の一部を改正する法律附則第25条による改正 研究員調整手当の新設に伴い，短期勤続の整理退職者等の「基本給月額」の取扱いを改める（4条関係）	9. 4. 1 施行 （4条関係）

公布年月日及び法律番号	概　　　　　要	備　　　考
9. 6. 4 法律第66号	1　退職手当の支給の一時差止制度の新設 　退職した職員が退職手当の支給前に逮捕された場合等であって，その者に対し退職手当を支給することが，公務に対する国民の信頼を確保し，退職手当制度の適正かつ円滑な実施を維持する上で重大な支障を生ずると認めるときは，退職手当の支給を一時差し止めることができる 2　退職手当の支払期限を退職の日から起算して1月以内と定める	9. 7. 1 施行
9. 6.20 法律第98号	※日本電信電話株式会社法の一部を改正する法律附則第22条による改正 日本電信電話株式会社法の題名変更に伴う引用部分の改正（昭32法74号附則2項関係）	11. 7. 1 施行
11. 7. 7 法律第83号	※国家公務員法等の一部を改正する法律第5条による改正 ①新たな再任用制度の導入に伴い，同再任用制度により採用された職員を適用対象から除外する（2条関係） ②上記①に伴う規定の整備を行う	13. 4. 1 施行
11. 7.16 法律第104号	※独立行政法人通則法の施行に伴う関係法律の整備に関する法律第9条による改正 ①独立行政法人の役員を適用対象から除外する（2条関係） ②特定独立行政法人の長が，退職手当支給の一時差止め，退職手当の返納を行わせることができることとする（12条の2，12条の3関係） ③上記①，②に伴う規定の整備を行う	13. 1. 6 施行
11.12.22 法律第160号	※中央省庁等改革関係法施行法第211条による改正 ①国家公務員退職手当法の所管大臣が内閣総理大臣から総務大臣となることに伴う名称変更（10条，12条の2関係） ②雇用保険法の所管大臣が労働大臣から厚生労働大臣となることに伴う名称変更（10条関係）	13. 1. 6 施行
12. 5.12 法律第59号	※雇用保険法等の一部を改正する法律附則第17条による改正 ①雇用保険法の引用部分の改正 ②特定受給資格者の給付日数の特例を新設（10条関係）	13. 4. 1 施行
14. 7.31 法律第98号	※日本郵政公社法施行法第59条による改正 ①日本郵政公社の役員を適用対象から除外する（2条関係） ②退職手当の一時差止め及び退職手当の返納の処分権者に，日本郵政公社の総裁を加える（12条の2，12条の3関係）	15. 4. 1 施行

公布年月日及び法律番号	概要	備考
15. 4.30 法律第31号	※雇用保険法等の一部を改正する法律附則第23条による改正 就業促進手当に相当する退職手当を新設する等所要の規定の整備を行う（10条関係）	15. 5. 1 施行
15. 6. 4 法律第62号	1　長期勤続後勧奨等により退職した者の退職手当の額の調整率を100分の110から100分の104に改める（経過措置：平15.10. 1から107/100，平16.10.1以降104/100）（原始附則21，22項，昭48法30号附則5～7項） 2　定年前早期退職特例措置の改定 退職日における俸給月額に応じて特例措置を改定 一般職給与法指定職俸給表9号俸相当以上の者は適用対象外，7号俸相当以上（9号俸未満）の者は割増率を2％から1％に半減（5条の2関係） 3　独立行政法人等役員として在職した後再び職員となった者に対する退職手当の特例規定の整備 任命権者の要請に応じ，引き続いて独立行政法人等役員として在職した後引き続いて再び職員となった場合には，在職期間の通算を行う（7条の3関係）。	1 は15.10. 1 施行 2 及び3 は15. 6.15 施行
15. 7.16 法律第119号	※地方独立行政法人法附則第13条による改正 特定地方独立行政法人の公務員を地方公共団体の公務員と同様に取り扱うための規定の整備（13条関係）	16. 4. 1 施行
16.12. 1 法律第146号	※特別職の職員の給与に関する法律等の一部を改正する法律第3条による改正 審議会の常勤委員等の支給率の特例を廃止（4条関係）	17. 4. 1 施行
17.10.21 法律第102号	※郵政民営化法等の施行に伴う関係法律の整備等に関する法律第54条による改正 日本郵政公社が廃止されることに伴い，国家公務員退職手当法から「日本郵政公社」並びにその「総裁」および「役員」の文言を削除する（2条，7条の2，10条及び12条の2関係）	19.10. 1 施行
17.11. 7 法律第113号	※一般職の職員の給与に関する法律等の一部を改正する法律附則第24条による改正 調整手当の廃止及び地域手当の新設に伴い，短期勤続の整理退職者等の「基本給月額」の取扱いを改める（5条関係）	18. 4. 1 施行
17.11. 7 法律第115号	1　退職手当の算定構造の改正 退職手当の額は，退職手当の基本額に退職手当の調整額を加えて得た額とする（2条の3関係） 2　退職手当の支給率の見直し等 ①自己都合による退職等（3条関係）	18. 4. 1 施行 国営企業等は施行日から1年を超えない範囲内の政令で定める日から適用

公布年月日及び法律番号	概　　　　要	備　　　考
	・勤続25年以上の自己都合，公務外傷病による退職を4条から3条に変更 ・勤続16～24年の支給率を引上げ ・勤続6～10年の自己都合の減額率を75%から60%に，勤続16～19年の自己都合の減額率を80%から90%に改定 ②11年以上25年未満勤続後の定年退職等（4条関係） 　・勤続11年以上19年未満の通勤傷病，公務外死亡，定年・勧奨等による退職を3条から4条に変更 　・勤続16～24年の支給率を引上げ ③整理退職等の場合（5条関係） 　・勤続25年以上の勤務官署移転等による退職を4条から5条に変更 　・勤続21年～32年の支給率を微減 3　俸給月額が減額したことがある場合の退職手当の基本額に係る特例を新設する（5条の2関係） 4　退職手当の調整額の新設 　基礎在職期間の各月ごとに，当該各月にその者が属していた職員の区分（第1号区分～第11号区分）に応じて定める額のうち，その額が最も多いものから60月分を合計した額を退職手当の調整額として退職手当の基本額に加算する 5　その他 ①研究休職で一定の要件を満たすものについては，勤続期間の計算上，当該休職期間は除算しない（2分の1除算→全期間通算） ②育児休業期間のうち子が1歳に達した日の属する月までの期間については，勤続期間の計算上，当該期間の月数の3分の1を除算する（2分の1除算→3分の1除算）	
18. 3.31 法律第12号	※通勤の範囲の改定等のための国家公務員災害補償法及び地方公務員災害補償法の一部を改正する法律附則第8条による改正 国家公務員災害補償法における「通勤」の範囲の見直しに伴う引用規定の整備（4条関係）	18. 4. 1 施行
18.11.17 法律第101号	※一般職の職員の給与に関する法律等の一部を改正する法律附則第7条による改正 広域異動手当の新設に伴い，短期勤続の整理退職者等の「基本給月額」の取扱いを改める（6条の5関係）	19. 4. 1 施行
19. 4.23 法律第30号	※雇用保険法等の一部を改正する法律附則第61条及び第62条による改正 失業者の退職手当について，勤続期間12月以上（整理退職等による退職者は6月以上）を受給	19.10. 1 施行

第2 国家公務員退職手当制度の変遷 583

公布年月日及び法律番号	概　　　　　要	備　　考
	資格要件とする等所要の規定の整備を行う（10条関係）	
19. 5.25 法律第58号	※株式会社日本政策金融公庫法の施行に伴う関係法律の整備に関する法律第2条による改正 第7条の2第1項柱書に掲げる法人名を「沖縄振興開発金融公庫」に改正（7条の2関係）	20.10. 1 施行
20.12.26 法律第95号	1　「懲戒免職等処分を受けるべき行為をしたと認めたとき」を，退職後の支給制限及び返納の要件として拡大 2　非違を行った職員又は職員であった者が死亡した場合の遺族，相続人等に対する処分を新設 3　一部支給制限及び一部返納・納付制度を新設 4　退職手当・恩給審査会等への諮問などの手続を整備 5　その他，法律構成の変更等（11〜18条等関係）	21. 4. 1 施行
22. 3.31 法律第15号	※雇用保険法等の一部を改正する法律附則第7条による改正 雇用保険法の引用部分の改正（10条関係）	22. 4. 1 施行
24.11.26 法律第96号	1　退職手当の額の調整率を100分の104から100分の87に改める（経過措置：平25. 1. 1から98/100，平25.10. 1から92/100，平26. 7. 1以降87/100）（原始附則21項，22項，昭48法30号附則5〜7項） 2　早期退職募集制度の導入（8条の2関係） 　　各大臣等が，年齢，職位等を特定して早期退職募集を行い，職員が応募し認定を受けて退職した場合，官側都合による退職として退職手当を算定 3　定年前早期退職特例措置の拡充（5条の3関係） 　・適用対象年齢の下限 　　45歳（定年前15年）［従前：50歳（定年前10年）］ 　・割増内容 　　定年前1年につき3％を上限とした割増（最大45％）［従前：定年前1年につき一律2％割増（最大20％）］	1は25. 1. 1 施行 2及び3は25.11. 1 施行
26. 4.18 法律第22号	※国家公務員法等の一部を改正する法律第13条による改正 ①国家公務員退職手当法の所管大臣が総務大臣から内閣総理大臣となることに伴う名称変更（8条の2，10条，原始附則24項関係） ②退職手当・恩給審査会が退職手当審査会となることに伴う名称変更（18条，19条関係）	26. 5.30 施行
26. 6.13 法律第67号	※独立行政法人通則法の一部を改正する法律の施行に伴う関係法律の整備に関する法律第5条による改正	27. 4. 1 施行

公布年月日及び法律番号	概　　　要	備　　　考
	独立行政法人の分類変更等に伴い，特定独立行政法人を行政執行法人に改める等所要の規定の整備を行う（2条，7条，7条の2，8条の2，10条関係）	
26.11.19 法律第107号	退職手当の調整額の改正等を行った（6条の4関係） ①第1号区分から第10号区分までの調整月額を改定 ②第10号区分について，勤続期間が24年以下の退職者に対しても調整額を支給するものとする ③指定職俸給表8号俸の額に相当する額を超える者等について，退職手当の基本額に乗ずる率を100分の6から100分の8に改める	27. 4. 1 施行
28. 3.31 法律第17号	※雇用保険法等の一部を改正する法律附則第16条及び第17条による改正 65歳に達した日以後に退手法適用職員となった者が退職して一定の失業状態になった場合には高年齢求職者給付金に対応した給付を退職手当として支給（10条関係）	29. 1. 1 施行
29. 3.31 法律第14号	※雇用保険法の一部を改正する法律附則第13条及び第14条による改正 ①基本手当について新たな給付日数の延長措置（10条，原始附則25項関係） ②移転費に相当する退職手当の支給対象を追加（10条関係）	①は29. 4. 1 施行 ②は30. 1. 1 施行
29.12.15 法律第79号	退職手当の額の調整率を100分の87から100分の83.7に改める（原始附則21，26項，昭和48年法30号附則5項，平成17年法115号附則3，6条）	30. 1. 1 施行
1. 6.14 法律第37号	※成年被後見人等の権利の制限に係る措置の適正化等を図るための関係法律の整備に関する法律附則第15条による改正 改正前の国家公務員法第38条第1号（成年被後見人又は被保佐人）を支給制限の対象から除外する規定を削除（12条関係）	1. 9.14 施行
3. 6.11 法律第61号	※国家公務員法等の一部を改正する法律第3条による改正 ①定年引上げに伴い，60歳超職員の退職手当の算定に係る当分の間の措置を設ける（原始附則12項から16項まで） ②国家公務員法の改正に伴う規定の整備	5. 4. 1 施行
3. 6.11 法律第62号	※国会職員法及び国家公務員退職手当法の一部を改正する法律第2条による改正 定年引上げに伴い，60歳超国会職員の退職手当の算定に係る当分の間の措置を設ける（原始附則12項から16項まで関係）	5. 4. 1 施行

公布年月日及び法律番号	概　　　　要	備　　　考
4.3.30 法律第12号	※雇用保険法等の一部を改正する法律附則第11条による改正 ①地域延長給付の暫定措置の延長（原始附則25項関係） ②自営業主やフリーランスとして就業する者に係る基本手当の支給期間の特例を新設（10条関係） ③職業安定法の改正に伴う改正（10条関係）	①は 4.4.1 施行 ②は 4.7.1 施行 ③は 4.10.1 施行
4.6.17 法律第68号	※刑法等の一部を改正する法律の施行に伴う関係法律の整理等に関する法律第72条による改正 禁錮を拘禁刑に改める（13条から15条及び17条関係）	公布の日から3年を超えない範囲内において政令で定める日に施行予定

第3　公庫等への出向歴を有する者の退職手当の計算方式の変遷

1　期間控除方式（昭35.4.1 前の取扱い）

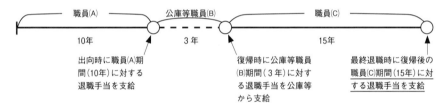

　職員(A)の期間，公庫等職員(B)の期間，職員(C)の期間ごとに，それぞれ，当該勤続期間に応じた退職手当を，公庫等への退職出向時，公庫等からの復帰時，職員としての最終退職時に支給
＜参考＞　最終退職時における退職手当の計算例
・退職日俸給月額　250,000円
・支給率　15.5（勤続15年普通退職）
・退職手当額　250,000円×15.5＝3,875,000円

2　率控除方式（昭35.4.1 以後の取扱い）

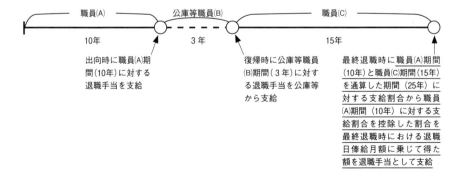

職員(A)の期間と職員(C)の期間を通算した勤続期間に対する支給割合から職員(A)の期間に対する支給割合を控除した割合に最終退職時における退職日の俸給月額を乗じて得た額の退職手当を最終退職時に支給

＜参考＞　最終退職時における退職手当の計算例
- 退職日俸給月額　250,000円
- 支給率　40.5（勤続25年（10年＋15年）勧奨退職）
　　　　　7.5（勤続10年普通退職）
- 退職手当額　250,000円×（40.5－7.5）＝8,250,000円

3　全期間通算方式＝現行方式（昭48. 5.17 以降）

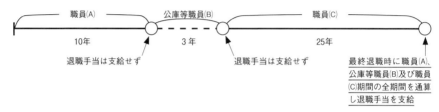

職員(A)の期間，公庫等職員(B)の期間，職員(C)の期間の全ての期間を通算し最終退職時に支給
＜参考＞　最終退職時における退職手当の計算例
- 退職日俸給月額　400,600円
- 平成27年3月31日定年退職
- 支給率　49.59（勤続38年（10年＋3年＋25年）定年退職）
- 退職手当の調整額は2,600,000円
- 退職手当額　400,600円×47.709＋2,600,000円＝21,712,225円

(額控除方式＝全期間通算方式の経過措置)

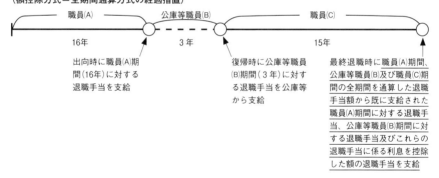

最終退職時に職員(A)，公庫等職員(B)及び職員(C)の全期間を通算した退職手当額から既に支給された職員(A)の期間に対する退職手当，公庫等職員(B)の期間に対する退職手当及びこれらの退職手当に係る利息（当該退職手当の支給を受けた日の翌日から退職した日の前日までの期間に係る利息（年5.5％複利））を控除した額の退職手当を支給

＜参考＞　最終退職時における退職手当の計算例
- 公庫等出向時（職員(A)の期間）の退職手当　165,000円
- 職員に復帰時（公庫等職員(B)の期間）の退職手当　93,000円
- 最終退職日俸給月額　300,000円
- 昭和61年3月31日定年退職

- 支給率　61.05（勤続34年（16年＋3年＋15年）定年退職）
- 退職手当額
  ①最終退職時の退職手当　300,000円×61.05＝18,315,000円
  ②控除する額（既に支給を受けた退職手当の額と年5.5％複利による利息相当分）
    - 出向時　165,000円＋267,465円（18年5.5％複利）＝432,465円
    - 復帰時　93,000円＋114,576円（15年5.5％複利）＝207,576円
    - 計　　　640,041円
  ①－②　17,674,959円

第4　定年制度施行関連退職手当の取扱い

		区　分	退職手当の取扱いの考え方	適　用　条　項
1	(1)	S60.3.31 以降定年　　　　　　　定年退職日に退職　　　　　　　定年　定年退職日前に退職	定年退職として勤続年数に応じ，法第3条から第5条まで適用する　　　定年退職扱いとする	同　　左　［第4条第1項第1号及び第5条第1項第1号に明示］　第4条第2項　第5条第2項
2		S60.3.31 定年制度施行経過措置　60.3.31 一斉退職　①大14.4.1 生まれ　　…旧国公法第81条の2退職　②大14.3.31 以前生まれ　　…国公法一部改正法附則第3条退職	1(1)と同じ　　　定年退職扱いとする	同　　左　　　旧附則第19項
3		勤務延長		
	(1)	定年　A　B　期限の到来により退職	(A＋B)とし，定年退職扱いとする	第4条第1項第1号　第5条第1項第1号
	(2)	A　B　期限の到来前に退職	(A＋B)とし，定年退職扱いとする	第4条第2項　第5条第2項
4		常勤労務者の定年　　　　　　　定年退職	定年退職の規定を適用させる	第2条第2項による各条項（1(1)と同じ）
5		R.5.4.1 定年引上げに伴う当分の間の措置　引上げ前の定年　定年　非違によることなく退職	勤続期間を同じくする定年退職と同様に取扱う	附則第12項　附則第13項　運用方針第3条関係第3号ト

第5 支給制限・返納等の対象者の類型図

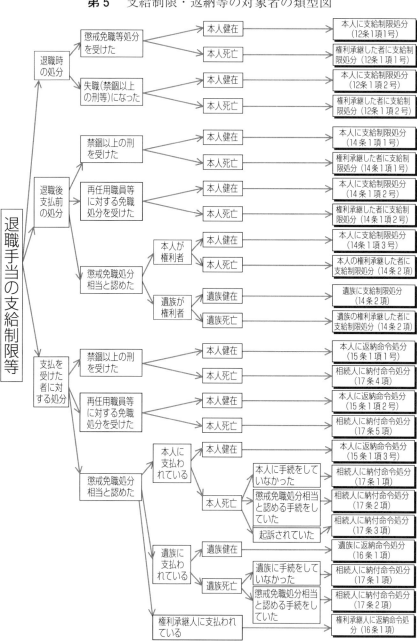

第6 退職手当の支払と返納・納付の流れ

<法第15条の場合>

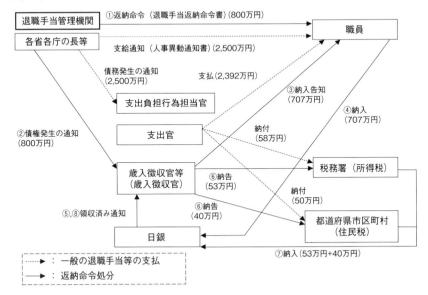

<法第16条の場合>

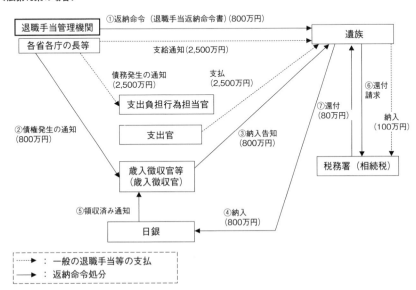

＜法第17条の場合＞

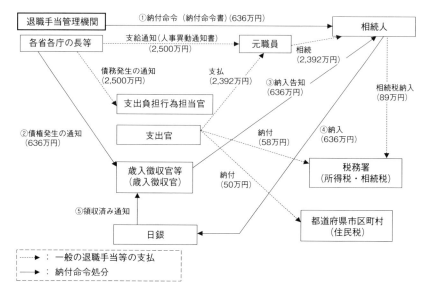

※本書の内容は、令和5年4月1日現在のものである。

公務員の
退職手当法詳解 ＜第7次改訂版＞

初　版　発　行	昭和60年11月20日
第7次改訂版発行	令和5年6月30日

編著者　退職手当制度研究会
発行者　佐久間　重　嘉

学陽書房

〒102-0072 東京都千代田区飯田橋1-9-3
（営業）電　話 03-3261-1111（代）
　　　　ＦＡＸ 03-5211-3300
（編集）電　話 03-3261-1112（代）
　　　　http://www.gakuyo.co.jp/

印刷／東光整版印刷　製本／東京美術紙工
Ⓒ2023, Printed in Japan　ISBN 978-4-313-13387-7　C2032
乱丁・落丁本については、送料小社負担にてお取り替え致します。

JCOPY ＜出版者著作権管理機構　委託出版物＞
本書の無断複製は著作権法上での例外を除き禁じられています。複製される場合は、そのつど事前に、出版者著作権管理機構（電話 03-5244-5088、FAX 03-5244-5089、e-mail: info@jcopy.or.jp）の許諾を得てください。

（一財）公務人材開発協会　Ａ５判　並製　416頁　定価　本体4730円（10％税込）
人事行政研究所　編集

諸手当質疑応答集〈第14次全訂版〉

複雑な公務員の諸手当の支給実務に際して生ずる法規上の疑問、諸問題をＱ＆Ａでわかりやすく解説。各種手当の最新改正に伴い全頁にわたって見直した最新全訂版。「諸手当支給早見表」などの便利な附録も充実。

（一財）公務人材開発協会　Ａ５判　並製　340頁　定価　本体4180円（10％税込）
人事行政研究所　編著

俸給関係質疑応答集〈第12次全訂版〉

公務員の給与実務に関して生じる疑問や問題点について、正確に処理するのに役立つよう、わかりやすく解説した質疑応答集の最新版。人事評価制度や新採用試験制度に伴う、初任給・昇格・昇給制度の改正に対応した全訂版。

旅費法令研究会　編　　Ａ５判　並製　304頁　定価　本体3850円（10％税込）

旅費法詳解〈第9次改訂版〉

多様な取扱いを要する公務員の旅費について、国家公務員等の旅費に関する法律を運用方針、先例などを取り入れ逐条解説した実務担当者必携の書。「国家公務員等の旅費に関する法律」第３条（旅費の支給）の改正、「国家公務員等の旅費支給規程」各別表（旅行命令簿、旅費請求書）の改正等諸改正に対応した最新版。

旅費法令研究会　編　　Ａ５判　並製　292頁　定価　本体3740円（10％税込）

公務員の旅費法質疑応答集〈第7次改訂版〉

旅費の取り扱いについて運用のなかで起きた約290の事例を一問一答形式で解説。「国家公務員等の旅費支給規程」各別表（旅行命令簿、旅費請求書）の改正などに伴い新規の設問を追加し、全面的に見直しを図った最新版。

━━━━━━━学陽書房━━━━━━━